LECCIONES DE CONTRATACIÓN CIVIL Y MERCANTIL

ENRIQUE RUBIO TORRANO
JUAN CARLOS SÁENZ GARCÍA DE ALBIZU

(Directores)

Mª ÁNGELES EGUSQUIZA BALMASEDA
RAFAEL LARA GONZÁLEZ

(Coordinadores)

LECCIONES DE CONTRATACIÓN CIVIL Y MERCANTIL

Autores

Mª LUISA ARCOS VIEIRA
FRANCISCO JAVIER DÍAZ BRITO
ANA DÍAZ MARTÍNEZ
Mª ÁNGELES EGUSQUIZA BALMASEDA
INMACULADA GONZÁLEZ CABRERA
NATIVIDAD GOÑI URRIZA
Mª TERESA HUALDE MANSO
RAFAEL LARA GONZÁLEZ
RAQUEL LUQUIN BERGARECHE

AURORA MARTÍNEZ FLÓREZ
FERNANDO OLEO BANET
Mª JOSÉ OTAZU SERRANO
FLORENCIO OZCÁRIZ MARCO
Mª CONCEPCIÓN PABLO-ROMERO
CARMEN PÉREZ DE ONTIVEROS
ENRIQUE RUBIO TORRANO
ELSA SABATER BAYLE
JUAN CARLOS SÁENZ GARCÍA DE ALBIZU

ARANZADI

THOMSON REUTERS

Primera edición, 2012

© 2012 [Thomson Reuters (Legal) Limited / Enrique Rubio Torrano, Juan Carlos Sáenz García de Albizu (Dirs.) y otros]
Editorial Aranzadi, SA
Camino de Galar, 15
31190 Cizur Menor (Navarra)
ISBN: 978-84-9903-070-8
Depósito Legal: NA 138/2012
Printed in Spain. Impreso en España
Fotocomposición: Editorial Aranzadi, SA
Impresión: Rodona Industria Gráfica, SL
Polígono Agustinos, Calle A, Nave D-11
31013 - Pamplona

Relación de Autores

Directores

ENRIQUE RUBIO TORRANO
Catedrático de Derecho Civil
Universidad Pública de Navarra

JUAN CARLOS SÁENZ GARCÍA DE ALBIZU
Catedrático de Derecho Mercantil
Universidad Pública de Navarra

Coordinadores

Mª ÁNGELES EGUSQUIZA BALMASEDA
Catedrática de Derecho Civil
Universidad Pública de Navarra

RAFAEL LARA GONZÁLEZ
Catedrático de Derecho Mercantil
Universidad Pública de Navarra

Autores

Mª LUISA ARCOS VIEIRA
Profesora Titular de Derecho Civil
Universidad Pública de Navarra

FRANCISCO JAVIER DÍAZ BRITO
Profesor Titular de Derecho Civil
Universidad de La Laguna

ANA DÍAZ MARTÍNEZ
Profesora Titular de Derecho Civil
Universidad de Santiago de Compostela

Mª ÁNGELES EGUSQUIZA BALMASEDA
Catedrática de Derecho Civil
Universidad Pública de Navarra

INMACULADA GONZÁLEZ CABRERA

Profesora Contratada Doctora de Derecho Mercantil
Universidad de Las Palmas de Gran Canaria

NATIVIDAD GOÑI URRIZA

Profesora Titular de Derecho Internacional Privado
Universidad Pública de Navarra

Mª TERESA HUALDE MANSO

Profesora Titular de Derecho Civil
Universidad Pública de Navarra

RAFAEL LARA GONZÁLEZ

Catedrático de Derecho Mercantil
Universidad Pública de Navarra

RAQUEL LUQUIN BERGARECHE

Profesora Ayudante Doctora de Derecho Civil
Universidad Pública de Navarra

AURORA MARTÍNEZ FLÓREZ

Profesora Titular de Derecho Mercantil
Universidad Autónoma de Madrid

FERNANDO OLEO BANET

Catedrático de Derecho Mercantil
Universidad de La Laguna

Mª JOSÉ OTAZU SERRANO

Profesora Asociada de Derecho Mercantil
Universidad Pública de Navarra

FLORENCIO OZCÁRIZ MARCO

Profesor Asociado de Derecho Civil
Universidad Pública de Navarra

Mª CONCEPCIÓN PABLO-ROMERO

Profesora Titular de Derecho Mercantil
Universidad Pública de Navarra

CARMEN PÉREZ DE ONTIVEROS

Catedrática de Derecho Civil
Universidad de Las Palmas de Gran Canaria

ENRIQUE RUBIO TORRANO

Catedrático de Derecho Civil
Universidad Pública de Navarra

ELSA SABATER BAYLE
Profesora Titular de Derecho Civil
Universidad Pública de Navarra

JUAN CARLOS SÁENZ GARCÍA DE ALBIZU
Catedrático de Derecho Mercantil
Universidad Pública de Navarra

Sumario

11

LECCIÓN 4

COMPRAVENTAS ESPECIALES Y COMPRAVENTA INTERNACIONAL.
por *Mª Concepción Pablo-Romero/Natividad Goñi Urriza*

19

LECCIÓN 8
LOS CONTRATOS DE PRÉSTAMO Y DEPÓSITO.................................... 259
por *Carmen Pérez de Ontiveros*

AIAF	=	Asociación de Intermediarios en Activos Financieros
ARD	=	Acuerdo Europeo sobre Transporte de Mercancías Peligrosas por Carretera
art. (arts.)	=	artículo(s)
AV	=	Agencias de Valores
BE	=	Banco de España
BIMCO	=	Baltic and International Maritime Council (Conferencia Marítima Europeos. Internacional del Báltico)
BME	=	Bolsas y Mercados Españoles
BOE	=	Boletín Oficial del Estado
cap.	=	capítulo
CC	=	Código Civil
CC AA	=	Comunidades Autónomas
CCom	=	Código de Comercio
CDC	=	Código Civil de Cataluña
CE	=	Constitución Española/Comunidad Europea
CEE	=	Comunidad Económica Europea
cfr.	=	Confróntese
CIF	=	Código de Identificación Fiscal/Cost, Insurance and Freight (Costo, Seguro y Flete)
CIM	=	Contrato de Transporte Internacional de Mercancías por Ferrocarril
CIV	=	Contrato de Transporte Internacional de Viajeros y Equipajes por Ferrocarril
CMR	=	Convection Relative au Contrat de Transport International de Marchandises par Route (Convenio de Transporte Internacional de Mercancías por Carretera)
CNMV	=	Comisión Nacional del Mercado de Valores
COTIF	=	Convenio Internacional relativo a los Transportes Internacionales por Ferrocarril
CP	=	Código Penal
DCFR	=	Draft Common Frame of Reference

DGRN	=	Dirección General de los Registros y del Notariado
disp. adic.	=	Disposición adicional
disp. transit.	=	Disposición transitoria
EAFI	=	Empresas de Asesoramiento Financiero
ET	=	Estatuto de los Trabajadores
ETFs	=	Exchange Traded Funds (Fondos de Inversión Cotizados)
Exp. Motivos	=	Exposición de Motivos
FIATA	=	Federación Internacional de Asociaciones de Transportistas Aéreos
FN	=	Fuero Nuevo
FOB	=	Free On Board (Franco a Bordo)
IIC	=	Instituciones de Inversión Colectiva
INCOTERM	=	International(s) Commercial Term(s)
INE	=	Instituto Nacional de Estadística
IPREM	=	Indicador Público de Renta de Efectos Múltiples
L.	=	Libro
LABE	=	Ley de Autonomía del Banco de España
LAR	=	Ley de Arrendamientos Rústicos
LAU	=	Ley de Arrendamientos de Urbanos
LCA	=	Ley de Contrato de Agencia
LCC	=	Ley de Crédito al Consumo
LCCH	=	Ley Cambiaria y del Cheque
LCD	=	Ley de Competencia Desleal
LCGC	=	Ley de las Condiciones Generales de la Contratación
LCon	=	Ley Concursal
LCS	=	Ley del Contrato de Seguro
LCTTM	=	Ley reguladora del Contrato de Transporte Terrestre de Mercancías
LECiv	=	Ley de Enjuiciamiento Civil
LGDCU	=	Ley General para la Defensa de los Consumidores y Usuarios
LH	=	Ley Hipotecaria
LIIC	=	Ley reguladora de las Instituciones de Inversión Colectiva
LMSRP	=	Ley de Mediación de Seguros y Reaseguros Privados
LMV	=	Ley del Mercado de Valores
Lnot	=	Ley del Notariado
LOCM	=	Ley de Ordenación del Comercio Minorista
LOE	=	Ley de Ordenación de la Edificación
LOPJ	=	Ley Orgánica del Poder Judicial
LOSSP	=	Ley de Ordenación y Supervisión de los Seguros Privados
LOTT	=	Ley de Ordenación de los Transportes Terrestres

LRCS	=	Ley de Registro de Contratos de Seguros de Cobertura de Fallecimiento
LSC	=	Ley de Sociedades de Capital
LVPBM	=	Ley de Venta a Plazos de Bienes Muebles
MAB	=	Mercado Alternativo Bursátil
JEFF	=	Mercado Español de Futuros Financieros
MIBOR	=	Madrid Interbank Offered Rate (Tipo de Interés Ofertado en el Mercado Interbancario de Madrid)
MiFID	=	Markets in Financial Instruments Directive (Directiva de Mercados de Instrumentos Financieros)
NIF	=	Número de Identificación Fiscal
núm.(núms.)	=	número(s)
OM	=	Orden Ministerial
OPA (OPAS)	=	Oferta(s) Pública(s) de Adquisición
OPS	=	Ofertas Públicas de Suscripción
OPV	=	Ofertas Públicas de Venta
p. ej.	=	por ejemplo
párr.	=	párrafo
Part.	=	Parte
PASF	=	Plan de Acción de los Servicios Financieros
PECL	=	Principios de Derecho Europeo de Contratos
pg.(pgs.)	=	página(s)
Pyto.	=	proyecto
RD	=	Real Decreto
RDGRN	=	Resolución de la Dirección General de los Registros y del Notariado
RDLeg	=	Real Decreto Legislativo
RDley	=	Real Decreto-ley
RH	=	Reglamento Hipotecario
RICO	=	Regulaciones Internacionales relativas al transporte de Contenedores por tren
RID	=	International Regulations Concerning the Carriage of Dangerous Goods by Rail (Regulaciones Internacionales relativas al transporte de mercaderías peligrosas por tren)
RIEx	=	Regulaciones Internacionales relativas al transporte de Paquete Exprés por tren
RIP	=	Regulaciones Internacionales relativas al transporte de Vagones Particulares por tren
Rnot	=	Reglamento Notarial
ROSSP	=	Reglamento de Ordenación y Supervisión de los Seguros Privados

ROTT	=	Reglamento de la Ley de Ordenación de Transportes Te-
		rrestres
SA	=	Sociedad Anónima
SAC	=	Servicio de Atención al Cliente
SAP	=	Sentencia de la Audiencia Provincial
SENAF	=	Sistema Electrónico de Negociación de Activos Financieros
SGC	=	Sociedades Gestoras de Carteras
SIBE	=	Sistema de Interconexión Bursátil Español
SL	=	Sociedad Limitada
SMI	=	Salario Mínimo Interprofesional
SMN	=	Sistemas Multilaterales de Negociación
SOV	=	Seguro Obligatorio de Viajeros
ss.	=	siguientes
STC	=	Sentencia del Tribunal Constitucional
STJCE	=	Sentencia del Tribunal de Justicia de la Comunidades Eu-
		ropeas
STJUE	=	Sentencia del Tribunal de Justicia de la Unión Europea
STS (SSTS)	=	Sentencia(s) del Tribunal Supremo
SV	=	Sociedades de Valores
T.	=	Tomo
TAE	=	Tasa Anual Equivalente
TFUE	=	Tratado de Funcionamiento de la Unión Europea
TIR	=	Transport International Routier (Transportes Internacio-
		nales por Carretera)
TR	=	Texto Refundido
TRLGDCU	=	Texto Refundido de la Ley General para la Defensa de los
		Consumidores y Usuarios
TRLSC	=	Texto Refundido de la Ley de Sociedades de Capital
TS	=	Tribunal Supremo
UE	=	Unión Europea
UNCITRAL/	=	Comisión de las Naciones Unidas para la Unificación del
CNUDMI		Derecho Mercantil Internacional del comercio
UNIDROIT	=	Instituto Internacional para la Unificación del Derecho Pri-
		vado
V.	=	Véase
v. gr.	=	verbi gratia
vid.	=	Véase

Presentación

La obra que a continuación procedemos a presentar puede ubicarse, sin riesgo de equivocación, dentro de lo que se conoce como la «manualística» destinada a la enseñanza del Derecho en las Universidades españolas; pero no es éste un manual cualquiera, sino que la elaboración de estas «lecciones» se ha visto condicionada por diferentes circunstancias que no podemos silenciar. En primer lugar, destaca el hecho de que se trata de una obra elaborada de forma conjunta por «civilistas» y por «mercantilistas» en un esfuerzo por contribuir, siquiera de forma modesta, a las tantas veces reivindicada unificación de determinados sectores de nuestro Derecho Privado.

Pero el mencionado propósito unificador no es el único que sobrevuela a estas «lecciones» sobre contratación civil y mercantil; la obra ve la luz al tiempo y como consecuencia de la implantación de los nuevos planes de estudio adaptados al Espacio Europeo de Educación Superior –en términos coloquiales más conocido como Plan Bolonia–. Esta última aseveración viene a significar que a la hora de confeccionar estas lecciones no ha sido posible prescindir de la propia filosofía que ilumina esta reciente y profunda reforma de la enseñanza universitaria; ello explica también el hecho de que la propuesta que ahora ofrecemos no pretenda abarcar de manera exhaustiva y definitiva la totalidad de las figuras contractuales que el panorama jurídico-positivo podría demandarnos. En definitiva, se ha operado una labor absolutamente selectiva justificada por la propia interrelación de esta materia con otras próximas pero cuyo contenido es objeto de un estudio separado en el marco de otras asignaturas.

Así mismo deseamos destacar que la propia extensión así como la complejidad de la materia analizada justifican sobradamente la intervención de una pluralidad de autores en la confección de la obra; en efecto, bajo la coordinación de los Profesores Mª Ángeles Egusquiza Balmaseda y Rafael Lara González, Catedráticos de Derecho Civil y Derecho Mercantil respectivamente, un importante elenco de especialistas procede a desgranar las materias abordadas con el plus de autoridad que aquella condición otorga.

Así pues, podemos afirmar que la obra que en estos momentos ve la luz constituye el fruto sereno de la reflexión y la discusión sosegada de un número significativo de estudiosos del Derecho Privado que han puesto su esfuerzo al servicio de la docencia universitaria en el mundo del Derecho, adaptándose así a las nuevas demandas que la reforma universitaria nos presenta.

Esperando y deseando que la obra consiga alcanzar los objetivos propuestos, no podemos, sin embargo, olvidar el importante papel que en su alumbramiento ha desempeñado la Editorial Aranzadi a la cual deseamos testimoniar públicamente nuestro más sincero agradecimiento por la confianza depositada.

Enrique RUBIO

Juan Carlos SÁENZ

La formación del contrato

ENRIQUE RUBIO TORRANO
Catedrático de Derecho Civil
Universidad Pública de Navarra

I. FORMACIÓN INSTANTÁNEA Y FORMACIÓN PROGRESIVA DEL CONTRATO

Los autores tradicionalmente han distinguido en la vida de un contrato
tres momentos o fases: la generación, la perfección y la consumación. La
primera comprende los tratos preliminares y el proceso interno de la formación del contrato. La segunda, el nacimiento del mismo al quedar perfeccionado por el concurso de oferta y aceptación. La tercera, el cumplimiento del
fin para el que se celebró, es decir, la realización y efectividad de las prestaciones derivadas del contrato. No obstante, una observación atenta nos conduce
a sostener que, en realidad, son dos las fases del contrato, la fase preparatoria
o de formación del contrato, y la fase de consumación o ejecución del
mismo. Ambas quedan separadas por un solo momento al que llamamos
perfección.

La formación se produce, por lo general, en un solo acto, en operaciones económicas de escaso valor o bien estandarizadas (p. ej. compraventa de
bienes de consumo, contratos de servicios), que por eso llamamos formación

instantánea. Sin embargo, en la vida económica una buena parte de los contratos requieren procesos complejos de formación. Se trata de operaciones de notable envergadura en las que las partes necesitan tiempo para valorar las mismas, su alcance y condiciones; y los contratantes precisan estudiar la oferta y suelen requerir la presencia de personas que les ayuden o coadyuven en su propósito. En estos casos, la formación del contrato responde a una sucesión de actos, más o menos concatenados, dirigidos al buen fin de aquél. Por ello, se habla en semejantes ocasiones de formación progresiva o sucesiva del contrato.

La doctrina suele referirse a distintos procedimientos de formación de un contrato: a) a través de una fase previa de sondeos, deliberaciones y debates (tratos preliminares); b) mediante la concurrencia de oferta y aceptación; c) por medio de un concurso o de una subasta; d) previa celebración de un contrato preliminar; y e) mediante adhesión a las condiciones contractuales preestablecidas por el otro contratante.

II. TRATOS PRELIMINARES Y RESPONSABILIDAD PRECONTRACTUAL

Bajo el nombre de tratos preliminares se conocen todos aquellos contactos, actos y conversaciones que se producen entre las partes, preparatorios de la celebración de un contrato. Tienen por objeto la elaboración, discusión y concertación del contrato, y su contenido resulta muy variado: simples conversaciones, estudios técnicos, minutas, etc. En ocasiones, los tratos preliminares se inician mediante una oferta precisa y definitiva a la otra parte, que, no obstante, no acepta inmediatamente, pero da lugar a entablar conversaciones encaminadas a concluir eventualmente la estipulación. Otras veces, en cambio, no derivan directamente de una oferta, sino de sondeos sobre posibles ventajas de alguna estipulación o acuerdo.

Los tratos preliminares no constituyen por sí mismos compromiso alguno en orden a la eventual vinculación contractual a la que se refieren, pero tampoco puede decirse que sean irrelevantes. Por lo pronto, pueden tener alguna trascendencia en orden a la formación de la voluntad y en orden a la interpretación del contrato. La relación social creada con los tratos preliminares impone determinados deberes que la doctrina más reciente suele concretar en los de negociar de buena fe, suministrar determinadas informaciones, protección y confidencialidad. Así, se considera contrario a la buena fe y a la lealtad en los tratos el que una persona inicie o continúe unas negociaciones sin intención real de llegar a un acuerdo con el otro. El deber precontractual de información –más allá del deber de autoinformarse– supone que la información sea veraz o, por lo menos, responda al conocimiento que la parte que la suministra pueda tener al respecto. En ocasiones, en la situación precontractual pueden existir a cargo de una de las partes particulares deberes de protección cuya finalidad sea dejar a salvo la integridad física de los negociadores o los bienes objeto de la negociación (p. ej. posibles daños personales o accidentes sufridos en el momento de ensayar una máquina o de probar un automóvil). Por otro lado, si bien ninguna de las partes tiene, en principio, el deber de mantener la confidencialidad o de no dar publicidad del hecho mismo de la negociación o de la información recibida en el transcurso de aquélla, puede suceder que el carácter confidencial de la información derive de la declaración de quien así la considere o de las propias circunstancias del caso.

La cuestión más importante que plantea la fase preparatoria del contrato consiste en determinar si, como consecuencia del comportamiento que en ella adoptan las personas entre las que discurren los tratos, puede o no derivarse una determinada responsabilidad (la llamada *culpa in contrahendo*, de que hablara IHERING). Los autores han defendido diversas tesis para hacer derivar de este supuesto algún tipo de responsabilidad nacida de la ruptura injustificada de los tratos preliminares. En general, no obstante la escasa regulación y el silencio legal en esta materia, se aprecia una opinión bastante generalizada que considera que existe obligación de indemnizar al contratante que vio frustrada injustificadamente la conclusión del contrato en la medida en que exista un daño que deba repararse y que no tiene que soportar aquel que confió en la celebración del mismo. La doctrina exige la concurrencia de los siguientes elementos para la existencia de responsabilidad precontractual o de *culpa in contrahendo*: a) la creación de una razonable confianza en la celebración del contrato, dada la existencia de una situación real de negociación; b) el carácter objetivamente injustificado de la ruptura de las conversaciones o negociaciones, sin que se requiera la intencionalidad de producir el daño; c) la existencia de un daño real y no meramente especulativo en el patrimonio de uno de los contratantes; y c) la relación de causalidad entre la confianza suscitada y el daño producido.

La jurisprudencia, en línea con lo que se acaba de señalar, se compendia bien en la sentencia del Tribunal Supremo de 16 de diciembre de 1999. En ella, si bien los hechos no resultan del todo conocidos, el Tribunal Supremo admitió la existencia de relaciones y contactos, constitutivos de tratos preliminares, entre los demandantes y la sociedad demandada. Aquéllos solicitaron indemnización por los gastos devengados por el encargo de un proyecto, las cantidades dejadas de percibir como consecuencia de no haberlo podido realizar y el daño moral sufrido provocado por la descalificación de la que habían sido objeto. La demanda fue estimada parcialmente y el Tribunal

Supremo declaró no haber lugar al recurso, señalando que se cumplían los requisitos necesarios para que naciera la responsabilidad extracontractual, como son: a) una acción negligente, constituida por una falta de lealtad con ruptura unilateral del proyecto inicial de los demandados por parte de los recurrentes, en la fase de tratos preliminares; b) unos perjuicios que deben medirse desde el punto de vista del interés negativo; y c) un nexo causal entre la acción y los perjuicios mencionados.

La doctrina distingue, en los supuestos indemnizatorios, entre el llamado interés positivo y el interés negativo. El primero es el «interés de cumplimiento» o «interés de la ejecución del contrato», mientras que el interés negativo viene determinado por la falta de validez o por la frustración del contrato y se le conoce como «interés de confianza». Los autores están de acuerdo, en general, en que el daño resarcible en los casos de responsabilidad precontractual se circunscribe al interés negativo, que abarca el reembolso de los gastos efectuados en contemplación del contrato proyectado.

III. FORMACIÓN DEL CONTRATO

1. DOCTRINA GENERAL: CONCURRENCIA DE OFERTA Y ACEPTACIÓN

La regulación normativa sobre formación del contrato viene establecida por los artículos 1262 CC y 54 CCom, en la nueva redacción ofrecida por la Ley 34/2002, de 11 de julio, de Servicios de la Sociedad de la Información y de Comercio Electrónico. No obstante, deben tenerse presentes también, entre otros, los Principios sobre los Contratos Comerciales Internacionales –UNIDROIT– (artículos 2.1 a 2.22) y los Principios de Derecho Europeo de Contratos –PECL– (artículos 2.101 a 2.211), que pueden resultar de utilidad para la integración del Código Civil en esta materia.

El consentimiento contractual se manifiesta por el concurso de la oferta y de la aceptación sobre la cosa y la causa que han de constituir el contrato (art. 1262 CC). La oferta supone una declaración de voluntad dirigida a un eventual cocontratante, o al público en general, encaminada a lograr el establecimiento del acuerdo contractual. Constituyen requisitos de la misma: a) que resulte completa, es decir, que contenga todos los extremos esenciales del contrato a celebrar, de modo que sea suficiente que la parte a la que se dirige acepte para que se considere formado el contrato; b) que se ponga de manifiesto con esa declaración la intención de quedar obligado si la otra parte acepta; c) que sea recepticia, es decir, que se dirija y sea dada a conocer y, por tanto, recibida por la persona que, en su caso, va a quedar vinculada mediante la aceptación; y d) que cumpla el requisito de la forma, si lo hubiere. La presencia de todos estos requisitos determina la existencia de una oferta contractual en firme; en cambio, la falta de alguno de ellos coloca a esa declaración en la fase previa a la oferta (tratos preliminares), en una simple invitación, en su caso, a celebrar un contrato.

La oferta puede extinguirse antes de que el contrato del que va a formar parte llegue a perfeccionarse. Esto puede suceder:

a) Cuando es rechazada por el aceptante. El rechazo de la oferta constituye una declaración del destinatario de aquélla manifestando su disentimiento de la oferta. Se puede realizar tácitamente mediante actos concluyentes que manifiesten la voluntad de rechazo. El principio de que el rechazo de la oferta extingue ésta se aplica también a las ofertas irrevocables; se trata de una regla generalmente admitida en el Derecho europeo.

b) Por caducidad, que se puede producir bien por el transcurso del tiempo que el oferente ha fijado en la declaración de oferta (por ejemplo, ha indicado que espera contestación en un plazo de 30 días), o bien por el transcurso del tiempo que razonablemente se considera suficiente de acuerdo con los usos de los negocios y con la naturaleza del asunto.

c) Por muerte e incapacidad sobrevenida del oferente. La declaración de oferta depende de quien la formula, de ahí que todo lo que afecte al oferente (muerte o incapacidad) –en principio– repercute en dicha declaración: si es declarado incapaz, se considerará que la oferta se emitió por un incapaz, y si murió antes de que fuese aceptada no habrá contrato por falta de concurrencia de la aceptación con la oferta (cfr. art. 633 CC). Ahora bien, si el contrato llega a perfeccionarse por la concurrencia de la aceptación, a la declaración de oferta no le van a afectar las vicisitudes personales del oferente, pues éste ya ha dejado esa condición para ser parte del contrato perfeccionado.

d) Por retirada o revocación de la oferta por el oferente. El Convenio de Viena de 1980, sobre la Compraventa Internacional de Mercaderías –al que se adhirió España el 17 de julio de 1990 y cuyo texto fue publicado en el BOE el 30 de enero de 1991–, distingue entre retirada y revocación. La retirada supone una declaración del oferente indicando su voluntad de dejar sin efecto una anterior declaración de la oferta, antes de que ésta haya alcanzado su efectividad –existencia de emisión, pero sin recepción todavía por parte del destinatario–; en cambio, la revocación supone la declaración de voluntad de cancelación de la oferta y de sus efectos en el período que transcurre entre la recepción de la oferta y la perfección del contrato. La consecuencia práctica más importante de la distinción es que cabe retirar una oferta aun cuando ésta se ofrezca como irrevocable, pues, si todavía no ha llegado al destinatario y no ha alcanzado efectividad, no ha originado intereses dignos de protección. Una vez que la oferta ha llegado a su destinatario y antes de la aceptación o del rechazo de la misma, la regla general es la revocabilidad de la oferta. Ahora bien, si la oferta se ofrece como firme e irrevocable y ha llegado al destinatario, resultará irrevocable. Así concebida, la oferta irrevocable constituye una verdadera renuncia o privación del derecho o facultad que el oferente tiene, por lo que cualquier manifestación de éste que quiera dejar sin efecto la oferta resultará ineficaz; de este modo, si se lleva a cabo una aceptación posterior, el contrato habrá tenido lugar aunque el oferente haya manifestado su voluntad de dejar sin eficacia la oferta.

La aceptación constituye una declaración de voluntad negocial por medio de la cual aquel a quien se dirige la oferta pone de manifiesto su conformidad con la misma. Constituyen requisitos de la aceptación, los siguientes:

a) Su concordancia con la oferta. Esa declaración debe incorporar el compromiso de obligarse; no es suficiente un mero acuse de recibo de la misma. Si el declarante varía en alguno de sus puntos o en su totalidad la oferta –falta, por tanto, de concordancia–, no existe verdadera aceptación, sino nueva declaración del aceptante, que, de este modo, se convierte realmente en nuevo ofertante, quedando la oferta inicial extinguida. Ahora bien, si la modificación que se introduce en la aceptación no afecta a los elementos esenciales del contrato, puede llegar a entenderse que la oferta primitiva queda aceptada y el contrato perfecto, al menos en lo que se refiere a sus elementos constitutivos. Así se prevé, en relación a las ventas internacionales, en el artículo 19 apartado segundo del Convenio de Viena. Este precepto facilita la formación del contrato, cuando la respuesta del destinatario de la oferta, que pretende ser aceptación, contiene adiciones, limitaciones u otras modificaciones de la oferta, que no la alteran sustancialmente; en tal caso, constituirá aceptación, «a menos que el oferente sin demora injustificada objete verbalmente la discrepancia o envíe una comunicación en tal sentido. De no hacerlo así, los términos del contrato son los de la oferta con las modificaciones introducidas en la aceptación». El apartado tercero de este precepto considera que alteran sustancialmente la oferta, las modificaciones o adiciones que se refieran al precio, al pago, a la calidad y cantidad de las mercaderías, al lugar y a la fecha de entrega, al grado de responsabilidad de las partes y a la solución de las controversias, aunque esta enumeración no es exhaustiva, sino abierta.

b) La aceptación debe ser una declaración de voluntad definitiva, formulada como obligatoria sin ninguna modalización. No habrá, por tanto, aceptación si el declarante la somete a condición o plazo.

c) La aceptación ha de ser tempestiva. Es decir, debe producirse en el tiempo oportuno antes de que la oferta haya sido revocada (art. 1257. 2 CC), o bien, si se ha fijado un plazo para la aceptación, en ese plazo debe llegar al oferente. Si no ha existido plazo, deberá emitirse en uno razonable, aplicando para ello las reglas de la diligencia y de buena fe.

d) La aceptación debe llegar a conocimiento del oferente (art. 1262 CC), en cuanto se trata de una declaración de voluntad recepticia. La aceptación puede llevarse a cabo, salvo que se encuentre impedido por la oferta, mediante actos concluyentes que indiquen asentimiento o conformidad. Se trataría, en tal caso, de una aceptación tácita. Constituyen actos de aceptación tácita de una oferta los que signifiquen ejecución de la prestación contractual o preparación de la ejecución. Tales actos deberán ser conocidos por el oferente.

e) En cuanto a la forma de la aceptación, rige el principio de libertad, salvo que el contrato requiera una específica, o que las partes hayan acordado que todo el contrato, o sólo la aceptación, deba revestir una forma determinada.

2. LA FORMACIÓN DEL CONTRATO POR SUBASTA Y POR CONCURSO

La formación por subasta tiene lugar cuando, por voluntad de uno de los contratantes, se establece un sistema de celebración con el mejor postor y en las condiciones resultantes de la mejor postura ofrecida en una licitación llevada a cabo con todos los interesados en contratar. Puede ser judicial –regulada por normas procesales–, notarial –celebrada ante notario–, y puramente privada. Como se ha puesto de relieve por la doctrina, el mecanismo de la subasta constituye un medio autónomo de contratación, abarcando tres momentos diferentes que no cabe reducir a los puros términos de oferta y aceptación, a saber: el anuncio de la subasta, la realización de las posturas y el remate o adjudicación al mejor postor. Las Ley 7/1996, de 15 de enero, de Ordenación del Comercio Minorista, regula en los artículos 56 al 61 la venta en pública subasta. Conforme al artículo 56 de esa Ley, «la celebración de una pública subasta consiste en ofertar, pública e irrevocablemente, la venta de un bien a favor de quien ofrezca, mediante el sistema de pujas y dentro del plazo concedido al efecto, el precio más alto por encima de un mínimo, ya se fije éste inicialmente o mediante ofertas descendentes realizadas en el curso del propio acto».

La regulación de las ventas en pública subasta contenida en dicha Ley se aplicará a las efectuadas por empresas que se dediquen habitualmente a esta actividad o al comercio al por menor, según aclara el precepto citado. La Ley de Ordenación del Comercio Minorista considera como oferta la hecha por el convocante de la subasta y como aceptación las posturas mantenidas. Esta misma Ley exige que la oferta de eventual subasta contenga una descripción veraz de los objetos, con identificación de sus calidades, y que en las ventas en subasta de objetos de arte se aclare si lo que se ofrece es una imitación o un objeto que aunque aparentemente precioso no lo sea en realidad. Por último, el artículo 61 de la Ley establece que la adquisición de bienes muebles mediante una venta en pública subasta determina su irreivindicabilidad en la forma establecida en el artículo 85 CCom y que la empresa subastadora responderá solidariamente con el titular del bien subastado por la falta de conformidad de éste con el anuncio de la subasta y por los vicios o defectos ocultos de la cosa vendida, cuando hubiese incumplido las obligaciones de información que dicha Ley le impone.

El contrato puede también quedar formado a través de un concurso cuando uno de los contratantes manifiesta su voluntad de que el contrato se celebrará con la persona elegida o seleccionada no sólo por sus condiciones económicas (mejor postor y mejor postura), como sucede en las subastas, sino también en atención a otras condiciones personales de los concurrentes, como pueden ser su destreza profesional o técnica. La doctrina ha puesto de manifiesto cómo en el sistema de contratación por concurso, si bien es similar al de contratación por subasta (en él se dan las mismas fases), no existe el automatismo de la postura y ello impide que pueda verse la participación en el concurso como aceptación de una oferta previamente manifestada.

3. CONTRATACIÓN ENTRE PERSONAS DISTANTES

Esta modalidad tiene especial interés cuando la comunicación entre los contratantes se produce *ex intervallo temporis*. Surge entonces el problema de la determinación del momento en el que se ha de considerar la concurrencia de la oferta y de la aceptación y, por tanto, la perfección del contrato. La doctrina ha formulado diversas teorías para fijar dicho momento.

Los partidarios de la declaración de la aceptación como punto decisivo de la perfección del contrato –teoría de la emisión– olvidan el carácter recepticio de dicha declaración; es decir, no es suficiente que el consentimiento del aceptante sea emitido, sino que es necesario que sea recibido por el destinatario de aquélla, el oferente. A la vista de los inconvenientes que plantea semejante postura, se ha tratado de superar la misma con la teoría de la cognición: a saber, es el conocimiento de la aceptación por el oferente el que perfecciona el contrato. Esta posición, si bien salva las dificultades de la teoría anterior, plantea serios inconvenientes cuando el aceptante ha hecho todo cuanto estaba en su mano y podía serle exigido para que su aceptación llegara a conocimiento del oferente y no ha sucedido así por un hecho imputable a éste.

A la vista de ello, la doctrina ha formulado posturas intermedias como la teoría de la expedición y la de la recepción. Conforme a la primera, se requiere que el aceptante se desprenda de su declaración de voluntad y la haya dirigido a su destinatario. Por el contrario, para la teoría de la recepción, sería necesario que la declaración del aceptante no sólo hubiera salido de su ámbito personal y se hubiera dirigido al destinatario, sino que tal declaración hubiese entrado en el círculo propio del oferente aunque no hubiese llegado al conocimiento efectivo de éste.

En nuestro Derecho, los artículos 1262 CC y 54 CCom han tratado de responder a esta cuestión, si bien las interpretaciones doctrinales de ambos preceptos no siempre han sido coincidentes. No obstante, la doctrina mayoritaria se inclinó por considerar más correcta la teoría de la recepción, pensando que el legislador permite equiparar al conocimiento real la posibilidad de conocimiento cuando éste no se produjo por causas imputables a culpa o falta de diligencia del destinatario de la declaración. En la actualidad, con la reforma de estos preceptos por Ley 34/2002, de 11 de julio, ambos tienen prácticamente el mismo texto, yuxtaponiendo el conocimiento de la aceptación con la recepción cuando el aceptante no puede ignorarla sin faltar a la buena fe, lo que coincide con la mejor doctrina y la jurisprudencia anteriores.

Por lo que se refiere a la determinación del lugar de la formación en los contratos entre personas distantes, habrá que fijar si debe ser el lugar en que se ha realizado la oferta, o bien en el que se produjo la aceptación. Nuestro Código Civil se decide por el lugar de la oferta: el contrato se presume celebrado en el lugar en el que se hizo la oferta (art. 1262.2, inciso final); no obstante, hay que poner de relieve que esta regla establece una simple presunción y que, por tanto, tiene carácter meramente dispositivo.

En materia de contratos a distancia, la Unión Europea aprobó la Directiva 7/97 con varios objetivos: obtener en este campo mayor seguridad jurídica, la libertad de elección y la restitución en caso de incumplimiento. Dicha Norma fue traspuesta al Ordenamiento español a través de la Ley 47/2002, de 19 de diciembre, que optó por incorporar las normas a la Ley de Ordenación del Comercio Minorista, donde las ventas a distancia se regulan en los artículos 38 a 48.

Conforme al primero de tales preceptos, se consideran ventas a distancia las celebradas sin la presencia física simultánea del comprador y del vendedor, siempre que su oferta y aceptación se realicen de forma exclusiva a través de una técnica cualquiera de comunicación a distancia y dentro de un sistema de contratación a distancia organizado por el vendedor. Son, por tanto, tres las notas que caracterizan esta modalidad de contratación: la falta de presencia física simultánea, la utilización de técnicas de comunicación a distancia y la inserción de tales técnicas dentro de un sistema de contratación organizada por un empresario. Por otra parte, el artículo 38 de la Ley excluye del ámbito de aplicación de la normativa los siguientes tipos de contrato: a) las ventas celebradas mediante distribuidores automáticos o locales comerciales automatizados; y b) las ventas celebradas en subastas, excepto las efectuadas por vía electrónica.

En esta misma Ley, en su artículo 40, se contempla una información previa que el vendedor debe suministrar al consumidor de forma veraz, eficaz y suficiente: la identidad del vendedor y su dirección; las características esenciales del producto; el precio, incluidos todos los impuestos, los gastos de entrega y transporte, en su caso; la forma de pago y modalidades de entrega o de ejecución; la existencia de un derecho de desistimiento o resolución; el coste de la utilización de la técnica de comunicación a distancia; el plazo de validez de la oferta y del precio; la duración mínima del contrato; las circunstancias y condiciones en que el vendedor podría suministrar un producto de calidad y precio equivalentes, en sustitución del solicitado por el consumidor, cuando se quiera prever esa posibilidad; y la indicación, en su caso, de si el vendedor está adherido a algún procedimiento extrajudicial de solución de conflictos.

Se establece, finalmente, en el artículo 44 un derecho de desistimiento conforme al cual el comprador dispondrá de siete días hábiles para desistir del contrato sin penalización alguna y sin indicación de los motivos (desistimiento *ad nutum*).

4. LA FORMACIÓN DE LOS CONTRATOS ELECTRÓNICOS

El régimen jurídico de la contratación electrónica se halla en la Ley 34/2002, de 11 de julio, de Servicios de la Sociedad de la Información y de

Comercio Electrónico, cuyo artículo 23 dice que los contratos celebrados por vía electrónica producirán todos los efectos previstos por el ordenamiento jurídico cuando concurran el consentimiento y los demás requisitos necesarios para su validez, preceptuando, además, que se regirán por lo dispuesto en dicha Ley, por el Código civil y por el Código de comercio, así como por las demás normas civiles y mercantiles sobre contratos, en especial, las normas de protección de los consumidores y usuarios y de ordenación de la actividad comercial.

Para que sea válida la celebración de contratos por vía electrónica –señala este mismo artículo– no será necesario el previo acuerdo de las partes sobre la utilización de medios electrónicos. Además –continúa–, siempre que la Ley exija que el contrato o cualquier información relacionada con el mismo conste por escrito, este requisito se entenderá satisfecho si el contrato o la información se contiene en un soporte electrónico. No será de aplicación lo dispuesto en la Ley 34/2002 a los contratos relativos al Derecho de familia y sucesiones. Y los contratos, negocios o actos jurídicos en los que la ley determine para su validez o para la producción de determinados efectos la forma documental pública, o que requieran por ley la intervención de órganos jurisdiccionales, notarios, registradores de la propiedad y mercantiles o autoridades públicas, se regirán por su legislación específica.

La prueba de la celebración de un contrato por vía electrónica y la de las obligaciones que tienen su origen en él se sujetará a las reglas generales del ordenamiento jurídico y, en su caso, a lo establecido en la legislación sobre firma electrónica. En todo caso, el soporte electrónico en que conste un contrato celebrado por vía electrónica será admisible en juicio como prueba documental.

El prestador de servicios de la sociedad de la información que realice actividades de contratación electrónica tendrá la obligación de poner a disposición del destinatario, antes de iniciar el procedimiento de contratación y mediante técnicas adecuadas al medio de comunicación utilizado, de forma permanente, fácil y gratuita, información clara, comprensible e inequívoca sobre los siguientes extremos: los distintos trámites que deben seguirse para celebrar el contrato; si el prestador va a archivar el documento electrónico en que se formalice el contrato y si éste va a ser accesible; los medios técnicos que pone a su disposición para identificar y corregir errores en la introducción de los datos; y la lengua o lenguas en que podrá formalizarse el contrato (art. 27). La obligación de poner a disposición del destinatario esta información se dará por cumplida si el prestador la incluye en su página o sitio de Internet en las condiciones señaladas. Cuando el prestador diseñe específicamente sus servicios de contratación electrónica para ser accedidos mediante dispositivos que cuenten con pantallas de formato reducido, se entenderá cumplida la obligación establecida en este apartado cuando facilite de manera permanente, fácil, directa y exacta la dirección de Internet en que dicha información es puesta a disposición del destinatario. No será necesario confirmar la recepción de la aceptación de una oferta cuando ambos contratantes así lo acuerden y ninguno de ellos tenga la consideración de consumidor, o el contrato se haya celebrado exclusivamente mediante intercambio de correo electrónico u otro tipo de comunicación electrónica equivalente, cuando estos medios no sean empleados con el exclusivo propósito de eludir el cumplimiento de tal obligación (art. 28).

Hay que tener presente, finalmente, que la Ley 59/2003, de 19 de diciembre, reguladora de la Firma Electrónica, ha contribuido a aumentar la seguridad de esta modalidad contractual. Conforme a su artículo 3, la firma electrónica es el conjunto de datos en forma electrónica, consignados junto a otros o asociados con ellos, que pueden ser utilizados como medio de identificación del firmante. Se denomina firma electrónica avanzada a la firma electrónica que permite identificar al firmante y detectar cualquier cambio ulterior de los datos firmados, que está vinculada al firmante de manera única y a los datos a que se refiere, y que ha sido creada por medios que el firmante puede mantener bajo su exclusivo control. Y firma electrónica reconocida es aquella firma electrónica avanzada basada en un certificado reconocido y generada mediante un dispositivo seguro de creación de firma. La firma electrónica reconocida tendrá respecto de los datos consignados en forma electrónica el mismo valor que la firma manuscrita en relación con los consignados en papel. Esta misma Ley considera documento electrónico el redactado en soporte electrónico, que incorpora datos que se encuentran firmados electrónicamente, pudiendo ser soporte de documentos públicos, administrativos o privados.

IV. EL PRECONTRATO. EL CONTRATO DE OPCIÓN

1. EL PRECONTRATO

En ocasiones, la celebración o perfección de un contrato viene precedida de un contrato preparatorio, de modo que su formación se produce mediante un *iter* negocial complejo, de formación sucesiva, cuya fase inicial es ese contrato preliminar o preparatorio, al que se denomina precontrato o promesa de contrato. En realidad, esa fase constituye, en sí misma, un acuerdo negocial al que las partes intervinientes asignan una mera función preparatoria del contrato «definitivo».

La doctrina ha valorado de manera diferente el alcance de esta figura. La tesis clásica considera que el precontrato es un contrato por virtud del cual las partes quedan obligadas a celebrar con posterioridad uno nuevo –el contrato definitivo–, emitiendo para ello en su momento las necesarias declaraciones de voluntad. En este sentido, se puede decir que la obligación que nace de él es una obligación de contratar, es decir, de emitir un nuevo consentimiento contractual. Esta obligación de contratar se configura, por tanto, como una obligación de hacer, cuyo objeto es la prestación futura del consentimiento, el cual constituye un acto estrictamente personal y no directamente coercible, de ahí que el incumplimiento de la obligación produzca como única consecuencia el nacimiento de un deber de indemnizar los daños y perjuicios que con él se ocasionen a la otra parte. De la promesa de contrato nace un crédito a la celebración del futuro contrato, pero el incumplimiento obliga sólo a resarcir el *id quod interest* y jamás produce, dice RUGGIERO, los efectos propios del contrato cuya estipulación se prometió.

Frente a esta tesis tradicional o clásica se alzaron voces críticas que llegaron incluso a poner en duda la justificación misma de la figura. En primer lugar –se dice– no puede sostenerse el carácter incoercible de la obligación nacida del precontrato. Parece acorde con la naturaleza de las cosas que quien promete hacer algo lícito, sea obligado a hacerlo incluso imperativamente y, si existe algún medio para imponer coactivamente su cumplimiento, deba ser utilizado. El obligado a hacer debe ser requerido para que haga y si no lo hace dentro del plazo señalado, el juez puede dar por prestado el consentimiento y sustituir al obligado en el otorgamiento de los necesarios documentos. Así las cosas, el precontrato resulta un inútil y superfluo rodeo, pues, en la práctica, conduce al mismo resultado que el denominado contrato principal. Por otra parte, se señala también que el precontrato, tal y como lo configura la doctrina tradicional, no sería un verdadero contrato, pues las partes no serían libres para contratar o no, sino que deberían cumplir con un acto debido.

La tesis que parece más ajustada es la que formuló DE CASTRO, el cual considera al precontrato como una etapa preparatoria dentro de un *iter* negocial complejo de formación sucesiva. En la relación contractual pueden distinguirse, a juicio de este autor, dos fases o momentos distintos: el primero es la promesa de contrato, en la que se conviene el contrato proyectado y se crea y se atribuye a las partes la facultad de exigirlo; y el segundo es el que se inicia con la exigencia del cumplimiento de la promesa, mediante el ejercicio de la facultad de exigir por la parte a quien se ha conferido la misma o por cualquiera de las partes, si se ha atribuido a ambas indistintamente.

En el artículo 1451 del CC se recoge una figura que la doctrina ha puesto en relación con el precontrato: las promesas de vender y de comprar. El Código civil somete a las promesas de compra y venta a un régimen jurídico distinto del aplicable al contrato definitivo de compraventa. La remisión que hace el inciso final a lo dispuesto acerca de «las obligaciones y contratos en el presente libro» resulta significativa; no se remite a las normas del contrato de compraventa, sino a las reglas generales de las obligaciones y a las normas sobre los contratos en general, es decir, a los artículos 1.088 y siguientes, así como 1254 y siguientes.

Si nos atenemos al tenor literal del artículo 1451 CC sólo se contemplan las llamadas promesas unilaterales, pues habla de «promesa de vender o de comprar». Debe, por tanto, plantearse si las promesas bilaterales deben seguir las mismas reglas que las unilaterales o, si por el contrario, aquéllas quedan equiparadas a un contrato de compraventa ya perfecto. La doctrina mayoritaria y la jurisprudencia han sostenido la distinción entre el contrato de compraventa y la promesa bilateral de comprar y vender. La cuestión estriba en averiguar en cada caso cuál ha sido el querer de las partes, si han pretendido un contrato definitivo o, si por el contrario, han querido sólo quedar ligadas a lo que hemos llamado un precontrato.

Analizamos, a continuación, los requisitos objetivos de la promesa de contrato, la capacidad de las partes para su celebración, la forma y los efectos de la promesa o precontrato. Todos ellos quedan, de alguna manera, condicionados por la postura que se haya adoptado respecto de la calificación jurídica de esta figura.

En orden a la capacidad exigida a las partes para su celebración, la tesis clásica –que parte de la total escisión entre precontrato y contrato definitivo– ha defendido que la capacidad necesaria para celebrar un contrato preliminar es la capacidad general para contraer obligaciones, incluso en los casos en que la ley exige para el contrato definitivo una capacidad especial. Ahora bien, la capacidad general para obligarse puede resultar insuficiente en aquellos supuestos en los que se requiera para el contrato definitivo una capacidad especial, en cuyo caso no podrá cumplirse por el deudor, ni ser exigida por el acreedor, ni impuesta por el juez. De ahí que la capacidad exigida deba ser aquella que permita la celebración del contrato definitivo.

En cuanto a los requisitos objetivos de la promesa, al quedar contemplado como objeto de la misma la celebración del contrato definitivo, deberá reunir las condiciones de existencia, validez y determinación del objeto del contrato definitivo. Rige para el precontrato o promesa de contrato el principio espiritualista de libertad de forma, regla general para todos los contratos. Ahora bien, si el contrato definitivo requiere una forma solemne como requisito constitutivo para su validez, el precontrato sólo será válido si adopta dicha forma.

La eficacia del precontrato es analizada por la doctrina de forma diferente en función de la tesis adoptada sobre su naturaleza jurídica. Así, para la doctrina clásica y cierta jurisprudencia el efecto típico de la promesa de contrato es el compromiso de celebrar un nuevo contrato; ahora bien, no cabrá pedir el cumplimiento de la misma porque la prestación del consentimiento es un acto personalísimo e incoercible, resolviéndose las negativa a prestarlo exclusivamente en resarcimiento de daños. En cambio, la configuración del precontrato que hemos asumido nos lleva a sostener que éste constituye la fase inicial de un contrato de formación sucesiva, con unidad funcional y voluntad única. Como consecuencia de ello, una vez celebrado el precontrato, nace entre las partes una relación jurídica de naturaleza contractual, en virtud de la cual se atribuye a una u otra parte, o a ambas a la vez, la facultad de exigir la puesta en práctica del contrato definitivo, la cual podrá llevarse a cabo en cualquier momento, a menos que en el propio precontrato dicha facultad haya quedado sometida a un plazo.

En caso de negativa de una de las partes al cumplimiento de la promesa, el juez podrá suplir el consentimiento del obligado (cfr. art. 708 LECiv). Este precepto de la LECiv contempla el caso de que una resolución judicial o arbitral firme condene a emitir una declaración de voluntad, y articula un medio para ejecutar ese tipo de condenas: el tribunal, por medio de auto, resolverá tener por emitida la declaración de voluntad, si estuvieran predeterminados los elementos esenciales del negocio; y una vez emitida, el ejecutante podrá pedir que se libre con testimonio del auto de mandamiento para que el mismo sea anotado en el Registro o Registros que correspondan, según el contenido y objeto de la declaración de voluntad. Por lo tanto, la condena se ejecuta mediante una resolución del tribunal. Cuando la indeterminación afectase a elementos necesarios al tipo contractual de que se trate sobre el que debiere recaer la declaración de voluntad, si ésta no se emitiere por el condenado, procederá la indemnización por los daños y perjuicios causados al ejecutante. Si la indeterminación recayera sobre elementos no esenciales del contrato sobre el que deba recaer la declaración de voluntad, el tribunal, oídas las partes, los determinará en la propia resolución en que tenga por emitida la declaración, conforme a lo que es usual en el mercado o en el tráfico jurídico (art. 708 LECiv).

2. EL CONTRATO DE OPCIÓN

Por el contrato de opción se concede a una de las partes la facultad de exigir a la otra, en un determinado plazo de tiempo, la conclusión de un contrato. Se trata, por tanto, de un precontrato o contrato preparatorio, que podrá ser oneroso si, a cambio de la concesión del derecho de opción, se paga una contraprestación consistente en dinero, o bien gratuito, si el concedente de la opción no recibe nada a cambio.

Este contrato tiene dos partes. El concedente de la opción, vinculado por el pacto y obligado al otorgamiento del contrato definitivo si la parte contraria lo reclama; constreñido a la doble obligación eventual de no vender a nadie la cosa prometida en el plazo establecido y realizar la venta al optante si éste usa de su derecho de opción. Y el optante, cuya posición jurídica es prevalente, ya que sólo de él depende la celebración efectiva del contrato definitivo: tal decisión es para él un derecho, no una obligación, que será ejercitado mediante declaración de voluntad recepticia dirigida al concedente.

Se ha discutido por los autores la naturaleza jurídica de este llamado derecho de opción y, en particular, su carácter personal o real, lo que incide sobre su eficacia *inter partes* o frente a terceros. Si el derecho de opción es eficaz sólo entre las partes contratantes, en el caso de que el concedente contrate con un tercero, el beneficiario perjudicado por tal comportamiento sólo podrá reclamar indemnización de daños y perjuicios, pero no podrá dirigirse contra el tercero. En cambio, si el derecho de opción tiene naturaleza real, podrá ejercitarlo sobre la cosa a la que gravará como una carga inherente a la misma, allí donde la cosa se encuentre y quienquiera que sea en tal momento su propietario. Esta cuestión ha sido abordada por el artículo 14 del Reglamento Hipotecario, conforme al cual es inscribible en el Registro de la Propiedad el contrato de opción de compra o el pacto o estipulación expresa que lo determine en algún otro contrato inscribible, siempre que además de las circunstancias necesarias para la inscripción reúna las siguientes: a) convenio expreso de las partes para que se inscriba; b) precio estipulado para la adquisición de la finca, y en su caso el que se hubiera convenido para conceder la opción; y c) plazo para el ejercicio de la opción, que no podrá exceder de cuatro años. La opción inscrita en el Registro de la Propiedad es, sin duda, oponible y eficaz frente a terceros, tiene eficacia real, aunque propiamente carezca de otros requisitos (p. ej. el poder directo e inmediato sobre la cosa) para que pueda ser calificada propiamente de derecho real.

La doctrina y la jurisprudencia consideran como requisito esencial del derecho de opción su sometimiento a un plazo o término de ejercicio. El artículo 14 RH establece, como se acaba de señalar, que para que el derecho de opción sea inscribible en el Registro de la Propiedad, su plazo de ejercicio no puede exceder de cuatro años. No existe, sin embargo, límite legal de duración del derecho de opción en los contratos distintos del de opción de compra de bienes inmuebles e incluso en éstos si se prescinde de su inscribibilidad. Las partes, por tanto, son libres para fijar el plazo y señalar la duración del mismo; si no lo establecen, deberá aplicarse la regla del artículo 1128 CC, de manera que el establecimiento del plazo corresponderá a los tribunales. La duración del derecho de opción puede quedar sometida a un término incierto o a una condición suspensiva o resolutoria. El carácter de requisito esencial del plazo o término de duración hace que éste opere no sólo como presupuesto de ejercicio del mismo, sino también como condición de su existencia. Su transcurso sin que los interesados ejerciten el derecho produce la extinción por caducidad.

V. LAS CONDICIONES GENERALES DE LA CONTRATACIÓN

En la economía moderna es frecuente que un empresario en el ejercicio de su actividad fije o predisponga un cierto número de condiciones o cláusulas que se aplicarán a todos los contratos particulares que concluya luego, bien con clientes, bien con proveedores. La predisposición unilateral del contenido del contrato se produce preferentemente en aquellos contratos en masa en los que, por una parte, intervienen los empresarios, que organizan profesionalmente la producción y el cambio de bienes y servicios para el mercado general, y, por otra, los consumidores singularmente y como ciudadanos comunes que necesitan de aquellos bienes y servicios. No resulta fácil dar cuenta de las múltiples razones e intereses que aconsejan una disciplina unitaria de tales operaciones; razones que van desde la necesidad de simplificar las relaciones con los clientes y evitar pleitos y controversias, ahorrando el máximo de gastos, con ventaja final asimismo de los propios consumidores; a los criterios de lealtad y corrección, e incluso de justicia y equidad, según los cuales deben ser tratados tendencialmente de una misma manera (SCOGNAMIGLIO). Sea lo que fuere, las condiciones de inferioridad en las que se encuentra de ordinario el adherente conducen a adoptar medidas de política jurídica que sujeten dichas cláusulas a un control riguroso que impida las situaciones de abuso en la contratación. El adherente –ha señalado CLAVERÍA GOSÁLVEZ– está interesado en la satisfacción de una necesidad, el estipulante, en la economía de la operación; no se produce, como en cualquier otro contrato, fusión de dos voluntades, ni un contenido que sea producto de dos voluntades.

La Ley 7/1998, de 13 de abril, sobre Condiciones Generales de la Contratación, tiene por objeto la trasposición de la Directiva 93/13/CEE, del

Consejo, de 5 de abril de 1993, sobre cláusulas abusivas en los contratos celebrados con consumidores, así como la regulación de las condiciones generales de la contratación. El legislador español ha optado mediante la Ley 7/1998 por la incorporación de la Directiva citada mediante una Ley de Condiciones de la Contratación, que al mismo tiempo, a través de su disposición adicional primera, modifica el marco jurídico preexistente de protección al consumidor, constituido por la Ley 26/1984, de 19 de julio, General para la Defensa de los Consumidores y Usuarios (hoy Real Decreto Legislativo 1/2007).

El 23 de julio de 2011 el Parlamento Europeo acaba de aprobar una nueva Directiva –por tanto, cuando se redactan estas páginas, en su tramo final antes de su publicación– que, si bien afecta especialmente al comercio electrónico, abarca todas las ventas, ya sean a distancia (teléfono, televisión, correo…), puerta a puerta o en establecimiento comercial. Habrá que esperar a que dicha normativa entre en vigor y, posteriormente, sea traspuesta al ordenamiento español. Sin embargo, cabe adelantar que la misma contempla un plazo de 14 días para devolver cualquier producto a distancia, lo cual afectará primordialmente a las ventas por Internet. En dicho plazo, el consumidor podrá cambiar de opinión y devolver el producto comprado a distancia.

Según el artículo 1 de la Ley 7/1998, «son condiciones generales de la contratación las cláusulas predispuestas cuya incorporación al contrato sea impuesta por una de las partes, con independencia de la autoría material de las mismas, de su apariencia externa, de su extensión y de cualesquiera otras circunstancias, habiendo sido redactadas con la finalidad de ser incorporadas a una pluralidad de contratos». El precepto continúa advirtiendo que «el hecho de que ciertos elementos de una cláusula o que una o varias cláusulas aisladas se hayan negociado individualmente no excluirá la aplicación de esta Ley al resto del contrato si la apreciación global lleva a la conclusión de que se trata de un contrato de adhesión». Del precepto citado cabe deducir las siguientes notas características de las condiciones generales: a) la predisposición unilateral, es decir, la preelaboración o preparación de las condiciones por una de las partes contratantes, con la finalidad de ser aplicadas al contrato que se celebra; b) la generalidad de las condiciones, es decir la predisposición de estas condiciones se hace «con la finalidad de ser incorporadas a una pluralidad de contratos»; c) la inevitabilidad de la aplicación y la inexistencia de negociación, es decir, que el adherente si quiere obtener un bien o servicio debe aceptar el condicionado que se le ofrece por el otro contratante, sin que exista posibilidad de negociación.

El carácter imperativo de esta Ley se encuentra presente a lo largo de su articulado y con especial claridad en su artículo 8 (que expresamente se refiere a «lo dispuesto en esta Ley o *en cualquier otra norma imperativa*»).

Al ámbito subjetivo se refiere su artículo 2 cuando señala que será de aplicación a «los contratos que contengan condiciones generales celebrados entre un profesional –predisponente– y cualquier persona física o jurídica –adherente–. A los efectos de la Ley, se entiende por profesional a toda persona física o jurídica que actúe dentro del marco de su actividad profesional o empresarial, ya sea pública o privada». Se sustituye de este modo la figura del empresario, como predisponente típico, por la del profesional, lo que tiene su origen en la Directiva 13/93. El adherente podrá ser también profesional, sin necesidad de que actúe dentro del marco de su actividad.

El ámbito territorial de esta norma se encuentra recogido en el artículo 3. Se aplicará la Ley a las cláusulas de condiciones generales que formen parte de contratos sujetos a la legislación española, así como a los sometidos a legislación extranjera si el adherente ha emitido su declaración negocial en territorio español y tenga en éste su residencia habitual. Quedan excluidos de la aplicación de la Ley los contratos administrativos, los contratos de trabajo, los de constitución de sociedades, los que regulan relaciones familiares y los contratos sucesorios (art. 4).

Los requisitos de incorporación de las condiciones generales al contrato –contenidos en el artículo 5– varían según la forma de aquél. Si se lleva a cabo mediante documento, formarán parte «cuando se acepte por el adherente su incorporación al mismo y sea firmado por todos los contratantes». No podrá entenderse que ha habido aceptación de la incorporación de las condiciones generales al contrato cuando el predisponente no haya informado expresamente al adherente, acerca de su existencia y no le haya facilitad un ejemplar de las mismas.

Si el contrato no debe formalizarse por escrito y el predisponente entrega un resguardo justificativo de la contraprestación recibida, «bastará con que el predisponente anuncie las condiciones generales en un lugar visible dentro del lugar en el que se celebra el negocio, que las inserte en la documentación del contrato que acompaña su celebración, o que, de cualquier otra forma, garantice al adherente una posibilidad efectiva de conocer su existencia y contenido en el momento de la celebración» (art. 5).

En los casos de contratación telefónica o electrónica será necesario que conste en los términos que reglamentariamente se establezca la aceptación de todas y cada una de las cláusulas del contrato, sin necesidad de firma convencional; además, el predisponente enviará inmediatamente al consumidor justificación escrita de la contratación efectuada, donde constarán todos los términos de la misma (art. 5). El Real Decreto 1906/1999, de 17 de diciembre, por el que se regula la contratación telefónica o electrónica con condiciones generales en desarrollo del artículo 5 de la Ley 7/1998, de 13 de abril, de condiciones generales de la contratación, contempla en su artículo 2 el deber de información previa del predisponente sobre todas y cada una de las cláusulas del contrato y el de remisión al adherente, por medio adecuado a la técnica de comunicación a distancia utilizada, del texto completo de las condiciones generales. Y el artículo 3 de este real Decreto preceptúa el deber de confirmación documental por escrito –o, a propuesta del adherente, en cualquier otro soporte duradero adecuado al medio de comunicación empleado– por parte del predisponente de la contratación efectuada. La carga de la prueba, tanto de la información previa de las cláusulas del contrato, como de la justificación documental del mismo, corresponde al predisponente, según el artículo 5 de la norma últimamente citada. El artículo 5, apartado 5, de la Ley sobre Condiciones Generales de la Contratación, establece que la redacción de las cláusulas generales deberá ajustarse a los criterios de transparencia, claridad, concreción y sencillez.

El artículo 11 de esta misma Ley creó el Registro de Condiciones Generales de la Contratación –a cargo de un Registrador de la Propiedad y Mercantil– en el que se inscribirán las cláusulas contractuales que sean condiciones generales cuya constancia en el mismo resulte obligada por ley, así como las sentencias que hayan declarado la nulidad o la no incorporación de una cláusula; y se efectuarán las anotaciones preventivas de demandas ordinarias de nulidad o de no incorporación y de las acciones colectivas de cesación, retractación y declarativa que se prevén en la misma Ley. Como señala el Consejo de Estado, el Registro de Condiciones Generales de la Contratación «es un Registro de cláusulas contractuales y de sentencias cuya finalidad primordial según la Ley 7/1998, que ha de interpretarse a la luz de la Constitución y de la Directiva 93/13/CEE, es proteger al consumidor frente a las cláusulas abusivas y evitar que se incluyan tales cláusulas en los contratos celebrados con los consumidores, sobre todo como medio para hacer efectivo el ejercicio de acciones contra las condiciones generales no ajustadas a la Ley».

Por lo que se refiere a la formación del contrato, el régimen jurídico que contempla esta Ley implica la exigencia de determinados requisitos a las condiciones generales (a los que ya se ha hecho referencia), su régimen de ineficacia, unas acciones colectivas especiales y determinadas reglas de interpretación.

El artículo 8 de la Ley 7/1998 ordena la nulidad de pleno derecho de «las condiciones generales que contradigan en perjuicio del adherente lo dispuesto en esta Ley o en cualquier otra norma imperativa o prohibitiva, salvo que en ellas se establezca un efecto distinto para el caso de contravención. En particular, serán nulas las condiciones generales que sean abusivas, cuando el contrato se haya celebrado con un consumidor». Esta segunda parte del precepto viene a suponer que no habrá control de fondo o del contenido de las cláusulas abusivas cuando éstas se incorporen a contratos celebrados por personas que no posean la condición de consumidor. Diferente en parte de la nulidad es el efecto de la no incorporación, cuya declaración tiene por objeto desterrar del contrato aquellas condiciones generales que se deban entender como no legal o legítimamente incorporadas. La no incorporación al contrato de las cláusulas de las condiciones generales o la declaración de nulidad de las mismas no determinará la ineficacia total del contrato, si éste puede subsistir sin tales cláusulas, extremo sobre el que deberá pronunciarse la sentencia; la parte del contrato afectada por la no incorporación o por la nulidad se integrará con arreglo a lo dispuesto en el artículo 1258 del Código Civil y disposiciones en materia de interpretación contenidas en el mismo (art. 10 de la Ley 7/1998).

La Ley 7/1998 contempla acciones colectivas de cesación, retractación y declarativa que coexisten con las acciones individuales que pueda interponer el adherente perjudicado por la condición general. La particularidad de aquellas acciones radica tanto en la finalidad perseguida, como en las reglas de legitimación activa y pasiva.

La acción de cesación está encaminada a obtener una sentencia en la que se condene al demandado a eliminar de sus condiciones generales las que se consideran nulas y a abstenerse de utilizarlas en lo sucesivo, determinando o aclarando, cuando sea necesario, el contenido del contrato que ha de considerase válido y eficaz. En el ejercicio de esta acción, el demandante podrá solicitar que se devuelvan las cantidades cobradas en su caso con ocasión de las cláusulas nulas y la indemnización por los daños y perjuicios que se le causaron (art. 12.2).

La acción de retractación es aquella en la que se pretende obtener una sentencia que declare e imponga al demandado, sea o no el predisponente, el deber de retractarse de la recomendación que haya efectuado de utilizar las cláusulas de condiciones generales que se consideran nulas y de abstenerse de seguir recomendándolas en el futuro (art. 12.3). La acción permite que pueda dirigirse no sólo contra el predisponente, sino, como señala la Exposición de Motivos de la Ley 7/1998, también contra aquellas organizaciones que las recomienden.

Tanto la acción de cesación, como la de retractación, son, con carácter general, imprescriptibles. Ahora bien, si las condiciones generales se hubieran depositado en el Registro General de Condiciones Generales de la Contratación, dichas acciones prescribirán a los cinco años, computados a partir del día en que se hubiera practicado dicho depósito y siempre y cuando dichas condiciones generales hayan sido objeto de utilización efectiva. Tales acciones podrán ser ejercitadas en todo caso durante los cinco años siguientes a la declaración judicial firme de nulidad o no incorporación que pueda dictarse como consecuencia de la acción individual (art. 19).

La denominada acción declarativa tiene por objeto la obtención de una sentencia que reconozca una cláusula como condición general de la contratación y ordene su inscripción cuando proceda (art. 12.4).

En los contratos concluidos con los consumidores y usuarios que utilicen cláusulas no negociadas individualmente, las cláusulas, condiciones o estipulaciones deberán cumplir con una serie de requisitos: a) estar redactadas con concreción, claridad y sencillez; b) encontrarse accesibles y legibles, de forma que permita al consumidor y usuario el conocimiento previo a la celebración del contrato de su existencia y contenido; c) observar los principios de buena fe y justo equilibrio entre los derechos y obligaciones de las partes, lo que supone la exclusión de las cláusulas abusivas (art. 80 del Real Decreto Legislativo 1/2007, por el que se aprueba el Texto Refundido de la Ley General para la Defensa de los Consumidores y Usuarios).

Conforme al artículo 82 de esta última norma, se consideran cláusulas abusivas todas aquellas estipulaciones no negociadas individualmente y todas aquellas prácticas no consentidas expresamente que, en contra de las exigencias de la buena fe, causen, en perjuicio del consumidor y usuario, un desequilibrio importante de los derechos y obligaciones de las partes que se deriven del contrato. En todo caso, lo son las siguientes: a) las que vinculen el contrato a la voluntad del empresario; b) las que limiten los derechos del consumidor y usuario; c) las que determinen la falta de reciprocidad en el contrato; d) las que impongan al consumidor y usuario garantías desproporcionadas o le impongan indebidamente la carga de la prueba; e) las que resulten desproporcionadas en relación con el perfeccionamiento y ejecución del contrato; y f) las que contravengan las reglas sobre competencia y derecho aplicable.

De acuerdo con el artículo 83 del RDLeg 1/2007, las cláusulas abusivas serán nulas y se tendrán por no puestas. El contrato con cláusulas abusivas, afectado por la nulidad parcial, quedará integrado con arreglo a lo dispuesto por el artículo 1258 CC y al principio de buena objetiva. Al ser nulidad de pleno derecho, no requiere el ejercicio de una acción. Ahora bien si el juez declara la nulidad de dichas cláusulas, integrará el contrato y dispondrá de facultades moderadoras respecto de los derechos y obligaciones de las partes, cuando subsista el contrato, y de las consecuencias de su ineficacia en caso de perjuicio apreciable para el consumidor y usuario. Si las cláusulas subsistentes determinan una situación no equitativa en la posición de las partes que no pueda ser subsanada, podrá el juez declarar la ineficacia total del contrato.

La interpretación, integración y eficacia del contrato

Mª ÁNGELES EGUSQUIZA BALMASEDA

Catedrática de Derecho Civil
Universidad Pública de Navarra

I. LA INTERPRETACIÓN DEL CONTRATO

1. CONCEPTO Y PRESUPUESTOS

El contrato, como fruto del acuerdo de las partes, precisa para su ejecución que se conozca lo que éstas quisieron pactar cuando fijaron su contenido. En sentido estricto «interpretar» un contrato supone determinar la voluntad concorde de los contratantes expresada en las palabras que se plasmaron en el convenio. En su acepción más amplia, la interpretación del contrato consiste en toda actividad dirigida a la determinación del sentido de una declaración o comportamiento negocial, de sus efectos y consecuencias en el orden jurídico, que ha de ser ejecutada conforme a unas reglas jurídicas predispuestas, con el fin de alcanzar una solución en Derecho a la controversia que pudiera haberse suscitado entre las partes contratantes.

En esta tarea el intérprete ha de desplegar un conjunto de actividades que van desde la fijación de los hechos o comportamientos que deben ser interpretados hasta la obtención de una respuesta jurídica definitiva a la cuestión planteada, una vez se haya procedido a analizar la declaración de voluntad y estudiar el ordenamiento. La doctrina distingue en este proceso dos etapas o momentos: a) La etapa inicial, denominada genéricamente *cuestión de hecho*, en la que se determinan los datos relevantes para conocer el sentido del contrato –*quaestio facti* o *determinación de los hechos*–, y se efectúa la actividad interpretativa *stricto sensu* –*quaestio iuris*– con la que se desvela el sentido negocial de esos datos, permitiendo saber lo que las partes quisieron cuando contrataron; y b) La etapa ulterior o definitiva, también conocida como *cuestión de derecho*, en la que se determina la valoración que merece para el ordenamiento jurídico la declaración de voluntad de las partes. Ésta, a su vez, puede comprender varias fases:

1º) La *calificación* del contrato, en la que se dilucida el tipo contractual realmente celebrado por las partes; ya que «*los contratos son lo que son y no lo que digan las partes contratantes*», y las calificaciones que los interesados atribuyen a sus convenios no son vinculantes sino el efectivo contenido de éstos (STS [1ª] 14.5.2001). La calificación permite adscribir al contrato a una concreta reglamentación jurídica que puede encontrarse específicamente dispuesta (*contrato típico* –caso, p. ej., del contrato de arrendamiento, la donación, etc.–), o bien derivarse de criterios generales o regulaciones próximas aplicables por analogía (*contrato atípico*).

2º) La *integración* o *reconstrucción* del contrato a la que habrá que acudir, en su caso, cuando las reglas negociales establecidas por las partes choquen con normas imperativas o existan lagunas en la declaración de voluntad de los contratantes.

En principio, en el proceso de interpretación contractual, el análisis de la *cuestión de hecho* suele preceder a la *cuestión de derecho*, puesto que la calificación surge de lo que las partes quisieron. No obstante, la estrecha relación existente entre ambas cuestiones hace que éstas, a veces, se condicionen recíprocamente. Las declaraciones contractuales pueden delimitar la calificación que merece el contrato y ésta, igualmente, puede determinar algunos aspectos de aquéllas; así se prevé en el artículo 1286 CC cuando dispone que «*las palabras que puedan tener distintas acepciones serán entendidas en aquella que sea más conforme a la naturaleza y objeto del contrato*».

La distinción entre la cuestión de hecho y la cuestión de derecho tiene gran trascendencia práctica. Los juzgados de instancia gozan de plena soberanía para valorar la cuestión de hecho, salvo que su interpretación sea absurda o conlleve la infracción de alguna norma. La interpretación contractual que se efectúe en la sentencia de instancia no podrá ser revisada por el Tribunal Supremo en casación, excepto en esos casos señalados (STS [1ª] 10.12.2008).

2. LAS REGLAS DE INTERPRETACIÓN

En la tarea hermenéutica del contrato, el intérprete y aplicador del Derecho debe emplear las reglas previstas con ese fin por el ordenamiento. Éstas se recogen sustancialmente en los artículos 1258 y 1281 a 1289 del Código Civil, y en el artículo 57 del Código de Comercio. La doctrina las considera auténticas normas jurídicas y no máximas de la experiencia, que obligan como tales a los que tienen que aplicarlas. El Tribunal Supremo admite que su infracción pueda fundamentar el recurso de casación (art. 477.1 LECiv). La doctrina (DE CASTRO al que siguen DÍEZ PICAZO y GULLÓN) señala la presencia en el Código Civil de dos clases de normas de interpretación: las reglas de *interpretación sujetiva*, que atienden a la efectiva voluntad de las partes; y las reglas de *interpretación objetiva*, que aportan el sentido que revisten determinados convenios o comportamientos en el tráfico jurídico o la vida social. Doctrina y jurisprudencia convienen que las reglas de interpretación subjetiva son de preferente aplicación respecto a las de interpretación objetiva, cumpliendo éstas una «función subsidiaria» respecto de aquéllas (STS [1ª] 28.9.1996). Por ello, la norma directriz de la interpretación contractual es la indagación de la voluntad real de las partes, que se encaminará a desvelar la *«intención»* común *«de los contratantes»* (arts. 1281, 1282, 1289, párr. 2º CC), y no la individual de cada uno. Pues el consentimiento contractual requiere que ambos contratantes estén de acuerdo sobre el mismo objeto, la misma causa, sus estipulaciones y sus efectos (art. 1261, párr. 1, CC).

Los recursos que propone el Código Civil para la interpretación del contrato, a los que habrá que recurrir en el proceso hermenéutico, son las siguientes:

1º) La interpretación gramatical, que incidirá sobre el texto de la declaración si ésta resulta clara. En tal sentido el art. 1281, párrafo 1º, del CC ordena que *«si los términos de un contrato son claros y no dejan dudas sobre la intención de los contratantes, se estará al sentido literal de las cláusulas»*. Los términos se considerarán claros si no dan lugar a dudas, ni diversidad de interpretaciones, y no necesitan para su comprensión de razonamientos susceptibles de impugnación (STS [1ª] 15.10.1982). Se considerará, entonces, que las partes no quisieron convenir otra cosa que lo que la claridad gramatical indica (STS [1ª] 12.6.1990). Esta regla –*in claris non fit interpretatio*– regirá cuando se advierta que no es otra la voluntad de las partes, puesto que el párrafo segundo del propio artículo 1281 del CC dispone que si *«las palabras parecieren contrarias a la intención evidente de los contratantes, prevalecerá ésta sobre aquéllas»*. Conforme al artículo 1282 CC, la evidencia de esa otra intención habrá que buscarla, principalmente, en los actos de las partes coetáneos o posteriores al contrato, a los que habrá que sumar también los anteriores (STS [1ª] 30.6.1994). Cuando exista una controversia, la conclusión de que los términos del contrato son claros requerirá que siempre se haya contrastado esa intención de las partes, empleando el resto de criterios subjetivos de interpretación. La regla de interpretación gramatical impide que la interpretación del contrato se transforme en una pura especulación sobre la intención de los contratantes, imposibilitando *«tergiversar con interpretaciones arbitrarias el sentido recto, propio y usual de las palabras dichas o escritas»* (art. 57 CCom).

2º) Desvelada la intención común de las partes, se acudirá imperativamente a las otras reglas particulares de carácter objetivo previstas en el Código civil. Esto supondrá que:

a) *«Cualquiera que sea la generalidad de los términos de un contrato, no deberán entenderse comprendidos en él cosas distintas y casos diferentes de aquellos sobre que los interesados se propusieran contratar»* (art. 1283 CC). La regla prohíbe implícitamente que se pueda extender por vía analógica la reglamentación contractual a supuestos no previstos en el contrato. En la contratación mercantil, las divergencias que puedan existir entre los ejemplares de un contrato presentado por las partes, en cuya *«celebración hubiere intervenido Agente o Corredor»*, se resolverá atendiendo a *«lo que resulte de los libros de éstos, siempre que se encuentren arreglados a Derecho»* (art. 58 CCom).

b) *«Si alguna cláusula de los contratos admitiere diversos sentidos, deberá entenderse en el más adecuado para que produzca efecto»* (art. 1284 CC). Se acoge aquí el principio de conservación negocial. Según indica la jurisprudencia, debe excluirse aquellas interpretaciones que hagan las cláusulas baldías, inútiles o ilusorias (STS [1ª] 30.5.1991), debiendo ajustarse la interpretación a la finalidad que las partes previeron al establecerlas (STS [1ª] 22.5.1981).

c) *«Las cláusulas de los contratos deberán interpretarse las unas por las otras, atribuyendo a las dudosas el sentido que resulte del conjunto de todas»* (art. 1285 CC). El precepto consagra el criterio objetivo de la interpretación sistemática del contrato, atendiendo a la idea de que «la intención que constituye el espíritu del contrato, por su carácter indivisible, no puede encontrarse en una cláusula aislada de las demás, sino en el todo orgánico que constituye, no siendo lícito ampararse en una determinada cláusula contractual frente a las demás para deducir de ella la voluntad y verdadero propósito que impulsó a los contratantes a concertar el vínculo que contrajeron a través de la convención estipulada» (STS [1ª] 9.10.1981).

d) _«Las palabras que puedan tener distintas acepciones serán entendidas en aquélla que sea más conforme a la naturaleza y objeto del contrato»_ (art. 1286 CC). El intérprete del contrato deberá tener presente la finalidad que se persigue con el mismo, la «naturaleza» remite al tipo de negocio (compraventa, arrendamiento, etc.) y el «objeto» al fin perseguido por los contratantes.

e) Si el contrato resulta ambiguo _«el uso o la costumbre del país se tendrá en cuenta para interpretar las ambigüedades de los contrato»;_ y «ese uso o costumbre» también servirá para suplir _«la omisión de las cláusulas que de ordinario suelen establecerse»_ –integración del contrato– (art. 1287 CC). El uso en su función interpretativa (art. 1287, inciso primero CC) únicamente operará si no se puede colegir la _«voluntad común de las partes»._ Usos relevantes para esa interpretación objetiva serán los usos sociales o usos del país; pero no los usos propios de las partes contratantes, la forma habitual de cómo se comportan éstas debe servir para la interpretación subjetiva del contrato (art. 1282 CC). Se tratará, en su caso, de los _«usos_ (del comercio) _observados generalmente en cada plaza»_ (art. 2 CCom), aquellos comportamientos que normalmente se despliegan en el lugar de celebración contractual, o los que desarrollen el colectivo social o profesional al que pertenecen los contratantes. Estos usos interpretativos deben probarse por quien los alega. No tienen la consideración de costumbre, conforme a lo que se dispone en el artículo 3.1 del CC.

f) _«La interpretación de las cláusulas oscuras de un contrato no deberá favorecer a la parte que hubiese ocasionado la oscuridad»_ (art. 1288 CC). Con ello se establece el principio de buena fe en la interpretación de contrato –regla _contra proferentem_–, principio que cumple, además, un papel integrador del contenido contractual según reseña el art. 1258 del CC y 57 CCom. Este criterio interpretativo tiene una relevancia especial para los contratos que incluyen condiciones generales de contratación en aras de proteger a la parte que no ha podido intervenir en su redacción, como se expuso en la lección anterior. En este sentido, el artículo 6.1 LCGC dispone que si existe _«contradicción entre las condiciones generales y las condiciones particulares específicamente previstas para ese contrato, prevalecerán éstas sobre aquéllas, salvo que las condiciones generales resulten más beneficiosas para el adherente que las condiciones particulares»._ Para las acciones individuales las _«dudas en la interpretación de las condiciones generales oscuras se resolverán a favor del adherente»_ (art. 6.2 LCGC); este mismo criterio resultará también de aplicación en los contratos celebrados por consumidores (art. 80.2 LGDCU).

g) Por último, si conforme a las reglas anteriores no cabe resolver las dudas existentes, se acudirán a las reglas cierre que establece el artículo 1289 del Código Civil. El precepto prevé que si las dudas *«recaen sobre circunstancias accidentales del contrato, y éste fuere gratuito, se resolverán en favor de la menor transmisión de derechos e intereses»*; y si *«el contrato fuere oneroso, la duda se resolverá a favor de la mayor reciprocidad de intereses»*. Cuando esas dudas recaigan sobre el objeto principal del contrato, *«de suerte que no pueda venirse en conocimiento de cuál fue la intención o voluntad de los contratantes, el contrato será nulo»*; esto es, si el contrato no puede ser interpretado por sus términos vagos y oscuros, el mismo resultará ineficaz.

II. LA INTEGRACIÓN DEL CONTRATO

Como se ha apuntado, la integración del contrato deviene si las partes no han previsto un determinado aspecto de la reglamentación contractual o, cuando habiéndolo previsto, choca con algunas previsiones indisponibles del sistema. En estos casos, las lagunas existentes en esa regulación privada debe completarse para que el contrato, como *lex privata* (art. 1091 del CC), cumpla el papel asignado por las partes. Las formas en las que puede suplirse ese vacío de reglamentación son:

a) La autointegración o interpretación integradora, en la que se llenan los huecos producidos por la falta de reglas concretas acudiendo al resto de las estipulaciones previstas en el propio contrato, deduciendo de sus líneas generales la solución del caso que no se contempló expresamente. Como apunta la doctrina (LACRUZ), este recurso es preferente ya que atiende a la voluntad de las partes, que es el origen del negocio y la determinante de la finalidad perseguida y del tipo contractual adoptado. El problema radica en que cada contratante puede querer cosas diversas; por ello, este procedimiento sólo parece aplicable si se puede deducir de lo escrito una voluntad probable en orden a la solución del problema. De no ser así hay que acudir a la otra vía de integración.

b) La heterointegración, a la que se recurrirá cuando no siendo posible extraer del texto una solución concreta se tiene que acudir a elementos externos para integrar la disciplina contractual. A estos elementos se refiere el art. 1258 del CC, norma de *ius cogens*, cuando dispone que los contratos obligan desde su perfección *«no sólo al cumplimiento de lo expresamente pactado, sino también a todas la consecuencias que, según su naturaleza, sean conformes a la buena fe, al uso y a la ley».* Por tanto, en ausencia de voluntad expresa de las partes, la integración del contenido y reglamentación del contrato deberá efectuarse, según afirma la doctrina en cuanto al orden de preferencia:

– Por la ley. Esta ley integradora del contrato podrá ser dispositiva o imperativa. En cuanto a la primera, se aplicará con preferencia la regulación supletoria del contrato que se trate, acudiéndose a las reglas generales de los contratos cuando no exista previsión específica. Respecto a la segunda, le corresponderá el papel integrador cuando la autonomía privada de la voluntad no respete los límites fijados por la ley imperativa (art. 1255 CC) y ésta deba observarse, lo que hará que prevalezca incluso sobre lo expresamente pactado.

– Por el uso. A él se refiere el art. 1287 inciso segundo del CC, según se vio, en cuanto le confía la función de suplir en los contratos *«la omisión de cláusulas que de ordinario suelen establecerse».* Según la doctrina (DE CASTRO), este uso al que alude el artículo 1287 del CC es el llamado uso de los negocios, uso convencional o uso del tráfico «modo de proceder en el mundo los negocios»; así, salvo que se deduzca otra cosa del contrato, las cláusulas usuales se tendrán por puestas y serán obligatorias aunque las desconozcan las partes, pues aquél será elemento normativo del contenido del contrato por disposición expresa del art. 1258 del CC. El artículo 1.3 del CC prevé que los usos «no interpretativos» tendrán la consideración de costumbre.

– Por la buena fe. Como principio general del Derecho desempeña el doble papel que se le asigna por ser tal: es informador del contrato y, además, constituye fuente supletoria de tercer grado (art. 1.4 del CC). La reglamentación contractual, ya integrada por la ley dispositiva o, en su caso, los usos, genera derechos y deberes cuyo ejercicio debe acomodarse a la buena fe. Así lo señala el art. 57 del CCom reseñando que *«los contratos de comercio se ejercitarán y cumplirán de buena fe»,* lo que viene a amparar la confianza de cada una de las partes en que la otra procederá de un modo acorde con lo que se considera correcto en el mercado (no se induzca a engaño o error –art. 5 de la Ley de Competencia Desleal–) y en el tráfico jurídico en general. La exigencia de una conducta correcta, que impone la buena fe contractual, desempeña asimismo la función vista de control del contenido de las condiciones generales. De ahí que se consideren abusivas aquellas condiciones generales y prácticas no consentidas expresamente que, en contra de las exigencias de la buena fe, impliquen un desequilibrio de los derechos y obligaciones de las partes (art. 82.1 LGDCU; art. 3.1 Directiva 97/13/CEE sobre cláusulas abusivas en los contratos celebrados con consumidores). El principio de buena fe puede imponer, igualmente, a las partes obligaciones concretas y específicas, en cuyo caso dicho principio será supletorio de la ley y del uso normativo.

III. EFICACIA DEL CONTRATO

1. EFECTOS GENERALES DEL CONTRATO

Según dispone el art. 1091 del CC *«las obligaciones que nacen de los contratos tienen fuerza de ley entre las partes contratantes, y deben cumplirse al tenor de los mismos»*. El contrato no tiene la generalidad de la ley pero *inter partes* posee su misma autoridad; por ello, las partes han de someterse a la ley del contrato igual que a la regla legal, y el juez debe imponer su respeto como si de ésta se tratare. Junto a este carácter vinculante que se deriva del contrato, se presenta también otra de los efectos típicos de la relación contractual: su irrevocabilidad. En principio, dado que el contrato resulta obligatorio, éste sólo se puede romper si las partes de común acuerdo así lo quieren. Dicho acuerdo, conocido como *mutuo disenso*, permitirá deshacer el contrato celebrado, pero se producirá la ineficacia de éste a partir de ahí –sin efecto retroactivo–; las partes tendrán que volverse a transferirse lo que se entregaron por el contrato, con los costes de una nueva transmisión –de documentación y fiscales–.

En la relación contractual, como regla general, las contratantes no pueden liberarse de sus obligaciones por su sola voluntad, tampoco gozan por sí de la facultad para resolver el contrato unilateralmente. Es consustancial a la noción de contrato que éste no puede quedar a merced de una de las partes contratantes, y cumplirlo o no a su voluntad. Así se prevé en el art. 1256 del Código Civil, pues *«la validez y cumplimiento del contrato no puede dejarse al arbitrio de uno de los contratantes»* (también los arts. 1115 y 1449 del CC). No obstante, el ordenamiento jurídico reconoce algunas excepciones a esa regla general. Se permite que los contratantes puedan desligarse unilateralmente del contrato cuando existan relaciones duraderas de carácter indefinido (en casos como el contrato de sociedad –arts. 1700.4 y 1705 a 1707 CC–, el arrendamientos de servicios, el contrato de trabajo, los contratos de suministro, etc.); en las relaciones contractuales de carácter personalísimo, siempre que la liberación unilateral no genere daño injustificado para la otra parte (p.

ej., el mandato –arts. 1732, 1736 y 1737 del CC–); en relaciones en las que el desistimiento unilateral se acompaña de una indemnización adecuada que compensa al otro contratante (p. ej., el contrato de obra –art. 1594 CC–); y en relaciones en las que el convenio permite tal posibilidad entregando una determinada cantidad (casos de contratos en los que se incluye una cláusula penal –arts. 1153 CC– o unas arras penitenciales –1454 del CC–). También se prevé en la legislación de consumo, reconociéndose como un derecho del consumidor para algunos contratos (así, los celebrados a distancia –arts. 101 y 102 LGDCU–, los celebrados fuera de establecimientos mercantiles –arts. 110 y 111 LGDCU–, o los de viajes combinados –art. 160 LGDCU–). El ejercicio de este derecho –de desistimiento unilateral o arrepentimiento– está sometido a plazo (siete días hábiles –si el empresario cumple sus obligaciones de documentación en información contractual–, o de tres meses –en otro caso– [art. 71 LGDCU]), no requiere formalidad alguna (art. 70 LGDCU), y su prueba corresponde al consumidor (art. 72 LGDCU).

El contrato posee una eficacia relativa ya que sólo produce efectos *«entre las partes contratantes y sus herederos; salvo en cuanto a éstos, el caso en que los derechos y obligaciones que proceden del contrato no sean transmisibles, o por su naturaleza, o por pacto, o por disposición de la Ley»* (art. 1275 del CC). Ello supone que a los terceros no les será aplicable la reglamentación que creó el contrato, ni en su provecho ni en su daño: idea que se condensa en la máxima de que el contrato es *«res inter alios acta, aliis nec nocet nec prodest»*. Son parte del contrato los que lo otorgan, aunque sea mediante representante –no el mandatario sin poder, salvo ratificación–, y los herederos a título universal, cuando heredan y asumen el conjunto de relaciones del causante como un todo. Tiene la consideración de tercero el que no ha sido parte del contrato, así como el causahabiente a título particular (comprador de un bien que lo recibe del vendedor, quedando sujeto a los compromisos que éste asumió).

Para los terceros la falta de eficacia directa del contrato no supone, sin embargo, que éstos puedan ignorar su existencia y efectos. El contrato puede también desplegar una *eficacia indirecta*, refleja o mediata respecto de ellos. Ésta se concreta en el deber de respeto de la situación jurídica que el contrato creó, que obliga a los terceros –si la conocen– a no celebrar con alguna de las partes contratantes otro contrato incompatible con el anterior, que impida su cumplimiento o frustre el interés de la otra parte contratante. También entraña una posible responsabilidad de carácter extracontractual (art. 1902 CC), si irrogan por su negligencia un perjuicio injusto al crédito ajeno. Por tanto, los contratos aunque no vinculan a los terceros son *oponibles* a éstos, y las titularidades que de aquéllos se deriven se les pueden oponer en un contrato ulterior (así, p. ej., en la legislación arrendaticia que impone al comprador la asunción automática del contrato de arrendamiento celebrado por el vendedor –art. 14 LAU–). El Tribunal Supremo así lo ha considerando, invocando la regla *nemo iuris ad alium transferre potest quam ipse habet,* a fin de justificar que el tercero debe soportar los efectos de los contratos celebrados con anterioridad por el transmiten si éstos recaen sobre el derecho que se transmite (STS [1ª] 2.11.1981). Con todo, las limitaciones que nacen de pactos obligacionales estipulados con anterioridad por el transmitente no pueden afectar al adquirente, salvo que éste se haya obligado a ello; o, teniendo acceso al Registro de la Propiedad, hayan sido publicadas por él en condiciones que sean oponibles *erga omnes* (*vid.* arts. 1218, 1219, 1227, 1230, 1317 y 1865 CC).

2. EL CONTRATO EN FAVOR DE TERCERO

2.1. Concepto

Según dispone el art. 1257.2 CC, *si el contrato contuviere alguna estipulación a favor de tercero, se podrá exigir su cumplimiento, siempre que hubiese hecho saber su aceptación al obligado antes de que haya sido aquélla revocada.* Este precepto contempla el llamado «contrato a favor de tercero», que es aquel que otorga a una persona distinta a las partes –tercero– un derecho de crédito. No es «contrato a favor de tercero» el convenio mediante el cual se pacta (o se autoriza con eficacia liberatoria) la prestación a favor de un tercero, sin que éste pueda reclamar tal prestación (Juan contrata con un grupo de rock que le den un concierto a su novia); ni tampoco aquellas situaciones de las que surge indirectamente sólo una ventaja económica para el tercero, al que las partes no quisieron atribuir un derecho subjetivo (Rafael se obliga frente a Luis a no edificar en una finca, lo que beneficia a todos los vecinos).

Puede ser objeto de esa prestación cualquier cosa, por cualquier título –oneroso o gratuito–, con o sin contraprestación. Ejemplo habitual de esta modalidad contractual es el contrato de seguro de vida para el caso de fallecimiento, que atribuye a un tercero –beneficiario– el derecho a recibir la indemnización que acordaron los contratantes –el tomador del seguro y la aseguradora–. Aunque existen otros muchos supuestos que se acomodan a este esquema negocial: la constitución de renta a favor de tercero (art. 1803 CC); el transporte a porte pagado de cosa a entregar a tercero; la donación con cláusula de reversión a favor de persona distinta del donante (art. 641 CC); el compromiso de entrega a tercero de los bienes depositados (art. 1766 CC); el contrato de hospedaje o el de asistencia médica a favor de tercero, etc.

El art. 1257.2 CC se refiere a este contrato como el que contiene «*alguna estipulación»* en provecho de tercero, lo cual puede hacer pensar que ésta no cabe que sea el único objeto del convenio. La doctrina admite la validez y eficacia del contrato que únicamente se estipula en beneficio ajeno en atención a la libertad contractual y de pacto que prevé el art. 1255 del CC (STS [1ª] 9.12.1940).

2.2. Los sujetos y su capacidad. Determinación del tercero

En los contratos a favor de tercero intervienen siempre tres partes: el *promitente*, que es el obligado a realizar la prestación a favor de tercero; el *estipulante*, que es el que acuerda con éste la misma; y el *beneficiario* o *tercero*, favorecido por el contrato, que no es preciso que exista en el momento de celebrarse el acuerdo (arts. 627 y 794 CC). Tanto el promitente como el estipulante deberán disponer de la capacidad general para contratar, además de la que se les pueda requerir eventualmente para concluir específicamente el contrato que celebren. El tercero (beneficiario) no precisa de tales capacidades, pues es ajeno al contrato –no contrata–. Por ello, le bastará con la capacidad que se exige para la válida adquisición de los derechos: la capacidad natural de obrar a fin de emitir la declaración de voluntad de aceptar (si no cuenta con ella, actuarán sus representantes legales).

El estipulante puede determinar quién sea el beneficiario en el momento de contratar (dispongo como beneficiaria del seguro de vida a mi esposa Teresa); o bien *a posteriori*, si se establecen en el contrato los elementos suficientes que permitan dicha determinación (STS [1ª] 10.12.1956) –p. ej., el que venza en un concurso–. El estipulante también puede reservarse este derecho y designar al beneficiario en un momento posterior –situación común en los seguros–; en tal caso, aquel será el único acreedor de la estipulación hasta la determinación del beneficiario y tal crédito pertenecerá a su patrimonio (respondiendo de sus deudas y siendo susceptible de embargo).

2.3. La adquisición del derecho por el beneficiario y su aceptación

Conforme a lo que dispone el art. 1257.2º del CC, la aceptación del beneficiario constituye un presupuesto para que la estipulación que le favorece pueda ser exigible al promitente–, aunque nada se indica respecto a cuándo debe estimarse que el beneficiario adquiere el derecho que le atribuye la estipulación. Cabe preguntarse, entonces, qué valor tiene esa «aceptación de la prestación» que debe realizar el tercero beneficiario. La doctrina (Díez-Picazo, Lacruz) afirma de manera tajante que la aceptación del tercero –beneficiario– no constituye un requisito necesario para la perfección de este contrato. El contrato a favor de tercero resulta perfecto desde que las partes contratantes –estipulante y promitente– concluyen el mismo, naciendo de éste el derecho que se atribuye al tercero (beneficiario).

Esa aceptación tampoco constituye un presupuesto imprescindible para que nazca el derecho del tercero, pues este derecho existe desde que se perfecciona el contrato o la estipulación. El promitente se encuentra obligado a cumplir la prestación desde ese momento, antes incluso de que el beneficiario la acepte. En consecuencia, el tercero tiene derecho a la prestación inmediatamente y sin necesidad de su aceptación. El derecho del beneficiario es un derecho autónomo, ajeno al estipulante, aun cuando sea éste el causante de tal crédito. Dicha prestación no integra el patrimonio del estipulante y éste no la cede a aquél, pues el estipulante contrata una prestación para el tercero y no para él. Por eso, cuando el crédito del beneficiario se genera por causa del fallecimiento del estipulante –como ocurre en el seguro de vida–, dicho crédito no forma parte de la herencia del estipulante, es propio del beneficiario y puede reclamarlo aunque como heredero de aquél haya repudiado su herencia.

El papel de la «aceptación del tercero» a la que alude el art. 1257.2 CC es el de evitar que el derecho que se le atribuyó a aquél por la estipulación pueda ser revocado por una declaración en contrario de los contratantes. Es, además, una exigencia del principio de autonomía privada de la voluntad para que el crédito concedido al tercero pueda incorporarse efectivamente a su patrimonio, ya que a nadie puede imponerse un enriquecimiento sin su voluntad. Desde una perspectiva operativa, la aceptación del tercero configura una declaración de voluntad de carácter receptício que debe dirigirse necesariamente al obligado, según prevé imperativamente el art. 1257 CC. Dicha declaración podrá ser expresa o tácita (así se considerará, p. ej., si el tercero reclama la prestación prometida).

2.4. La revocación de la estipulación

La revocación constituye una declaración de voluntad de carácter receptício que tiene por objeto dejar sin efecto la estipulación prevista a favor de un tercero. Ésta se podrá ejercitar mientras el beneficiario no comunique al promitente que ha aceptado la prestación (art. 1257 CC). El titular de ese poder de revocación es de ordinario el estipulante, aunque nada obsta para atribuir al promitente también esa facultad, dada la indeterminación legal sobre la cuestión. El derecho de revocación es inicialmente transmisible y los herederos del estipulante, como sucesores de la posición jurídica contractual de éste, podrán ejercitarlo (art. 1257.1 CC); aunque, en ocasiones, esa transmisibilidad se excluirá en atención al objeto de la prestación (p. ej., en el contrato de seguro de vida, según se vio). Aquélla se dirigirá al beneficiario y al promitente. Respecto al primero, porque la revocación le privará de un derecho que ya ingresó en su patrimonio al establecerse la estipulación. En cuanto al segundo, porque es necesario que conozca dicha situación y sepa que ha quedado liberado de la prestación que comprometió a favor del tercero.

El Código Civil nada prevé respecto al destino que deba darse a la prestación dispuesta a favor de tercero si se produce la revocación de la estipulación. La doctrina entiende que la solución a este problema dependerá del carácter oneroso o gratuito del contrato que se hubiera concluido a favor del tercero. Cuando el contrato celebrado entre el estipulante y el promitente lo fuera a título oneroso, el estipulante será el destinatario de la prestación a fin de evitar que el promitente obtenga un enriquecimiento injusto (si el estipulante entrega un capital al promitente para que éste se obligue a dar al beneficiario una renta vitalicia, liberado de dicha obligación, el promitente se enriquecería injustificadamente si retiene lo que se le entregó). En cambio, si la estipulación a favor de tercero se funda en un título gratuito, con la revocación de la estipulación, el promitente quedará liberado y, en principio, nada tendrá que devolver. El estipulante –donante– que donó al promitente –donatario– un determinado bien, con la carga de que éste cumpliera una determinada prestación a favor de tercero, si revoca el beneficio que concedió al tercero, revocará la obligación que le impuso al promitente (donatario), pero no suprimirá la donación realizada al promitente (donatario) ni el ánimo de liberalidad que la fundó. No habrá tampoco causa para la revocación de la donación, pues el promitente (donatario) no cumplirá la carga por quererlo así el estipulante con la revocación de la estipulación (art. 647 CC).

2.5. Efectos del contrato a favor de tercero

Se distinguen en función de las relaciones jurídicas que surgen entre las tres partes implicadas por este contrato:

1. Relación entre estipulante y promitente, también conocida como «relación de cobertura» y que atiende a la relación jurídica ordinaria existente entre las partes contratantes. Éstos pueden exigirse entre sí todo aquello a lo que se comprometieron por el contrato (p. ej., el tomador debe pagar la prima de seguro y podrá exigir la prestación estipulada, o el cargador tendrá que entregar al porteador la mercancía que se proporcionará al tercero, abonar el precio del transporte y exigir el cumplimiento de la prestación, etc.). Las posibilidades de actuación que les permite su relación serán distinta antes y después de que el beneficiario acepte la estipulación. Antes de la aceptación,

estos contratantes pueden poner fin al contrato de común acuerdo (*mutuo disenso*), así como resolverlo por incumplimiento si su relación tiene carácter sinalagmático (lo cual, evidentemente, afectará al beneficiario y le privará de su derecho). Tras la aceptación por el tercero, la modificación o la extinción de la relación contractual que devenga de la exclusiva voluntad de estipulante y promitente (mutuo disenso, novación extintiva, etc.) no afectará al tercero, salvo que éste consienta en ello. Los contratantes mantendrán siempre las facultades y acciones propias que les reconoce el ordenamiento para la defensa de sus derechos o sus pretensiones (p. ej., acción resolución por incumplimiento –art. 1124 CC–).

2. Relación entre el estipulante y el beneficiario o tercero, que se denomina como «relación de valuta». Ésta es la situación subyacente que actúa a modo de causa (justificada) de la atribución patrimonial que se realiza en favor del tercero. El estipulante puede establecer la estipulación para otorgar al beneficiario una liberalidad (*causa donandi*), para cumplir con una obligación preexistente entre ambos de la que el primero resulta ser deudor (*causa solvendi*), o con el fin de constituir un crédito (así, p. ej., la cantidad que entrega el promitente al beneficiario constituye un préstamo del estipulante que el beneficiario deberá restituir a éste). Esta relación –de valuta– que media entre estipulante y tercero (beneficiario) resulta ajena e irrelevante para el promitente, aunque determinará los efectos que deban producirse entre los primeros –estipulante y tercero–. Cuando se funde en una *causa donandi*, se le aplicarán las reglas de la donación –salvo quizá las relativas a la forma–. Si la atribución patrimonial que se impone por el estipulante a favor del tercero (beneficiario) se sustenta en una causa onerosa (*causa solvendi* o *causa credendi*), entre éstos deberá existir una relación patrimonial lícita; y si no existe causa o ésta desaparece, el estipulante podrá instar la acción de enriquecimiento para recuperar del beneficiario aquello en lo que se enriqueció.

3. Relación entre promitente y beneficiario. Es la que da derecho al tercero (beneficiario) a exigir la estipulación pactada a su favor. Constituye una relación jurídica obligatoria en la que el tercero (beneficiario) será el acreedor, ostentará un derecho de crédito contra el promitente y dispondrá de las acciones previstas para exigir el pago o cumplimiento de la prestación constituida a su favor. En esta relación, el promitente puede oponer al tercero (beneficiario), titular de ese crédito que se le concedió, todas aquellas excepciones objetivas que se derivan del contrato (nulidad o anulabilidad, incumplimiento,

etc.), y las que aquél –el promitente– pueda tener frente a éste –tercero o beneficiario– por otras causas diferentes (p. ej., por la compensación). No se podrá hacer uso, en cambio, de las excepciones que se deriven exclusivamente de la relación que une a promitente y estipulante, ni tampoco las que surjan de la relación de valuta entre estipulante y tercero.

3. EL CONTRATO EN DAÑO DE TERCERO

Se denomina «contrato en daño de tercero» a aquel cuya perfección genera un daño directo e inmediato a un tercero, sea este daño querido –dolosamente o no– por ambas partes contratantes o sólo por una de ellas. Tal daño debe suponer la lesión o la violación de un derecho subjetivo concreto, que no tenga que soportarse conforme a las reglas y usos de la contratación. Es una excepción al principio general de la eficacia relativa del contrato y constituye un supuesto en el que el contrato puede producir efectos respecto a los terceros.

Dado que sobre los terceros pesa el deber de respeto de las situaciones jurídicas ajenas (obligacionales o reales), con la celebración de un contrato realizado por otros se pueden lesionar las situaciones jurídicas preexistentes y ajenas al mismo. Como ejemplos de ello se aducen el supuesto de concedente de una exclusiva que vulnera dicho pacto y vende a otros en la zona de concesión (STS [1ª] 29.10.1955); o la cantante que, vinculada en exclusiva con una empresa discográfica, contrata con otra empresa la grabación de una serie de canciones (STS [1ª] 23.3.1921); o el que, sabiendo que un transmitente estaba obligado a ofrecerle un negocio primero a otro sujeto, realiza dicho negocio con aquél y adquiere el bien destinado al otro (STS [1ª] 16.2.1973).

En todos estos supuestos los remedios jurídicos que se ofrecen al tercero perjudicado por el contrato se encaminan a reparar el daño que se le ha irrogado, así como a lograr la ineficacia del contrato que le lesionó. El que fue parte del segundo contrato, e infringió las obligaciones que mantenía con el lesionado, responderá contractualmente por el incumplimiento de su contrato con éste (art. 1101 y ss. del CC). Quien contrató con aquél, en perjuicio de ese otro contratante, responde del daño irrogado por vía de la responsabilidad extracontractual si conocía los efectos que su comportamiento podía causar (arts. 1902 y ss. del CC). La conciencia de ambas partes sobre la lesión que genera su contrato al derecho ajeno comportará que su actuación se estime inmoral y la causa que fundamenta ese contrato lesivo sea «ilícita». Ello permitirá que el perjudicado pueda, en todo caso, instar la nulidad absoluta del contrato generador del daño por su ilicitud causal.

4. EL CONTRATO A CARGO DE TERCERO

El contrato a cargo de tercero, también conocido como «*promesa del hecho de un tercero*», es una estipulación por la que una parte –promitente– se obliga frente a otra a que un tercero entregue alguna cosa o preste algún servicio –incluso de no hacer–. La obligación que ha de asumir ese tercero nacerá cuando éste –el tercero– consienta, ya que nadie puede quedar obligado sin su voluntad. Antes de la aceptación del tercero, el promitente se vincula a la obtención de un resultado: procurar que el tercero se comprometa a realizar esa obligación. Ello supone que frente al que recibe su promesa asume el riesgo de que aquél no acepte. Esta asunción del riesgo entrañará la obligación del promitente de responder por el incumplimiento en el caso de que el tercero no preste su consentimiento. De esta forma el promitente asume una prestación de garantía frente al promisario.

Con el consentimiento del tercero, el promitente queda liberado de su posición contractual y aquél asumirá la que ocupaba éste. No obstante, puede estipularse que el promitente siga vinculado, lo cual supondrá que su obligación perviva y se sume de forma cumulativa a la de tercero, garantizando el cumplimiento de la obligación que el tercero asumió (p. ej., si se compromete el pago de una deuda). El contrato a cargo de tercero no se regula expresamente en el Código civil, pero la doctrina admite su validez y eficacia al amparo del principio de autonomía privada de la voluntad (art. 1255 CC). El Fuero Nuevo de Navarra lo prevé en la ley 524 disponiendo que «*las estipulaciones a cargo de tercero no obligan a éste si no es heredero del promitente, ni al mismo promitente; pero en los contratos puede una de las partes obligarse a que un tercero realice una prestación, y responderá de ella por el incumplimiento del tercero*». Y «*cuando el tercero acepte la obligación estipulada a su cargo quedará personalmente obligado en concepto de promitente*».

5. EL CONTRATO PARA PERSONA QUE SE DESIGNARÁ

Es aquel contrato en el que una de las partes contratantes, el estipulante, se reserva la facultad o posibilidad de designar, en un momento posterior y dentro de un plazo establecido, a una tercera persona que ocupará su posición contractual frente al promitente. Destaca la doctrina que éste no es propiamente un contrato que produzca eficacia frente a terceros, sino un tipo contractual en el que una de las partes contratantes se determina de forma alternativa: el estipulante o la persona que éste designe. En el contrato para persona que se designará se suelen distinguir dos momentos:

a) La fase previa a la designación del tercero. En esta etapa el contrato produce sus efectos entre el estipulante y el promitente, otorgándose al primero la *facultad de elegir* a la persona que ocupará su posición contractual. Para la atribución de esa facultad se definirán las condiciones o circunstancias que tendrá que satisfacer la persona a designar; y, en su caso, el plazo de ejercicio de dicha facultad, que no podrá quedar al arbitrio de sólo una parte del contrato (art. 1256 CC). Cuando no se señale plazo, y siempre antes del cumplimiento del contrato, el estipulante podrá elegir en cualquier momento a su sustituto; salvo que se deduzca de la voluntad negocial, o de la naturaleza de la obligación, que la designación debe realizarse en un tiempo concreto. Transcurrido ese término sin haber designado al sustituto, el estipulante devendrá definitiva e irrevocablemente parte en ese contrato. Legalmente el tercero a designar tendrá que disponer de la capacidad precisa para poder asumir la posición contractual de que se trate; y contar, además, con la capacidad requerida para la celebración del tipo de contrato al que accede. El estipulante no podrá designar a una persona incapaz, ni tampoco aquella que se encuentre afectada por una prohibición de contratar (p. ej., las del art. 1459 del CC).

b) La fase posterior a la elección del tercero. Para que la sustitución sea eficaz y el tercero ocupe la posición del estipulante, será necesario que el designado acepte la sustitución. Esta elección, que realiza el estipulante, tendrá que notificarla al promitente a fin de que éste pueda comprobar si el tercero cumple, o no, con los requisitos objetivos y subjetivos que pactó con aquél; pues, si el elegido no los cumple, será el estipulante quien quede definitivamente obligado frente al promitente. Ésta es una situación parecida a la que se plantea en la cesión de créditos entre cedente y cesionario; y la doctrina entiende que el estipulante ha de responder frente a la otra parte contratante de igual forma que el cedente en el art. 1529 del CC. El Código civil no prevé esta figura. La Ley de Enjuiciamiento civil alude a ella en el proceso ejecutivo al regular la venta en subasta, permitiendo que el ejecutante pueda hacer postura en la subasta *«reservándose la facultad de ceder el remate a un tercero»*. En este caso, el ejecutante comparecerá ante el Secretario judicial con el cesionario –tercero–, y éste tendrá que aceptar la sustitución de forma previa o simultánea al pago del precio del remate (art. 647.3 LECiv).

6. CESIÓN DE CONTRATO Y SUBCONTRATO

6.1. Cesión del contrato

Existe una *«cesión de contrato»* cuando, en virtud de un negocio de transmisión, una o ambas partes contratantes traspasan a un tercero, o varios, la íntegra posición que ocupaban en el contrato, manteniendo el mismo. El Código Civil no regula con carácter general la cesión del contrato, aunque sí contempla reglas particulares para los supuestos en los que existe una cesión del crédito o se produce la modificación de la posición deudora. La doctrina y la jurisprudencia admiten su validez al amparo del principio de autonomía privada de la voluntad (art. 1255 CC); y la ley, en ocasiones, la prevé para situaciones concretas ligadas a determinados contratos (así, en los contratos de arrendamiento, o respecto al contrato de trabajo cuando la empresa cambia su titularidad).

La jurisprudencia exige para calificar un convenio como «cesión de contrato» que concurran los siguientes elementos:

a) Una relación contractual viva de la que se deriven obligaciones pendientes de ejecución, en todo o parte para las partes o una relación contractual duradera que no se haya extinguido (caso del contrato de sociedad).

b) Que intervengan en el negocio de cesión –concluido a título oneroso o gratuito– el titular de la posición que se enajena –cedente–, el nuevo adquirente de la posición contractual –cesionario–, y la otra parte contratante –co-contratante– que será el que tenga que cumplir las obligaciones frente al cesionario y al que éste le podrá exigir los derechos que ostente como consecuencia del contrato. No existirá negocio de cesión de contrato sin la intervención de ese cocontratante, aunque no sea parte del contrato de cesión, y su consentimiento únicamente se requiera para que el negocio despliegue efectos frente a él. Dicho consentimiento podrá prestarlo antes o después de celebrarse el contrato.

c) Que el cesionario (adquirente) disponga de capacidad para realizar el negocio de cesión y pueda asumir la posición contractual de que se trate.

d) Que se satisfaga, cuando proceda, la forma exigida para el contrato que se cede.

La cesión del contrato producirá los siguientes efectos:

1º) El cesionario ocupará la posición que ostentaba el cedente en el contrato. Adquiere el crédito y las deudas que le correspondían a éste, así como el resto de las facultades y derechos no personalísimos que se deriven de la relación contractual cedida.

2º) El cedente quedará desligado de su posición contractual, desapareciendo del contrato; aunque responderá frente al cesionario conforme a las reglas de cesión de créditos (arts. 1528 y 638 CC) y de cambio de deudor.

3º) El contratante cedido tendrá que responder frente al cesionario, pero podrá oponer a éste todas las excepciones que se deriven de la relación y sean objetivas, así como las personales que puedan mediar entre ambos. Respecto a las excepciones de carácter personal que le cabía oponer frente al cedente, se valdrá de ellas en la medida en que no hubiera consentido el acto de cesión.

4º) El contrato cedido persistirá íntegro en los demás aspectos, manteniendo sus accesorios y garantías. No obstante, las garantías personales prestadas por tercero para asegurar el cumplimiento del contrato por el cedente, se extinguirán en el momento de la cesión, a menos que el constituyente las prorrogue (arts. 1847 y 1851 CC). Para la cesión de contrato dispuesta por ley habrá que estar a lo que disponga la ley en cuanto a sus requisitos y efectos.

6.2. El subcontrato

Como ha señalado la doctrina (LÓPEZ VILAS), el subcontrato es un contrato derivado y dependiente de otro anterior de su misma naturaleza, que nace como consecuencia de la actuación de un contratante que, basándose en la legitimidad que le otorga un contrato previo que le vincula, celebra otro del mismo tipo con una tercera persona, manteniendo el originario. Ambos contratos –el principal y el derivado–, coexisten y se desenvuelven al mismo tiempo. Ejemplo paradigmático es el contrato de subarriendo de vivienda, en el que el arrendatario de una vivienda, basándose en su situación jurídica, concluye con un tercero el arrendamiento de toda o parte de esa finca; dependiendo en este contrato de subarriendo de lo que acaezca en el contrato de arrendamiento del que deriva. A diferencia de lo que ocurre en la cesión de contrato, en el subarriendo no existe una transmisión de la posición contractual, ya que el contrato principal mantiene su entidad y existencia; se crea un nuevo derecho –el del subcontratante– que se une y depende de ese contrato anterior.

El problema principal que plantea el subcontrato, derivado de la inevitable dependencia de ese segundo contrato respecto del primero, radica en si esa parte contractual que no concluyó el segundo contrato (p. ej. arrendador) puede dirigirse directamente contra el subcontratista (subarrendatario), prescindir de la parte contractual que es su nexo común (arrendatario-subarrendador), y exigir las obligaciones que les afecten. En virtud de la eficacia relativa del contrato, la doctrina niega con carácter general que pueda demandarse por quien no ha sido parte de un contrato o un subcontrato las obligaciones propias que se derivan de éstos. No obstante, el ordenamiento jurídico prevé algunas excepciones en las que se difumina esa situación de separación existente entre el contratante y subcontratista, y les legitima para instar la llamada _acción directa_. Esta acción faculta a esas partes que pertenecen a distintos contratos para exigirse directamente entre sí, y sin intervención de su parte contractual común –subcontratante–, algunas de las prestaciones que se deben por razón de sus contratos (así lo contempla el Código Civil, p. ej., para el mandato –arts. 1721 y 1722–; el arrendamiento –arts. 1551, 1552 y ss.–; o el contrato de obra –art. 1597 CC–).

IV. INEFICACIA E INVALIDEZ DE LOS CONTRATOS

1. PRECISIONES CONCEPTUALES

El contrato se concluye para que produzca los efectos que quisieron las partes. Si el contrato no surte ningún efecto, o bien los que se generan no corresponden al contenido de aquél, el contrato se considera *ineficaz* (OERTMANN). La falta de producción de efectos puede deberse a distintas causas. Cabe que proceda del carácter anómalo o irregular del contrato, que legitimará a las partes para ejercitar acciones tendentes a obtener la destrucción jurídica del mismo o paliar sus consecuencias. Pero, también, puede generarse por la concurrencia de determinados hechos (p. ej., condición no cumplida), o la no realización de algunas conductas (p. ej., incumplimiento voluntario de la obligación), que facultan a las partes contratantes para privarle de su eficacia típica con posterioridad a la celebración del contrato.

La doctrina (LACRUZ, DELGADO ECHEVERRÍA), no sin discusión (en contra DÍEZ PICAZO), alude a la existencia de dos conceptos para explicar la razón por la que un contrato puede no desplegar efectos: la invalidez y la ineficacia. Se llama *invalidez* a la negación de la fuerza jurídica vinculante de un contrato por ser contrario a Derecho, como sanción a su ilegalidad. Es inválido el contrato que no reúne los elementos y requisitos necesarios que la ley exige para que éste logre relevancia jurídica y amparo por el ordenamiento. La invalidez se predica de la estructura contractual, por carecer de alguno de sus elementos necesarios (consentimiento, objeto y causa), o no cumplir esos elementos los requisitos exigidos (p. ej., licitud o existencia), o bien hallarse viciada su formación. Los dos regímenes de la invalidez son la nulidad y la anulabilidad. El concepto de *ineficacia* se emplea en un doble sentido. En su acepción amplia, viene a significar la falta de producción, en todo o parte, de efectos en un contrato, cualquiera que sea su causa. En su relación con la invalidez se afirma que si bien todo contrato inválido es ineficaz, no todo contrato ineficaz resulta necesariamente inválido.

En un sentido estricto, los autores (LACRUZ, DELGADO ECHEVERRÍA) emplean el término de ineficacia para referirse a los casos en los que la falta de efectos del contrato no proviene de una anomalía estructural del mismo. Son fruto de las facultades que el ordenamiento concede a una o a ambas partes para dejar sin efecto el contrato ya celebrado o bien condicionar su efectividad. A esta categoría se adscriben distintas situaciones en las que el contrato deja de producir las consecuencias inicialmente proyectadas (p. ej., el mutuo disenso, el desistimiento unilateral, la resolución por incumplimiento contractual –art. 1124 CC–, la revocación, el cumplimiento o incumplimiento de condición resolutoria o suspensiva, etc.). El régimen paradigmático de esta modalidad de ineficacia es la *rescisión* contractual, cuya disciplina acoge el Código civil en los arts. 1290 y ss.

Junto a estas categorías y, por influjo de la dogmática francesa, la doctrina se refiere también como concepto independiente a la *«inexistencia»* del contrato. Con esta expresión se alude a los supuestos en los que la falta de alguno de los elementos esenciales del contrato, o su distorsión, hacen que el tipo contractual pierda su identificación típica. En nuestro ordenamiento jurídico esta noción, aunque clara conceptualmente, no identifica un régimen autónomo de ineficacia contractual o negocial. La situación de inexistencia por falta de los elementos esenciales del contrato se reconduce al régimen de la nulidad absoluta, por cuanto carece éste de las *«condiciones esenciales para su validez»* (art. 1278 *in fine* CC). Por su parte, la alteración de los elementos del contrato de forma tal que éste pierda su identidad (p. ej., una compraventa sin precio, lo que supone una donación), se resuelve aplicando las reglas de interpretación del contrato (arts. 1281 a 1289 CC) y el principio de la autonomía de la voluntad (art. 1255 CC).

2. LA NULIDAD

2.1. Concepto, causas y caracteres

Un contrato es nulo cuando a causa de un defecto estructural no es apto para producir ningún tipo de consecuencia jurídica. La nulidad es la máxima sanción que dispensa el ordenamiento jurídico, y expresa el régimen de ineficacia intrínseco del negocio. Al concepto de nulidad se suele referir también con los términos de *nulidad absoluta* o *nulidad de pleno derecho*. Las leyes no concretan, de modo general, qué hechos determinan la nulidad; y tampoco se cuenta con una lista de contratos calificables como nulos. No obstante, la doctrina ha venido reseñando el conjunto de causas que pueden generar que un contrato sea reputado como tal.

Así, se considera que son causas de la nulidad contractual las siguientes:

1º) La realización de un contrato en contra de una disposición legal prohibitiva o imperativa. En este supuesto se incluye los contratos prohibidos o contrarios a la ley, y aquellos que traspasan los límites de la autonomía privada (arts. 6.3 y 4, y 1255 CC), salvo que la ley disponga un efecto distinto para el caso de contravención (art. 6.3 CC).

2°) La falta de alguno de los elementos esenciales para la existencia del contrato: consentimiento, objeto, causa y forma (si ésta se exige *ad solemnitatem*) (arts. 1261, 1275, 1278 CC).

3°) La ilicitud del objeto o de la causa (arts. 1271 y 1275 CC).

4°) La ausencia de objeto del contrato que puede provenir de su falta de determinación (art. 1271 CC).

5°) La carencia de capacidad por alguna de las partes contratantes o bien del complemento de capacidad que se requiera para concluir un contrato, cuando la ley sancione con la nulidad todas ésas.

6°) La falta de legitimación necesaria por parte del que interviene en un negocio que celebra a nombre de otro (art. 1259 CC), o del poder de disposición que precise para provocar el efecto que el contrato persigue.

7°) Cualquier otro supuesto que la ley sancione expresamente con la nulidad (art. 6.3 CC).

Fuera de esos supuestos, cuando no exista una previsión legal expresa sobre el régimen de ineficacia del contrato, se aplicará la modalidad más atenuada de invalidez –la *anulabilidad*–, en virtud del principio de conservación del negocio. A la noción de nulidad se le suele atribuir, de manera genérica, las siguientes características:

a) Conforme al principio *quo nullum est nullum efectum producit*, el contrato nulo no produce ningún efecto, ni a favor ni en contra de los sujetos, aun cuando aparentemente tenga una cierta existencia jurídica.

b) El negocio nulo no es susceptible de convalidación, ni de confirmación (art. 1310 CC). El transcurso del tiempo no lo sana *(quod ab initio vitiosum est, non potest tractu temporis convalescere)*.

c) La ineficacia que se deriva de la nulidad se produce de pleno derecho o de manera automática (*ipso iure*), no precisa declaración judicial.

d) La nulidad puede ser declarada de oficio por los Tribunales, no es necesario que las partes la invoquen para que el juez pueda apreciarla.

e) La legitimación para instar la acción de nulidad, en teoría, es amplia y abierta, le corresponde a todo sujeto. Aunque, de hecho, se restringe a los sujetos que ostentan un interés fundado y legítimo.

f) La acción para pedir la *declaración* de nulidad es imprescriptible, no se encuentra sujeta a plazo de prescripción o de caducidad. Dicha nulidad podrá hacerse valer oponiéndola como *excepción*, y será imprescriptible.

g) La sentencia que reconozca la nulidad del negocio tendrá carácter *declarativo* –no constitutivo–, pues se limitará a constatar la existencia de la nulidad negocial.

2.2. Consecuencias

Aunque un contrato sea nulo, su conclusión ha podido generar una apariencia negocial suficiente como para que las partes desarrollen, en todo o parte, las prestaciones previstas en él. El reconocimiento de la nulidad incidirá sobre esa situación, produciendo una serie de efectos. En primer lugar, conforme a esa idea de que lo que es nulo ningún efecto produce, la declaración judicial de la nulidad hará decaer los títulos y los derechos que se sustentaron sobre la existencia de ese aparente contrato (así, si Pedro vende una cosa a Teodoro por contrato nulo, y éste se la vende a Luis, si Pedro insta la nulidad del contrato, la adquisición de Luis resultará afectada). En estos casos, los derechos o los títulos de los terceros afectados sólo se mantendrán cuando una disposición legal expresa proteja a los adquirentes, y se pueda prescindir del contrato nulo que fundamentó esa titularidad o derecho (casos de la adquisición *a non domino* de los arts. 464 CC y 34 LH).

En segundo lugar, tendrán que deshacerse los desplazamientos patrimoniales que eventualmente se realizaron de acuerdo con el contrato nulo, volviéndose las cosas al estado que tendrían como si el contrato nunca se hubiera realizado. La nulidad conlleva un regreso a la situación anterior a la celebración del contrato y destrucción de la apariencia negocial, pues el contrato no ha existido jurídicamente. Por ello, la sentencia declarativa de nulidad operará retroactivamente. En este punto el Código civil contiene una serie de reglas que son comunes a la nulidad y anulabilidad, en las que se determina cómo debe procederse para conseguir la restitución o reintegración de la posición de las partes. Como criterio general establece el art. 1303 CC, que *«declarada la nulidad de una obligación, los contratantes deben restituirse recíprocamente las cosas que hubiesen sido materia del contrato, con sus frutos, y el precio con sus intereses»*. Esta restitución, según señala el citado precepto –art. 1303 CC–, debe hacerse *in natura*. Aunque, si el *«obligado por la declaración de nulidad a la devolución de la cosa no pueda devolverla por haberse perdido, deberá restituir los frutos percibidos y el valor que tenía la cosa cuando se perdió, con los intereses desde la misma fecha»*. Por tratarse, además, de una obligación recíproca y de cumplimiento simultáneo *«mientras uno de los contratantes no realice la devolución de aquello a que en virtud de la declaración de nulidad está obligado, no puede el otro ser compelido a cumplir por su parte con lo que le incumba»* (art. 1308 CC).

Esta obligación de restitución presenta algunas excepciones para los supuestos en los que los contratos sean nulos por la ilicitud de la causa o de su objeto, constituyendo delito o falta (art. 1305 CC), así como para los contratos con causa torpe –exclusivamente por contraria a la moral– que no tengan la consideración de delito o falta (art. 1306 CC). Las reglas a aplicar en tales casos serán las siguientes.

1º) Cuando el hecho constituya delito o falta común a ambas partes, éstas carecerán de acción entre sí. Se procederá contra ellas –responsabilidad penal–, y se dará a las cosas o al precio que hubiera sido materia del contrato la aplicación prevenida en el Código penal, respecto a los efectos o instrumentos del delito o falta. Según señala la jurisprudencia, corresponde a la jurisdicción penal la declaración de que los hechos pueden calificarse de delito o falta.

2º) Si el delito o falta sólo ha sido cometido por una de las partes, el culpable no podrá reclamar el cumplimiento de lo que hubiese prometido, ni recuperar lo que él hubiera entregado. En cambio, el no culpable podrá reclamar la restitución de lo que él hubiera dado, sin estar obligado a cumplir lo que hubiera comprometido.

3º) En el caso de que medie causa torpe, sin que exista delito o falta, si ambos contratantes son culpables, ninguno de ellos podrá repetir lo que hubiera dado en virtud del contrato, ni reclamar lo que el otro hubiera prometido.

4º) Cuando la causa torpe sólo concurra en uno de los contratantes, sin mediar delito o falta, éste no podrá repetir lo que hubiera dado en virtud del contrato, ni pedir el cumplimiento de lo que se le hubiere ofrecido. El otro, siendo extraño a dicha causa, podrá reclamar lo que hubiera dado, sin obligación de cumplir lo que hubiera ofrecido.

2.3. La nulidad parcial

Se habla de nulidad parcial para referirse a aquellos supuestos en los que sólo una parte del contrato se encuentra afectada por la nulidad. El Código Civil no contempla una regulación general de esta figura; aunque sí se refiere a ella en casos concretos, estableciendo las consecuencias que deberán derivarse de hallarse una parte del contrato afectado por la nulidad. En ciertos casos, prevé que la nulidad de alguna de las partes del negocio o de sus cláusulas determine la invalidez de todo el contrato (p. ej., cuando el contrato se somete a condición ilícita o imposible –art. 1116 CC–); en otros, dispone que la parte que se estima nula «se tenga por no puesta» –se erradique de la reglamentación contractual–, manteniéndose el resto del convenio (arts. 1155, 1476 y 1605 CC); y, en ocasiones, impone que las previsiones de los contratantes que vulneran la ley se reduzcan en contenido hasta lo que ésta permita (arts. 636, 654, 817 y 820 CC).

En el marco actual de contratación, este tipo de ineficacia va adquiriendo un papel central para la protección de los intereses de la parte débil en los contratos de adhesión y con condiciones generales. Sobre la base del principio de conservación del negocio, la nulidad parcial se plantea como una solución que permite mantener el contrato y erradicar las cláusulas que pueden resultar contrarias a la ley. En esta línea los arts. 5, 7 y 10 LCGC disponen, para los contratos concluidos con condiciones generales, que _«cuando éstas no reúnan los requisitos de incorporación o sean declaradas nulas, el contrato no será nulo en su totalidad, sino en el caso de que éste no pueda subsistir sin ellas»._ Por su parte, en sede de contratación de consumo, el art. 83 LGDCU prevé que _«serán nulas de pleno derecho y se tendrán por no puestas, las cláusulas que tengan carácter abusivo; sólo cuando las cláusulas subsistentes determinen una situación no equitativa en la posición de las partes que no pueda subsanarse podrá declararse la nulidad del contrato»._ Esta «nulidad» de las cláusulas se apreciará de oficio por el juez (STJCE 26.10.2006, Caso Elisa María Mostaza Claro contra Centro Móvil Milenium, SL); y se sustituirán –integrarán– por el Juez, conforme a las previsiones del art. 1258 del CC y la buena fe.

2.4. La conversión del contrato nulo

Por principio, la ineficacia que se deriva de un contrato nulo resulta imposible de convalidar o sanar. Doctrina y jurisprudencia admiten, sin embargo, la posibilidad de que un convenio nulo pueda _convalidarse,_ en determinadas circunstancias excepcionales, o bien _convertirse,_ como último remedio en aras de la salvación de la voluntad contractual. La convalidación del negocio nulo tiene lugar en los supuestos en los que la ley prevé de forma expresa que si, con posterioridad a la conclusión del contrato, se producen determinados hechos o circunstancias, que permitan eliminar el defecto inicial, el contrato devenga eficaz. Algunos ejemplos de ello son la nulidad del contrato ajeno celebrado sin poder suficiente, cuando el interesado –ajeno– ratifica la actuación del que carecía de poder (arts. 1259, 1727.2 y 1892 CC), o del negocio de transmisión cuando el transmitente carece del correspondiente poder de disposición, si posteriormente lo adquiere.

La conversión del contrato se plantea con carácter excepcional y como una manifestación del principio de conservación del negocio, en virtud de ésta un contrato nulo que contiene todos los elementos sustanciales y de forma de otro negocio jurídico válido se le salva de esa nulidad mediante su conversión al que resulta válido. Se distingue dos tipos de conversión: a) la formal, cuando se mantiene el contrato con otros requisitos distintos a los inicialmente previstos, pero que reúne (p. ej., caso de la escritura pública defectuosa que se *convierte* en documento privado –art. 1223 CC–); b) la material, impuesta por la ley, en la que atendiendo a la voluntad de las partes se salva el negocio con una calificación del tipo contractual diferente al entendido nulo (p. ej., el depósito nulo, por autorizarse el uso de la cosa depositada al depositario, que se *convierte* en comodato o préstamo –art. 1768 CC–).

3. LA ANULABILIDAD

3.1. Concepto, causas, caracteres

Es anulable el contrato que, concurriendo los requisitos esenciales para su validez y gozando de inicial eficacia, por hallarse afectado de algún vicio en su formación, puede resultar ineficaz si se ejercita la acción de anulabilidad. Ésta es una forma de invalidez de menor gravedad que la «nulidad absoluta», que se designa igualmente con el término de *nulidad relativa*. Se identifica con las previsiones del art. 1300.1 CC que dispone que *«los contratos en que concurren los requisitos que expresa el art. 1261* (consentimiento, objeto y causa) *pueden ser anulados, aunque no haya lesión para los contratantes, siempre que adolezcan de alguno de los vicios que los invaliden con arreglo a la ley».* La anulabilidad es también un supuesto de ineficacia estructural –atenuada– del contrato, que se dirige a la protección de un determinado sujeto –por lo general, aunque no siempre, una de las partes del contrato– al que se le legitima para que ponga de manifiesto esa ineficacia instando la acción de anulabilidad, o bien la convalide a través de la confirmación.

Las causas que generan la anulabilidad del contrato se reseñan en el art. 1301 del CC, y pueden aglutinarse en tres grupos.

1º) Son anulables los contratos afectados por los vicios del consentimiento: error, violencia, intimidación y dolo (art. 1265). También puede provocar este efecto la causa falsa en el contrato; excepto si de ésta se deriva la inexistencia del negocio (simulación, art. 1276 CC) y, por tanto, la nulidad absoluta del contrato.

2º) Igualmente, tienen ese carácter los contratos en los que las partes carecen de la capacidad de obrar necesaria o ésta se halla limitada: contratos celebrados por menores de edad, menores emancipados, incapacitados y pródigos sin la actuación sustitutoria de su representante legal o asistencia del curador (arts. 1301 y 293 CC). En este ámbito, la anulabilidad es la regla general; aunque la total ausencia de consentimiento, por no contar el sujeto con la capacidad natural de querer y entender, determinará que el contrato sea «nulo».

3°) Los contratos que no reúnan los consentimientos o los asentimientos que la ley exige como requisito para la eficacia de una acto, y que se sancionan con la anulabilidad. Así, se prevé para el contrato celebrado por un cónyuge sin el consentimiento del otro (arts. 1301 y 1322 CC).

La doctrina de forma general perfila la anulabilidad y, por ende, el contrato anulable con los rasgos siguientes.

a) El contrato anulable es un contrato que reúne los requisitos esenciales para su existencia (consentimiento, objeto y causa, y la forma cuando se requiere para su validez) (arts. 1261 y 1278 CC).

b) Dicho contrato produce su eficacia normalmente en tanto no se ejercita la acción de anulabilidad o de impugnación (así la califica DÍEZ PICAZO).

c) La ineficacia que se deriva de la anulabilidad sólo puede provocarse por vía judicial, bien mediante el ejercicio de la acción –de anulabilidad–, bien por vía de excepción –o reconvención, a tenor del art. 408.2 LECiv– cuando se contesta a la demanda. Para algunos autores (DÍEZ PICAZO), la acción de anulabilidad constituye una «acción de impugnación», reflejo del derecho potestativo otorgado al legitimado para que el contrato –anulable– tenga una eficacia claudicante; otros autores (LACRUZ y DELGADO ECHEVERRÍA) opinan que la acción de anulabilidad es una auténtica acción de invalidez, que pone de manifiesto que la situación del contrato era originariamente inválida e ineficaz.

d) La legitimación para instar la acción de anulabilidad o para oponer ésta por vía de excepción es restringida. Sólo están legitimadas las personas a las que la ley atribuye específicamente aquélla, y no otras; no es una acción pública. El Código civil concede legitimación, para ejercitar la acción de anulabilidad, al contratante protegido por la norma, obligado principal o subsidiario –fiador– (art. 1302 CC); también a sus herederos como sucesores de aquéllos. En el caso de la anulabilidad del contrato por incapacidad, ostenta legitimación el incapaz –cuando cese su incapacidad– y su representante legal. Y si en el contrato hubieran mediado vicios del consentimiento (error, violencia, intimidación, o dolo), únicamente podrá reclamar la anulabilidad el contratante que los hubiera sufrido. Carecen de legitimación para instar esa acción los terceros –ajenos al contrato– y la otra parte contratante, pues ésta no puede *«alegar la incapacidad de aquellos con quienes contrataron; ni los que causaron la intimidación o violencia, o emplearon el dolo o produjeron el error, podrán fundar su acción en estos vicios del contrato»* (art. 1302 CC). En los actos realizados por uno de los cónyuges, sin el consentimiento del otro, goza de legitimación sólo el cónyuge que no prestó su consentimiento, o sus herederos (art. 1322 CC).

e) La acción de anulabilidad se encuentra sujeta a un plazo de ejercicio de cuatro años, plazo que entiende la doctrina mayoritaria (DÍEZ PICAZO, GULLÓN) que es de caducidad (en contra DELGADO ECHEVERRÍA, que lo considera de prescripción). Dicho plazo comienza a contarse, según prevé el art. 1301 CC, en los casos de intimidación o violencia, desde que éstas cesaron; en los supuestos de error, dolo o falsedad de la causa, desde la consumación del contrato; en los contratos celebrados por menores o incapacitados, desde que salieron de la situación de tutela; y en los actos o contratos realizados por un cónyuge sin consentimiento de otro, desde el día de la disolución de la sociedad conyugal o del matrimonio, salvo que se hubiese tenido conocimiento previo suficiente del acto o contrato.

f) Como la eficacia del contrato anulable se mantiene a voluntad de la parte legitimada para impugnarlo, ésta podrá convalidarlo si *confirma* el contrato o bien deja transcurrir el plazo establecido para el ejercicio de la acción sin demandar la anulabilidad del contrato.

g) Por último, la sentencia judicial que determina la *anulabilidad* del contrato tiene carácter *constitutivo*, y no meramente declarativo, como la de la nulidad. Este pronunciamiento judicial, con el que se establece la anulabilidad contractual, tendrá carácter retroactivo y el contrato se considerará inválido desde su origen (y no sólo desde que se emita la sentencia).

3.2. Consecuencias

La declaración de anulabilidad supone la destrucción de esa eficacia, provisional o claudicante, que tenía el contrato. Por ello, el pronunciamiento judicial de «anulabilidad» conllevará que se tenga que reintegrar las cosas al estado previo a la celebración del contrato, y se produzcan los mismos efectos que hemos señalado respecto a la nulidad contractual –a los que nos remitimos–, con dos excepciones.

1ª) No se aplicarán las previsiones del art. 1305 y 1306 CC, puesto que éstas se disponen exclusivamente para los contratos «nulos» por ilicitud o torpeza de la causa.

2ª) Si la anulabilidad procede de la incapacidad de uno de los contratantes, no estará obligado el incapaz a restituir sino en cuanto se enriqueció con la cosa o precio que recibiera (art. 1304 CC). No bastará que éste ingrese en su patrimonio ese bien, deberá haber obtenido un provecho; y, si lo gastó de manera inútil o imprudente, quedará liberado de la obligación de su restitución. La prueba del enriquecimiento del menor o incapacitado corresponderá al contratante capaz.

3.3. La confirmación

El Código civil permite que los legitimados por la acción de anulabilidad puedan mediante una declaración de voluntad unilateral, y sin necesidad de concurso de la otra parte contratante (art. 1312 CC), convalidar el contrato inválido y dejar sin efecto esa acción que les permitía impugnar el mismo (art. 1309 CC). A esta declaración de voluntad que convalida el contrato anulable es la que se denomina *confirmación*. La confirmación puede ser expresa o tácita (art. 1311 CC). La expresa consiste en una simple declaración de voluntad del legitimado de querer convalidar el contrato, y no requiere forma especial. La tácita se produce cuando el legitimado realiza un comportamiento o acto concluyente que, según el art. 1311 CC, *«implica necesaria-mente»* una voluntad de renuncia a la acción (por ejemplo, cuando los representantes del menor demandan a la otra parte el cumplimiento del contrato, sabiendo de la invalidez del negocio).

Para que sea efectiva la confirmación, el art. 1311 CC requiere que el confirmante tenga conocimiento de la causa de nulidad, y que ésta haya cesado. Por tanto, la declaración de confirmación debe carecer de vicios de consentimiento –en otro caso, ésta sería ineficaz–; y la causa que motivó la anulabilidad del negocio tiene que haber desaparecido, pues de otra forma el contrato seguiría siendo inválido. Como consecuencia de la confirmación, el contrato quedará purificado de los vicios que le afectaron desde su celebración (art. 1313 CC). El contrato se entiende convalidado desde su celebración, aunque perjudique a tercero, pues nuestro Código Civil no exceptúa para éstos ese efecto.

4. LA RESCISIÓN

4.1. Concepto y causas

A tenor de lo que disponen los arts. 1290 a 1293 CC, puede definirse la *rescisión* como un mecanismo jurídico por el que se legitima a una de las partes contratantes, o a un tercero, para que un negocio válidamente celebrado, que les genera un perjuicio que la ley considera especialmente grave, pueda ser declarado ineficaz o reducir su eficacia. La rescisión constituye un supuesto de ineficacia sobrevenida que presupone la «validez» del contrato y opera sólo sobre la «eficacia». Es una medida excepcional y subsidiaria, como se deduce del art. 1290 CC que dispone que *«los contratos válidamente celebrados pueden rescindirse en los casos establecidos por la ley»*, y del art. 1294 que señala que «*la acción de rescisión es subsidiaria, no podrá ejercitarse sino cuando el perjudicado carezca de otro recurso legal para obtener la reparación del perjuicio*» (p. ej., si existe nulidad por simulación no procederá esta acción). No se impide, sin embargo, que ésta pueda ejercitarse conjuntamente con otra acción, para el supuesto de que sea rechazada.

Conforme a lo que dispone el Código Civil son susceptibles de rescisión los siguientes contratos (art. 1291 CC):

a) Los que realicen los tutores sin autorización judicial, siempre que las personas a quienes representan hayan sufrido lesión en más de una cuarta parte del valor de las cosas que hubiesen sido objeto del contrato (art. 1291.1 CC). También los celebrados en representación de los ausentes cuando éstos hubieran sufrido esa misma lesión (art. 1291.2 CC). Para el Código Civil la rescisión por motivos económicos tiene carácter excepcional, así lo dispone el art. 1293 cuando señala que «*ningún contrato se rescindirá por lesión fuera de los casos mencionados en los números 1° y 2° del art. 1291*» (no así, en Cataluña –arts. 321 a 325 CDC– o Navarra –leyes 499 a 507 FN–). Pero, se admite la rescisión por lesión económica en la partición hereditaria, cuando ésta se produzca en más de una cuarta parte atendiendo al valor de las cosas que fueron adjudicadas (art. 1074 CC), en la división de cosa común (art. 406 CC), en la disolución de la sociedad conyugal de gananciales (art. 1401 CC), y en la liquidación de la sociedad civil (art. 1708 CC).

b) Los celebrados en fraude de acreedores, cuando éstos no puedan cobrarse de otro modo lo que se les debe (art. 1291.3 CC). Se somete aquí a la acción revocatoria o pauliana, prevista en el art. 1111 CC *in fine*, a la disciplina de la rescisión.

c) Los contratos que se refieran a cosas litigiosas, cuando hubieren sido celebrados por el demandado sin conocimiento y aprobación de las partes litigantes, o de la autoridad judicial competente (art. 1291.4 CC); supuesto que persigue que las sentencias puedan surtir los efectos que pretenden.

d) Cualesquiera otros en que especialmente lo determine la ley (art. 1291.5 CC). Aunque, debe advertirse, que no siempre que se emplee el término rescisión será aplicable esta disciplina. La imprecisión técnica de la que hace gala el Código civil impone que deba valorarse si la referencia legal a la «rescisión» lo es a ésta, u otras figuras que generan la ineficacia de actos o negocios por causa distinta a la lesión económica (*vid.* p. ej., arts. 645, 1454, 1595, 1818 CC).

4.2. Ejercicio de la acción y sus consecuencias

La rescisión persigue dejar sin efecto un contrato válido *ab initio*, por ello, ha de ejercitarse dicha acción para que pueda conseguirse ese efecto –no cabe la rescisión automática–. La legitimación para instarla se encuentra cerrada. Están legitimados activamente los perjudicados y sus sucesores, que según dispone en el art. 1295, párr. 1º, CC, han de poder *«devolver aquello a que por su parte estuviese obligado»*; tal exigencia no es aplicable a los supuestos de rescisión por fraude de acreedores, ni a la enajenación de cosas litigiosas, pues no adquirieron nada. La acción se dirigirá contra los que concluyeron el negocio sujeto a rescisión (el tutor y su contratante, representante legal del ausente y contratante, deudor insolvente y contratante que coopera en la insolvencia, demandado que enajena la cosa y contratante), sus respectivos sucesores y los adquirentes de mala fe de cualquiera de ellos (arts. 1295, párr. 2º, *a contrario*, y 1298 CC).

El plazo para el ejercicio de la acción será de cuatro años, entendiéndose éste como de caducidad por suponer la modificación de una situación jurídica ya preexistente. Dicho plazo comenzará a contar, para los supuestos de los contratos celebrados por tutores y representantes del ausente, desde que cese la incapacidad o sea conocido el domicilio de aquél (art. 1299 CC). Para el resto de supuestos, desde que el perjudicado tenga que conocerlos (STS [1ª] 4.11.1996). Declarada la rescisión, se deberán devolver las cosas que fueron objeto del contrato con sus frutos, y el precio con sus intereses (art. 1295-1 CC). Esta acción rescisoria se transforma en una indemnización de daños y perjuicios *«cuando las cosas, objeto del contrato, se hallaren legalmente en poder de terceras personas que no hubieren procedido de mala fe»* (arts. 1295, párr. 2º, y 1298). En este caso, deberá indemnizar bien *«el causante de la lesión»* (art. 1295, párr. 3º), bien el tercero que actuó de mala fe en los supuestos de fraude (art. 1298 CC).

Lección 3

El contrato de compraventa

ELSA SABATER BAYLE

Profesora Titular de Derecho Civil
Universidad Pública de Navarra

I.   LA COMPRAVENTA

1.   CONCEPTO, CARACTERES Y RÉGIMEN JURÍDICO

La compraventa es un contrato que se identifica con la actividad mercantil pues de antiguo se ha afirmado que mercar es comprar para revender con lucro. El intercambio de los bienes tuvo lugar originariamente mediante el trueque o permuta, cuyo principal inconveniente era el de determinar el valor de las cosas permutadas. Con la aparición del dinero, esta dificultad quedó notablemente superada, porque es instrumento de cambio y permite medir el valor de todas las cosas (materiales); el cambio de bienes por dinero o compraventa adquirió entonces la relevancia que hoy día mantiene. La compraventa se considera además como el prototipo de los contratos que crean obligaciones recíprocas y sinalagmáticas. En atención a su relevancia económica y jurídica, el CC español de 1889 le dedicó noventa y dos artículos (los doce últimos, dedicados a la «venta de créditos»), que contienen el régimen general, y son aplicables directa o supletoriamente a las compraventas reguladas en el CCom y a otros contratos distintos.

El art. 1445 CC lo define en los términos siguientes: *por el contrato de compra y venta uno de los contratantes se obliga a entregar una cosa determinada y el otro a pagar por ella un precio cierto, en dinero o signo que lo represente*, texto que no desvela todos los interrogantes que plantea la institución pero sí sus características principales. Se trata de un contrato consensual, porque se perfecciona por el consentimiento y no requiere para ello de la *datio* o entrega de la cosa ni del precio (art. 1450 CC); bilateral y sinalagmático, porque entre las obligaciones que genera media una relación de carácter recíproco, desde el nacimiento (sinalagma genético) y durante toda la vida de la relación contractual (sinalagma funcional); contrato meramente obligacional o consensual y no dispositivo o real, que no implica en sí mismo la transmisión del derecho de propiedad de los bienes que constituyen su objeto, pues en el Derecho español se recoge la teoría romana del título y modo (art. 609 CC) y que, por otra parte, aunque normalmente persigue una finalidad traslativa del dominio, no obliga a transmitir la propiedad de la cosa sino tan solo la posesión legal y pacífica (art. 1474.1º CC); oneroso y conmutativo, porque genera prestaciones a cargo de ambas partes y éstas se consideran formalmente equivalentes, aun cuando no lo sean en sentido económico.

2. VENTA CIVIL Y MERCANTIL

Aunque ni siquiera históricamente ello haya quedado justificado con suficiente claridad, el ordenamiento español mantiene por ahora la distinción entre compraventas civiles y mercantiles. Es éste un sistema bifronte, que en nada ayuda a clarificar el régimen jurídico del contrato de que tratamos, alejado del que siguen otros códigos civiles extranjeros así como de los recientes proyectos europeos. Este sistema consiste en sujetar al CCom los contratos de compraventa que reúnan los criterios de mercantilidad establecidos en el mismo, de conformidad con el sistema de fuentes del Derecho mercantil contenido en los arts. 2 y 50 CCom. Las reglas mercantiles sobre la compraventa obedecen a los principios de seguridad y celeridad en el tráfico y están previstas fundamentalmente para las ventas de mercancías entre comerciantes, con finalidad de reventa y ánimo de lucro, que son las que habitualmente celebran entre sí quienes tienen la condición legal de comerciante o empresario.

El régimen jurídico de la compraventa considerado en su conjunto resulta excesivamente disperso y particularista y plantea problemas graves de selección de la normativa aplicable en cada a caso a los contratos, por lo que en nuestros días se están realizando trabajos para su revisión. Desde hace algunas décadas, estamos asistiendo, además, al fenómeno de la protección de los consumidores, considerados como adquirentes no solo de bienes sino también servicios (y en ese sentido, «usuarios») que está alcanzando dimensiones internacionales debido a la globalización, y ha generado en los países europeos un conjunto normativo muy prolijo y particularista, liderado por las disposiciones emanadas de la UE (principalmente reflejadas en numerosas Directivas, luego transpuestas, con mejor o peor acierto, en los ordenamientos de los distintos Estados miembros). En España, el TR de la LGDCU aprobado por RDLeg 2/2007, de 16 de noviembre, ha tratado de aglutinar las principales leyes de transposición de Directivas que se refieren a la protección de los consumidores, aunque sin conseguirlo plenamente. Pero las ventas que entran en su ámbito subjetivo de aplicación no serán objeto de la presente Lección, que se dedica fundamentalmente al régimen del contrato de compraventa civil y mercantil, sin perjuicio de algunas remisiones puntuales a las ventas entre empresarios y consumidores.

Los criterios de mercantilidad de las compraventas que se deducen de los arts. 325 y 326 CCom son los siguientes: a) naturaleza mueble del objeto del contrato; b) condición de comerciante o empresario de los sujetos intervinientes; c) destino de los bienes a la reventa y no al consumo del comprador, con ánimo de lucro. El tercer criterio –la finalidad de reventa con ánimo de lucro– predomina sobre los otros, pero es el más conflictivo en su efectiva aplicación por los juzgados y tribunales. La naturaleza mueble del objeto de la compraventa se ha exigido tradicionalmente aunque la Exp. Motivos del CCom menciona las ventas de inmuebles. Este criterio es obsoleto en nuestros días ya que las ventas de solares y edificios entre empresas inmobiliarias y constructoras con finalidad especulativa son muy frecuentes e indudablemente cumplen los demás criterios de mercantilidad. Pero su calificación como ventas civiles o mercantiles carece de interés práctico, toda vez que el régimen general de la transmisión de inmuebles no está recogido en la legislación mercantil sino en el CC y la legislación hipotecaria.

La condición de comerciante en el vendedor –segundo de los criterios indicados, de índole subjetiva– se deduce *a contrario* de las exclusiones establecidas en el art. 326 del CCom. La norma fue redactada con el propósito de sustraer a los pequeños artesanos, labradores y ganaderos, del rigor que el Código deparaba a los comerciantes en general (así en materia de quiebra antes de la unificación de la materia concursal) o a los vendedores en particular (p. ej., la brevedad de los plazos especiales de entrega y de denuncia de defectos); y resulta también alejado de la realidad actual, porque la actividad de estos gremios y sujetos se ha comercializado, debido a la presencia de la figura del intermediario –con frecuencia, un comerciante o empresario– que adquiere los productos en origen para venderlos a particulares o a otros empresarios y plantea por ello problemas de selección de la normativa aplicable a sus actos. El legislador los ha resuelto mediante la promulgación de normas específicas (así, por ejemplo, *Ley 2/2000, de 7 de enero, reguladora de los contratos tipo de productos agroalimentarios*) en una postura criticable porque incrementa la ya excesiva diversificación de las regulaciones sobre este contrato.

El tercero de los criterios enunciados (la finalidad de reventa) ha sido objeto de fundadas críticas debido a su difícil inteligencia y aplicación práctica, ya que pueden darse ventas entre no comerciantes con finalidad de reventa, en las que los particulares (no comerciantes) quedan inexplicablemente sujetos a los rigores del Código de comercio y, viceversa, compraventas entre empresarios sin ánimo de revender los objetos («ventas de inversión» o de adquisición de bienes de equipo, también conocidas como «ventas de consumo empresarial») que en principio se sustraen al ámbito del Derecho mercantil por faltarles un requisito de naturaleza teleológica –la intención de reventa– considerado como esencial (aunque no falten autores que observan que redundan indirectamente en los beneficios del empresario comprador y por tanto cumplen el criterio de la finalidad de lucro); la discusión sobre estas cuestiones ha dividido también a la jurisprudencia. Particular atención han merecido las ventas de productos transformados, a la vista de la frase *bien en la misma forma que se compraron o bien en otra diferente* que aparece en el art. 325 de CCom, de no fácil concreción en la práctica cotidiana de los juzgados y tribunales, entre los que ha suscitado posiciones muy encontradas en torno al concepto técnico de «transformación» (cuya casuística no es posible detallar en esta *Lección*). Este último aspecto enlaza con el criterio de la finalidad de lucro, que debe también concurrir para que las ventas se consideren mercantiles, y conduce al análisis del supuesto, contrario, de las ventas entre empresarios y consumidores con finalidad de consumo, que han sido objeto de un control legislativo especial (V. TR de la LGDCU aprobado por el art. 1 del *RDLeg 1/2007, de 16 de noviembre*). Por lo demás, se ha argumentado que la reventa a particulares no cumple todos los criterios de mercantilidad y resulta sorprendente que a un mismo sujeto comerciante se le aplique el régimen mercantil para las compras y el civil para las reventas.

Estos y otros problemas, aquí apenas apuntados, aconsejan una revisión del régimen de la compraventa, tal como se ha llevado a cabo en otros países cercanos, que además se adecue a las tendencias europeas; éstas han tomado como modelo, entre otros, la *Convención de las Naciones Unidas sobre la Venta Internacional de Mercaderías*, elaborada por la *Comisión de las Naciones Unidas para la Unificación del Derecho Mercantil (UNCITRAL)*, y adoptada en Viena en 1980, de donde procede –entre otros– el importante *principio de conformidad con el contrato*, luego incorporado al ordenamiento europeo para la regulación de los contratos (no solo el de compraventa) con consumidores, por la *Directiva 1999/44/CE, del Parlamento Europeo y del Consejo, de 25 de mayo de 1999, sobre determinados aspectos de la venta y las garantías de los bienes de consumo* y transpuesta posteriormente a los ordenamientos internos (en España, primeramente en la *Ley 23/2003, de 10 de julio, de Garantías en la Venta de Bienes de Consumo,* que ha sido derogada por el *Texto Refundido de la Ley General para la Defensa de los Consumidores y Usuarios* citada); y han dado lugar a proyectos de armonización y homologación de su régimen jurídico, no solo en las transacciones transfronterizas, sino también en las internas (así, en los *PECL* o *Principios Lando,* o, más recientemente, el segundo intento de elaboración de unas Reglas Modelo en materia contractual, en el *Draft Common Frame of Reference* (*Full* Edition) publicado en 2009 (en adelante, *DCFR*) cuyo Libro IV.A contiene una propuesta de nueva regulación para la compraventa.

3. SUJETOS

3.1. Comprador y vendedor

En la compraventa intervienen dos sujetos: comprador y vendedor, que pueden ser personas físicas o jurídicas, y actuar por sí o a través de representante. Se sujetan a ciertas reglas de capacidad y legitimación (estas últimas, relativas a su poder de disposición) así como a una serie de prohibiciones legales para comprar y vender.

3.2. Capacidad y prohibiciones

Las personas físicas que se propongan celebrar contratos de compraventa deben tener capacidad general de obrar. Los menores e incapaces pueden vender bienes a través de sus padres, tutores o curadores, si bien estas enajenaciones efectuadas por los representantes legales requieren para ser válidas autorización judicial (arts. 166 y 271.2 CC) que opera como condición suspensiva de la eficacia del contrato (STS [1ª] 16.02.2010), pues la compraventa excede de los actos de mera administración. Los emancipados no pueden enajenar inmuebles, establecimientos mercantiles y objetos muebles de extraordinario valor sin el consentimiento de sus padres o tutores y en su defecto, del curador (art. 323 CC). Las ventas efectuadas por los incapaces y los emancipados sin la asistencia de sus representantes legales se consideran por lo general anulables por defecto de capacidad (arts. 1301 y 1302 CC) siempre que hayan sido realizadas con la capacidad natural de entender y querer, pues en otro caso serían inexistentes por ausencia del requisito esencial del consentimiento (art. 1261.1 CC).

Distintas de las incapacidades son las prohibiciones legales que establece el art. 1459 CC. Se trata de unas limitaciones dirigidas al comprador (aunque se pueden aplicar a otros contratos) con la finalidad de evitar posibles fraudes por abuso del cargo o para el caso de existir conflicto de intereses entre un sujeto y su representante. Subyace en ellas el reparo que ha suscitado tradicionalmente la figura del autocontrato (aunque la tendencia moderna apunta a su admisibilidad dentro de ciertas condiciones) a la que fácilmente se accede a través de la representación, ya sea ésta legal o voluntaria, o bien por intermediarios y testaferros, y se mantienen incluso en las ventas en pública subasta. Por tratarse de prohibiciones, en principio debieran ser objeto de interpretación estricta y así lo ha declarado reiterada jurisprudencia, aunque con ciertas particularidades.

El art. 1459 CC establece las prohibiciones siguientes. No pueden adquirir, por sí ni por persona interpuesta: 1°) los tutores, los bienes de la persona sujeta a tutela (prohibición reiterada el art. 221.3ª CC, en sede general referida a todos los cargos tutelares, a los que por lo tanto debe extenderse, incluso para la Administración cuando ejerce la tutela automática de menores); 2°) los mandatarios, los bienes de cuya administración o enajenación estuvieren encargados, aunque la prohibición cede si la ratifica el mandante, o también en el caso de ser libre la fijación del precio (como ocurre en las ventas realizadas en los mercados bursátiles); y se extingue a la conclusión del mandato; 3°) los albaceas, los bienes confiados a su cargo, si bien, como en el caso anterior, los herederos pueden venderlos voluntariamente al albacea, así como autorizar o ratificar sus actos, y la prohibición cesa al extinguirse el cargo; 4°) los empleados públicos, los bienes de cuya administración estuvieren encargados, prohibición que alcanza a los jueces y peritos que de cualquier modo intervinieren en la venta y que la doctrina extiende a cualquier empleado público de todo tipo de Administraciones, u otros cargos (como consejeros, técnicos, etc.) si su función afecta a la gestión de bienes públicos; 5°) los magistrados, jueces, fiscales, secretarios de tribunales o juzgados y oficiales de Justicia, los bienes y derechos que se encontraren en litigio ante el tribunal en cuyo territorio o jurisdicción ejerzan sus respectivas funciones; restricción para comprar que se extiende a los abogados y procuradores, respecto a los bienes o derechos objeto de pleitos en los que intervinieren profesionalmente, pero (según STS [1ª] 16.03.2010) no opera en el caso de que el bien haya sido primeramente adjudicado en la subasta y adquirido posteriormente por el abogado que llevó el proceso; el art. 1459.5ª exceptúa de la regla general prohibitiva dos supuestos particulares en que se permite a los jueces que conocen del litigio adquirir los bienes; tal ocurrirá en el caso de que el juez ostente la condición de coheredero, o, en el segundo caso, la de cesionario del crédito litigioso. Los créditos litigiosos se tienen por tales desde la contestación a la demanda (como dispone el art. 1535.2 CC) o desde la fecha del emplazamiento para contestar (como declara reiterada jurisprudencia).

El texto del art. 1459 CC no concreta cuáles son las consecuencias jurídicas que produce la transgresión a las prohibiciones, lo que da lugar a pensar en la posible aplicación del art. 6.3 CC, que establece la nulidad radical de los actos contra ley imperativa. Se ha observado sin embargo que, conforme al régimen interno del mandato y el albaceazgo, las enajenaciones efectuadas por mandatarios pueden ser ratificadas *a posteriori*, así como que los albaceas pueden promover la venta de bienes hereditarios con intervención de los herederos (arts. 1727.2 y 903 CC respectivamente), efectos incompatibles con el concepto de nulidad radical –pues lo que es nulo no puede producir efectos– por lo que, de ser inválidos, solo podrían ser anulables (si bien esta interpretación no ha sido plenamente compartida por la jurisprudencia). En el supuesto de los tutores y demás representantes legales, la nulidad absoluta puede fundarse además en que la prohibición se establece por razones de orden público (en este caso, la protección de los incapaces). Por lo demás, naturalmente, la invalidez de las compras efectuadas con transgresión de las prohibiciones legales no es obstáculo para el ejercicio de las acciones penales que sean procedentes en su caso.

4. OBJETO DE LA COMPRAVENTA

Son objeto del contrato de compraventa los bienes y el precio, puesto que –como ya se ha señalado antes– la función económica del contrato consiste en el intercambio de bienes por dinero.

4.1. Las cosas

Los bienes objeto de la compraventa pueden ser de diversos tipos: materiales, inmateriales (como por ejemplo, la energía), derechos (por ejemplo, la propiedad intelectual o industrial o los derechos de crédito); cosas específicas o genéricas, muebles o inmuebles; pueden venderse conjunta, separada, o alternativamente. Pero, en todo caso, deben reunir los requisitos generales del objeto del contrato señalados en los arts. 1271 a 1273 CC: posibilidad, licitud, y determinación.

Respecto al requisito de la posibilidad, debe tenerse en cuenta que no es preciso que la cosa exista en el momento perfectivo del contrato, pero sí que su futura existencia sea posible. Por tanto, pueden presentarse distintos supuestos: a) la cosa existía, pero perece al tiempo de celebrarse el contrato; b) la cosa no tiene existencia posible, ni antes ni después de celebrarse el contrato; c) la cosa tiene posibilidad de llegar a existir en el futuro (después del momento perfectivo). El CC solo contempla el primero de ellos en el art. 1460, que distingue entre perecimiento total (en cuyo caso el contrato es ineficaz) y parcial (en el que se reconoce al comprador el derecho de optar entre desistir el contrato o adquirir la parte existente, contra el pago de lo que proporcionalmente corresponda). Si la cosa no tiene existencia posible, el contrato es nulo por falta de un elemento esencial (art. 1261.2 CC sobre *objeto cierto*) sin perjuicio de las indemnizaciones que puedan corresponder al contratante de buena fe; si bien, en caso de venta de derechos, se estará a lo dispuesto en los arts. 1529 y 1531 CC. En cuanto al tercer supuesto antes indicado, la venta de cosa futura es en principio válida (así lo admite la reciente STS [1ª] 03.11.2010, que contempla la venta de un edificio concertada sobre el proyecto de construcción) siempre que la existencia de la misma no sea imposible; y será eficaz si el vendedor cumple en su momento la obligación de adquirirla y entregarla, y no ha mediado dolo o mala fe. Esta posibilidad da lugar a varias modalidades de venta: de cosa futura, de cosa ajena, y de cosa esperada, a las que aludiremos seguidamente (*sub* apartados *4.3* y *4.4* del presente epígrafe).

La exigencia de licitud consiste en que el bien objeto de la compraventa debe estar dentro del comercio y ser alienable. A este respecto, tanto el CC (p. ej. arts. 1271 sobre herencia futura y 1494.1 relativo a ganados con enfermedades contagiosas) como leyes especiales (p. ej. sobre bienes demaniales y de dominio público o del patrimonio artístico o histórico, sobre venta de armamento, entre muchas otras) contienen disposiciones que establecen el carácter inalienable de ciertos bienes, cuya venta conllevaría, por esta razón, la sanción de nulidad absoluta; y si el contratante la vendiera con conocimiento de su inalienabilidad, cabría imputarle una responsabilidad precontractual con obligación de indemnizar el interés contractual negativo. La determinación del objeto aparece ya en la definición legal del contrato contenida en el art. 1445 CC, que se refiere principalmente a la venta de cosa específica. Pero en las ventas de género basta con que quede determinada la especie aun cuando exista indeterminación en la cantidad, siempre que sea posible concretarla sin necesidad de nuevo convenio (art. 1273 CC). Una vez más, la naturaleza consensual del contrato explica por qué no se exige para su validez y eficacia que la cosa pertenezca al vendedor en el momento perfectivo. Si, en cambio, que no pertenezca al comprador.

4.2. Los derechos

Los derechos pueden ser objeto de compraventa, siempre que sean libremente transmisibles. Puede tratarse de derechos de crédito (cesión onerosa de créditos, que contempla el CC en los arts. 1526 a 1536) o bien derechos reales, tanto plenos (la propiedad) como limitados, si bien en este último supuesto existen ciertas particularidades según los diversos tipos (cuyo estudio en profundidad corresponde al Derecho de bienes, al que nos remitimos). Por tratarse de un supuesto especial, la venta de créditos se expondrá en el epígrafe VII, apartado *4* de la presente *Lección*.

4.3. La venta de cosa futura

Para la validez y eficacia del contrato de compraventa no se requiere que la cosa que constituye su objeto tenga realidad en el momento perfectivo ya que, con frecuencia, se venden bienes (como pisos, cosechas, piezas de caza o pesca) cuya existencia depende de acontecimientos ulteriores que se producirán debido a la actividad (construir, recolectar, cazar, pescar) desarrollada por el vendedor o un tercero. Particular relevancia han adquirido, desde este punto de vista, las llamadas «ventas de pisos sobre plano», que se celebran sobre la base de un proyecto de edificación aprobado, así como en unos documentos llamados «memoria de calidades» que han dado lugar a múltiples problemas jurídicos en la jurisprudencia (V. STS [1ª] 03.11.2010). Tales contratos reciben el nombre de *emptio rei speratae* o «venta de cosa esperada», y deben distinguirse de otros similares, que también son válidos e igualmente versan sobre cosas que no existen en el momento de perfección del contrato, denominados «venta de esperanza» (o *venta spei*) caracterizadas por la presencia de un elemento aleatorio por haber sido concertados bajo la incertidumbre sobre si las cosas llegarían a existir (p. ej., venta de «lo que se cace o pesque en una jornada»).

En las ventas de cosa esperada, o *emptio rei speratae*, las obligaciones de las partes pierden su fundamento o justificación si la cosa no llega a existir, de manera que, aunque el contrato celebrado válidamente es irrevocable, no será exigible en ese caso la entrega de la cosa ni –con mayor razón– el pago del precio. Pero no por ello la convención deja de generar una vinculación, ya que, según doctrina autorizada, el vendedor contrae en aquellas dos obligaciones de hacer: una positiva (desplegar una actividad para que la cosa llegue a tener existencia, conducta que normalmente correrá a cargo del vendedor) y otra negativa (no impedir, al menos, que la cosa llegue a tener existencia), cuyo incumplimiento doloso o culposo genera la correspondiente responsabilidad y consiguiente deuda indemnizatoria de los daños y perjuicios ocasionados (interés contractual negativo). La jurisprudencia ha distinguido estas ventas del contrato de obra (SSTS [1ª] 03.06.1970 y 28.11.1973) con el que están estrechamente relacionadas, pero esta postura ha sufrido en nuestros días una evolución doctrinal que tiende a integrarlo en el régimen de la compraventa.

En la venta de esperanza o *venta spei*, en cambio, el comprador se compromete a pagar un precio aunque la cosa no llegue a tener existencia, por lo que la convención ha merecido la calificación de contrato aleatorio atípico (en lugar de compraventa especial) puesto que, en rigor, falta en ella la obligación de entrega, que en este contrato es esencial (en sentido de considerar estas convenciones como contratos aleatorios, SSTS [1ª] 30.11.1981 y 31.12.1999).

4.4. La venta de cosa ajena

Su admisión en el Derecho vigente no proviene de su expresa formulación en el CC, sino del reconocimiento de la figura que ya se contemplaba en textos históricos así como en antiguas Resoluciones de la DGRN. Como se ha señalado anteriormente, la validez de este contrato se funda en el carácter puramente obligacional de la compraventa. Si el vendedor no llega a cumplir la obligación de conseguir y entregar el objeto conforme a lo pactado, incurrirá en responsabilidad frente al comprador, con fundamento –precisamente– en la validez de la convención. En realidad, se trata de contratos de ejecución diferida en el tiempo cuyo objeto son cosas que en el momento perfectivo pertenecen en propiedad a un tercero –quien, por otra parte, dispone en todo momento de las acciones oportunas para defender su derecho, incluso frente a adquirentes de buena fe– y son frecuentes en el tráfico comercial, en el que quienes se proponen lucrarse en la reventa de mercancías esperen a tener asegurado un comprador antes de adquirirlas en firme.

El contrato se desarrollará normalmente si el vendedor llega a adquirir la cosa a cuya entrega se ha comprometido y cumple puntualmente la obligación; en caso contrario responderá por el incumplimiento. Si el vendedor, de buena o de mala fe, llega a entregar al comprador un objeto que pertenece a un tercero, puede producirse una adquisición *a non domino* por el comprador, que gozará de la protección prevista en estos casos por el ordenamiento según la naturaleza mueble (arts. 464 CC y 85 CCom cuyos criterios de reivindicabilidad no coinciden) o inmueble (art. 34 LH) de la cosa; pero el verdadero dueño –tercero ajeno a la relación que nace del contrato de compraventa– tendrá en principio acción contra el adquirente (comprador) para reclamar la cosa (siempre que se le permita reivindicarla según los casos), en cuyo caso, el comprador *evicto* (vencido en juicio) dispondrá de las acciones de saneamiento por evicción contra el vendedor (cuyos presupuestos de ejercicio y efectos se desarrollarán en el epígrafe IV, apartado *3.1* de esta *Lección*). En este mismo caso –venta de cosa que pertenece a persona distinta del vendedor– si la reclamación del verdadero dueño se produce extemporáneamente, el comprador podrá adquirir la propiedad mediante usucapión, ordinaria o extraordinaria, siempre que se respeten los correspondientes plazos y requisitos legales para la misma, que varían según las circunstancias (establecidos en los arts. 1930, 1931, y 1933 a 1960 CC, o en el régimen propio de otros territorios dotados de Derecho civil foral o especial).

En las ventas de cosa ajena adquiere especial relevancia la buena o mala fe de los contratantes, y pueden plantearse distintas situaciones. Si la venta se perfeccionó sobre la base, o con la condición, de que la cosa fuera propiedad del vendedor, la entrega de un objeto que no pertenece a éste infringe las condiciones y genera la ineficacia del contrato, bien su absoluta nulidad (por inexistencia o por falta de idoneidad del objeto), su anulabilidad (en caso de dolo o engaño por parte del vendedor), o su resolución (si se incumplió una condición expresamente contemplada en el contrato). La mala fe del vendedor podrá hacerle incurrir además, en su caso, en responsabilidades penales (como el delito de estafa y otros parecidos), y generar daños indemnizables.

4.5. El precio

El precio es el elemento objetivo más característico del contrato de compraventa pues permite distinguirlo de aquellos en que la contraprestación es otra cosa (permuta) o no existe (donación); distinción no siempre fácil respecto al precio en los contratos de obra (y así lo pone de relieve la inclusión del régimen del contrato de obra en sede de compraventa, adoptada al respecto en el *DCFR*). La falta de precio puede desnaturalizar el contrato y convertirlo en otro distinto pero válido (si se revela que tal era el auténtico acuerdo de las partes), o bien, en caso contrario, provocar su inexistencia por ausencia de un elemento esencial.

El precio debe reunir ciertos requisitos: ser cierto; determinado o determinable; y estar expresado en dinero o signo que lo represente. Salvo escasos supuestos excepcionales, no se requiere que el precio sea justo (en el sentido de ser equivalente al valor de la cosa). El precio se tiene por cierto cuando es existente y válido, no simulado, ya que en tal caso la venta podría ser anulada, como sanción a la simulación absoluta, o por ausencia de causa. No hay precio cuando éste es simbólico o irrisorio, pero la jurisprudencia ha declarado reiteradamente que las escrituras de (aparente) venta pueden valer como forma exigida para la donación de inmuebles si tal era la verdadera intención de las partes (lo niega sin embargo la STS [1ª] 03.02.2010 en un caso de donación encubierta bajo la apariencia de una compraventa «totalmente simulada»).

El precio ha de ser determinado o determinable. Es determinado cuando su cuantía queda fijada en el momento de perfección del contrato, o bien es conocido por ambas partes aunque no se haya reflejado expresamente; o, incluso, cuando ha quedado objetivamente fijado aunque alguna de las partes lo ignore. Es determinable, cuando en el contrato no figure su importe pero sí los criterios para poder concretarlo sin necesidad de nuevo convenio. El señalamiento del precio puede ser confiado a un tercero, pero no al arbitrio individual de una sola de las partes, salvo que la otra así lo conozca y acepte (arts. 1449 y 1256 CC). Cuando se confía a un tercero, éste, que puede ser o no un profesional (persona física que pertenece a un colegio profesional, o algún organismo oficial), puede actuar según su leal saber y entender o conforme a criterios de equidad, según sea el encargo. La decisión del mediador o arbitrador será impugnable en caso de dolo, error, o mala fe, o por faltar a la equidad; si prospera la impugnación, el precio no quedará determinado y la compraventa se tendrá por inexistente. Cabe también remitir el señalamiento del precio a criterios objetivos tales como son la referencia a otra cosa cierta, o al precio que tenga un género en la cotización de la Bolsa o mercado (art. 1448 CC). El precio debe señalarse en dinero o signo que lo represente, por lo que la obligación de pagarlo se sujeta a las reglas sobre obligaciones pecuniarias contenidas en el art. 1170 CC (a las que aludiremos más adelante *sub* epígrafe V apartado *1* de esta *Lección*).

No es preciso que el precio sea justo (como reitera la reciente STS [1ª] 16.09.2010). La equivalencia de las prestaciones no se exige en una forma cuantitativa, sino que basta con que sea formal (que a cada prestación de las partes corresponda una contraprestación) aun cuando los respectivos valores sean distintos; pues en otro caso, regresaríamos a modelos económicos hoy superados (economía de justiprecio). La rescisión de los contratos por lesión en el precio –institución que sale al paso de los posibles abusos a que conduce un excesivo liberalismo económico– no se encuentra prevista con carácter general en los Códigos decimonónicos (arts. 1293 y concordantes del CC, y 344 del CCom) ya que el art. 1291 CC la reduce hasta límites subjetivos que prácticamente la eliminan de la contratación; pero en las Compilaciones navarra (leyes 499 a 507) y catalana (arts. 323 a 325) se recoge con carácter general –si bien con muy distinto régimen– para las compraventas y otros contratos onerosos y conmutativos. En algunas modernas propuestas de regulación de la materia contractual, como por ejemplo, el llamado *Proyecto de Pavía* (arts. 36.2 y 156) la rescisión por lesión figura entre las medidas correctoras o «remedios» para frenar situaciones abusivas.

Por otra parte, existen supuestos especiales en los que el precio está determinado legalmente, como por ejemplo ocurre con la legislación sobre viviendas de protección oficial o las de precio tasado; se trata de casos en que las autoridades públicas han procedido a la fijación del mismo en el marco de una política social de ayudas y subvenciones sujetas a una regulación propia; y ha suscitado abundante jurisprudencia sobre las consecuencias civiles que conllevan las transmisiones que consiguen burlar el control de la Administración mediante la venta de las viviendas por un precio encubierto inferior o superior al legal.

En caso de pactarse que una parte del precio se pague en bienes y otra en dinero, el contrato habrá de calificarse de compraventa o de permuta según la voluntad de las partes; si ésta no consta, será permuta si el valor del dinero es inferior al de la cosa dada a cambio y en caso contrario, compraventa (art. 1446 CC). Cabe también pactar que el precio represente únicamente una parte del valor de la cosa, en cuyo caso aparece la figura del *negotium mixtum cum donatione*. En el supuesto de convenirse en el abono de una renta periódica a cambio de la transmisión en propiedad de un bien, la convención puede calificarse de renta vitalicia, si se pactó por una duración determinada; en otro caso, puede también tratarse de un pacto de fraccionamiento de la obligación de pago del precio.

4.6. El pacto de arras

Las arras son cantidades de dinero u otras cosas fungibles que uno de los contratantes entrega al otro para garantizar el cumplimiento o incumplimiento convenido (facultad de arrepentirse unilateralmente) de las obligaciones dimanantes de un contrato oneroso con obligaciones de dar. Normalmente las entrega el comprador a modo de señal en los contratos de compraventa; pero teóricamente puede entregarlas el vendedor o incluso ambas partes («dobles arras»). Las arras influyen en el contrato del siguiente modo: si el comprador que las entregó incumple sus obligaciones o ejercita la facultad de arrepentirse que se ha reservado, las pierde; y si quien incumple o se arrepiente es el vendedor, debe restituirlas dobladas. En el primer caso, ello no impide que el otro contratante pueda exigirle la ejecución forzosa del contrato, pero en el segundo ello no es posible ya que el desistimiento lo extingue.

Las arras deben distinguirse de las entregas a cuenta, ya que éstas solo significan que el comprador ha comenzado a pagar el precio aplazado. Ello no obstante ciertos autores atribuyen a las entregas a cuenta el carácter de «arras confirmatorias» pese a que no tienen finalidad de garantía, por lo que esta última denominación ha sido rechazada; en cambio, según otra opinión, las verdaderas arras en función de garantía siempre conllevan la confirmación del contrato. El CC solo regula las arras de desistimiento en el art. 1454, situado en sede de compraventa, pero la doctrina distingue tres tipos posibles de ellas: confirmatorias del contrato, penales (representativas de la indemnización que habrá de pagar el que incumpla sus obligaciones), o penitenciales (que autorizan las partes a arrepentirse y desistir del contrato). Cuando los contratantes entregan cantidades a modo de señal, se suscitan dudas sobre si se trata de simples entregas a cuenta sin la finalidad de garantía característica de las arras, o han querido pagar anticipadamente el precio del incumplimiento (arras penales), o el del arrepentimiento (arras penitenciales). La jurisprudencia ha declarado que estas arras son penales, puesto que las penitenciales, si bien son las únicas reguladas en el Código, entrañan un efecto que es excepcional en el régimen general de la extinción de las obligaciones, por lo que el art. 1454 CC solo es aplicable cuando conste expresamente la voluntad de las partes en tal sentido (en ese sentido se pronuncian las SSTS [1ª] 11.11.2010 y 27.11.2010).

Los tribunales han aplicado a las arras penales el art. 1154 CC relativo a la facultad de moderar la pena en caso de que el incumplimiento de la obligación garantizada sea solo parcial, por la similitud que estas arras guardan con las cláusulas penales, ya que se diferencian principalmente en el carácter real de las arras (el deudor las entrega) que no tiene lugar en la pena convencional (el deudor solo se obliga a pagar la pena). También han declarado que si no consta la intención de garantía, las cantidades son mera señal a cuenta del precio; y así lo establece el art. 323 CCom que dispone: *las cantidades que, por vía de señal, se entreguen en las ventas mercantiles se reputarán siempre dadas a cuenta del precio y en prueba de la ratificación del contrato, salvo pacto en contrario.* La gran diversidad de opiniones existente en torno a estas cuestiones aconseja que las partes concreten cuál es la finalidad que persiguen al entregar la «señal». Por lo demás, si finalmente se cumplen las obligaciones nacidas del contrato, o los sujetos no desisten del mismo, según los casos, se imputan al precio, pues *las arras siempre tienen el carácter de pago en caso de cumplimiento del contrato* (STS [1ª] 01.01.2010). Si se trata de ventas a consumidores, las cláusulas que limiten o penalicen el derecho de desistir del contrato son nulas (arts. 68 a 79 TR de la LGDCU).

II. LA TRANSMISIÓN DE LA PROPIEDAD

1. LA FINALIDAD TRASLATIVA DEL DOMINIO EN LA COMPRAVENTA

Se afirma en ocasiones que la compraventa es un *contrato traslativo del dominio* expresión desacertada porque se puede interpretar en dos sentidos distintos: como consagración de un sistema de transmisión de la propiedad por el simple consentimiento contractual o como obligación del comprador de entregar la propiedad de la cosa; aunque, como se verá, ninguna de estas consecuencias tiene lugar en la regulación de la compraventa que nos ofrece el CC español. El sistema consensualista fue adoptado por el CC francés de 1804, el alemán de 1900, el italiano de 1942 y el Proyecto de CC español de 1851 de García Goyena, y atribuye al consentimiento contractual el efecto traslativo de la propiedad al comprador, por lo que éste se convierte en propietario del objeto desde el momento perfectivo del contrato, sin necesidad de entregar la cosa o pagar el precio. Por el contrario, el sistema realista que sigue el CC español –por influencia de Las Partidas que recogieron el Derecho romano clásico– se basa en la exigencia de la entrega de la cosa, precedida de un contrato que tenga finalidad traslativa, como presupuestos para la transmisión de la propiedad (art. 609 CC, que consagra la teoría del título y modo). Cabe también una tercera posibilidad: considerar que la propiedad no se transfiere al comprador hasta que haya completado el pago del precio (sistema que siguen, en franca minoría, la Compilación navarra y el Derecho inglés). No obstante la aceptación que en Europa ha tenido el sistema consensualista la tendencia moderna regresa a la clásica teoría del título y el modo, si bien en una nueva versión (denominada *delivery default rule* o entrega por defecto) que aparece recogida en el *DCFR* [art. VIII.-2:101 (1) (e)]; el sistema exige en principio la entrega de la cosa como presupuesto para que se transmita la propiedad, pero permite a las partes prescindir convencionalmente del mismo y decidir que la propiedad se transfiera aunque la entrega no se haya producido.

Tampoco resulta fácil responder a la segunda cuestión, relativa al objeto de la obligación de entrega, sobre la que existen posturas encontradas. Una de ellas sostiene que, en realidad, el CC no impone al vendedor la obligación de transmitir al comprador la propiedad sino tan solo la posesión de la cosa (así en los arts. 1445, 1461 y 1462.1 CC); en esta línea, se aduce además que la venta de cosa ajena y el pacto de reserva de dominio son contratos eficaces y productores de obligaciones en los que no hay entrega en propiedad, de manera que el efecto traslativo del dominio mediante la entrega no es esencial a la compraventa, aunque sea normal. Otra teoría sostiene, por el contrario, que la obligación de entregar la cosa se refiere al derecho de propiedad, no solo a la posesión, porque así se deduce de otros artículos del Código civil: los arts. 609 (que trata de la adquisición de la propiedad y otros derechos reales), 1095 (que también alude al «derecho real»), y 1474 (que menciona la posesión «legal») entre otros. Pero cuando las partes se obligaron en el entendimiento de que el contrato tuviera por finalidad la transmisión de la propiedad de la cosa, o si se vendió a sabiendas de que era ajena, es claro que debe prevalecer la voluntad contractual. Se ha discutido también si el comprador que incumple su obligación de pago aplazado del precio puede llegar a adquirir la propiedad de la cosa. Las reglas especiales del CC han aplicado a este supuesto el régimen característico de las obligaciones recíprocas en el que el pago del precio opera como una especie de condición resolutoria de la obligación de entrega de la cosa, cuyo incumplimiento determinaría, bien la suspensión de dicha obligación, bien la restitución del objeto entregado (según los casos).

2. EL PACTO DE RESERVA DE DOMINIO

En las ventas con entrega de la cosa y aplazamiento de la obligación de pago del precio, es frecuente convenir que el comprador no adquiera la propiedad de la cosa que le ha sido ya entregada mientras no termine de pagar íntegramente el precio. Tradicionalmente se han puesto reparos a este pacto por suponer una excepción, acaso desmesurada, a la teoría del título y el modo, además de propiciar otros variados convenios abusivos; pero hoy día aparece plenamente admitido por la doctrina y la jurisprudencia y la DGRN ha admitido su acceso al Registro de la Propiedad, sin perjuicio de los mecanismos para impugnar los abusos a que, en su caso, pueda dar lugar. Lo admite también la *Ley 28/1998, de 13 de julio, de venta a plazo de bienes muebles* y lo regula en detalle la Compilación navarra en las leyes 483 a 485.

El pacto de reserva de dominio genera un triple juego de relaciones jurídicas entre las partes y frente a terceros. a) Entre comprador y vendedor, mientras aquél no adquiere la propiedad mediante el total pago del precio, puede usar y disfrutar la cosa con obligación de mantenerla, pero no usucapirla, y sobre ambos pesa una prohibición de enajenarla. b) Entre los acreedores del comprador y el vendedor, este pacto adquiere relevancia en caso de embargo del bien objeto de la compraventa, frente al que el vendedor

–que sigue siendo propietario a pesar de haber entregado la cosa– puede interponer tercería de dominio; pero para evitar posibles maquinaciones en fraude de acreedores, la jurisprudencia exige, como presupuestos para que prospere dicho incidente, acreditar la autenticidad del convenio y que éste sea de fecha anterior a la del embargo. c) Puede generar también efectos entre el vendedor y terceros adquirentes de la cosa: tal ocurrirá si el comprador enajena el objeto que obra en su poder a pesar de no ser dueño del mismo, en cuyo caso, si el adquirente es de mala fe, la venta será impugnable y el vendedor probablemente podrá reivindicar la cosa; pero en caso de mediar buena fe por parte de los adquirentes, entrarán en juego en su caso las reglas de las adquisiciones _a non domino_, contenidas en el art. 34 LH (si se trata de inmuebles) y en el art. 464 CC (para muebles), que pueden conducir al fracaso las pretensiones reivindicatorias del vendedor.

III. FORMA Y PERFECCIÓN DEL CONTRATO

En principio, los contratos de compraventa regulados en los Códigos civil y de comercio no requieren para su perfección forma especial alguna; así se deduce del art. 1450 CC. Pueden celebrarse tanto verbalmente como por escrito, en documento privado o público, entre presentes o a distancia (caso este último en que se ha discutido sobre en qué momento se perfeccionan y los arts. 1262 CC y 54 CCom han sufrido una modificación, operada por la _Ley 34/2002 de 11 de julio, reguladora de los servicios de la sociedad de la información y de comercio electrónico_, en el sentido de establecer que el momento perfectivo es el del conocimiento de la aceptación por el oferente). Para las ventas fuera de establecimientos mercantiles y las ventas a distancia, existen especialidades en el TR de la LGDCU (V. _Lección_ 4 de la presente obra). Cuestión distinta, que debe distinguirse de la anterior, es que, de conformidad con el juego de los arts. 1280 y 1279.1 CC, el Ordenamiento reconozca a las partes la facultad de compelerse recíprocamente a llenar la forma exigida por las leyes para hacer efectivas las obligaciones nacidas de ciertos contratos (típicamente, la escritura pública, a los efectos de poder inscribir el comprador su derecho en el Registro, en las ventas de inmuebles, aunque ello no implica que el vendedor deba tenerlo previamente inscrito a su nombre salvo que se hubiera obligado a ello expresamente).

La perfección del contrato de compraventa produce entre otros efectos los siguientes: hace exigibles las obligaciones de los contratantes; atribuye al comprador la propiedad de los frutos de la cosa (arts. 1468.2 y 1095 CC); traslada al comprador los riesgos de pérdida fortuita mientras el objeto se encuentra en poder del vendedor; e impone al comprador la obligación de

abonar al vendedor los gastos necesarios. La jurisprudencia admite comúnmente que la prueba de existencia del contrato celebrado verbalmente es la
factura, documento privado al que se reconoce un valor especial a pesar de
las carencias normativas.

1. LA PROMESA DE VENDER O COMPRAR

El art. 1451 CC regula una declaración de voluntad sobre cuyo significado existen distintas interpretaciones. Por una parte, se ha afirmado que,
puesto que la compraventa es un contrato consensual, en realidad el precepto identifica la promesa con el contrato perfecto (y así lo indicaba con
mayor claridad el art. 1373 del Pyto. de 1851 de García Goyena). Por otra,
se ha discutido acerca de la relación que guarda la promesa de vender o
comprar con el derecho de opción, o con el precontrato. Además, se ha
observado que el precepto distingue entre las promesas unilaterales y las
bilaterales. Estas cuestiones se han tratado en la *Lección 1* de la presente obra,
a la que nos remitimos.

2. LOS RIESGOS

El problema de los riesgos en la compraventa consiste fundamentalmente en determinar si, el vendedor cuya obligación de entregar la cosa se
ha extinguido por la pérdida fortuita de la misma conserva o no el derecho
a exigir al comprador el pago del precio. En el Derecho romano se estableció
que este riesgo (de deber el precio sin recibir la cosa) lo debe correr el
comprador, dado que es el propietario de los frutos generados por la cosa
desde el momento de perfección del contrato (regla *periculum est emptoris*).
En nuestro días, la regla romana indicada tiene fácil acomodo en los sistemas
consensualistas de transmisión de la propiedad, ya que es principio general
aceptado que las cosas perecen para su propietario *(res perit domino)* que es
el comprador. Pero en los sistemas basados en el título y modo, las reglas
enunciadas son antagónicas, puesto que se atribuyen los riesgos al comprador
que aún no es propietario, dado que el vendedor mantiene la propiedad de
la cosa hasta que realiza la entrega.

Nuestro Ordenamiento contempla esta cuestión en los arts. 1452 CC y
333 y 334 CCom, que siguen criterios distintos. En las ventas civiles el riesgo
se atribuye al comprador, toda vez que, aunque ello no conste literalmente
en el texto del art. 1452, la doctrina mayoritaria lo deduce así por las siguientes razones: los precedentes romanos del precepto; la atribución al comprador de los frutos generados por la cosa desde la perfección del contrato; el
carácter excepcional de los supuestos en que no rige la regla romana, que

confirman el principio; y otras. Conforme a todo ello, la regla *periculum est emptoris* rige con carácter general o como principio, pero excepcionalmente no tiene lugar en los casos siguientes: si la cosa se pierde por culpa del vendedor puesto que en tal caso su obligación no se extingue (art. 1101 CC entre otros); si se trata de una cosa genérica y la pérdida fortuita tiene lugar antes de la especificación (regla *genus nunquam perit* consagrada en el los arts. 1182 y 1452.2 y 3 CC); o si el vendedor se encuentra en mora (art. 1096.3 CC). Por otra parte, la moderna jurisprudencia relativa al art. 1124 CC ha eliminado la exigencia de culpa en el incumplimiento *(voluntad rebelde)* para reconocer el derecho a la resolución de la obligación del contratante dispuesto a cumplir, lo que, trasladado al tema que nos ocupa, significa que el comprador que no recibe la cosa por cualquier causa –no solo imputable al deudor sino también fortuita– puede ejercitar el derecho a resolver su obligación de pago del precio. Ello equivale prácticamente a trasladar los riesgos al vendedor.

En las ventas mercantiles, el momento en que se trasladan los riesgos suele convenirse mediante cláusulas al uso, pero en su defecto, se atribuyen al vendedor hasta el momento de la entrega o puesta a disposición de las mercancías en poder del comprador (art. 333 CCom); principio acompañado de múltiples excepciones descritas en el art. 334 CCom.

IV. OBLIGACIONES DEL VENDEDOR

1. LA OBLIGACIÓN DE ENTREGA

El contrato de compraventa genera para el vendedor las obligaciones de entrega y saneamiento de la cosa, que pasamos a considerar separadamente. La entrega de la cosa es la principal obligación del vendedor en el contrato de compraventa. Su objeto es transferir al comprador la posesión de la cosa; y asimismo constituye un presupuesto necesario para la transmisión de la propiedad (art. 609 CC). A diferencia de la obligación de saneamiento –que puede tener o no lugar y cuyo incumplimiento produce otras consecuencias específicas– la de entregar la cosa tiene carácter recíproco respecto a la obligación del comprador de pagar el precio, y por ello, el incumplimiento radical de la misma conlleva los efectos suspensivos y resolutorios propios del régimen general de las obligaciones recíprocas contenido en el art. 1124 CC, con las especialidades establecidas en los arts. 1503 a 1505 (de que trataremos *infra sub* apartado *4* de este mismo epígrafe). En suma: permite al comprador negarse a cumplir (suspender) la obligación de pagar el precio, resolver el contrato, o exigir el cumplimiento forzoso de la obligación del vendedor, con indemnización de los daños y perjuicios que sea procedente. En las ventas mercantiles, el vendedor está obligado a la entrega o la puesta a disposición en los plazos determinados por el convenio o por la ley, que tienen naturaleza de término esencial, de modo que la impuntualidad del vendedor se equipara al incumplimiento total, con el consiguiente efecto resolutorio (tal como se irá exponiendo más adelante en sucesivos apartados del presente epígrafe).

1.1. Objeto y circunstancias

Salvo pacto en contrario, el vendedor debe entregar la cosa vendida en el estado en que ésta se encontraba en el momento de perfección del contrato. Debe, además, guardar la cosa con una diligencia media mientras la tenga en su poder, pues de lo contrario responde de la pérdida o deterioro ante el acreedor (art. 1094 CC). La obligación de entrega puede ser cumplida a través de diversas formas, y en diversas circunstancias de lugar y tiempo, según se haya pactado o en su defecto disponga la ley. La entrega de la cosa alcanza a los frutos producidos desde la perfección del contrato (arts. 1095 y 1468.2 CC) así como a los accesorios (art. 1097 CC); entre estos últimos, adquieren particular relevancia los títulos de pertenencia (escrituras, documentos mercantiles, etc.) o la comunicación de los informes necesarios para poder servirse de la cosa o hacer valer el derecho transmitido (p. ej. *know how*, instrucciones de uso, o puesta en funcionamiento de maquinaria), como se deduce de los arts. 1258 CC y 57 CCom que reflejan el principio general de la buena fe. Si se trata de la venta de una vivienda, el art. 64 del TR de la LGDCU impone al vendedor el deber de facilitar al adquirente la documentación complementaria prevista en la LOE u otra norma autonómica.

1.2. Formas de entrega: la tradición

Los arts. 1462 a 1464 CC describen las diversas formas en que se puede realizar la entrega, también llamada tradición o *traditio*. A) Tradición real: La forma más primaria de entrega es la tradición real: *se entenderá entregada la cosa vendida cuando se ponga en poder y posesión del comprador* (art. 1462.1 CC). En esta forma, el vendedor cumple su obligación cuando el comprador entra en posesión material de la cosa que es objeto del contrato. B) Tradición ficticia (diversos tipos): Al lado de la tradición real, el CC admite otras formas de entrega (*traditio ficta*) en las que se finge que ha tenido lugar aun cuando no se haya producido un traspaso posesorio material de la cosa al comprador. Puede revestir las siguientes modalidades:

– Tradición instrumental: *cuando se haga la venta mediante escritura pública* _el otorgamiento de ésta equivaldrá a la entrega de la cosa objeto del contrato, si de la misma escritura no resultare o se dedujere claramente lo contrario_ (art. 1462.2 CC). Se trata de una forma de entrega propia de la venta de inmuebles que no elimina la posibilidad de que el momento perfectivo haya tenido lugar con anterioridad, ya sea en forma verbal o en documento privado. En las ventas mercantiles, esta forma puede consistir en la entrega de documentos o títulos representativos de las mercancías.

– Tradición simbólica; _fuera de los casos que expresa el artículo precedente, la entrega de los bienes muebles se efectuará: por la entrega de las llaves del lugar o sitio donde se hallen almacenados o guardados; y por el solo acuerdo o conformidad de los contratantes, si la cosa vendida no pudiere trasladarse a poder del comprador en el instante de la venta_ (art. 1463 CC); la entrega de las llaves de un inmueble se considera mayoritariamente como una forma de _traditio_ material.

– _Traditio brevi manu_ y _constitutum possessorium_: en ambas formas la cosa no cambia de manos sino del concepto en que se tiene; la _traditio brevi manu_ se produce cuando el comprador adquiere la propiedad de una cosa que ya poseía antes por otro título (por ejemplo, como arrendatario); el _constitutum possessorium_ tiene lugar cuando el vendedor transfiere la propiedad de la cosa al comprador pero se reserva la posesión de la misma por otro título (como p. ej., el de usufructuario). Como se habrá observado, se trata de dos formas espiritualizadas o consensualistas que están admitidas sin embargo en nuestro sistema basado en el título y modo, aunque en ellas no existe propiamente la _traditio_, que queda embebida en el consentimiento.

– Formas consensuales de entrega de los derechos: la transmisión de los derechos puede hacerse mediante otorgamiento de escritura pública (tradición instrumental), pero además, _se entenderá por entrega el hecho de poner en poder del comprador los títulos de pertenencia, o el uso que haga de su derecho el mismo comprador, consintiéndolo el vendedor_ (art. 1464 CC).

Las reglas precedentes son aplicables también a las ventas mercantiles, pues el CCom ha previsto una regulación parcial e incompleta de las obligaciones del vendedor, que se limita a establecer ciertas reglas especiales, algunas de las cuáles mencionan la entrega de la cosa propiamente dicha (así los arts. 336 y 342 CCom) y otras la puesta a disposición de la misma al comprador (arts. 337, 338 y 339 CCom). Ello no significa que ambas formas queden equiparadas, ya que la entrega –que puede ser real o fingida– desplaza la posesión de la cosa al comprador, mientras que la puesta a disposición supone que el vendedor se desprende de aquélla, y entre ambos momentos puede existir un lapso de tiempo en que las mercancías se encuentren depositadas en algún lugar sin que el comprador se haya hecho cargo de las mismas, lo que se explica habida cuenta de las características de las ventas mercantiles, cuyo objeto pueden ser mercancías muy pesadas o voluminosas, que requieren para su traslado y manipulación la correspondiente logística. La distinción ente la entrega y la puesta a disposición adquiere relevancia, no solo para determinar si el vendedor ha cumplido lo que le incumbe sino también en cuanto al momento de transmisión de los riesgos al comprador, que –como se ha expuesto *supra sub III.2*– en las ventas mercantiles tiene lugar desde la puesta a disposición, aun cuando ni siquiera haya tenido lugar la recepción de las mercancías, o desde la entrega de la cosa en otro caso. Por otra parte, en caso de mediar un contrato de transporte para trasladar las mercancías, se considera cumplida la obligación del vendedor cuando entrega la cosa al porteador, o incluso antes, cuando la factura. Si, como es frecuente, la cosa es genérica, compete en principio al vendedor realizar la especificación antes de la entrega o la puesta a disposición.

La facultad de liberarse el vendedor de sus obligaciones mediante la puesta a disposición de las cosas supone una desviación del principio formulado en el art. 1462 de CC (que exige poner los objetos *en poder y posesión del comprador*); y se justifica por la finalidad de no sobrecargar al vendedor que ha hecho todo lo posible para proceder a la entrega de la cosa con el deber añadido de custodiarla o asumir los riesgos de pérdida fortuita, especialmente en los supuestos de pasividad o desidia del comprador que no realiza los actos necesarios para llegar a tomar posesión de la misma o no hace recepción de la mercancía.

1.3. Reglas especiales en la venta de inmuebles: defecto y exceso de cabida

Las ventas de inmuebles pueden efectuarse en atención a su cabida y a razón de un precio por unidad de medida o bien como cuerpo cierto y por un precio unitario sin tener en cuenta la cabida o extensión. En ambos casos puede ocurrir que el inmueble descrito en el contrato tenga en realidad una dimensión distinta a la expresada en el mismo, problema que el CC soluciona con criterio diverso, en función de la forma en que se haya fijado el pago del precio (si bien, cuando se trata de la venta de una edificación sujeta a la LOE, se estará a las correspondientes previsiones). El señalamiento del precio puede hacerse por unidad de medida (a razón de tanto por metro cuadrado) o a precio alzado (precio unitario sin consideración a la medida); por lo que es conveniente distinguir entre las diversas situaciones que pueden presentarse:

a) Precio por unidad de medida y defecto de cabida (la finca mide menos metros o hectáreas que los expresados en el contrato): en tal caso, el comprador puede exigir al vendedor que le entregue un inmueble de la extensión señalada en el contrato; si ello no fuera posible, el comprador puede optar entre una rebaja proporcional del precio pactado o la rescisión del contrato (art. 1469.2 CC), siempre que, para esto último, el defecto de cabida no fuera de proporción inferior a la décima parte de la que se le atribuyó al inmueble en el contrato.

b) Precio por unidad de medida y exceso de cabida (la finca mide más metros que los expresados en el contrato): en tal supuesto, el comprador debe pagar el exceso que se produzca siempre que éste no supere la vigésima parte de la extensión señalada en el contrato; si así fuera, podrá además optar por desistir del contrato (art. 1470 CC).

c) Precio por unidad de medida y diferencia de calidad (se ha entregado una finca pero la calidad del suelo no es la pactada): si la calidad fuera inferior, se aplican las reglas señaladas en el art. 1469.2, por expresa remisión legal (art. 1469.3 CC); si la calidad fuera superior, ante el silencio legal la doctrina propone aplicar analógicamente el art. 1470 CC.

d) Precio a tanto alzado y diferencias de cabida: para este caso, por regla general, no tendrá lugar el aumento o disminución del precio convenido (art. 1471.1 CC); criterio aplicable igualmente cuando se hayan comprado dos o más fincas por un solo precio (art. 1471.2 al CC principio); pero cuando en el contrato se hayan señalado los linderos de la finca, el vendedor deberá entregar al comprador todo lo comprendido en ellos, independientemente de la coincidencia o no entre la cabida pactada y la que verdaderamente tenga la finca (art. 1471.2 CC al final).

Las acciones que asisten al comprador según los arts. 1469 a 1471 del CC tienen un plazo de ejercicio de solo 6 meses contados desde la fecha de la entrega (art. 1472 CC); plazo que el Código establece como de prescripción, si bien la jurisprudencia ha estimado en ocasiones que es de caducidad, pues suponen el ejercicio de un derecho potestativo del comprador que modifica la situación jurídica creada por el contrato de compraventa.

1.4. La facultad de suspender la entrega

El carácter sinalagmático que tienen las obligaciones de entregar la cosa y pagar el precio, propias de la compraventa, se ajusta a la hipótesis de la norma del art. 1124 CC, que atribuye a las partes la facultad de negarse a cumplir ante el incumplimiento del otro obligado (*exceptio non adimpleti contractus* y *exceptio no rite adimpleti contractus*) y es en principio aplicable a la compraventa aunque el legislador ha establecido en los arts. 1466 y 1467 CC unas reglas especiales que la modulan. Consisten éstas básicamente en permitir al vendedor la suspensión de su obligación de entregar la cosa mientras el comprador no le pague el precio o no se haya señalado en el contrato un plazo para ello (art. 1466 CC); o también, si se trata de ventas con aplazamiento del pago del precio, en el caso de que el vendedor descubra la insolvencia del comprador (no se requiere que la insolvencia sea judicialmente declarada, basta con la simple imposibilidad de pagar) salvo que el comprador afiance la obligación de pagarlo en el plazo convenido; todo lo que, en definitiva, no es también sino una consecuencia lógica del art. 1129.1 CC (pérdida del beneficio del plazo en las obligaciones a término).

2. LUGAR, TIEMPO Y GASTOS DE LA ENTREGA

El lugar de entrega de la cosa es el pactado entre las partes. En defecto de pacto, varía según se trate de ventas civiles o mercantiles. En las ventas civiles el art. 1171 CC (que se refiere a las obligaciones de dar en general) señala el lugar en que se encontraba la cosa en el momento de perfección del contrato, si la cosa fuera determinada, y en otro caso, el del domicilio del deudor (aquí, vendedor). En las mercantiles, el lugar de entrega suele identificarse mediante cláusulas al uso (como los Incoterms); en su defecto, la jurisprudencia ha declarado que será el lugar del establecimiento del vendedor, o, si mediare transporte, el de entrega de las mercancías al porteador; en estas últimas ventas, es también criterio jurisprudencial asentado que, cuando las mercancías viajan a portes pagados, se entienden entregadas en el establecimiento del comprador, mientras que si se trasladan a portes debidos, la entrega ha tenido lugar en el domicilio del vendedor.

El tiempo de entrega es inmediato tras la perfección del contrato, pero puede aplazarse convencionalmente, en cuyo caso nace la obligación del vendedor de custodiar las cosas con la diligencia de un buen padre de familia y surge el problema de los riesgos (tratado en el epígrafe III, apartado 2, de esta *Lección*). En las ventas mercantiles, el art. 337 CCom impone al vendedor el deber de poner las mercancías a disposición del comprador en el plazo de 24 horas subsiguientes a la celebración del contrato, salvo que otra cosa se hubiera pactado. Como se ha indicado antes al tratar del tiempo de la entrega, estas condiciones temporales deben ser rigurosamente cumplidas pues en estas ventas el plazo adquiere el carácter de término esencial, de manera que la entrega impuntual se equipara al incumplimiento total, aunque venga motivada por un caso fortuito (art. 337 CCom) y sin que los tribunales puedan conceder nuevo plazo aun cuando medie causa justificada para ello.

La entrega de mercancías con defectos de cantidad o calidad se considera como entrega parcial, y en principio se equipara al incumplimiento del contrato (aunque el comprador puede decidir aceptarlas, arts. 330 y 336 CCom) lo que permite al comprador iniciar las acciones pertinentes para exigir la resolución o el cumplimiento exacto; en este segundo caso, puede ser en especie o mediante una compra de reemplazo. Además, el comprador puede exigir la indemnización de daños y perjuicios, cuyo importe se suele calcular en las ventas mercantiles con el criterio valorista propio de las deudas indemnizatorias, es decir, por la diferencia entre el precio que se hizo constar en el contrato y el que alcance en el mercado en el momento de la entrega; si bien, según otra interpretación, acaso más acorde con el actual régimen de la responsabilidad por daños, el vendedor debe reponer el patrimonio del comprador al estado en que se encontraría de haber sido cumplido el contrato, por lo que la indemnización puede abarcar otros conceptos adicionales como la pérdida de ganancias, gastos derivados del incumplimiento, etc.

Los gastos de entrega, que pueden ser de diversos tipos, se rigen en principio por lo pactado entre las partes. Las cláusulas que indican un lugar, precedido de los adjetivos «franco» o «libre» (_franco aduana, franco fábrica, franco domicilio, libre de gastos en destino_, y otros semejantes), significan que el comprador queda liberado de pagar los gastos que generen las mercancías mientras no lleguen al lugar expresado. En defecto de estos pactos rigen las disposiciones contenidas en los arts. 1455 y 1465 CC y 338 CCom. En su conjunto, estos preceptos disponen que, en principio, el pago de los gastos de otorgamiento de la escritura matriz y los de entrega de las cosas corren de cuenta del vendedor. En las ventas mercantiles, el vendedor solo asume los gastos que generan las mercancías hasta que éstas hayan sido pesadas o medidas y puestas a disposición del comprador, a quien corresponde asumir los correspondientes a su extracción y recepción. Los demás gastos, se atribuyen al comprador. Entre éstos, en particular, los de medición de la finca, inscripción en el Registro, transporte en su caso, etc. Particular importancia presenta el pago de los correspondientes impuestos, dado que la designación del sujeto pasivo contra el que la Administración tributaria podrá interponer acciones para reclamar el pago no impide que se convenga entre las partes cuál de los sujetos habrá de costearlos, ni que, de no mediar tales pactos, se consideren incluidos en la expresión _y demás posteriores a la venta_ contenida en el art. 1455 del CC, por lo que en definitiva, salvo pacto en contrario, desde la perspectiva de las relaciones contractuales entre las partes, deberá soportarlos el comprador.

3. LA OBLIGACIÓN DE SANEAMIENTO

El CC atribuye al vendedor dos obligaciones: la de entrega, y la de saneamiento, de la cosa objeto de la venta (art. 1461 CC). La primera de ellas es esencial, de manera que si por pacto se excluyera el contrato se desnaturalizaría. La obligación de saneamiento en cambio representa una especial garantía para el comprador frente al vendedor por los posibles defectos físicos o jurídicos que puede tener la cosa comprada, en el sentido de asegurarle que recibirá la posesión legal, pacífica, y útil de la cosa. El CC distingue tres tipos de saneamiento: por evicción, por vicios ocultos y por gravámenes ocultos. Para las ventas mercantiles, que en principio recaen sobre bienes muebles, el más relevante es el segundo tipo.

3.1. Saneamiento por evicción

La expresión evicción proviene del verbo latino *evincere* que significa vencer en juicio. La evicción consiste en la privación al comprador del dominio de la cosa adquirida, bien sea total o parcialmente, por virtud de la sentencia judicial firme subsiguiente a una acción reivindicatoria o hipotecaria planteada con éxito por un tercero. En tales casos nace la responsabilidad del vendedor por el incumplimiento de su obligación de entregar la posesión legal y pacífica del objeto vendido, y el ordenamiento otorga al comprador una acción especial, que se solapa con otras también posibles, frente a las que se caracteriza porque no exige la culpa del vendedor. La acción no persigue que el comprador recupere el derecho sobre la cosa, ni le permite resolver el contrato, sino solo reclamar al vendedor su responsabilidad por el incumplimiento de la obligación de garantizarle la posesión legal y pacífica de la cosa, y se traduce en exigirle el pago de las cantidades señaladas en el art. 1478 CC. La jurisprudencia ha reiterado que la acción de saneamiento por evicción procede incluso en las ventas judiciales.

Los presupuestos de ejercicio son los siguientes: a) que el comprador haya sido privado de todo o parte de la cosa y en virtud de un derecho del tercero anterior a la venta (art. 1475 CC) por el ejercicio de una acción reivindicatoria o hipotecaria (no en cambio, por acciones meramente posesorias); b) que el comprador haya notificado al vendedor la demanda formulada por el tercero, en la forma prevista en el art. 1482 CC, con el fin de que el vendedor pueda coadyuvar a la defensa de los intereses del comprador, demandado en el juicio que ha formulado el tercero (si bien en ocasiones la jurisprudencia ha considerado suficiente el conocimiento extraprocesal, por parte del vendedor, de que el tercero ha formulado la demanda); c) que la privación de la posesión de la cosa haya tenido lugar por sentencia firme (a la que cabe asimilar las resoluciones administrativas también firmes), conforme disponen los arts. 1475 y 1479 CC.

La obligación de saneamiento por evicción se considera un elemento natural del contrato de compraventa, y por ello se presume su existencia, si bien se admite que las partes puedan aumentar (por ejemplo, mediante las oportunas cláusulas penales), o disminuir sus consecuencias, e incluso suprimirlas (art. 1475 CC); pero son nulos los pactos de exoneración de responsabilidad del vendedor de mala fe (art. 1476 CC); y no evitan que el vendedor deba restituir al menos el precio, salvo que el comprador hubiera renunciado a la acción de saneamiento con conocimiento de los riesgos de la evicción y sometimiento a sus consecuencias (art. 1477 CC), expresión que debe interpretarse como conocimiento por el comprador de las causas que dan lugar a la evicción. Dichas limitaciones son inviables cuando el adquirente es un consumidor, debido a que la legislación especial declara que sus derechos son irrenunciables y les protege a través del principio de no conformidad con el contrato reflejado en muchas de sus normas (art. 10 del TR de la LGDCU). La acción de saneamiento por evicción total no tiene señalado plazo especial de prescripción, porque se considera subsistente mientras permanezca en vigor la acción para reivindicar la cosa; algunos autores consideran sin embargo que le es aplicable el plazo general de prescripción de las acciones personales establecido en el art. 1964 CC, que es de 15 años.

Una vez producida la evicción total sin que haya mediado la renuncia del comprador a la acción de saneamiento, éste podrá exigir al vendedor la indemnización por los conceptos mencionados en el art. 1478 CC, que son los siguientes: a) la restitución del precio que tuviera la cosa vendida al tiempo de la evicción aunque sea distinto al de la venta; b) los frutos o rendimientos, si se hubiera condenado al comprador a entregarlos al vencedor en el juicio en que éste reclamó la cosa; c) las costas de los pleitos (el que motivó la evicción y el de exigencia de responsabilidad al vendedor); d) los gastos del contrato si los hubiera pagado el comprador, que no son únicamente los del otorgamiento de escritura sino todos los posteriores que haya pagado éste (gastos de inscripción, impuestos, etc.); e) los daños e intereses y los gastos voluntarios o de puro recreo u ornato, si el vendedor procedió de mala fe. En caso de que la evicción hubiera sido solo parcial, si la privación de parte de la cosa, o acaso de una de dos cosas vendidas conjuntamente, hubiera tenido tal importancia que el comprador no la hubiera adquirido sin dicha parte, éste podrá exigir la rescisión del contrato, pero habrá de devolver la cosa sin más gravámenes que los que tuviera al adquirirla (art.

1479 CC, que establece una acción rescisoria a la que, según criterio general, corresponde un plazo de ejercicio es de 4 años, el mismo que si se considera como anulatoria; si bien, algunos autores le atribuyen el carácter de acción resolutoria cuyo plazo de ejercicio es de 15 años).

La obligación de saneamiento por evicción presenta escasa relevancia en las ventas mercantiles, porque (como ya se ha advertido anteriormente) el art. 85 CCom –con desviación del régimen de las adquisiciones *a non domino* previsto en el art. 464 CC y fidelidad al principio de seguridad en el tráfico mercantil– establece la irreivindicabilidad de los objetos adquiridos de buena fe en almacenes o tiendas abiertas al público, pues declara prescritas las acciones de terceros contra el comprador; y en igual sentido se pronuncia el art. 61.1 de la LOCM para las compras de bienes muebles en pública subasta. Ahora bien, la doctrina ha observado que pueden existir ventas entre comerciantes o fabricantes y con ánimo de reventa celebradas fuera de dichos establecimientos, en cuyo caso quedan al margen de la hipótesis del art. 85 CCom y les es aplicable el régimen del saneamiento por evicción, tal como reconoce literalmente el texto del art. 345 CCom Pero debido a su ámbito operativo más característico (los inmuebles) esta obligación del vendedor tiene lugar principalmente en las ventas civiles.

3.2. Saneamiento por gravámenes ocultos

En esta modalidad, la obligación de saneamiento que pesa sobre el comprador aparece regulada en el art. 1483 CC. Esta norma plantea la duda sobre si el legislador ha considerado que se trata de una subespecie de evicción o de defecto oculto, ya que, aunque está situada en sede de evicción, la rúbrica de la sección dedicada a los vicios o defectos ocultos menciona entre ellos a los gravámenes. La indefinición del CC en este punto proviene de los antecedentes históricos del precepto y suscita dudas en torno a la selección de la normativa aplicable supletoriamente (por ejemplo, en materia de renuncia a la acción). Sea cual fuere la naturaleza de esta acción (por evicción parcial, o por defecto jurídico oculto), el art. 1483 CC, cuya ubicación abre la duda indicada, contiene una regulación bastante completa de sus presupuestos, efectos y plazo de ejercicio. La acción procede si se dan los presupuestos siguientes: a) que se trate de una venta de inmueble; b) que el gravamen sea anterior a la venta y tenga naturaleza real, no personal; no son gravámenes las limitaciones legales al dominio (STS [1ª] 30.09.2010); c) que el comprador lo desconozca; y d) que sea de entidad suficiente como para impedir el consentimiento del comprador si lo hubiera conocido. Si prospera la acción, se producen los siguientes efectos: el comprador puede optar por exigir la rescisión del contrato o la indemnización de daños y perjuicios, en el plazo de un año para ambas acciones, aunque no coincide el *dies a quo* o fecha de inicio del cómputo ya que el de la acción rescisoria se produce a partir de la fecha de otorgamiento de la escritura de venta, y el de la acción indemnizatoria, desde el descubrimiento del gravamen por parte del comprador.

El principal problema que plantea la interpretación del art. 1483 CC consiste en determinar la relación que guarda esta acción de saneamiento con la general de anulabilidad, cuestión a su vez relacionada con el sistema de publicidad registral. Se pregunta la doctrina por qué el legislador redujo a un año el plazo para impugnar un contrato que, en el fondo, es anulable por error del comprador en el plazo de 4 años que corresponde a las acciones de anulabilidad (*ex* art. 1301 CC); y por otra parte, si se presenta el caso de que el gravamen esté inscrito, el vendedor no lo haya declarado expresamente (o acaso, lo haya negado, con dolo), y el comprador no haya consultado oportunamente la situación registral de la finca, se ha planteado la duda sobre si es aplicable el art. 1483 CC. A este respecto, los precedentes históricos de este precepto (art. 1405 del Proyecto de CC de García Goyena, casi idéntico) han permitido a la doctrina deducir que el legislador se propuso hacer posible la impugnación de la venta a pesar de estar inscrito el gravamen, pero con reducción del plazo para ello, con el fin de sancionar tanto la actuación del vendedor que ocultó el gravamen (que en otro caso se liberaría de responsabilidad ante la publicidad que depara el Registro) como al comprador que incurrió en negligencia o pasividad (al restringir el tiempo en que se le permite reclamar por esta causa). Pero la jurisprudencia se ha mostrado reacia a admitir la responsabilidad del vendedor en el caso de que el gravamen estuviera inscrito (o tuviera origen legal), por lo que también se ha interpretado en principio que, en tales caso, no cabe la resolución del contrato, pero si la indemnización de los daños causados por dolo.

3.3. Saneamiento por vicios ocultos

El vendedor responde ante el comprador de los defectos ocultos de la cosa vendida, si la hacen impropia para el uso a que se la destina, o si lo disminuyen de tal modo que, de haberlos conocido el comprador, no la hubiera adquirido o hubiera dado menor precio por ella (art. 1484 CC). La responsabilidad del vendedor se produce aunque ignorase los vicios, pero son válidos los pactos de agravación o disminución, e incluso exoneración, de aquélla (aunque esto último solamente en el caso de que el vendedor los ignorase, y siempre que la renuncia del comprador fuera expresa, según exige el art. 1485 CC). Corresponde al comprador la carga de probar el carácter oculto del vicio y ejercitar a tiempo las correspondientes acciones, cuyo plazo de ejercicio es de 6 meses a partir de la entrega de la cosa (art. 1490 CC), y su naturaleza (prescripción o caducidad) ha sido tradicionalmente discutida tanto por la doctrina como por la jurisprudencia aunque parece que en la evolución de este debate ha prevalecido la postura que lo considera de caducidad.

Todo vicio o defecto de las cosas vendidas entraña en el fondo un supuesto de incumplimiento por prestación defectuosa que puede conducir a otras acciones tales como la de incumplimiento contractual, la de resolución del contrato, o incluso de anulación por error o por dolo como vicios del consentimiento; pero el régimen específico de la obligación de saneamiento –de larga tradición histórica puesto que proviene de las acciones concedidas en el Derecho romano por los ediles curules– tiene la particularidad –respecto a la general de incumplimiento o por mora– de no exigir la culpa del deudor (si bien en este punto coincide con la interpretación que ha prevalecido en la jurisprudencia relativa a la resolución de obligaciones recíprocas por incumplimiento) por lo que, en definitiva, la acción específica de saneamiento por vicios ocultos se solapa con generales otras posibles, con las que integra un concurso alternativo de acciones, y la de indemnización de los daños y perjuicios seguirá el régimen general.

Para que surja la responsabilidad del vendedor por incumplimiento de su obligación de saneamiento, se exige que el vicio sea oculto y que el comprador ejercite su derecho dentro de plazo; no se requiere en cambio, como antes se ha dicho, la mala fe del vendedor, aunque, si ésta tiene lugar, agrava su responsabilidad con el deber añadido de indemnizar los daños. El efecto propio de la acción de saneamiento de que tratamos consiste en facultar al comprador para elegir entre resolver el contrato con reembolso de los gastos que pagó por el mismo (acción redhibitoria que es de naturaleza resolutoria y no rescisoria, con la consiguiente diferencia de plazos) o exigir una rebaja del precio (acción estimatoria o *quanti minoris*). En cuanto a la indemnización de los daños, aunque se encuentra mencionada en el art. 1486 CC, sigue el régimen que le es propio, y solo procederá contra el vendedor de mala fe conocedor de los vicios y si el comprador opta por la acción resolutoria, pero no en caso de ejercitar la estimatoria, ya que en este otro caso la indemnización de los daños se incluirá en la rebaja del precio.

Esta obligación se ha desarrollado en disposiciones especiales. En este sentido merece citarse, por ejemplo, la disp. adic. 5ª de la *Ley 37/2003, de 27 de noviembre, del Ruido*, y el art. 14 del *Real Decreto 314/2006, de 17 de marzo, que aprueba el Código Técnico de la Edificación*, que remiten al régimen del saneamiento por vicios ocultos las edificaciones urbanas que no cumplan las exigencias técnicas de aislamiento para evitar el ruido. Otro supuesto especial, contemplado en disposición específicas (arts. 1492 a 1499 CC) es el del saneamiento por vicios ocultos de los animales. En el ámbito del Derecho de consumo, la venta de productos defectuosos ocupa un lugar especial cuyo tratamiento no es objeto de la presente _Lección._

Si la cosa vendida perece por consecuencia de los vicios, el comprador sufrirá la pérdida y deberá restituir el precio y abonar los gastos del contrato; pero solo podrá reclamar la indemnización de los daños si el vendedor los conocía (art. 1488 CC). Si la pérdida de la cosa hubiera tenido lugar por culpa del comprador o por caso fortuito, el comprador podrá exigir al vendedor que le devuelva el precio con la rebaja del valor que la cosa tenía al tiempo de perderse, y solo podrá exigir además la indemnización de daños y perjuicios frente a un vendedor que hubiera obrado de mala fe.

Para evitar las dificultades del comprador relativas a la necesidad de ejercitar a tiempo las acciones y probar el carácter oculto de los vicios y demás vicisitudes, la jurisprudencia ha aplicado generosamente el concepto de prestación defectuosa o inidoneidad del objeto (doctrina del _aliud pro alio_, aplicada en numerosas sentencias, como la STS [1ª] 25.02.2010, en un caso de inhabitabilidad de una vivienda deteriorada, entre las más recientes) a los efectos de permitir al comprador ejercitar las acciones generales de incumplimiento, tienen la ventaja de no exigir probar el carácter oculto del vicio y un plazo de ejercicio más largo. Las legislaciones modernas tienden a extender el principio de no conformidad con el contrato, que por ahora está legalmente previsto para las ventas con consumidores, a todas las clases de compraventa.

3.4. Los vicios ocultos en la compraventa mercantil

El tratamiento de los defectos de la cosa en la legislación mercantil tiene un desarrollo particular en los arts. 336 y 342 CCom, preceptos que, según cierta autorizada doctrina, excluyen la aplicación de los arts. 1101, 1103 y 1124 del CC. Las principales características de la regulación mercantil consisten en acentuar la brevedad de los plazos de denuncia de los vicios, pero también en restar importancia al carácter aparente u oculto de los defectos, así como en la oscuridad con que se diferencia la prestación defectuosa de la prestación diversa, o los verdaderos vicios de las meras diferencias de calidad o cantidad. Además, en las ventas con consumidores rige, como ya hemos señalado repetidamente, el principio de no conformidad con el contrato, que supera todas estas distinciones y en definitiva depara al comprador una protección jurídica superior a la que le proporcionan los Códigos.

El CCom sanciona al comprador que omite la denuncia oportuna de los vicios con el decaimiento de toda posibilidad de reclamar por estas causas. Los plazos para denunciar son muy breves, si bien los contratantes pueden ampliarlos o reducirlos por pacto; y, por otra parte, en las ventas de maquinaria o electrodomésticos y otros materiales son frecuentes las garantías adicionales del buen funcionamiento en interés del comprador, por un determinado período de tiempo convenido incluso en los supuestos de ausencia de culpa del vendedor. Los plazos difieren según se trate de meros defectos de calidad o cantidad, o de verdaderos vicios ocultos; distinción que se funda en la posibilidad que tenga el comprador de detectarlos o no al recibir las mercancías, y siempre habida cuenta de que en principio se trata de un profesional que no puede alegar impericia. Respecto a los primeros –que son aparentes– la denuncia debe formularse en el mismo instante de la recepción, si bien el comprador no está obligado a examinar las mercancías salvo que así lo exija el vendedor (arts. 336.1° y 41 CCom); si las mercancías vienen enfardadas y embaladas y el comprador no las examina, el plazo de denuncia se amplía a 4 días a partir de la recepción (art. 336.2 CCom). Para los verdaderos vicios ocultos o internos, no detectables a simple vista ni siquiera por profesionales, el plazo de denuncia es 30 días (art. 342 CCom).

Las consecuencias de la denuncia de los vicios varían según los casos. Si se trata de denuncia de vicios aparentes, el comprador puede ejercitar la acción de resolución del contrato y exigir la indemnización de los daños y perjuicios *ex* art. 336.3 CCom. Si la reclamación versa sobre vicios internos u ocultos que el comprador ha denunciado dentro del plazo legal de 30 días previsto en el art. 342 CCom, dispone de las acciones redhibitoria y estimatoria reguladas en el CC, en el término de 6 meses contados a partir de la entrega (art. 1490 CC).

4. GARANTÍAS DEL VENDEDOR

4.1. La resolución por peligro de pérdida de la cosa y el precio

En los contratos de compraventa con aplazamiento del pago el precio, el vendedor que ha entregado la cosa tiene reconocida la facultad de resolver la venta inmediatamente ante el simple peligro de perder la cosa y el precio (p. ej., ante la insolvencia del comprador) salvo que el comprador asegure su obligación con una garantía real o personal. El art. 1503 CC se aparta así del régimen general de resolución de las obligaciones del art. 1124 CC que solo la admite si se produce el incumplimiento.

4.2. En la compraventa de inmuebles

La especialidad del régimen de resolución en la compraventa de inmuebles radica en que, aun cuando exista pacto comisorio que permita al vendedor la resolución automática del contrato por impago del pago del precio, el art. 1504 CC concede al comprador un término complementario en que puede pagar y evitarla y que opera desde el vencimiento de la obligación hasta el momento del requerimiento de pago formulado por el vendedor (posibilidad que no contempla el régimen general previsto en el art. 1124 CC).

4.3. En la compraventa de muebles

En este caso, la venta se resolverá de pleno derecho en interés del vendedor _ex_ art. 1505 CC, cuando el comprador no se haya presentado a recibir la cosa o se haya presentado pero no haya ofrecido simultáneamente el precio, salvo que se hubiera pactado un aplazamiento de la obligación del comprador. Además, el art. 1922.1° CC establece una preferencia a favor del vendedor, para el cobro del precio no satisfecho, y frente a otros acreedores del comprador, que recae sobre el bien vendido que se encuentre bajo la posesión del vendedor y hasta donde alcance su valor.

4.4. Pacto comisorio y condición resolutoria expresa en la venta de inmuebles

El pacto de _lex comisoria_ o condición resolutoria expresa en la compraventa es un convenio por el que los contratantes aceptan que el contrato quede resuelto de pleno Derecho en caso de incumplimiento de la obligación de pago del precio que pesa sobre el comprador, bien sea del total o de alguno de sus plazos. Suele ir acompañado del comiso de todas o gran parte de las cantidades ya abonadas antes por el comprador, convenio este que puede resultar abusivo en ciertas circunstancias, por lo que la jurisprudencia se inclina por considerar entonces aplicable el art. 1154 CC relativo a la facultad de los tribunales de moderar la pena.

La validez de este tipo de pacto se deduce del CC y la LH. El art. 1504 CC lo admite, con algunas disposiciones complementarias favorables al comprador, y el art, 11 LH permite inscribirlo siempre que se haya pactado como condición resolutoria explícita. La inscripción en el Registro de la Propiedad lo hace oponible a terceros, siempre con respeto a la buena fe de los sucesivos adquirentes que traigan causa del comprador.

Los efectos que produce el pacto comisorio dependen de lo pactado. En particular, el ejercicio de la resolución se sujetará al plazo convenido; plazo que debe considerarse de caducidad (STS [1ª] 15.11.2010). En su defecto, el art. 1504 CC los hace depender del acto del requerimiento de pago, cuya formulación corresponde al vendedor. Este momento es relevante porque determina la resolución de pleno derecho del contrato, extingue la facultad del comprador de pagar con posterioridad al vencimiento del pago y evitar de este modo la resolución, y también la facultad judicial de conceder al comprador nuevo plazo. En suma, el pago del precio realizado con posterioridad al requerimiento del vendedor debe considerarse extemporáneo. Por su trascendencia, el requerimiento eficaz debe ser formulado en forma fehaciente, por vía judicial o notarial.

V. OBLIGACIONES DEL COMPRADOR

1. EL PAGO DEL PRECIO

Esta obligación del comprador caracteriza en especial al contrato de compraventa. El lugar y tiempo del pago del precio será el pactado, y en su defecto, si la venta es civil, el de la entrega de la cosa, y si es mercantil, el de la puesta a disposición en el establecimiento del vendedor (arts. 1500 CC y 339 CCom, que en este punto desplazan el régimen general contenido en el art. 1171 CC). En las ventas mercantiles, el art. 87 CCom dispone además, con carácter general, que en el cumplimiento de las obligaciones no se presume el otorgamiento de plazo, y que en caso de silencio de las partes se entenderán realizadas al contado. Para las compras de mercancías entre comerciantes y proveedores en particular, el art. 17 LOCM dispone que en defecto de pacto el abono del precio debe hacerse a los 30 días a partir de la entrega; y el art. 4.1.b) de la *Ley 3/2004, de 29 de diciembre, por la que se establecen medidas de lucha contra la morosidad en las obligaciones comerciales*, impone al comprador el pago del precio en el plazo máximo de 60 días que no podrá ampliarse por convenio. En las ventas mercantiles es usual pactar expresamente estas circunstancias al convenir la forma de pago; y en el caso frecuente de que exijan traslado, se suele pactar que se incluyan en el precio los gastos de transporte hasta el lugar convenido (cláusulas *franco destino, portes pagados*, etc.), o incluso el coste de la prima del seguro (cláusula *CIF*).

El precio debe pagarse *en dinero o signo que lo represente* (art. 1445 CC), por lo que rige el art. 1170 CC. Por tanto, el vendedor podrá exigir el pago en la moneda que tenga curso legal pero podrá aceptar otros medios voluntarios de pago al uso (letras de cambio, cheques y tarjetas, otros medios electrónicos...) si bien la deuda se extinguirá cuando hayan sido efectivamente cobrados o cuando por culpa del acreedor se hayan perjudicado, y antes la obligación quedará en suspenso (lo que entraña la concesión de una prórroga al deudor). El pago en divisas será válido aunque sujeto a la legislación en la materia, y las cláusulas de estabilización serán en principio válidas, aunque no sean frecuentes.

El comprador que se retrasa en realizar el pago del precio debe intereses solo en caso de que así se hubiera pactado, o cuando la cosa hubiera devengado frutos durante el retraso, puesto que éstos pertenecen al comprador (art. 1095 CC), o, *ex* art. 1100 CC, si se constituye en mora *debitoris* (art. 1100 CC) y con los matices que presenta el régimen especial de la mora en el cumplimiento de las obligaciones y el sistema de transmisión de la propiedad en el ámbito mercantil (al que nos hemos referido *supra sub* epígrafe *II*). A este respecto, el art. 341 CCom impone al comprador el interés al tipo legal, de las cantidades adeudadas al vendedor. El art. 5 de la *Ley 3/2004, de 29 de diciembre*, citada antes, establece el carácter automático de la mora del comprador, y en su art. 7 se fija el tipo de interés legal con un particular criterio de actualización de su importe, que para las ventas entre empresarios será el resultante del tipo de interés aplicado por el Banco Central Europeo *a su más reciente operación principal, efectuada antes del primer día del semestre natural de que se trate, más 7 puntos porcentuales.*

Las acciones para exigir el pago del precio prescriben en el plazo general de 15 años (art. 1964 CC). Plazo que en las ventas mercantiles es a todas luces excesivo por lo que se han establecido legalmente otros especiales y más breves. En particular, cuando la obligación de pago del precio media entre dos comerciantes dedicados a *distinto tráfico*, será de aplicación el plazo trienal previsto en el art. 1967.4 CC; el mismo que dicho precepto prevé para las ventas de mercaderes *a quienes no lo sean* (que pueden ser los consumidores).

2. LA FACULTAD DE SUSPENSIÓN DEL PAGO DEL PRECIO

El comprador puede suspender la obligación de pagar el precio, si resulta perturbado en la posesión o dominio de la cosa vendida, o tuviere fundado temor de serlo, por consecuencia de una acción reivindicatoria o hipotecaria, salvo que el vendedor haga lo necesario para hacer cesar el peligro, o asegure la restitución del precio ya recibido (en su caso), o si se hubiera convenido que el comprador hubiera de soportar el peligro o la perturbación (art. 1502 CC, que se refiere a la compraventas con aplazamiento de la obligación de pagar el precio y en que el comprador haya recibido previamente la cosa y es una manifestación de las excepciones de contrato no cumplido (*exceptio non adimpleti contractus*) o contrato no bien cumplido (*exceptio non rite adimpleti contractus*).

El ejercicio de esta facultad exige, según la jurisprudencia, que las causas del peligro o perturbación sean anteriores a la venta, y que sea notificado el vendedor, con el fin de no prolongar indefinidamente la situación y dar ocasión al vendedor de realizar los actos necesarios para evitarla. Consideran además los tribunales que también tiene lugar cuando el vendedor oculta al comprador la existencia de hipotecas u otras causas anteriores a la venta que pudieran originar la reivindicación. Si se trata de una hipoteca, ocultada maliciosamente, o no declarada por el vendedor, surge un problema de interpretación parecido al que plantea el art. 1483 CC (analizado antes *sub* apdo. 3, *3.2* del epígrafe IV), ya que en este caso el comprador no puede alegar imposibilidad de conocer la existencia del gravamen. Frente a dicho razonamiento, la doctrina ha matizado que la publicidad registral se dirige a proteger a terceros adquirentes de buena fe, cuestión distinta a la relación contractual mediante entre comprador y vendedor, que se sujeta a principios generales de buena fe y lealtad; estos principios pueden entenderse vulnerados por el vendedor que no declara u oculta intencionadamente la verdadera situación jurídica, ya que el comprador no tiene obligación de consultar el Registro; en consecuencia, se arguye que el art. 1502 CC contempla precisamente este supuesto –ocultación por parte del vendedor de un gravamen inscrito en el Registro– y faculta al comprador defraudado a suspender en este caso el pago del precio.

3. LA RECEPCIÓN DE LA MERCANCÍA

La recepción de las mercancías es una obligación del comprador en las ventas mercantiles, regulada en varios preceptos del Código de comercio, que consiste en indicar a éste dónde y cómo quiere recibirlas y cuáles serán las condiciones del transporte; pero si no se pacta otra cosa, el lugar en que debe realizarse la recepción es el del establecimiento del vendedor. Si el comprador rehúsa sin justa causa hacer la recepción, el vendedor puede liberarse mediante consignación judicial costeada por el comprador (art. 332 CCom, precepto inaplicable en los supuestos de *traditio ficta* en que se pacta la cláusula *cif,* por la que se fija el momento de puesta a disposición de las mercancías en el de la entrega de éstas al porteador). Si, por el contrario, las mercancías adolecen de vicios o defectos de cantidad o calidad, o el vendedor pretende entregarlas una vez agotado el plazo para ello, el comprador podrá negarse con justa causa a recibirlas, sin incurrir en incumplimiento (arts. 330 y 336 CCom).

En la regulación civil general la *mora creditoris* genera el efecto traslativo de los riesgos y permite al deudor que ofrece un pago que reúna los requisitos de identidad, integridad e indivisibilidad, liberarse de su obligación por medio de la consignación judicial del objeto debido (arts. 1176 CC y leyes 496 y 569 de la Compilación navarra).

4. LOS GASTOS COMPLEMENTARIOS

En materia de gastos se estará a lo pactado entre las partes. En su defecto, el art. 1455 CC establece que los de otorgamiento de escritura serán de cargo del vendedor y los «demás posteriores» de cuenta del comprador. En las ventas mercantiles se sigue distinto criterio, pues el art. 338 CCom atribuye al vendedor el pago de los gastos generados por las mercancías antes de la puesta a disposición, y al comprador los de su retirada desde el lugar de la entrega; si bien las cláusulas *CIF, FOB,* y otras usuales en el tráfico comercial, pueden modificar por vía convencional las previsiones legales indicadas. La materia ha sido expuesta en anterior epígrafe IV.2 de esta *Lección.*

VI. VENTA DE UNA MISMA COSA A DISTINTOS COMPRADORES

El carácter puramente obligacional propio de la compraventa explica que un mismo vendedor haya podido celebrar varios contratos de venta de la misma cosa y haber quedado obligado a entregarla a distintos compradores. El art. 1473 CC contempla esta hipótesis, pero no debe interpretarse que persiga legalizar la doble venta sino solucionar el conflicto entre los compradores que se disputan la propiedad de la cosa vendida. Los presupuestos de aplicación de la norma son los siguientes: a) vendedor único (persona física o sus herederos, o jurídica, que actúe por sí o a través de representante legal o voluntario); b) pluralidad de compradores (persona física o sus herederos, o jurídica, que igualmente pueden actuar a través de representante); c) distintos contratos de compraventa (que no han de ser simultáneos pues en tal caso se trataría de una venta conjunta en la que los compradores adquirían la cosa en condominio; y deben ser válidos, porque en otro caso habría una sola venta y no sería aplicable el precepto); d) identidad de objeto vendido (ha de ser una misma cosa, y no pertenecer a un tercero, porque en tales circunstancias sería aplicable el régimen de la venta de cosa ajena); e) buena fe (que es el requisito de mayor trascendencia, exigido en todo caso al comprador como sostiene la reciente STS [1ª] 11.02.2011, pues se considera que no debe quedar protegido quien colabora en la actuación del vendedor, que normalmente es fraudulenta).

Los efectos del art. 1473 CC consisten en establecer los criterios legales de atribución de la propiedad de la cosa a uno de los compradores; y varían según la cosa sea mueble o inmueble. Si la cosa es mueble, la propiedad se atribuye al comprador que primero haya tomado posesión de la misma, con buena fe; en caso de que uno haya tomado la posesión real y otro la posesión fingida en alguna de sus modalidades, debe darse preferencia al primero; y si ninguno ha llegado a tomar posesión, al que presente título de fecha más antigua (apartado tercero del art. 1473 CC, por analogía). Si se trata de un inmueble entrará en escena, además, la posible inscripción registral; de manera que ante todo, se considera propietario al primero de los compradores que hubiera inscrito su derecho sobre la finca en el Registro, con buena fe; de no haber inscripción, será propietario el primero que, siempre de buena fe, haya tomado posesión de la cosa; si tampoco ha tenido lugar la toma de posesión, será preferido aquel comprador que presente título de fecha más antigua (en caso de coincidir las fechas de los títulos, no existe solución legal) con buena fe. El comprador defraudado por la doble venta dispone de las acciones *ex* art. 1124 CC contra el vendedor, y podrá exigir la indemnización de los daños en todo caso, al ser imposible el cumplimiento en forma específica. Todo ello sin perjuicio de las acciones penales que procedan.

VII. SUPUESTOS ESPECIALES

1. VENTAS CON PACTO DE RETRO

La venta con pacto de retro o retroventa –denominación preferible a la de retracto convencional que utiliza el art. 1507 CC, también conocida como venta a carta de gracia– consiste en el derecho que se reserva el vendedor de una cosa (por lo general, una finca rústica) a volver a comprarla, con abono de las cantidades mencionadas en el art. 1518 CC (precio, gastos e impensas). El pacto de retraer ha de ser simultáneo a la primera venta aun cuando conste en escritura separada, pues si tiene lugar en un momento posterior, sus efectos son puramente obligacionales. Los plazos mínimo y máximo establecidos en el art. 1508 CC para ejercitar el derecho a retraer son de 4 y 10 años respectivamente. El plazo mínimo se puede modificar por pacto, pero el de 10 años es el máximo que permite la ley con carácter imperativo, por lo que si se pacta por tiempo superior debe reducirse al tope legal. Cabe sin embargo la prórroga del contrato antes de que haya vencido el plazo. Pero, según la doctrina, el derecho a retraer siempre se puede ejercitar desde el momento de la primera venta sin respetar los plazos mínimos, pactados o legales, puesto que se establecen en interés del vendedor inicial. Si el vendedor no cumple lo dispuesto en el art. 1518 CC, la adquisición del dominio de la finca por el comprador deviene irrevocable.

El pacto de retro tiene naturaleza real y confiere un derecho que en principio es oponible a terceros adquirentes del inmueble. Si la finca está inmatriculada y el vendedor no inscribe su derecho, los terceros adquirentes gozarán de la protección que les depara el art. 34 LH; en otro caso, se plantea el problema de interpretar a quien corresponde inmatricular la finca o inscribir el pacto si ya lo estaba, puesto que el vendedor inicial no está legalmente obligado a ello. El derecho a retraer ha alcanzado la consideración de derecho limitado autónomo, en principio transmisible a terceros. Pueden ejercitarlo los acreedores del vendedor por la vía de la acción subrogatoria del art. 1111 CC primer inciso, con respeto al carácter subsidiario que la caracteriza (art. 1512 CC). La venta con pacto de retro supone una transmisión temporal de la propiedad de una finca que puede perseguir finalidad de garantía del pago de una deuda, alternativa a la hipoteca, a la que supera por la facilidad de su constitución y realización del valor.

2. VENTA DE DERECHOS

La compraventa puede tener por objeto derechos reales o de crédito. La venta de derechos de crédito se encuentra contemplada en los arts. 1526 a 1536 CC, bajo la rúbrica *de la transmisión de créditos y demás derechos incorporales*; expresión técnicamente imperfecta, dado que puede efectuarse a través de negocios distintos al contrato de compraventa, así como que la venta de ciertos derechos incorporales –como la electricidad, la energía, etc.– se encuentra prevista en las correspondientes leyes especiales, entre otras muchas razones. La tendencia moderna desarrolla la cesión de créditos como una figura autónoma e independiente de la compraventa, cuyos preceptos son insuficientes para regularla plenamente, y así se ha considerado también en las propuestas europeas de revisión del régimen de los contratos (*DCFR* Libro III cap. 5).

El insatisfactorio régimen de la cesión de créditos en el CC se ha ido completando con las aportaciones doctrinales y jurisprudenciales en la materia, que en buena parte se inspiran en el Código civil italiano. En la cesión onerosa de créditos, el acreedor originario (cedente) transmite al nuevo acreedor (cesionario) el crédito frente al deudor (deudor cedido), mediante una contraprestación; puede ser un precio, pero también cabe la cesión en pago de una deuda preexistente. El negocio de cesión es distinto del contrato-base que dio origen al derecho que se transmite, y requiere para su eficacia el consentimiento del cedente y del cesionario, así como la notificación de la cesión al deudor cedido, ya que, en caso contrario, éste podría liberarse mediante el pago de la deuda al acreedor originario. El objeto del contrato de cesión es un crédito que ha de tener existencia cierta y estar pendiente de vencimiento. El cedente de buena fe responde ante el cesionario de la *veritas nominis* (existencia y legitimidad del crédito), salvo que el crédito se haya vendido como dudoso; no responde en cambio de la *bonitas nominis* (o solvencia del deudor), salvo que así se hubiera pactado o la insolvencia fuese anterior y pública, pero aún en tal caso, la responsabilidad solo comprende el precio recibido y los gastos señalados en el art. 1591.1 CC. Como se ha advertido, el negocio de cesión puede ser oneroso (por un precio, o en pago de una deuda previa mediante entre cedente y cesionario), o gratuito (por donación). En principio, la transmisión del derecho de crédito comporta la de todos sus accesorios (intereses, cláusulas penales, garantías, etc.). La subrogación de préstamos hipotecarios sigue un régimen especial.

3. VENTA DE HERENCIA

La venta de herencia mencionada en el art. 1531 CC se refiere a un contrato en que el heredero vende enteramente la herencia que le corresponde o bien una cuota de la misma, comportamiento que según el art. 1000.1 CC significa que la acepta. Debe distinguirse del contrato sobre herencia futura, prohibido en el art. 1271.2 CC, en el que la venta es anterior a la apertura de la sucesión. El objeto de la venta de que tratamos no es transmitir la condición de heredero sino el contenido patrimonial activo y pasivo de la misma, de manera que el comprador asume la condición de deudor frente a los acreedores hereditarios. Si este efecto se ha excluido por pacto, nos encontramos ante una figura distinta (venta en globo), que produce diversas consecuencias en el régimen de la herencia. En la venta de herencia a que se refiere el art. 1531 CC, si acaso hubiera tenido lugar la aceptación a beneficio de inventario la herencia mantiene su condición de patrimonio separado en liquidación, en interés de los acreedores de la misma; y por otra parte, cabe ejercitar frente al comprador la acción de petición de herencia. El vendedor solo responde ante el comprador de su cualidad de heredero, es decir, de que la herencia está abierta y le pertenece, así como de la extensión de su derecho hereditario; no, en principio, del saneamiento por evicción total ni por vicios ocultos (salvo que las causas afectaran a todo o una gran parte de la herencia o el vendedor las hubiera ocultado maliciosamente). Si aparecen en la herencia deudas que no eran conocidas en el momento de la venta, el comprador no tiene obligación de asumirlas.

4. VENTA DE CRÉDITOS LITIGIOSOS

El art. 1535 CC, se refiere a la venta de créditos litigiosos, que suelen venderse a bajo precio y con evidente intención especulativa. Los créditos se tienen por litigiosos desde la contestación a la demanda o desde el emplazamiento para ello (cuestión debatida). Como ello perjudica notoriamente al deudor, se concede a éste el beneficio de liberarse de la deuda mediante el pago del precio de la cesión, que puede ser sensiblemente inferior al valor de la deuda originaria. Se considera que esta solución no perjudica al cesionario, puesto que a la postre, de este modo recibe del deudor el importe en que él mismo ha valorado el crédito; y porque, en otro caso, se trata de un crédito de dudoso cobro que puede no llegar a hacer efectivo, bien por fracaso de la demanda o por insolvencia del deudor.

VIII. EXTINCIÓN DEL CONTRATO

El contrato de compraventa se extingue por las causas generales de extinción de las obligaciones y, en especial, por la resolución, que procede en numerosos supuestos particulares propios del régimen civil del contrato además del general que contempla el art. 1124 CC, y los arts. 327, 328, 329, 331, 332 y 336 CCom.

Compraventas especiales y Compraventa internacional

Mª CONCEPCIÓN PABLO-ROMERO*
Profesora Titular de Derecho Mercantil
Universidad Pública de Navarra

NATIVIDAD GOÑI URRIZA**
Profesora Titular de Derecho Internacional Privado
Universidad Pública de Navarra

I.   COMPRAVENTAS ESPECIALES EN EL CÓDIGO DE COMERCIO

Los arts. 327 y 328 CCom recogen como especiales varios supuestos de

---

*   Autora de los epígrafes I (*Compraventas especiales en el Código de Comercio*), II (*Ventas al público*), III (Compraventa a plazos de bienes muebles) y V. (*Contratos afines a la compraventa*).

**   Autora del epígrafe IV (*Compraventa internacional de mercaderías*).

compraventa en las cuales el comprador tiene la facultad de resolver el contrato. Son las ventas sobre muestras o sobre géneros de calidad conocida en el comercio, la compraventa a ensayo o prueba y la compraventa salvo aprobación. Veamos a continuación cada una de ellas:

a) Las ventas sobre muestras se recogen en el art. 327 CCom y en ellas el vendedor se compromete a entregar y el comprador a recibir la cantidad que determinen de cosas iguales a una muestra. Se considera que la muestra es la expresión física de la mercancía que se trata de adquirir y queda perfectamente integrada en el contrato como un elemento decisivo de la delimitación del objeto y de la prueba de su cumplimiento. La venta sobre muestras es pues una venta de cosa específica que no quedará cumplida hasta que no se entreguen las cosas vendidas que deberán coincidir exactamente con la muestra que habrá quedado en poder del comprador para que pueda confrontarla después con lo servido.

El comprador no puede negarse a recibir la mercancía si ésta fuera conforme a la muestra y si el comprador rehúsa recibirla se nombrarán peritos por ambas partes que decidirán si el género es o no de recibo y si no es conforme se rescindirá el contrato, pero por no ser norma imperativa no hay inconveniente que las partes pacten una solución distinta a la rescisión del contrato, como por ejemplo una reducción en el precio. El comprador tiene derecho a examinar la cosa, confrontándola con la muestra, y rehusarla de forma legal, si a su juicio no coincide con ella pero no puede por sí sólo rescindir el contrato o dejar de cumplirlo porque el cumplimiento del mismo no puede dejarse al arbitrio de uno de los contratantes.

b) La venta realizada sobre determinada calidad en el comercio puede considerarse como una variedad de la compraventa sobre muestras y se regula en el mismo art. 327 CCom. En este tipo de compraventas se utiliza como referencia de la identificación del objeto no una muestra determinada con la que éste tenga que coincidir sino un producto conocido en el comercio (SSTS [1ª] 1.7.1991, 25.6.1999). En ellas el comprador no podrá rehusar la mercancía si el producto es conforme a la calidad pactada. Desde luego la determinación de la mercancía en este caso no es tan precisa como en la venta sobre muestras pero lo establecido en el Código de Comercio es igual para ambos tipos. Si el comprador se negare a recibir los géneros se nombrarán peritos que los examinen y que decidirán si son o no de recibo (STS [1ª] 18.4.1991).

c) La venta a ensayo en la que el comprador se reserva el derecho de ensayar o probar lo contratado se recoge en el art. 328 CCom en el que se expresa que si el ensayo no resultara satisfactorio se podrá rescindir el contrato. En ella el comprador se reserva la posibilidad de comprobar que el objeto reúne ciertas condiciones previstas en el contrato, de forma que si después del ensayo resulta que no las reúne puede el comprador retirarse del contrato. La facultad de ensayo debe pactarse expresamente. Se trata de contratos sometidos a condición, y entiende la mayoría de la doctrina que se trata de una condición suspensiva y no resolutoria. En primer lugar, porque los efectos de la condición resolutoria se contradicen con los preceptos del Código de Comercio sobre transferencia del riesgo y, en segundo lugar, porque el art. 1453 CC así lo establece para las ventas no mercantiles (STS [1ª] 15.11.1983).

El rechazo no puede quedar al arbitrio del comprador siendo necesario que el producto no sea realmente adecuado. La facultad de rechazo no se concede por simples razones subjetivas ya que la prueba debe tener un carácter objetivo y será el vendedor el que deba probar que ésta ha sido satisfactoria (SSTS [1ª] de 22.9.1989, 25.6.1999, 15.3.2005).

d) El párrafo primero del art. 328 CCom recoge la venta salvo aprobación o venta *ad gustum*, pensada para los casos en que los géneros no se tienen a la vista ni pueden clasificarse por una calidad conocida en el comercio y en la que se permite que el comprador pueda examinar los géneros comprados para comprobar si son de su agrado y rescindir el contrato si los géneros no le convinieren.

No señala el Código un plazo para examinar la mercancía ante lo que se plantea la duda de si debe aplicarse el plazo de cuatro días previsto en el art. 336 CCom que cumple una finalidad distinta. En todo caso, no cabe entender que el comprador tenga un plazo indefinido y cuando del contrato y de los usos no pueda deducirse un plazo para la aprobación deberá acudirse a los tribunales que lo fijarán, entiendo yo, estableciendo un plazo razonable atendiendo a las circunstancias. Por otro lado, en las ventas a consumidores, éstos tienen un derecho de desistimiento o devolución de los productos comprados ejecutable en un plazo de siete días, en los términos previstos en los arts. 68 a 79 de LGDCU.

II. VENTAS AL PÚBLICO

Las ventas al público, sin ser propiamente mercantiles, son operaciones principales de los empresarios que ofrecen sus productos o los de otros fabricantes al público y que quedan sujetas a las normas de ordenación del mercado. Algunas cuestiones relativas a la venta al público se recogían ya en el CCom en los arts. 85 a 87, que regulan la irreivindicabilidad de los bienes comprados en almacenes o tiendas abiertas al público, la irreivindicabilidad de la moneda con que se verifique el pago y la presunción de que las compras y ventas se entenderán hechas al contado. Este tipo de ventas, sin embargo, ha sido objeto en los últimos años de disposiciones especiales encaminadas, principalmente, a la ordenación del mercado y la protección de los consumidores. En primer lugar, la Ley 7/1996, de 15 de enero, de Ordenación del Comercio Minorista (LOCM), que trata de ordenar el sector de la distribución minorista, sistematizando, modernizando y adecuando el sector a la realidad de los mercados. Para ello se regula el régimen jurídico de las nuevas modalidades de venta al público con la intención de establecer normas imperativas que corrijan los posibles abusos de los comerciantes minoristas en perjuicio de los adquirentes. En segundo lugar, el Real Decreto Legislativo 1/2007, de 16 de noviembre, por el que se aprueba el texto refundido de la Ley General para la Defensa de los Consumidores y Usuarios y otras leyes complementarias (LGDCU), en la que además de regularse las normas que con carácter general se aplican en los contratos con consumidores, recoge una detallada regulación sobre los contratos celebrados a distancia y los contratos celebrados fuera de los establecimientos mercantiles.

1. VENTAS REGULADAS EN LA LEY DE ORDENACIÓN DEL COMERCIO MINORISTA

La LOCM regula y sistematiza las ventas en dos grandes bloques: por un lado, las ventas promocionales o actividades de promoción de ventas y por otro las ventas especiales en razón del proceso de formación del contrato.

1.1. Ventas promocionales

Entre las ventas promocionales incluye el art. 18 de la LOCM las ventas en rebajas, las ventas en oferta o promoción, las ventas de saldos, las ventas en liquidación, las ventas con obsequios y las ofertas de venta directa. La LOCM engloba entre ellas figuras típicas de promoción y figuras típicas de oferta en las que el precio y su publicidad es el elemento que hace atractiva la operación. La LOCM dedica algunas normas a establecer la regulación general de estas ventas pretendiendo con ello ordenar los aspectos externos del contrato, las buenas prácticas comerciales, la publicidad y las referencias que indiquen la reducción del precio y de los artículos que se oferten (arts. 20 y 21), incluyendo las ventas multinivel y la prohibición de ventas en pirámide (arts. 22 y 23). La Ley de Competencia Desleal ha modificado en parte el contenido de estas ventas estableciendo los criterios para considerarlas como prácticas desleales.

Las ventas en rebajas (arts. 24, 25 y 26) son ventas en las que se ofrecen al público los mismos artículos que habitualmente a un precio inferior al que tenían. No cabe calificar como tales las ventas de artículos que no han estado a la venta a un precio ordinario, ni las de objetos deteriorados o adquiridos para ser vendidos a un precio inferior al ordinario. Los artículos a que se refieren este tipo de ventas tienen que haber estado incluidos en la oferta habitual del establecimiento al menos durante el mes anterior a que comiencen las rebajas y éstas sólo podrán tener lugar en dos temporadas anuales, cada una de ellas con una duración mínima de una semana y máxima de dos meses. La regulación estatal debe completarse con la que hayan establecido las Comunidades Autónomas con competencia en la materia.

Las ventas en promoción o en oferta (art. 27) que se realizan a precios más bajos que los habituales, tiene la finalidad de potenciar la venta de ciertos productos o el desarrollo de varios comercios o establecimientos pero los productos que se oferten no pueden estar deteriorados o ser de peor calidad que los que vayan a ser objeto de una futura venta a precio normal.

Las ventas de saldos (arts. 28 y 29) son las de productos cuyo valor de mercado aparezca manifiestamente disminuido a causa del deterioro, desperfecto, desuso u obsolescencia de los mismos, sin que un producto tenga esta consideración por el solo hecho de ser un excedente de producción o de temporada. El precio de los productos tiene que ser inferior al de mercado y se exige en este tipo de ventas un deber de información específico por el cual deben anunciarse con la expresión venta de restos y, en caso de desperfecto o deterioro, que así se exprese claramente.

Las ventas en liquidación (arts. 30 y 31) tienen por finalidad liquidar determinadas existencias de productos del comerciante en supuestos de fuerza mayor que impidan el desarrollo normal de la actividad, como en el caso de ejecución de una decisión judicial, cesación total o parcial de la actividad, cambio de ramo comercial o modificación sustancial de la orientación del negocio. Son requisitos de esta modalidad la finalidad extintiva de las existencias, la prohibición de vender productos que no formaban parte anteriormente del stock y la de cesar en la venta cuando se hayan agotado los productos objeto de la liquidación. La duración máxima de la liquidación es de tres meses, salvo en el caso del cese total de la actividad, que será de un año. Se establece igualmente una limitación al ejercicio de la actividad del comerciante que no podrá ejercer el comercio en la misma localidad durante un plazo de tres años en el caso de que la liquidación tuviera como causa el cese de la actividad.

La venta con obsequios (arts. 32, 33 y 34) es lícita en los casos de promoción de ventas cuando se ofrezcan a los compradores determinados productos con otro producto o servicio gratuito o a precio especialmente reducido, ya sea en forma automática o mediante sorteo, siempre que se entreguen en un plazo máximo de tres meses. Se prohíbe, con carácter general, que se ofrezcan conjuntamente como una unidad la contratación de dos o más clases de unidades de artículos, salvo que se den las circunstancias que recoge la Ley. Estas ventas serán desleales cuando reúnan los requisitos de la LCD.

La oferta de venta directa del fabricante al público (art. 35) pretende asegurar al consumidor la veracidad de esta característica cuando ésta se haga constar en la oferta al público de los productos. Sólo es admisible cuando el fabricante realmente fabrica todos los productos puestos a la venta. Cuando se trate de una oferta realizada por un mayorista, éste debe dedicarse fundamentalmente a realizar operaciones de venta con minoristas. En todo caso los precios a los que los ofrezcan serán los mismos que apliquen a los comerciantes mayoristas o minorista según los casos.

1.2. Ventas especiales

Las ventas especiales engloban en la LOCM una diversidad de figuras sin criterios aparentemente uniformes en los que a veces el factor determinante de la inclusión en este tipo de ventas es la forma de expresar el consentimiento, otros el lugar o modo en que se desarrolla la contratación y otros la forma de manifestarse la oferta y determinar el precio o pagarlo, fijándose el legislador más en los modelos de organización de la actividad empresarial de los vendedores que en criterios jurídico-conceptuales. Las modalidades de ventas especiales, incluidas en la LOCM, son la venta a distancia, la venta automática, la venta ambulante y la venta en pública subasta. En todas ellas se exige como requisito previo que los comerciantes que deseen realizar alguna de las ventas especiales deberán obtener una autorización administrativa e inscribirse en el registro establecido en la Comunidad Autónoma respectiva.

La venta automática (arts. 49, 50, 51 y 52) supone que el distribuidor detallista pone a disposición del comprador determinados productos que se pueden adquirir mediante el accionamiento de unas máquinas y previo pago de su importe. La venta ambulante (arts. 53, 54, 55) cuya regulación debe completarse con el RD 199/2010, de 26 de febrero, por el que se regula el ejercicio de venta ambulante no sedentaria se caracteriza por estar realizada por comerciantes fuera del establecimiento comercial permanente cualquiera que sea su periodicidad y el lugar donde se celebre. La venta en pública subasta (arts. 56 a 61) consiste en ofrecer, pública e irrevocablemente, la venta de un bien a favor de quien ofrezca, dentro del plazo concedido al efecto, el mejor precio. Los bienes así adquiridos son irreivindicables en la forma prevista en el art. 85 CCom.

Las ventas a distancia, reguladas en los arts. 38 a 48, de la LOCM (modificados por la Ley 47/2002), pretenden una mejor protección del consumidor, pero se da la paradoja de que a estas ventas se aplican también en los arts. 92 a 106 de la LGDCU, con lo que el régimen de las ventas a distancia en la LOCM sólo resulta aplicable a las ventas empresariales, según lo expresa la exposición de motivos de la LGDCU y se rigen por lo dispuesto en los arts. 96 a 106 de la misma.

2. VENTAS A DISTANCIA

Se entiende por ventas a distancia las celebradas sin la presencia física simultánea del comprador y del vendedor, transmitiéndose la propuesta de contratación del vendedor y la aceptación del comprador por un medio de comunicación a distancia de cualquier naturaleza. Como ya he dicho, el régimen de las ventas a distancia en la LOCM sólo resulta aplicable a las ventas empresariales, según lo expresa la exposición de motivos de la LGDCU, ya que las realizadas con consumidores se rigen por lo dispuesto en los arts. 92 a 106 de la misma. En todo caso, tanto en la LOCM como en la LGDCU lo que se regula son las ventas a distancia como sistema de contratación organizado por el vendedor para promover la venta de sus productos, en el que se da cierta forma de agresión comercial hacia los compradores.

Esta regulación está especialmente pensada para la venta por catálogo aunque lógicamente deben incluirse entre ellas las ventas electrónicas. No obstante, señala el art. 38.6 LOCM que cuando la venta se realice a través de medios electrónicos se aplicará preferentemente la normativa específica sobre servicios de la información y contratación electrónica. Por otra parte, el art. 34 LOCM y el 93 LGDCU excluyen de la aplicación de la venta a distancia algunas modalidades de ventas, como las ventas en subastas o las celebradas mediante distribuidores automáticos o locales comerciales automatizados.

En la fase inicial de la venta el vendedor tiene el deber de suministrar al comprador información previa sobre los aspectos más relevantes del contrato (arts. 40 LOCM y 97 LGDCU). Tanto la oferta como la aceptación deben realizarse por algún medio de comunicación a distancia, y en todas las propuestas de contratación deberá constar inequívocamente que se trata de una oferta comercial. El consentimiento del comprador debe manifestarse de forma expresa, y, en ningún caso, la falta de respuesta puede considerarse como aceptación (arts. 41 LOCM y 99 LGDCU). Además, quedan prohibidos los envíos no solicitados por el comprador que si los recibe no tendrá obligación de devolverlos (arts. 42 LOCM y 100 LGDCU).

El vendedor deberá ejecutar el pedido en el plazo máximo de 30 días desde el consentimiento (arts. 43 LOCM y 103 LGDCU). Si la entrega de los bienes contratados no fuera posible el vendedor deberá informar al comprador y deberá devolver en un plazo máximo de 30 días las cantidades abonadas (arts. 43 LOCM y 104 LGDCU). El pago del precio se realiza en muchos casos mediante tarjeta de crédito y la ley, para evitar abusos, establece que si el importe de una compra hubiese sido cargado fraudulenta o indebidamente, el titular de la tarjeta podrá exigir la inmediata anulación del cargo.

La protección del comprador se completa con el derecho de desistimiento regulado en los arts. 44 LOCM y 101 LGDCU. El desistimiento puede ejercerse libremente sin necesidad de alegar causa alguna y sin formalidad ni penalización alguna y serán nulas de pleno derecho las cláusulas que impongan al consumidor una penalización por el ejercicio de su derecho de desistimiento o la renuncia al mismo. El plazo para ejercitarlo es de 7 días hábiles a partir de la recepción del producto. Ejercido el desistimiento el vendedor está obligado a devolver las sumas abonadas por el comprador sin retención de gastos. Por último, el derecho de desistimiento se excluye en los casos previstos en el art. 45 LOCM y el 102 LGDCU como, por ejemplo, la venta de prensa diaria o revistas o la venta de vídeos, discos o programas informáticos que puedan ser copiados rápidamente una vez que hayan sido desprecintados.

3. VENTAS FUERA DEL ESTABLECIMIENTO MERCANTIL

Las ventas fuera de los establecimientos mercantiles se regulan en los arts. 107 a 109 LGDCU y merecen la protección del consumidor en la medida que en este tipo de ventas, que se celebran en el domicilio del consumidor, centro de trabajo, en la calle o en un medio de transporte público y que son generalmente muy agresivas, pueden dificultar la formación de la voluntad del consumidor. De la aplicación de la ley se excluyen una serie de ventas, pero merece la pena destacar que no se aplica a los contratos en los que el usuario haya tenido la posibilidad de analizar la operación por realizarse sobre la base de un catálogo y que además prevean la continuidad de contacto entre empresario y consumidor y quede expresamente recogido el derecho de desistimiento.

El contrato ha de formalizarse por escrito y su incumplimiento posibilita la anulación del mismo por parte del consumidor. Como en toda la contratación con consumidores se recoge en el art. 110 el derecho de desistimiento. Efectuado éste, las partes deberán devolverse las prestaciones que hubieran realizado según lo dispuesto en los arts. 1303 y 1308 del CC sin que deba implicar gasto alguno por parte del consumidor (art. 74.2).

III. COMPRAVENTA A PLAZOS DE BIENES MUEBLES

La venta a plazos es una venta en la que se realiza la entrega del objeto vendido pero el pago del precio queda confiado a un pago diferido por fracciones, generalmente iguales y periódicas. Se trata de un contrato que tiene una gran difusión en el tráfico moderno en el que los vendedores no vacilan en correr los riesgos que para ellos supone esta forma de operar, amenazados siempre por la posibilidad de insolvencia de los compradores.

La primera regulación de este tipo de contratos surgió con la Ley 50/1965, de 17 de julio, destinada principalmente a la protección del comprador frente a los posibles abusos del vendedor. La incorporación a nuestro Derecho de las Directivas comunitarias en materia de crédito al consumo trajo como consecuencia la promulgación de la Ley 7/1995, de 23 de marzo, de Crédito al Consumo que supuso algunas contradicciones con la Ley de Ventas a Plazos. En algunos casos se producía una doble regulación, y la propia Ley de Crédito al Consumo obligaba al ejecutivo en su Disposición Final 3ª a presentar a la Cortes Generales en el plazo de seis meses un proyecto de ley para modificar la regulación de las ventas a plazos. Finalmente se promulgó la Ley 28/1998, de 13 de julio, que regula la Venta a Plazos de Bienes Muebles y que ha sido modificada por la Ley 1/2000, de 7 de enero, de Enjuiciamiento Civil.

La coordinación entre las dos leyes, latente como criterio fundamental en la Exposición de Motivos, se manifiesta especialmente en el art. 2 que hace una recíproca remisión entre ambas leyes y así, se dice que los contratos afectados por ambas normas se regirán por lo dispuesto en la Ley de Crédito al consumo, en todo aquello que favorezca al consumidor y en tales casos, la LVPBM actúa como norma supletoria. Esta conjunción de normas no facilita las cosas tanto como pretende ya que no será fácil determinar qué es lo que favorece al consumidor en una u otra ley, máxime teniendo en cuenta que la LVPBM, que es aplicable a consumidores y no consumidores, no tiene el mismo objeto ni ámbito de aplicación que la LCC. Por otra parte, el hecho de que la LVPBM tenga carácter supletorio respecto de los contratos en que intervenga un consumidor ocasionará, sin lugar a dudas, problemas de interpretación. Así, por ejemplo, en cuanto al contenido obligatorio del contrato, normas de publicidad de obligado cumplimiento o transparencia de las operaciones.

1. ÁMBITO DE APLICACIÓN DE LA LEY

La determinación de su ámbito la hace la Ley en una doble forma. Por un lado señalando cuáles son los contratos que quedan incluidos y por otro excluyendo de su regulación de terminadas figuras contractuales.

1.1. Contratos incluidos

El art. 1 establece que la Ley tiene por objeto la regulación de los contratos de venta a plazos de bienes muebles corporales no consumibles e identificables, de los contratos de préstamo destinados a facilitar su adquisición y de las garantías que se constituyan para asegurar el cumplimiento de las obligaciones nacidas de los mismos. Pero su ámbito alcanza también a ventas con precio aplazado y a determinadas ventas al contado, así como a todas las operaciones que tengan la misma finalidad. Quedan incluidos, por lo tanto, los cuatro supuestos siguientes:

a) El contrato de venta a plazos que se define en el art. 3 de la Ley como aquel en el que «una de las partes entrega a la otra una cosa mueble y ésta se obliga a pagar por ella un precio cierto de forma total o parcialmente aplazada en tiempo superior a tres meses desde la perfección del mismo».

La exigencia de la entrega de la cosa abre la discusión sobre la naturaleza real o consensual del contrato. La doctrina más actual entiende que no puede calificarse de real de forma contundente, porque lo que hace la Ley es contemplar la previsión normal o típica de entrega de la cosa en el momento de la perfección del contrato pero no impide la perfección consensual. El art. 3 parece que más que determinar la naturaleza del contrato lo que hace es establecer una norma en defensa de los intereses del comprador: el vendedor no podrá exigir el cumplimiento del comprador si no ha entregado la cosa objeto del contrato. En definitiva, la Ley contempla la previsión normal o típica de entrega de la cosa en el momento de la perfección del contrato, pero no impide la perfección consensual. En este caso el vendedor no podrá exigir pago alguno sino desde que entregue el bien o lo ponga a disposición del comprador. Así la entrega de la cosa no será requisito de la perfección del contrato sino condición de exigibilidad de la obligación del comprador, de manera que el plazo de tres meses, si se perfecciona el contrato *sólo consenso*, se deberá contar no desde la perfección del contrato sino desde la entrega del bien mueble.

El aplazamiento del pago es otra cuestión controvertida. La Ley se refiere a las ventas en las que hay que pagar un precio «total o parcialmente aplazado». La discusión se suscita acerca de si se incluyen las ventas con precio aplazado pero en un solo pago, o si será necesario que exista una serie de plazos o al menos dos de ellos. Del tenor literal de la Ley parece deducirse que bastaría que el aplazamiento del pago del precio fuera por un período de tiempo superior a tres meses, aunque el pago total o parcial, si ha habido desembolso inicial, fuera único o se realizara en solo acto y no fraccionadamente.

El objeto del contrato es el bien mueble corporal, no consumible e identificable (art. 1.1). La identificabilidad que la Ley determina con gran minuciosidad extrema supone que el bien no pueda confundirse con otros. Por bienes consumibles hay que entender los bienes que se consumen instantáneamente, ya por su uso normal, en un período relativamente corto, o porque se consumen inmediatamente, pero no los que se deterioran por el transcurso del tiempo. Al referirse la Ley a bienes corporales excluye las ventas de derechos, aunque se realicen a plazos, así como los de propiedad industrial o intelectual.

Respecto de los bienes objeto del contrato, pueden serlo los bienes usados; los bienes fungibles siempre que conformen una unidad económica compleja, es decir, si se venden en conjunto; si se trata de una pluralidad de bienes no se someterán a la LVPBM siempre que los bienes que componen el conjunto sean individualmente identificables; los bienes cuyo destino sea la incorporación a otros aunque en la práctica se susciten problemas derivados fundamentalmente de la problemática jurídica de la accesión. En cambio plantea dudas la inclusión de bienes en construcción, aunque el hecho de que el bien esté en construcción no plantea problemas de identificación y de los arts. 1 y 5 de la Ley no deriva la necesidad de que el bien esté completamente construido sino sólo que sea identificable.

b) Los contratos de financiación de ventas a plazos, que pueden ser al vendedor o al comprador. En el primer caso, el art. 4.2 admite dos opciones: según que el vendedor haya otorgado financiación, y, por tanto ceda o subrogue su posición acreedora, o bien concierte con el financiador, antes de otorgar la compraventa, el crédito a favor del comprador. En el segundo caso, recogido en el art. 4.3, es un tercero el que facilita directamente al comprador el préstamo necesario para cubrir el coste de adquisición del bien solicitado. Esto es lo que sucede en la práctica donde la financiación la otorga directamente el vendedor, aunque después ceda su derecho individual o masivamente para una agrupación de su cartera crediticia, o una entidad que facilita financiación a los clientes del vendedor. No es frecuente, en cambio que el vendedor busque financiación por su cuenta.

c) La Ley, para cerrar su ámbito objetivo, defiende su aplicación a todas las operaciones que persigan los mismos fines económicos que la venta a plazos, cualquiera que sea su forma jurídica o la denominación que las partes le asignen.

1.2. Contratos excluidos

La Ley en su art. 5 deja fuera expresamente de su ámbito regulador los siguientes contratos:

a) Las compraventas de bienes que, transformados o no, se destinen a una posterior reventa al público y los préstamos asociados a su financiación. En primer lugar, lo que se excluye es la compra de bienes destinados a la reventa, no la venta de los mismos al público.

b) Las operaciones ocasionales sin ánimo de lucro. La exclusión de estos contratos es lógica si entendemos que la Ley cobra sentido en relación con las ventas a plazos en masa de bienes de consumo o de equipo por parte de comerciantes, porque para las ventas ocasionales resulta incongruente y excesiva. Deben quedar incluidas en ella tanto las ventas ocasionales con ánimo de lucro como las ventas habituales sin ánimo de lucro, lo que desde luego será un supuesto poco corriente en la práctica.

c) Los préstamos y ventas garantizados con hipoteca o prenda sin desplazamiento sobre los bienes objeto del contrato. La Ley incluye no sólo los préstamos sino también las ventas y expresamente señala que se refiere a prenda o hipoteca que recaigan sobre el propio objeto del contrato.

d) Los contratos, por definición sujetos, pero que no superen la cuantía que reglamentariamente se determine. La razón de la exclusión es pura lógica ya que no tiene sentido la aplicación de la mayoría de los derechos y obligaciones de la Ley cuando el importe del contrato sea muy bajo. Lo que no se dice es si la cuantía se refiere al precio al contado, al precio aplazado o a la parte del precio que se aplaza.

e) Los contratos de arrendamiento financiero. La Ley distingue ahora de manera clara entre el *leasing* mobiliario y la venta a plazos. Por otra parte regula una sección especial del Registro de Venta a Plazos en donde se inscribirá éste y un procedimiento específico de recuperación por el arrendador financiero de los bienes cedidos en *leasing* en la Disposición Adicional 1ª que complementan las disposiciones relativas a esta modalidad contractual contenidas en la Ley 26/1988, de 29 de julio, y en el art. 128 de la Ley del Impuesto sobre Sociedades.

2. ASPECTOS FORMALES DEL CONTRATO

2.1. Forma del contrato

El art. 6.1 de la Ley exige para la validez del contrato la forma escrita y además impone la formalización del contrato en tantos ejemplares como partes del contrato. La sanción de invalidez sólo se impone para la ausencia de forma escrita. Para el incumplimiento del número de ejemplares como partes o cuando no se haya entregado su ejemplar a alguna de las partes, la parte a la que no se haya entregado su ejemplar tendrá acción para reclamarla, pero no podrá instar la nulidad del contrato.

Si el contrato está sometido a Condiciones Generales de la Contratación, no hay inconveniente en incorporarlas mediante un documento anexo al contrato porque no se exige la firma de la Condiciones Generales por el adherente sino que bastará la entrega de un documento que recoja las mismas o su publicidad por cualquier medio razonable.

Nada se dice sobre si la firma debe ser autógrafa o pueden utilizarse sistemas de reproducción mecánica en masa o si puede utilizarse la firma electrónica o sistemas criptográficos de contratación pero habrá que interpretar la Ley de forma progresista de forma que se entenderá que existe la firma cuando se suscribe el contrato por medios informáticos o electrónicos.

2.2. Contenido del contrato

El contrato de venta a plazos es un contrato de contenido mínimo obligatorio que se recoge en el art. 7 de la Ley, en el que la autonomía de la autonomía de las partes queda muy restringida, y se establecen fuertes sanciones en caso de omisión o insuficiencia así como la nulidad de las cláusulas que libremente pactadas por las partes, sean contrarias a la Ley o pretendan eludir su cumplimento. Para tener acceso al Registro de Venta a Plazos los contratos tendrán que estar normalizados y aprobados por la Dirección General de los Registros y del Notariado. Son muy pocas las cláusulas o condiciones contractuales distintas de las obligatorias que se incluyen en los contratos ya que el contenido de la Ley encorseta mucho el contenido contractual, que se ajusta estrictamente al contenido de la norma y, dado que se trata de contratos generalmente en masa no se realizan negociaciones particulares.

El contenido del art. 7 es muy detallado y pone de manifiesto la estrecha relación que tiene con la LCC, ya que o bien reproduce total o parcialmente algunos de sus preceptos o remite a su articulado. Podemos encontrar tres grupos de cláusulas:

a) Cláusulas identificadoras del contrato (art. 7 núms. 1, 2 y 3). Entre ellas se encuentran las exigencias de incluir en el contrato todos las menciones necesarias para la identificación: lugar y fecha, identificación completa de los contratantes y su domicilio y la identificación del objeto vendido.

b) Cláusulas financieras (art. 7 núms. 4, 5, 6 y 8). Entre ellas se encuentran: datos relativos al precio, desembolso, parte aplazada, parte financiada y, en caso, capital del préstamo; datos de los pagos para el reembolso de los plazos o del crédito, pago de intereses e importe total; tipo de interés nominal y la fórmula si es interés variable; (TAE); relación de elementos del coste total del crédito.

c) Condiciones jurídicas vinculadas (art. 7 núms. 9, 10, 11, 12, 13 y 14). Comprenden: pacto de cesión o de reserva de la facultad de ceder; pacto de reserva de dominio y su posible cesión; prohibición de enajenar o disponer; lugar establecido a efectos de notificaciones; tasación del bien a efectos del tipo de subasta o tabla que sirva de referencia; facultad de desistimiento.

2.3. La eficacia del contrato y la penalización por defectos en su redacción

El art. 6.2 y 3 y el art. 8 señalan las consecuencias de la inclusión en el contrato de determinadas cláusulas o de la omisión de algunas que se consideran como obligatorias y el 14 las consecuencias de la inclusión en el contrato de cláusulas contrarias a la Ley.

El art. 6.2 subordina la eficacia del contrato, en que se establezca la obtención de un crédito de financiación, a la efectiva obtención del mismo. Configura, por tanto, la obtención del crédito como el evento de una condición suspensiva. No se trata de un deseo o de un mero propósito de las partes sino de una concreta previsión contractual y es indiferente que el crédito sea a comprador o vendedor.

El art. 6.3, párrafo primero, prevé un supuesto de nulidad parcial en protección de los compradores en cuya virtud es nulo el pacto por el que se obligue al comprador al pago al contado o a otras fórmulas de pago para el caso de que no se obtenga el crédito de financiación previsto. La sanción alcanza no sólo a la no obtención del crédito previsto sino también a la no obtención del crédito en los términos o con las condiciones previstas. Por otro lado, la norma impide una previsión contractual para el caso del incumplimiento de la condición suspensiva, distinta de la mera ineficacia sobrevenida del contrato, pues prohíbe no sólo el pacto de un pago al contado sino también de otras fórmulas.

El art. 6.3, párrafo segundo, impide que la elección del financiador sea impuesta en el contrato por el vendedor al comprador. Pero nada se dice acerca de si puede hacerla el comprador. Si se incluye en el contrato una cláusula de este tipo el contrato no es nulo, sino que la cláusula se tiene por no puesta.

Asimismo, se tendrán por no puestos los pactos, cláusulas y condiciones de los contratos regulados en la LVPBM que fuesen contrarios a sus preceptos o se dirijan a eludir su cumplimiento, dice el art. 14. Es ésta una norma que tiene como norte el principio de conservación de los contratos lo cual tiene más ventajas que inconvenientes para el consumidor en la mayoría de las ocasiones, ya que es preferible que sólo se anulen las cláusulas que entorpecen el desarrollo del contrato, sean abusivas o tengan finalidad fraudulenta.

El art. 8 establece el régimen de penalizaciones por omisión o expresión inexacta de cláusulas obligatorias. Las sanciones varían desde la reducción de la obligación del comprador o prestatario, la reducción de la obligación de pago de los intereses, la no exigibilidad de los gastos no citados en el contrato ni la constitución o renovación de garantía alguna o la modulación de las sanciones por el juez cuando nos hallemos en presencia de una inexactitud y no de una omisión.

3. EL SISTEMA DE GARANTÍAS

Las garantías específicamente previstas para las ventas a plazo son la reserva de dominio y la prohibición de enajenar que se recogen en los números 10 y 11 del art. 7 de la Ley. Se pueden establecer también otras garantías, dejando a salvo la prohibición del art. 5.3 de la Ley, como la fianza (muy utilizada en la práctica), la prenda (sea de pagarés, pecuniarias o de títulos valores), el endoso de letras de cambio o pagarés en garantía, convenios de compra con el proveedor (en los cuales el vendedor se obliga frente al financiador a comprar el bien pendiente de pago de la deuda en caso de impago de la operación por el prestatario comprador), o hipoteca inmobiliaria.

La reserva de dominio se configura en la Ley como un pacto con función de garantía que otorga al vendedor la posibilidad de agredir directa y exclusivamente los bienes vendidos a plazos en caso de incumplimiento. El vendedor conserva la propiedad de la cosa vendida pero lo hace sólo en función de garantía por lo que carece de facultades de disposición voluntaria o forzosa sobre el bien mientras el comprador siga pagando. Más propiamente se puede decir que de lo único que puede disponer el vendedor es de los derechos que derivan de su posición contractual: a cobrar el precio, y a recuperar la cosa, en caso de impago. Por otro lado el comprador tiene la posesión de la cosa, unida a la expectativa, protegida por el Derecho, de adquirir el bien una vez haya pagado todos los plazos. Carece como el vendedor de poder de disposición, voluntaria o forzosa, sobre la cosa: en caso de embargo de acreedores del comprador podría ejercitar la tercería registral sumaria prevista en el art. 15.3 de la Ley.

Aunque el CC no regula el pacto de reserva de dominio fue pronto admitido por la jurisprudencia (STS [1ª] 13.2.1894) y seguido por la jurisprudencia posterior (STS 10.6.1958 –ejemplo de claridad– y más recientemente SSTS [1ª] 19.10.1982, 19.5.1989, 12.3.1993, 23.2.1995, 12.7.1996). Fue admitida por el legislador por primera vez en la Ley de Ventas a Plazos de Bienes Mueble de 1965. Tanto el Tribunal Supremo como la doctrina entienden que la reserva de dominio no afecta a la compraventa, sino a su consumación, y más en concreto a su eficacia transmisiva de la propiedad que no se produce hasta que el precio no haya sido pagado por completo. Se admite su eficacia frente a terceros siempre que vaya revestida de ciertas garantías dirigidas a impedir el fraude de los acreedores del comprador. Sobre la naturaleza de la figura se ha discutido especialmente desde de la LVPBM de 1965. Un sector de la doctrina la califica como derecho real de garantía con lo que el comprador adquiriría la propiedad desde el primer momento, mientras que el vendedor adquiriría una garantía real que aseguraría el cobro de su crédito. La doctrina mayoritaria, teniendo en cuenta los derechos que la LVPBM confieren al comprador y al vendedor, lo considera como una condición suspensiva y se entiende que se trata de un pacto con función de garantía que condiciona el traspaso de la propiedad del bien vendido.

Es una cláusula potestativa que puede insertarse o no en el contrato pero, si se incluye, debe recogerse de forma expresa y puede establecerse tanto a favor del vendedor como del financiador. Igualmente se puede pactar la cesión de la reserva de dominio. Para que la cesión sea eficaz frente a terceros se habrá de inscribir en el Registro de Venta a Plazos.

La reserva pactada e inscrita surte básicamente los siguientes efectos: 1) La oponibilidad de la reserva de dominio a los terceros adquirentes (art. 16.3). 2) Separación de los bienes de la masa en situaciones concursales (art. 16.5, párrafo segundo). 3) Crédito con privilegio especial reconocido en el art. 90.4 de la Ley Concursal, privilegio que sólo afecta a los créditos correspondientes a los plazos impagados de la compraventa o del crédito de financiación destinado al pago de la venta.

La prohibición de enajenar la impone el art. 7.11 de la Ley y se considera incluida en el contrato, aunque no esté expresamente pactada, siempre que el contrato haya sido inscrito en el Registro, y si el vendedor o el financiador no autorizan la libre disposición del bien. Es por lo tanto modalizable por la voluntad de las partes e incluso renunciable por el vendedor o financiador mediante una autorización general, que deberá constar por escrito, de libre enajenación del objeto vendido. La autorización puede contenerse en el mismo contrato o en un documento posterior, ceñirse a un determinado acto o abarcar todos los actos de enajenación o gravamen, y puede ser previa, coetánea o posterior al acto de disposición.

Para que la prohibición de enajenar pueda ser oponible a terceros es necesario que esté inscrita en el Registro de Ventas a Plazo (art. 15.1). Si no se establece en el contrato o éste no se inscribe, no es oponible a terceros y tiene sólo eficacia *inter* partes como una obligación negativa. Si no se establece en el contrato pero éste se inscribe, parece que el mero hecho de la inscripción hace oponible la prohibición frente a terceros. La inscripción en el Registro posibilita al acreedor el acceso al procedimiento especial regulado en el art. 16.2 y le confiere los derechos de preferencia y prelación de créditos previstos en art. 16.5 de la Ley.

4. LAS FACULTADES DEL COMPRADOR

La Ley concede al comprador las facultades de anticipar el pago del precio que reste íntegramente o mediante pagos parciales (art. 9.3), solicitar del juez la alteración de los plazos estipulados (art. 11) y la facultad de desistir del contrato (art. 9).

a) La primera posibilita que el comprador pueda reembolsar anticipadamente el préstamo obtenido, sin que, en ningún caso puedan exigírseles intereses no devengados. Se admite que el pago anticipado sea total o parcial, pero en este caso, y salvo pacto en contrario, los pagos parciales anticipados no podrán ser inferiores al 20% del precio. El ejercicio de este derecho supone también la reducción proporcional de los recargos impuestos sobre el precio precisamente por su aplazamiento. En ningún caso, puede exigirse al comprador intereses no devengados sino tan sólo el abono de compensación que se hubiera pactado, dentro de los límites del art. 9.3 de la Ley.

b) La alteración de los plazos estipulados, recogida en el art. 11.1 de la Ley, señalando nuevos plazos o modificando los convenidos, puede ser decretada por los jueces o tribunales con carácter excepcional y siempre por justas causas, tales como desgracia familiar, paro, accidente de trabajo, larga enfermedad y otros infortunios. La modificación de los plazos no puede realizarse de oficio por el Tribunal sino a instancia de parte, vía acción o excepción, la cual deberá alegar y probar la justa causa.

c) La ley faculta al consumidor para desistir del contrato dentro de los siete días hábiles siguientes a la entrega del bien, comunicándolo mediante

carta certificada u otro medio fehaciente al vendedor y, en su caso, al financiador. Se configura como un derecho de naturaleza imperativa y se contempla como un derecho irrenunciable, que puede modalizarse en caso de venta
de automóviles. El desistimiento obedece a la idea de permitir al consumidor
reflexionar sobre la obligación financiera que acaba de contraer, no de comprobar la utilidad de la cosa, y para ejercitarlo no necesita alegar causa alguna. La facultad de desistimiento es una declaración de voluntad unilateral
y receptícia por la que el comprador extingue el contrato de compraventa.
Transcurrido el plazo para su ejercicio el contrato de compraventa despliega
todos sus efectos y, en concreto, deja de ser causa de extinción del mismo la
voluntad unilateral de una de las partes.

Los requisitos para ejercitar la acción de desistimiento, nos dice el art.
9, son: 1) El desistimiento debe realizarse en plazo de siete días hábiles siguientes a la entrega del bien y debe notificarse por escrito al vendedor. En
los contratos financiados por terceros hay que notificar el desistimiento al
financiador; 2) El comprador no debe haber usado el bien más que a simple
efecto de examen o prueba; 3) Devolución del bien, que debe efectuarse en
el plazo de siete días, en el lugar forma y estado en que se recibió y estará
libre de gastos para el vendedor; 4) Indemnizar al vendedor en la forma
prevista en el contrato cuyo importe no podrá exceder del 20% del precio
de venta del bien al contado. La ley prevé que el vendedor retenga y haga
suyo, si así se pacta, el desembolso inicial hasta la cuantía de la indemnización por depreciación, debiendo, en su caso, devolver el importe restante al
comprador; y, por último, 5) la Ley señala que para el eficaz ejercicio del
derecho de desistimiento, además de haber notificado el desistimiento al
financiador, el consumidor debe proceder a reintegrar el préstamo
concedido.

5. LAS FACULTADES DEL VENDEDOR

El vendedor tiene derecho al recibir el precio de la cosa en la forma y
en los plazos estipulados en el contrato y si el comprador demora el pago de
dos plazos o el último de ellos el vendedor, señala el art. 10 de la Ley, podrá
optar por exigir el cumplimiento de todos los plazos pendientes o por la
resolución del contrato.

La primera de las posibilidades supone un caso de vencimiento anticipado y puede, en su caso, pedir el vendedor indemnización de daños y perjuicios *ex* art. 1124 CC. En la práctica, el vendedor preferirá la exigencia del
importe pendiente y asegurarse el cumplimiento del contrato, ya que los
bienes habrán sufrido con el paso del tiempo una depreciación y un desgaste
importante y le serán de escasa utilidad.

Por su parte, la facultad de resolución podrá aplicarse cuando el incumplimiento no proceda del impago. La Ley condiciona el ejercicio de la acción a dos circunstancias: que no concurran las condiciones que permiten a los jueces el uso de las facultades moderadoras del art. 11 y que se trate de un incumplimiento reiterado. No es necesario que los plazos impagados hayan de ser consecutivos, pero sí que la demora sea actual, es decir que el comprador deba realmente el importe de dos plazos o del último de ellos para que la acción prospere. El vendedor puede pedir la resolución cuando, una vez que ha optado por el cumplimiento, éste deviene imposible (STS [1ª] 15.6.1998). Por otro lado, la acción resolutoria no requiere la inscripción del contrato en el Registro de Venta a Plazos (STS [1ª] 13.5.1982).

La resolución de los contratos obliga a la recíproca restitución de las prestaciones con la indemnización de daños y perjuicios para el contratante que ha cumplido su parte. En este caso, la Ley establece con detalle los mecanismos para la determinación de la indemnización del vendedor. Se recogen tres tipos distintos de indemnizaciones: 1) Indemnización por el uso de la cosa que le permite detraer, del importe de los plazos vencidos, una cantidad equivalente al 10%; 2) Indemnización por depreciación comercial del bien, que le permite reclamar una cantidad igual al desembolso inicial; y 3) Indemnización por daños y perjuicios que procederá si se probare un deterioro de la cosa superior y distinto al derivado del uso normal de la misma.

Por último, hay que señalar que el art. 10 concede al financiador la facultad de exigir el abono de la totalidad de los plazos que estuvieren pendientes, sin perjuicio de los derechos que le correspondan como cesionario del vendedor, en el caso de que el comprador haya dejado de abonar dos plazos o el último de ellos.

IV. COMPRAVENTA INTERNACIONAL DE MERCADERÍAS

1. LA LEGISLACIÓN UNIFORME

El contrato de compraventa internacional de mercancías tiene una regulación especial contenida en la Convención de las Naciones Unidas sobre los contratos de compraventa internacional de mercaderías, adoptada en Viena el 11 de abril de 1980. Dicho convenio internacional entró a formar parte de nuestro ordenamiento jurídico mediante documento de ratificación publicado en el BOE el día 30 de enero de 1991, pero está en vigor, para España, desde el día 1 de agosto de 1991, lo que significa que rige los contratos, que entren en su ámbito de aplicación, celebrados con posterioridad a esa fecha. La finalidad de esta Convención es prever un régimen sustantivo, uniforme y equitativo para los contratos de compraventa internacional de mercancías, por lo que contribuye notablemente a dar seguridad jurídica a los intercambios comerciales y a reducir los gastos de las operaciones en el comercio internacional.

La Convención sobre la compraventa es únicamente aplicable a los contratos internacionales y su vigencia permite evitar que los contratos que entran en su ámbito de aplicación se rijan por las normas de derecho internacional privado de los diferentes países. Los contratos internacionales de compraventa de bienes que no entren en el ámbito de aplicación de la Convención, así como los contratos en los que las partes hayan excluido su aplicación, no se verán afectados por esta norma convencional. A los contratos de compraventa puramente nacionales tampoco se les aplicará la Convención y seguirán rigiéndose por el derecho interno. En agosto de 2011, setenta y siete países, pertenecientes a los cinco continentes, son Estados contratantes, lo que constituye un logro extraordinario para un convenio internacional con normas materiales. De los veintisiete Estados de la UE todos son parte a excepción de Irlanda, Malta, Portugal y el Reino Unido.

2. ÁMBITO DE APLICACIÓN

Pero la Convención de Viena no rige todos los contratos de compraventa internacional, sino que en sus primeros seis artículos delimita su ámbito de aplicación. En primer lugar, la Convención establece diferentes formas de aplicación. Por un lado, los tribunales de los Estados que como España, son parte de la Convención la aplican a los contratos en los que los contratantes tengan un establecimiento en alguno de los Estados firmantes, independientemente de la nacionalidad de comprador o vendedor, del lugar de situación o de entrega de las mercancías y del lugar de celebración del contrato [art. 1.1, letra a)]. En tales casos, la Convención se aplica directamente, sin necesidad de recurrir a las reglas de derecho internacional privado para determinar la ley aplicable al contrato, lo cual contribuye notablemente a dar certeza y previsibilidad a los contratos de compraventa internacional.

Por otro lado, la Convención puede aplicarse a un contrato de compraventa internacional de mercaderías celebrado cuando uno o ninguno de los contratantes tiene su establecimiento en un Estado parte, si en virtud de las reglas de derecho internacional privado, la ley rectora del contrato es la de un Estado Contratante [art. 1.1, letra b)]. Finalmente, la Convención de Viena regirá un contrato de compraventa cuando las partes lo hayan pactado así, independientemente de si sus respectivos establecimientos se encuentren en un Estado Contratante. Esto es, los contratantes pueden hacer aplicable el Convenio de Viena utilizando la autonomía de la voluntad material. En tal caso, la Convención prevé un conjunto de normas neutrales que pueden ser de fácil aceptación habida cuenta de su carácter transnacional y de la existencia de abundante material interpretativo.

En segundo lugar, la Convención no define qué es un contrato de compraventa, pero se puede deducir de las disposiciones del texto legal que incluye todas las modalidades de contratación en las que se intercambia una cosa mueble por dinero. Ciertos contratos mixtos pueden plantear problemas de calificación, por ejemplo, los contratos de _leasing_, los contratos de distribución, etc. En concreto, la Convención contempla, de un lado, los contratos frecuentes en los que el vendedor entrega al comprador una parte de los materiales con los que fabricar las mercancías que luego adquirirá, y establece una regla especial en su art. 3.1 en la que determina la aplicación de la Convención a los contratos de suministro de bienes siempre que la parte que las encargue, esto es el comprador, no se obligue a proporcionar _una parte sustancial_ de los materiales necesarios para su manufactura. De otro lado, en el apartado segundo del mismo artículo establece la no aplicación de la Convención a los contratos en los que la _parte principal_ de las obligaciones del que entrega las mercancías consista en suministrar mano de obra u otros servicios.

En tercer lugar, la Convención excluye en su art. 2 ciertos contratos de compraventa, como las compraventas de bienes para uso personal o familiar; las compraventas en subastas, las compraventas judiciales, las compraventas de valores mobiliarios, títulos o efectos de comercio y dinero; las compraventas de buques, embarcaciones, aerodeslizadores y aeronaves; y, en último lugar, la compraventa de electricidad.

En cuarto lugar, la Convención regula de forma detallada la formación del contrato (arts. 24 y ss.) y las obligaciones de las partes (arts. 25 y ss.), pero, como establecen los arts. 4 y 5, no regula aspectos como la validez material del contrato, ni de ninguna de sus cláusulas, ni los efectos del contrato sobre la propiedad de las mercancías, ni la responsabilidad del vendedor por la muerte o lesiones corporales causadas a una persona por las mercancías entregadas. En todo caso la Convención establece su carácter dispositivo, _ex_ art. 6, por lo que las partes de un contrato pueden excluir completamente su aplicación, expresa o tácitamente, o excluir la aplicación de ciertas disposiciones, por tanto, cualquier pacto entre las partes prevalecerá sobre lo establecido en ella. Igualmente, la Convención reconoce, en su art. 9, la eficacia normativa de los usos internacionales, los pactados o los objetivamente aplicables, al otorgarles aplicación preferente a las disposiciones en ella contenidas. De tal manera que, las cuestiones del contrato de compraventa internacional de mercancías excluidas del ámbito de la Convención o los contratos de compraventa que no entren dentro del ámbito de aplicación de la misma se regularán por lo establecido en las normas internas de la *ley estatal reguladora del contrato*.

3. LA FORMACIÓN DEL CONTRATO

La parte II de la Convención regula minuciosamente la formación del contrato, en particular los requisitos de la oferta, de la aceptación y el momento de la perfección del contrato. En cuanto a la *oferta*, la Convención diferencia la propuesta de celebrar un contrato de una oferta, exigiendo para esta segunda que sea precisa (art. 14.1). Para considerar una propuesta suficientemente precisa se requiere la mención de las mercancías, la cantidad y el precio o un medio para determinar estos dos últimos. Asimismo, se exige, interpretando *sensu contrario* el apartado segundo del art. 14, para que la oferta sea vinculante deber estar dirigida a una o varias personas determinadas.

Con respecto al *momento de producción de los efectos*, no sólo la oferta sino también la aceptación surten efectos cuando llegan al destinatario, entendiendo que cualquier manifestación de intención llega al destinatario cuando se le comunica verbalmente o se entrega por cualquier otro medio al destinatario personalmente o en su establecimiento, dirección postal o residencia habitual (art. 24). Se distingue la posibilidad de retirar la oferta de la revocación, en el primer caso evitando que ésta llegue a tener efectividad si el retiro llega al destinatario antes o al mismo tiempo que la oferta (art. 15.2). Así, el oferente puede revocar la oferta, si la revocación llega al destinatario antes de que éste haya enviado la aceptación (art. 16.1) siempre que no se haya indicado en la oferta un plazo fijo para la aceptación o que la oferta era irrevocable, o si el destinatario podía razonablemente considerarla irrevocable. Se posibilita la oferta a terceros con total libertad, al establecer que la oferta quedará extinguida cuando el rechazo llegue al oferente, aunque ésta fuera irrevocable (art. 17).

La *aceptación* en los términos del art. 18 es necesaria para la perfección del contrato. La aceptación consiste en la declaración u otro acto del destinatario de la oferta que indique asentimiento, no pudiendo considerarse como tal el silencio o la inacción. Sin embargo, el apartado tercero de la disposición matiza que el acto del destinatario de la oferta en ejecución de las obligaciones contractuales, por ejemplo, expidiendo las mercancías o pagando el precio, constituirá aceptación únicamente si así se preveía en la oferta o se puede considerar como tal en virtud de las prácticas que las partes hayan establecido entre ellas o de los usos. Pero además, para que la declaración de asentimiento surta efecto, debe llegar al oferente dentro del plazo establecido en la oferta, y sino se ha fijado un plazo, dentro de un plazo razonable, habida cuenta de las circunstancias de la transacción y de los medios de comunicación utilizados. En este sentido, la Convención establece que en caso de ofertas verbales, la aceptación debe ser inmediata a menos que de las circunstancias que rodean la oferta resulte otra cosa (art. 18.2 *in fine*).

En relación con la *perfección* del contrato de compraventa internacional de mercancías, la Convención sólo determina el momento de la misma, olvidándose del lugar de celebración del contrato. Así establece el art. 23 que el contrato se perfecciona en el momento en que la aceptación llegue al oferente, esto es, utiliza la *teoría de la recepción*. Pero para que la declaración que emita el destinatario de la oferta constituya realmente una aceptación, y, por tanto, se considere el contrato celebrado no debe tener elementos adicionales o diferentes que alteren los de la oferta. El art. 19.3 especifica que alteran sustancialmente la oferta los elementos relativos al precio, al pago, a la calidad y a la cantidad de mercancías, al lugar y fecha de la entrega, al grado de responsabilidad de una parte con respecto a la otra o a la solución de las controversias. En ese caso, la declaración emitida constituirá una contraoferta. Si, en cambio, la declaración por la que se responde a la oferta contiene elementos diferentes pero que no alteran sustancialmente los de la oferta, esa declaración constituirá aceptación a menos que el oferente, sin demora injustificada, objete la discrepancia (art. 19.2).

4. OBLIGACIONES DE LOS CONTRATANTES

La parte tercera de la Convención contiene las normas esenciales, que son las obligaciones de comprador y vendedor así como las sanciones en caso de incumplimiento (arts. 25 y ss.). El vendedor se obliga, en los términos establecidos en el contrato y en la Convención, a entregar las mercancías, a transmitir la propiedad y a entregar cualesquiera documentos relacionados con las mismas (art. 30). La obligación de entrega de las mercancías se concreta en la puesta a disposición del comprador de las mismas. Es frecuente la utilización en estos contratos de un INCOTERM que determine el lugar de la entrega, por lo que el régimen previsto en la Convención suele aplicarse como regla subsidiaria. A falta de pacto en contrario, el art. 31 diferencia varios supuestos.

En primer lugar, la *venta con expedición*, en segundo lugar, la *venta con entrega directa a la llegada* y, en tercer lugar, la *venta con entrega directa en plaza*. Para la *venta con expedición*, la letra a) del art. 31 establece que el vendedor ha cumplido con sus obligaciones desde el momento en que pone a disposición del primer porteador las mercancías para que las traslade al comprador. Por lo que, a partir de ese momento, el vendedor no corre con los riesgos del deterioro o pérdida de la mercancía, independientemente de quién contrate y pague el trasporte. En segundo lugar, si se trata de una *venta con entrega directa a la llegada*, la letra b) de la misma disposición, prevé que, cuando las mercancías deban entregarse directamente al comprador, si las partes conocen en el momento de la celebración del contrato que los bienes se encuentran o van a ser producidas en un lugar determinado, el vendedor cumple con sus obligaciones al ponerlas a disposición del comprador en ese lugar. En tercer lugar, para las *ventas con entrega directa en plaza*, cuando no nos encontremos en ninguno de los dos supuestos anteriores, el vendedor debe poner a disposición del comprador las mercancías en el lugar del establecimiento del primero en el momento de la celebración del contrato [art. 31, letra c)]. Las obligaciones del vendedor, en este supuesto, se limitan a esperar a que el comprador se presente, no es responsable de cargar la mercancía en el vehículo del comprador, ni corre con los riesgos de la pérdida o deterioro de la mercancía durante el trasporte.

En cuanto al momento de la entrega, ésta deberá efectuarse, en virtud del art. 33 de la Convención, en la fecha pactada en el contrato, pero si se ha acordado un plazo de entrega, el día concreto de entrega dentro del plazo lo elige el vendedor. Si las partes no han convenido una fecha de entrega, la Convención establece un *plazo razonable*, para cuya concreción habrá que tener en cuenta la naturaleza de las mercancías, su carácter perecedero o estacional.

El vendedor deberá entregar mercancías conformes a lo estipulado entre las partes, en cuanto a cantidad, calidad y tipo. La conformidad de las mercancías engloba su aspecto material y jurídico. La conformidad material significa que si se ha adquirido una mercancía mediando una muestra, la mercancía entregada debe ser conforme con la muestra o modelo. En otro caso, las mercancías entregadas deben ser aptas para los usos a los que se destine, ordinariamente, los bienes de ese tipo. La exigencia de entregar mercancía conforme no significa que el vendedor deba cumplir con la legislación de comercialización de productos del país del comprador, por lo que dicha conformidad se valorará de acuerdo con las normas del país del vendedor. En el supuesto en que las mercancías vayan a destinarse a un uso especial, éstas deben ser aptas para el mismo, siempre que el comprador haya hecho saber al vendedor, en el momento de la celebración del contrato, dicho uso o que de las circunstancias del caso resulte que el comprador no confió o no era razonable que confiara en la competencia y juicio del vendedor. Respecto de la conformidad jurídica, en virtud del art. 41 el vendedor debe entregar mercaderías libres de cualesquiera derechos o pretensiones de un tercero, basados, por ejemplo, en la propiedad industrial u otros tipos de propiedad intelectual (art. 42). Finalmente, la conformidad exige también que la mercancía debe estar, además, embalada en la forma habitual para tales mercancías o, si no existe tal forma, de una forma adecuada para conservarlas y protegerlas.

Pero tan importante como conocer el derecho a la entrega de mercancía conforme es la forma en que el comprador debe actuar al alegar la falta de conformidad, así la Convención impone al comprador la obligación de examinar la mercancías en el plazo más breve posible, atendiendo a las circunstancias del contrato (art. 38.1). Además, éste debe comunicar la falta de conformidad, especificando su naturaleza, dentro de un plazo razonable si no quiere perder su derecho a invocar la falta de conformidad. Asimismo tan importante como la entrega de las mercancías con la intención de trasmitir la propiedad, es la obligación del vendedor de entrega de los documentos necesarios para el uso y la comercialización de los bienes. Se trata de una obligación cuyo incumplimiento puede ocasionar la resolución del contrato, ya que sin estos documentos el comprador no puede recibir o comercializar o utilizar la mercancía.

El comprador, por su parte, debe cumplir con las obligaciones de aceptar la mercancía y pagar el precio (arts. 53 y ss.). La obligación de recibir la mercancía consiste en hacerse cargo de ellas, pero también incluye realizar todos los actos que razonablemente quepa esperar de él para que el vendedor pueda efectuar la entrega (art. 60). Estos actos serán muy variados, si bien podemos pensar en informar sobre el transportista, el lugar y fecha de entrega, poner a disposición del vendedor su personal en caso de entrega en el establecimiento del comprador, obtención de permisos necesarios para la importación en el país del comprador, etc. Además, la Convención prevé la obligación de especificar la forma, dimensiones u otras características de los bienes, en su caso, facultando al vendedor a realizarla en caso de que el comprador, trascurrido un plazo razonable después de haber recibido un requerimiento del vendedor, no la hiciere (art. 65). Incluso después de hacer la especificación el vendedor, el comprador debe ser informado, teniendo la posibilidad durante el plazo razonable otorgado por el comprador de hacer una especificación diferente. Si trascurrido este plazo razonable el comprador guarda silencio, la especificación del vendedor adquirirá fuerza vinculante. El comprador sólo puede rechazar las mercancías en los supuestos previstos en el art. 52, que engloba la entrega de la mercancía antes de la fecha fijada y la entrega de una cantidad de mercancía mayor que la acordada, pero sólo en la cantidad que excede lo pactado. En todo caso, al rechazar la mercancía queda obligado a conservar las mercancías en virtud del principio rector de la Convención de *minimizar el daño* al otro contratante (art. 86.1).

La obligación de pagar el precio comprende la de cumplir con todos los requisitos fijados en el contrato o en las leyes para que el pago del precio pueda ser efectivo, y todo ello sin esperar a ningún requerimiento por parte del vendedor (art. 54). El precio a pagar será, obviamente, el pactado en el contrato y para el caso en el que no se haya señalado éste ni expresa ni tácitamente se pagará el precio *generalmente cobrado en el momento de la celebración del contrato* por tales mercancías, en circunstancias semejantes en el mercado (art. 55). Muchas veces se somete el precio total a la cantidad de mercancía medida en peso, en cuyo caso el peso a considerar, salvo pacto o uso en contrario será el peso neto el que determine el precio, esto es, el embalaje lo paga el vendedor. En cuanto al lugar donde efectuar el pago, si se ha pactado el pago *contra la entrega de las mercancías o los documentos*, se efectuará en el lugar de entrega de las mercancías, y en cualquier otro caso, en el país del establecimiento del vendedor (art. 57). Respecto del momento de efectuar el pago, en ausencia de pacto, éste se abonará cuando el vendedor ponga a disposición las mercancías o los documentos representativos (art. 58). Puede pactarse que el pago sea una condición para la entrega de la mercancía, de tal manera que el derecho a examinar la mercancía del comprador antes de realizar el pago sólo se podrá ejercer cuando la modalidad de pago pactada sea compatible con ese derecho.

5. EL INCUMPLIMIENTO DEL CONTRATO

Los derechos y las acciones disponibles para las partes en los diferentes supuestos de incumplimiento de las obligaciones de la otra son también objeto de regulación detallada en la Convención. Ante un incumplimiento, las partes tienen derecho a exigir el cumplimiento del contrato o a invocar su resolución, para la que no es necesaria una declaración judicial y, en ambos casos, a obtener una indemnización de los daños y perjuicios causados. Asimismo, conforme al art. 50, el comprador puede rebajar el precio pactado cuando las mercancías entregadas por el vendedor no sean conformes con el contrato.

El derecho a exigir una acción u otra de la parte incumplidora dependerá de la naturaleza del incumplimiento, así, la sustitución de las mercancías no conformes sólo puede exigirse por el comprador si la actuación del vendedor constituye un incumplimiento esencial del contrato, en otro caso, procederá la reparación para subsanar la falta de conformidad, salvo que esto no sea razonable habida cuenta de las circunstancias que rodean el contrato. En todo caso, el comprador deberá efectuar la comunicación prevista en el art. 39 invocando la falta de conformidad. Si el comprador no pudiera exigir la sustitución o la reparación de las mercancías siempre puede solicitar la rebaja del precio o una indemnización por los daños y perjuicios.

El *principio de conservación del contrato* tiene un alcance tan amplio en el marco de la Convención, que el art. 48 regula lo que se denomina la *ejecución forzosa impuesta por el vendedor*, en virtud de la cual se impide al comprador ejercitar acción alguna por incumplimiento del contrato si el vendedor se ofrece a subsanar, a su propia costa y en un plazo razonable, todo incumplimiento de sus obligaciones si puede hacerlo sin una demora excesiva y sin causar al comprador inconvenientes excesivos. En virtud del mencionado *principio de conservación del contrato*, la resolución del mismo únicamente será posible en caso de incumplimiento esencial de las obligaciones que, en virtud del art. 25 se produce cuando se le prive a una parte de lo que tenía derecho a esperar en virtud del contrato.

6. LOS INCOTERMS

Los INCOTERMS (International Commercial Terms) son términos o cláusulas que se incluyen en los contratos de compraventa internacional para definir claramente aspectos importantes del contrato. Así, fijan, en primer lugar, cuándo el vendedor entrega la mercancía al comprador y partir del lugar concreto y momento de entrega, las responsabilidades y riesgos del contrato se transfieren del vendedor al comprador. En segundo lugar, cuál de las partes en el contrato de compraventa tiene la obligación de encargarse del transporte o del seguro. En tercer lugar, qué costes asume cada una de las partes y, finalmente, las gestiones documentales que debe asumir el vendedor y el comprador. Los más utilizados son los elaborados por la Cámara de Comercio Internacional de París y la versión que actualmente está en vigor (desde el 1 de febrero de 2011) son los INCOTERMS 2010.

V. CONTRATOS AFINES A LA COMPRAVENTA

1. EL CONTRATO DE SUMINISTRO

El contrato de suministro es un contrato que no está tipificado en nuestro ordenamiento privado, aunque sí existe regulación en el ámbito de la contratación del sector público. Es un contrato muy extendido en el tráfico porque facilita la posibilidad de obtener la satisfacción de necesidades periódicas que se repiten en el tiempo pero se vinculan a un contrato único sin que sea necesario que se realice un contrato cada vez que surge la necesidad de la prestación, con lo que ello supone de ahorro en la contratación. El suministrado se asegura aquello que precisa para el normal desarrollo de su actividad, evitando problemas de abastecimiento, y al suministrador le permite hacer un cálculo aproximado de la salida de sus productos. Por otra parte, es frecuente que el pago del precio no se realice cada vez que se haya efectuado la prestación sino que quede aplazado, liquidándose en períodos determinados, con lo que en cierto modo se obtiene por parte del suministrado una financiación del precio del suministro.

Puede definirse el suministro como el contrato por el que una parte, llamada suministrador o proveedor, se obliga, mediante un precio unitario, a entregar a la otra, llamada suministrado, cosas muebles que han de ser objeto de entregas sucesivas, en el momento y cantidad establecidos de modo determinado o determinable. Debe recaer el suministro sobre cosas muebles, generalmente de naturaleza genérica, que puedan ser contadas o medidas, incluyendo el gas o la electricidad.

Las características del suministro son la duración y el hecho de que se trata de un contrato único, que sirve a las partes para asegurarse la realización de las prestaciones futuras durante el tiempo que persista la necesidad de ellas sin tener que realizar varios contratos. Es un contrato consensual del que nacen obligaciones para las partes y no formal, ya que al no estar regulado expresamente se le aplica la libertad de forma (arts. 1254 y 1258 CC así como 51 y 52 CCom).

La doctrina tradicional ha entendido que se trata de una variante de la compraventa y así lo entiende el Tribunal Supremo que lo califica de «modalidad de la compraventa» (STS [1ª] 8.7.1988), de «contrato de compraventa mercantil, en su modalidad de suministro, regulada en los art. 325 a 345 del CCom» (STS [1ª] 10.3.1994) o de «compraventa por suministro» (STS [1ª] 28.2.1996). Otro sector más moderno considera que se trata de un contrato afín a la compraventa con ciertas especialidades propias, derivadas del hecho de la pluralidad de prestaciones y su carácter de contrato de duración. Sin embargo, aun siendo un contrato diferenciado de la compraventa, pero afín al mismo, se regirá en su mayor parte por las normas de la compraventa, contenidas en el Código de Comercio si es mercantil, siempre que no sean opuestas a su específica naturaleza (SSTS [3ª] 3.5.1978, [1ª] 30.11.1984, 20.5.1986, 2.12.1996, 08.7.1988, 3.4.2003).

Por regla general se entiende que es un contrato mercantil cuando se realiza entre comerciantes. Pero al ser un contrato atípico es preciso acudir al expediente de la analogía del art. 2 CCom y, acercándose a la compraventa, el suministro deberá ser calificado de civil o mercantil siguiendo los criterios del art. 325 CCom.

1.1. Obligaciones de las partes

Las obligaciones del suministrador son la entrega de las cosas objeto del contrato en la cantidad, calidad y plazo convenido y la responsabilidad de las mismas por evicción y saneamiento. Las circunstancias relativas a la entrega pueden estar delimitadas exactamente en el contrato o bien pueden dejarse a la determinación del suministrado, según sus necesidades, fijándose normalmente en el contrato un mínimo y un máximo y los criterios objetivos sobre cuya base puedan determinarse las prestaciones de las partes. El precio del suministro puede efectuarse con referencia a cada prestación aislada o al conjunto de prestaciones que constituyen el objeto del contrato. En suministros referidos a períodos largos de tiempo se suelen incluirse en el contrato cláusulas de revisión con la finalidad de mantener la equivalencia de las prestaciones.

Las obligaciones del suministrado son el pago del precio y la recepción de la cosa. Al igual que en la compraventa, el pago del precio debe hacerse en la forma y el tiempo establecido en el contrato y en su defecto en el tiempo y lugar en que se haga la entrega de la cosa (art. 1500 CC). El precio, desde luego debe estar determinado o ser determinable. Al tratarse de prestaciones periódicas suele dividirse por períodos de tiempo el pago del precio y es frecuente unirlo a distintos mecanismos de pago, como puede ser una especie de cuenta corriente o incluso la emisión de bonos o tarjetas de pago que se abonarán en efectivo o contra una cuenta bancaria (STS [1ª] 6.10.1997). La obligación de recibir las mercancías no presenta diferencia con la de la compraventa, teniendo el suministrado que recoger la cantidad fijada, disponiendo de las instalaciones receptoras adecuadas a la naturaleza de la cosa, en el tiempo fijado en el contrato. Cuando sea el suministrado el que tenga la facultad de fijar el vencimiento de las prestaciones singulares, deberá comunicar la fecha al suministrador con el preaviso usual, el pactado o el que resulte adecuado, como exigencia de la buena fe y equidad rectoras de los contratos.

En caso de incumplimiento del suministrador o del suministrado, por retraso o entrega defectuosa, la otra parte tendrá derecho a la resolución del contrato o a exigir su cumplimiento, en ambos casos con indemnización de daños y perjuicios (arts. 329 y 336 CCom). Ahora bien, el incumplimiento del suministrador de alguna de sus prestaciones no supone que se trate de un incumplimiento total, que sólo se dará cuando se trate de un incumplimiento tal que cree en el suministrado la inseguridad de que vaya a seguir cumpliendo produciendo con ello la pérdida de confianza respecto del comportamiento del suministrador (sobre incumplimiento SSTS [1ª] 28.2.1986, 29.6.1992, 15.2.2005, 24.2.2006). Del mismo modo el incumplimiento del suministrado del pago de alguno de los suministros, no será causa suficiente para que el suministrador suspenda la entrega del resto de las prestaciones dando por incumplido el contrato.

1.2. La denuncia del contrato. La imposibilidad sobrevenida

El contrato de suministro termina, por regla general, cuando acaba su plazo de duración aunque es frecuente que medie un pacto de prórroga o de renovación. Si no existe tal plazo, o si así se señala expresamente, se entiende éste como indefinido en cuyo caso cualquiera de los contratantes puede denunciar el contrato. El principio de buena fe proclamado por los arts. 7 CC y 57 CCom exige que no se haga una denuncia de forma sorpresiva y es razonable pensar que debe existir siempre un preaviso, y puede incluso ser necesario prolongar las prestaciones el tiempo imprescindible para que no se produzcan perjuicios a la parte no denunciante.

La resolución del contrato se producirá como consecuencia del incumplimiento pero también es causa de resolución del contrato la imposibilidad sobrevenida, cuando existe un hecho obstativo que de modo absoluto definitivo e irreformable impida el cumplimiento y cuando la prestación pactada no responde a la finalidad para cuya consecución se concertó el contrato, frustrándose el mismo. Para que pueda hablarse de imposibilidad sobrevenida es necesario que se frustre totalmente el fin del contrato como consecuencia de la circunstancia que lo obstaculiza, sin que pueda hablarse de imposibilidad cuando lo que produce es una dificultad u onerosidad excesiva, en cuyo caso lo que procede es invocar la cláusula *rebus sic stantibus* para la equitativa modificación del contrato.

La cláusula *rebus sic stantibus* ha sido alegada con mucha frecuencia en los contratos de suministro pero la jurisprudencia siempre ha sido cautelosa al aplicar este mecanismo reiterando que la posible alteración de las condiciones del contrato es algo consustancial a los de ejecución diferida y que toda obligación diferida se ve afectada por un aleas, aunque el contrato no sea de naturaleza aleatoria. La revisión del contrato como consecuencia de la alteración de las circunstancias, como mecanismo compensatorio para evitar un resultado injusto, debe hacerse teniendo en cuenta que se hay producido una desproporción importante entre las prestaciones recíprocas de las partes, que se trate de una alteración grave de las circunstancias comparando las del momento actual con aquellas existentes en el momento de la celebración del contrato, que la alteración de las circunstancias y los efectos anómalos producidos no hubieran podido ser previstos por los contratantes y, por último, que los efectos anómalos producidos no puedan subsanarse por los medios previstos y regulados en las normas positivas (SSTS [1ª] 16.6.1983, [3ª] 3.3.1989, [1ª] 23.4.1991, 6.11.1992, 14.12.93, y [3ª] 10.10.1994).

2. EL CONTRATO ESTIMATORIO

El contrato estimatorio puede definirse como aquel por el cual una persona, llamada *tradens*, entrega a otra llamada consignatario o *accipiens* una cosa con el encargo de venderla en la época pactada y el *accipiens* tiene la obligación de entregar el precio señalado o de restituir la cosa. Mediante este contrato el fabricante o proveedor *(tradens)* entrega al comerciante *(accipiens)* una cosa de precio estimado con el encargo de venderla, contrayendo la obligación de pagar al *tradens* el precio en el momento convenido o de restituirle la mercancía que no haya vendido. Así pues, su característica fundamental es que el detallista no paga el precio hasta después de transcurrido un plazo, salvo devolución de la mercancía y que entre tanto no recibe la propiedad sobre ella pero sí la autorización para revenderla. El contrato estimatorio es una excelente vía para la distribución de mercancías ya que el *accipiens* puede disponer de gran cantidad de mercancía sin haber tenido que abonarla o adquirido en firme previamente, y el *tradens*, por su parte se evita los gastos de almacenaje y cuenta con mayores posibilidades de ofrecer al público su mercancía a través de los pequeños comerciantes sin grandes gastos (SAP Segovia [1ª] 25.1.1994, SAP Jaén [1ª] 7.6.1996).

Este tipo de contrato es muy utilizado en el tráfico, pero al no estar regulado, ha suscitado muchas dudas sobre su naturaleza jurídica, que por sus peculiaridades ha sido calificado como venta a comisión o comisión de venta (SAP Barcelona [2ª] 19.9.96) o como venta bajo condición aunque la doctrina más actual entiende que, si bien el contrato estimatorio participa de alguna de las características del depósito, la comisión de venta y especialmente la compraventa (STS [1ª] 17.1.1992) no encaja plenamente en ninguna de estas figuras ni puede calificarse como una subespecie de ninguno de ellos, por lo que debe considerarse como un contrato autónomo y atípico, y complejo (SAP Almería [1ª] 6.10.1988) cuya admisibilidad se funda en el art. 1255 CC (SAP Barcelona [2ª] 19.9.96 y SAP Asturias [1ª] 31.3.1997). Calificado el contrato como atípico la regulación aplicable, y basándose en la idea de que es un contrato surgido de la autonomía de la voluntad, vendrá dada por las reglas que se hayan previsto las partes, las reglas generales de los contratos mercantiles y las civiles por la remisión del art. 50 CCom. En todo caso, hay que atender a los intereses en juego y al fin u objeto que los contratantes han perseguido en la realización del contrato (STS [1ª] 30.9.2004).

Las obligaciones del *tradens* consisten en entregar al *accipiens* la libre disposición de la cosas objeto del contrato en la fecha convenida y hacerse cargo de las cosas que le devuelve el *accipiens* dentro de los términos del contrato. La entrega debe realizarla en los términos pactados en cuanto a la calidad, cantidad y tiempo fijados en el contrato. Estará obligado al saneamiento por vicios y evicción, aplicando las reglas de la compraventa mercantil aunque hay que tener en lo previsto en el LGDCU y la LOCM que establecen unas normas de garantía más completas que las del CCom. En relación con la recepción de las cosas entiendo que son de aplicación las mismas reglas que en el contrato de compraventa y algunas complementarias que deriven del contrato tal como la entrega al *accipiens* de factura de las mercancías no devueltas.

Las obligaciones del *accipiens* consisten en procurar la venta de las cosas entregadas por el *tradens* y pagar el precio, transcurrido el plazo, las cosas vendidas, acompañadas de la rendición de cuentas. La obligación de procurar la venta de las cosas es fundamental en el contrato ya que el *accipiens* las recibe para que las venda, y por lo tanto deberá hacer todo lo posible para que la venta se realice. Debe quedar claro que el *accipiens* sólo está obligado a pagar el precio de las cosas vendidas y, sólo cuando hay pacto expreso, quedará compelido a pagar también lo no vendido (en contra SAP Barcelona [1ª] 25.04.1995, STS [1ª] 3.6.1995). La restitución de las cosas no vendidas no es una obligación del *accipiens*, salvo que se haya pactado así, de forma que éste tendrá la facultad de quedárselas satisfaciendo al *tradens* el precio estimado.

Sobre quién soporta la pérdida o deterioro de las mercancías por caso fortuito la mayoría de la doctrina entiende que los riesgos son del *accipiens*, que parece lo más justo atendiendo a la finalidad del contrato y a los intereses en juego, ya que si éste obtiene todas las ventajas de las cosas entregadas habrá de asumir también los inconvenientes, aplicándose aquí el principio romano de que las comodidades de cualquier cosa benefician a aquél al que corresponden las incomodidades. Principio éste de compensación de las utilidades que ha acogido en numerosas ocasiones el Tribunal Supremo (STS [1ª] 17.1.1992).

Lección 5

La donación

RAQUEL LUQUIN BERGARECHE
Profesora Ayudante Doctora de Derecho Civil
Universidad Pública de Navarra

I.   LA DONACIÓN: CONCEPTO Y REGULACIÓN LEGAL

El art. 609.II CC contempla la donación como uno de los *modos de adquirir y transmitir la propiedad*: el Título II del Libro III del Código Civil contiene su régimen jurídico (arts. 618 a 656). En un sentido amplio la donación es un *acto de liberalidad*: en esta acepción, hay *donación* en cualquier acto jurídico, de naturaleza contractual o no, en que concurra el *animus donandi* o intención

169

subjetiva de hacer una liberalidad, como en el mutuo o préstamo sin interés, en el depósito gratuito, en el legado (como atribución *mortis causa* a título particular), etc.

En un sentido estricto y técnico, la donación puede definirse como *el acto jurídico por el cual una persona, con ánimo de liberalidad, se empobrece en una parte de su patrimonio en provecho de otra persona que se enriquece con ella*. Se deducen de esta definición tres notas esenciales de este negocio jurídico: a) El *empobrecimiento del donante* en una fracción de su patrimonio; b) El *enriquecimiento del donatario* o realización a su favor de una atribución patrimonial, tanto cuando el donante realiza un acto dispositivo a su favor *(donación real)* como cuando constituye un crédito (*donación obligatoria*) o cuando le libera de una deuda o de un gravamen previamente existentes (*donación liberatoria*); y c) El *animus donandi* o intención del donante de hacer una liberalidad beneficiando al donatario y sin esperar contraprestación alguna, elemento subjetivo que no se presume nunca y que deberá probarse por quien lo alegue. La ausencia de este elemento determinará la ineficacia de la transmisión patrimonial realizada por falta de causa o que se descarte la cualidad donacional del negocio así realizado.

La donación debe diferenciarse así tanto de las liberalidades no contractuales como de aquellas liberalidades de naturaleza contractual en las que, habiendo empobrecimiento del donante, falta el correlativo enriquecimiento del donatario. Asimismo se distingue la donación de las denominadas *liberalidades de uso* (regalos de costumbre, propinas, aguinaldos) en las que es el uso social y no la pura beneficencia del donante la causa de la liberalidad realizada. El artículo 618 CC al decir que *«la donación es un acto de liberalidad por el cual una persona dispone gratuitamente de una cosa a favor de otra, que la acepta»* está definiendo la donación *real*, si bien también es posible la donación *obligacional* al amparo de la libertad de pactos (arts. 1254, 1255, 1258, 1262, 1274 CC), así como la donación *liberatoria* (art. 1187 CC).

Como acuerdo de voluntades, la donación requiere aceptación del donatario, de manera que *no obliga al donante ni produce efecto sino desde la aceptación* (art. 629 CC). Sin embargo, el artículo 623 CC dice que la donación se perfecciona *desde que el donante conoce la aceptación del donatario* (art. 623 CC). La aparente contradicción de estos dos preceptos sólo puede salvarse considerando que, si bien la donación se perfecciona con la aceptación, siendo desde este momento válida, no produce efectos sino desde que el donante conoce la aceptación del donatario (at. 623 CC), momento en que se convierte en irrevocable. El donatario debe así, bajo pena de nulidad (más bien se trataría de un supuesto de inexistencia contractual), aceptar la donación, bien por sí mismo, bien por medio de persona autorizada con poder especial para el caso o con poder general y bastante.

II. NATURALEZA JURÍDICA

La ubicación de la regulación de la donación en el Libro II CC al regular los *modos de adquirir la propiedad* (art. 609 CC) y no en sede de *obligaciones y contratos* (Libro IV) y su expresa definición en el mismo art. 618 CC como *«acto de liberalidad»* han suscitado una controversia en torno a la calificación de esta figura como *acto* o como *contrato*. La mayor parte de la doctrina y la jurisprudencia (SSTS [1ª] 9.6.1995 y 31.7.1999) se inclinan a favor de su carácter contractual, afirmando la existencia de un pacto o acuerdo de voluntades que le confiere tal carácter: ello resultaría confirmado por el tenor literal de los arts. 618 y 629 CC, que exigen para su perfección la aceptación del donatario, así como por la remisión que efectúa el art. 621 CC a las disposiciones generales de las obligaciones y contratos para suplir las lagunas que puedan presentarse en la regulación de la donación. Otros autores optan por su calificación como *acto de liberalidad unilateral*, válido por sí mismo, que se concreta en la conducta atributiva del donante, pero que requiere el consentimiento del destinatario a quien va dirigida (es decir, la aceptación del donatario) para que el desplazamiento patrimonial provocado por la conducta del donante encuentre asiento en el patrimonio de aquél (pues nadie puede enriquecerse contra su voluntad). Este criterio es seguido en algunas sentencias del TS (SSTS [1ª] 25.10.1993, 25.2.1999, 30.12.2003).

Al regular el art. 609 CC los modos de adquirir y transmitir la propiedad menciona la donación de forma separada de *la Ley*, la *sucesión testada e intestada* y de *«ciertos contratos mediante la tradición»*, por lo que la doctrina mayoritaria y la jurisprudencia (SSTS [1ª] 22.12.1986, 25.10.1993) entienden que no es necesaria la *traditio* para transmitir o adquirir la propiedad u otros derechos reales por donación: una vez perfecta y aceptada la donación por el donatario, éste no sería acreedor de una obligación de dar sino titular ya del derecho donado.

III. CLASES DE DONACIONES

1. DONACIONES INTER VIVOS Y MORTIS CAUSA

Por razón del momento en que han de producir sus efectos, el Código Civil contrapone las donaciones que produzcan sus efectos en vida del donante (*inter vivos*) a las que hayan de producirlos por muerte del mismo (*mortis causa*). Es el momento de producción de efectos, y no la causa o móvil subjetivo del acto, el criterio decisivo a la hora de calificar como *entre vivos* o *por causa de muerte* una donación. Las donaciones *inter vivos* se rigen por las disposiciones de los arts. 624 a 656 CC y, en lo no dispuesto por éstas, por las reglas generales reguladoras de los contratos y obligaciones.

En cambio las donaciones que hayan de producir sus efectos por muerte del donante (*mortis causa*) participan de la naturaleza de la disposiciones de última voluntad y se regirán por las reglas establecidas para la sucesión testamentaria (art. 620 CC). Esto significa dos cosas: a) Que dichas donaciones no serán válidas si no se otorgan observando las formalidades exigidas para el testamento (SSTS [1ª] 30.12.2003, 28.7.2003 y 19.6.2008); b) Que las donaciones *inter vivos* son irrevocables, mientras que las *mortis causa*, al igual que los testamentos, son revocables hasta el fallecimiento del donante. En la práctica las donaciones por causa de muerte han perdido en el CC (no en algunos Derechos forales o especiales) su carácter distintivo y su función y se consideran hoy como una institución carente de relevancia práctica, refundida en la del legado.

2. DONACIONES SIMPLES Y REMUNERATORIAS

En atención a la causa (art. 1274 CC) por la que se realiza la donación, se distinguen las donaciones *simples u ordinarias*, que no conocen otra causa que la mera liberalidad del donante a la hora de otorgarlas, de las *remuneratorias* que son aquellas que se hacen al donatario a causa de los servicios previamente prestados al donante con intención de recompensarlos siempre y cuando no constituyan deudas jurídicamente exigibles (pues en este caso, no habría donación, sino pago de lo debido). Es necesario para que exista donación remuneratoria: a) *Un servicio previo prestado por una persona a otra*. Los servicios remunerados pueden ser de la índole más variada, si bien en cualquier caso deben ser susceptibles de valoración económica (no teniendo por qué ser cuantitativamente equivalentes al valor de la cosa donada); b) *Que el servicio no constituya una deuda exigible*, y c) *Que el que recibió el servicio lo recompense mediante una donación*.

A pesar de que el CC se refiera en el art. 619 a la donación realizada en consideración a los *méritos* de la persona del donatario la doctrina mayoritaria excluye de la donación remuneratoria la *donación por méritos* pues en ella el donante obra movido únicamente por el reconocimiento de aquéllos y no hay servicio o beneficio alguno que se remunere, por lo que sería una donación *simple*. Las denominadas *liberalidades de uso* no constituyen donaciones remuneratorias pues el que las da lo hace para cumplir con una costumbre social basada en la finalidad de excitar el celo del trabajador y éste las considera como un suplemento de su salario.

Las donaciones remuneratorias (art. 622 CC) se regirán por las reglas de la donación _en la parte que excedan del valor del gravamen impuesto_: es decir, que su régimen será el propio de las donaciones en la parte que el valor de la donación supere al del servicio remunerado mientras que en la parte en que éste iguale o supere el valor del bien donado se aplicarán lógicamente las reglas de los contratos onerosos. Las cargas más usuales en la práctica se refieren a deberes de atención a la persona del donante (cuidados, asistencia,...), de transmisión a otra persona de parte de lo donado, etc., y han de ser evaluables en dinero: de lo contrario no podría conocerse si el valor de la carga es inferior al de los bienes donados o excede del mismo y en consecuencia si el negocio es donación o no tiene tal carácter.

3. DONACIONES ORDINARIAS Y POR RAZÓN DE MATRIMONIO (PROPTER NUPCIAS)

También en atención a su causa se distinguen las donaciones ordinarias, que se hacen por pura liberalidad, de las donaciones que se realizan por razón de matrimonio (_propter nuptias_) que son las que cualquier persona efectúa antes de celebrarse, en consideración al mismo y en favor de uno o de los dos esposos (art. 1336 CC) y que pueden definirse como _actos de liberalidad otorgado por los futuros contrayentes o por terceros en favor de aquéllos, sean padres, parientes o allegados, por razón de la celebración futura e inminente de su matrimonio y con la finalidad de facilitar o incentivar la celebración del mismo_. Se regulan en el cap. III, T. III (_Del régimen económico matrimonial_) del L. IV (_Obligaciones y Contratos_) del CC (arts. 1336 a 1343) y en lo no previsto en estos artículos por las reglas generales de la donación (art. 1337 CC).

Pueden ser de bienes presentes (art. 1341.1 CC), que es lo más frecuente o incluso, en el caso de donaciones realizadas por los esposos de bienes futuros, siempre que se hagan en capitulaciones matrimoniales, para el caso de muerte y en la medida prevista para las disposiciones referentes a la sucesión testada (art. 1341.2 CC). Por otra parte, puede otorgarlas el menor no emancipado que pueda casarse en capitulaciones matrimoniales o, fuera de ellas, en escritura pública, pero con autorización de sus padres o del tutor. En caso de donación conjunta a ambos esposos y, salvo que el donante haya dispuesto otra cosa, los bienes así donados pertenecerán a ambos en pro indiviso ordinario y por partes iguales (art. 1339 CC). Las donaciones nupciales serán ineficaces si el matrimonio proyectado en atención a las cuales se realizaron no llegara a contraerse en el plazo de un año (art. 1342 CC).

4. DONACIONES PURAS, CONDICIONALES Y ONEROSAS

En consideración a sus efectos se distinguen las donaciones *puras*, que no están sometidas a ninguna condición, las donaciones *condicionales*, que son aquellas sometidas a condiciones suspensivas o resolutorias y las donaciones *onerosas, con carga o gravamen*, también llamadas donaciones *modales*. El CC se refiere a estas últimas diciendo que *son también donaciones aquellas en las que se impone al donatario un gravamen inferior al valor de lo donado* (art. 619) y que se rigen por las reglas de los contratos (art. 622). Si la carga o gravamen impuesto es inferior al valor de lo donado, el negocio jurídico así realizado no pierde su carácter de donación a pesar de la carga, luego en la parte de exceso de la donación sobre el gravamen estará presente el *animus donandi*, en cierto modo desdibujado, pero existente (STS [1ª] 23.10.1995), de ahí que se les aplique el régimen unitario propio de las donaciones en la parte en que el valor de lo donado exceda al de la carga impuesta. Esta concurrencia de regulaciones puede ocasionar problemas, pues la regulación en algunos extremos resulta indivisible y no admite un régimen compartido, como sucede con la capacidad y con la forma: en este caso, el TS ha declarado reiteradamente que las donaciones de bienes inmuebles, ya sean puras, onerosas o remuneratorias, carecen de validez si no se instrumentan en escritura pública (SSTS [1ª] 19.6.1999, 31.7.1999, 11.1.2007, 18.3.2008, 5.5.2008, entre otras).

Las donaciones *onerosas* pueden ser donaciones *mixtas* o donaciones *modales*. Donaciones *mixtas* son aquellas que a la vez contienen un negocio oneroso (*negotium mixtum cum donatione*) como en el supuesto de la venta de un objeto por debajo de su valor real o de mercado. La compraventa con precio irrisorio o ridículo (*v. gr.* una finca por un euro) es una donación simulada o encubierta que no cumple los requisitos para ser considerada como donación (SSTS [1ª] 11.1.2007 y 26.2.2007). Donaciones *modales* son aquellas liberalidades en las que se impone al donatario como gravamen el cumplimiento de una determinada prestación. A diferencia de las donaciones comunes, en las que el donante no queda obligado al saneamiento de la cosa donada, en las donaciones onerosas el donante responde de la evicción hasta la concurrencia del gravamen impuesto (art. 638 CC). A pesar de su tratamiento legal en el mismo precepto que las *donaciones modales* (art. 622 CC) la jurisprudencia las distingue diciendo que mientras en éstas el donante expresa un motivo, finalidad, deseo o recomendación, en las onerosas se impone al donatario un gravamen inferior al valor de lo donado (SSTS [1ª] 11.3.1988 y 7.5.1993), si bien en ocasiones el TS conceptúa ambas indistintamente (STS [1ª] 15.6.1995).

IV. ELEMENTOS

1. PERSONALES

1.1. Capacidad para hacer donaciones

Podrán donar todas las personas que puedan contratar y disponer de sus bienes (art. 624 CC). No es suficiente por tanto la capacidad para contratar sino tener el donante la libre disposición de sus bienes. La capacidad para donar ha de concurrir en el donante en el momento de hacerse la donación. Faltando unidad de acto, cuando el ofrecimiento y la aceptación tienen lugar en momentos distintos, dicha capacidad debe concurrir también en momento de perfeccionarse el negocio por la aceptación del donatario, aunque cuando llegue ésta a su conocimiento la haya perdido (o incluso haya muerto).

No podrán así donar: el menor no emancipado, al no ser capaz para prestar consentimiento (art. 1263 CC); el incapacitado, si bien habrá que estar a la extensión y límites de capacidad que establezca la sentencia de incapacitación (art. 760.1 LECiv); el menor emancipado cuando la donación se refiera a _bienes inmuebles, establecimientos mercantiles o industriales u objetos de extraordinario valor_, salvo que cuente con el consentimiento de sus padres o en su caso, de su curador (arts. 286, 288, 319 y 323 CC). Tampoco podrán realizar donaciones quienes carezcan de la libre disposición de sus bienes, de la capacidad de disponer a título gratuito o aquellas personas a las que afecte alguna prohibición de disponer, como tampoco los concursados. Los representantes legales de los menores o incapacitados podrán hacer donaciones por ellos siempre que cuenten los tutores con autorización judicial o, en el caso de los padres, se haga por causas de utilidad o necesidad, con autorización del Juez y audiencia del Ministerio Fiscal (arts. 166.1°, 267 y 271 núm. 9 CC).

Las personas jurídicas tienen capacidad de obrar y poder de disposición, por lo que pueden hacer donaciones, salvo que específicamente lo tengan excluido en sus estatutos o reglas fundacionales. Se puede donar por medio de apoderado con poder especial al efecto, otorgado el escritura pública debido al alcance del acto (art. 1280.5° CC).

1.2. Capacidad para aceptar donaciones

Debido a la naturaleza gratuita del acto, podrán aceptar donaciones todos los que no estén especialmente incapacitados por la Ley para ello (art. 625 CC). Basta, por tanto, la capacidad jurídica. En las donaciones puras no

se precisa capacidad de obrar, pero sí que el donatario tenga un grado suficiente de discernimiento, por lo que los menores de edad pueden aceptar
donaciones por sí mismos siempre y cuando tengan capacidad natural de
entender y querer (RDGRN 3.3.1989). Si los donatarios menores o incapacitados careciesen de uso de razón, aceptarán en su nombre sus representantes
legales. Las donaciones hechas a los concebidos y no nacidos podrán ser
aceptadas *por las personas que legítimamente les representarían si se hubieran verificado ya su nacimiento* (art. 627 CC), como medida excepcional de protección
de la persona del *nasciturus*, porque la donación se entiende para él un efecto
favorable siempre que nazca en las condiciones legales. En este caso, la eficacia de la donación quedará en suspenso hasta que se verifique el nacimiento
en las condiciones legales: tener figura humana y veinticuatro horas de vida
extrauterina (art. 30 CC), en cuyo caso los efectos de la donación se retro-
traerán hasta la fecha de la aceptación en nombre del concebido.

El donatario debe aceptar la donación por sí mismo (art. 630 CC, lógico,
pues a él va dirigido el beneficio) por lo que no pueden aceptarla en su
nombre sus herederos: si el donatario muriese sin aceptar, al no haberse
perfeccionado la donación, ningún derecho se transmitiría a los herederos.
En cuanto a las donaciones condicionales u onerosas, las personas que no
pueden contratar sólo podrán aceptarlas con la intervención de sus representantes (art. 626 CC), lo cual se explica porque en estos casos el donatario sí
asume obligaciones por consecuencia del acto. Puede aceptarse una donación por medio de apoderado provisto de poder especial para el caso o de
poder general y bastante, el cual deberá constar en escritura pública, de
forma coherente con la solemnidad exigida para el otorgamiento de la donación. Cuando el donatario no pueda aceptar por sí solo una donación, los
representantes del donatario deberán procurar que dicha aceptación llegue
a conocimiento del donante mediante la correspondiente notificación, pues
sólo así el negocio será irrevocable. Igualmente, deberán practicar la anotación de la aceptación en la misma escritura de donación o en otra separada,
en los términos del art. 633 CC: si se hubieren derivado daños y perjuicios
para el donatario por no practicarse debidamente la notificación y no llegar
la aceptación a conocimiento del donante, aquéllos deberán ser resarcidos
por los representantes.

Distinta de la capacidad para aceptar donaciones es la capacidad para
recibirlas. Son incapaces para recibir por donación (por analogía con la incapacidad para suceder *mortis causa*): 1º Las criaturas abortivas (las que no
reúnan las circunstancias del art. 30 CC); y 2ª Las asociaciones o corporacio-
nes no permitidas por la Ley. El CC contiene, además, determinadas prohibiciones legales afectantes a determinadas personas: así, no pueden los tutores

recibir liberalidades del tutelado o sus causahabientes mientras no se haya aprobado definitivamente su gestión (art. 221.1º CC), ni el sacerdote en los supuestos del art. 752 CC, ni los Notarios autorizantes de una donación a su cónyuge y parientes dentro del cuarto grado de consanguinidad y segundo de afinidad (arts. 22, 27 y 28 Lnot y 139 Rnot). Las donaciones hechas a personas inhábiles (por pesar sobre ellas alguna prohibición legal) son nulas, con nulidad absoluta (art. 6.3 CC), salvo que lo hayan sido simuladamente bajo apariencia de otro contrato o por persona interpuesta (art. 628 CC). Es decir, la prohibición existe en todo caso, proscribiéndose el fraude de ley (art. 6.4 CC), y concretamente, en la simulación relativa (bajo apariencia de otro contrato) y en la simulación subjetiva (interposición de persona).

2. REALES

La donación puede ser de (*la propiedad de*) cosas, ya muebles, ya inmuebles, o de derechos (reales limitados, como el usufructo, o incluso de crédito). Pueden donarse bienes presentes o futuros si bien se sanciona con pena de nulidad la donación global o general de bienes futuros (art. 635 CC), como si de una donación de herencia se tratase (arts. 620 y 1271.II CC).

2.1. Donación de bienes muebles y donación de inmuebles

Tanto la donación de muebles como la de inmuebles son contratos solemnes, en el sentido de que precisan como requisito de validez de una forma sin la cual el negocio es nulo de pleno derecho. La donación de cosa mueble podrá hacerse verbalmente (*de palabra*), en cuyo caso requiere la entrega simultánea de la cosa donada. Si no se hace con tradición simultánea del mueble donado (*donación manual*), deberá hacerse constar por escrito en documento público o privado. La donación de inmuebles requiere el otorgamiento de escritura pública de donación como requisito *ad solemnitatem*, debiéndose expresar individualmente los bienes donados y el valor de las cargas que haya de satisfacer el donatario, así como la aceptación de éste en la misma escritura pública o en otra separada. La jurisprudencia entiende el concepto *cargas* en un sentido amplio, comprehensivo tanto de las cargas reales como de las personales.

2.2. Donación de bienes presentes y donación de bienes futuros

La donación debe serlo de bienes presentes y no podrá comprender los bienes futuros que son *aquellos de los que el donante no puede disponer al tiempo de la donación* (art. 635 CC). Esto es cierto y se aplica respecto de la donación real que implica transmisión inmediata del objeto donado. Pero, cuando se trata de una donación obligacional, pueden donarse no sólo los bienes que pertenezcan al donante al tiempo de la donación sino también los que pueda adquirir con posterioridad, incluso bienes ajenos en el momento de perfeccionarse la donación, bastando con que pueda disponer de ellos al tiempo de su entrega. El donante puede así donar un derecho que aún no tiene sobre la cosa pero que espera tener, bien porque la cosa es futura (*te donaré la casa que estoy construyendo cuando esté terminada*), ajena (*te donaré el piso cuya compraventa estoy ahora tramitando*), o porque carece de poder de disposición sobre ella (*te regalaré la finca X cuando termine la prohibición de disponer que pesa sobre la misma*).

En cuanto a la donación de bienes presentes (la más frecuente) podrá comprender todos los bienes presentes del donante o parte de ellos con tal que se reserve el donante (en plena propiedad, en usufructo, en renta vitalicia, etc.) lo necesario para vivir en un estado correspondiente a sus circunstancias (art. 634 CC) personales, económicas y sociales, tanto del donante como de la familia que con él conviva. La superación de este límite no puede dar lugar a la nulidad total de la donación sino simplemente a su reducción. La acción para solicitarla sólo puede ejercitarse durante la vida del donante, no por sus herederos (STS [1ª] 26.4.1995).

No obstante, nadie podrá dar ni recibir por donación más de lo que pueda dar o recibir por testamento, siendo inoficiosa la donación en lo que exceda de esta medida (art. 636 CC). La infracción del límite de este artículo no hace nula la donación, sino reductible a instancia de los legitimarios (herederos forzosos), sin que obste para que toda ella tenga efecto en vida del donante y que el donatario haga suyos los frutos (art. 654 CC). La reducción de donaciones por inoficiosidad es una ineficacia parcial y sobrevenida del contrato que guarda analogía con la rescisión, si bien no se equipara a ella.

3. FORMALES

La donación es uno de los pocos negocios jurídicos formal o solemne: es preciso que además de concurrir los elementos esenciales de todo contrato (consentimiento, objeto y causa), se realice de alguna de las formas que prevé la ley (requisito *ad solemnitatem o ad substantiam*). El tipo de invalidez que adolece la donación con defecto de forma es el de nulidad absoluta, con la consecuencia de ser insubsanable el vicio e imprescriptible la acción para pedirla (STS [1ª] 3.3.1995). Debe distinguirse la forma prevista para la donación de bienes muebles y la exigida para la donación de inmuebles.

3.1. Donación de bienes muebles

La donación de cosa mueble podrá hacerse verbalmente o por escrito (art 632 CC), si bien la verbal requiere la entrega simultánea de la cosa donada. Se permite así la forma manual y la forma escrita para la donación de cosa mueble o derecho sobre ella: *Forma manual.* La donación verbal (*de palabra*) es válida siempre y cuando vaya acompañada de la *entrega simultánea de la cosa donada.* Faltando este requisito, no surtirá efecto si no se hace por escrito y consta de la misma forma la aceptación (art. 632 CC). En este caso, se configura la donación como un contrato *real,* que se perfecciona por la entrega de la cosa. La donación *manual* es, así, la más simple de las donaciones reguladas en el CC, y en la que concurren la declaración de voluntad indubitada de donar la cosa acompañada de la entrega de la misma del donante al donatario, el cual acepta en unidad de acto la donación. En el supuesto de que la cosa esté ya en poder del donatario, se habla de donación *brevi manu,* que no requiere por ello la entrega. La entrega de muebles almacenados o guardados en lugar determinado requerirá la puesta a disposición de los mismos o la entrega (con indubitado *animus donandi*) de las llaves del lugar en que se hallen (art. 1463 CC); *Forma escrita.* Faltando la entrega simultánea de la cosa mueble donada, la donación requerirá forma escrita, en documento privado o público, constando de la misma forma la aceptación del donatario (art. 632 CC), sin que baste la aceptación tácita.

3.2. Donación de bienes inmuebles

Para que sea válida la donación de cosa inmueble, deberá hacerse en escritura pública, como requisito de validez *ad solemnitatem,* sin el cual el negocio es nulo, con nulidad absoluta (art. 633 CC). La escritura de donación de inmuebles: ha de ser *escritura pública* (no bastando ningún otro documento público) y *de donación*; habrá de expresar de forma individualizada el valor de todos y cada uno de los bienes donados; deberá expresar igualmente el valor de las cargas que deba satisfacer el donatario (art. 633 CC), tanto las de naturaleza personal (cargas modales, por ejemplo), como real; habrá de expresar de forma indubitada la declaración de voluntad del donante de querer otorgar un acto de liberalidad; y podrá contener asimismo la aceptación del donatario, si bien esta aceptación puede efectuarse también en otra escritura separada. En este supuesto, sólo surtirá efecto si se hace en vida del donante, no siendo preciso que llegue a su conocimiento para que aquélla tenga eficacia. En cualquier caso, deberá notificarse de forma auténtica (generalmente por conducto notarial) la aceptación al donante, anotándose esta diligencia en ambas escrituras una vez efectuada la notificación (art. 633 CC).

La falta de cumplimiento de estos requisitos formales determinará la nulidad radical y de pleno derecho de la donación así efectuada (SSTS [1ª] 19.6.1999, 31.7.1999, 11.1.2007, 18.3.2008, 5.5.2008). La acción de nulidad, para la cual está legitimado de forma amplia todo interesado, es imprescriptible y produce sus efectos *erga omnes* sin perjuicio de la protección de derechos adquiridos por los terceros de buena fe. No cabe la convalidación o confirmación del contrato nulo.

3.3. Donación encubierta

Si la donación se disimula bajo la apariencia de otro contrato (generalmente, la compraventa) nos hallamos ante un supuesto de simulación relativa, ante el cual la jurisprudencia es muy fluctuante: en ocasiones, el TS declara la validez de la donación otorgada siempre y cuando se haya otorgado en escritura pública, no se perjudique a terceros y aparezca probado el ánimo de liberalidad del donante en las gratuitas o la causa retributiva en las onerosas (SSTS [1ª] 30.9.1995, 7.2.1997, 2.11.1999, 18.10.2002, entre otras). Sin embargo, otras veces niega validez a la donación encubierta por perjudicar a los herederos o acreedores del donante (STS [1ª] 29.3.1993), por faltar la aceptación del donatario (STS [1ª] 20.12.1985, 20.10.1992, 31.12.1993, 27.6.1996, 4.5.1998, 14.12.1999) o por entender que la escritura debe serlo «de donación»: algunas sentencias mantienen que la escritura de compraventa no contiene el *animus donandi* ni la aceptación de la donación y, por tanto, no existe donación por falta de forma, ni compraventa por falta de precio (SSTS [1ª] 24.2.1992 y 7.3.1993).

V. EFECTOS DE LA DONACIÓN

Distinguimos entre los efectos jurídicos propios de la donación y los derivados de la incorporación de pactos especiales.

1. EFECTOS PROPIOS DE LA DONACIÓN

1.1. Derecho a reclamar la entrega de la cosa donada

En consonancia con la finalidad traslativa del dominio que tiene la donación, la perfección de este negocio jurídico concede al donatario derecho y acción para reclamar del donante la entrega de la cosa. Sin embargo, al regular el art. 609 CC los modos de adquirir y transmitir la propiedad menciona la donación de forma separada de la *Ley*, la *sucesión testada e intestada* y de *«ciertos contratos mediante la tradición»*, por lo que parte de la doctrina y la jurisprudencia (SSTS [1ª] 22.12.1986 y 25.10.1993) entienden que no es necesaria la *traditio* para transmitir o adquirir la propiedad u otros derechos reales por donación: una vez perfecta y aceptada la donación por el donatario, éste no sería acreedor de una obligación de dar sino titular ya del derecho donado.

1.2. Derecho de subrogación en los derechos y acciones que en caso de evicción corresponderían al donante

Debido al carácter gratuito de la donación el donatario no responde con carácter general de la evicción ni de los vicios ocultos de la cosa donada. Se exceptúan los siguientes supuestos: a) Que las partes hayan pactado la obligación de saneamiento, añadiendo un plus a la liberalidad del donante; b) Que el donante obre con dolo al hacer la donación; c) Que la donación sea *onerosa* (o *modal*), en cuyo caso responderá el donante hasta la concurrencia del gravamen impuesto. En el caso de que se produzca el saneamiento, el donatario se subrogará en todos los derechos y acciones que en caso de evicción corresponderían al donante.

1.3. Derecho de acrecer

Se da en el caso de donaciones hechas conjuntamente a favor del marido y la mujer sin designación de partes, siempre que el donante no hubiese dispuesto lo contrario. No habrá derecho de acrecer: a) En la donación conjunta hecha a favor de varias personas (que no sean matrimonio), salvo que el donante haya dispuesto lo contrario: esta donación se presumirá hecha por partes iguales (art. 637 CC); y b) En la donación *propter nuptias,* excepto si el donante hubiera dispuesto otra cosa (art. 1339 CC).

2. DERIVADOS DE PACTOS ESPECIALES

Además de los que pueden establecerse por virtud del principio de la autonomía de la voluntad de las partes, el CC prevé y regula los siguientes pactos.

2.1. Reserva de la facultad de disponer

Podrá reservarse el donante la facultad de disponer de algunos de los bienes donados o de alguna cantidad con cargo a ellos, pero si muriese sin haber hecho uso de este derecho, pertenecerán al donatario los bienes o la cantidad que se hubiese reservado (art. 639 CC). En este tipo de donaciones el donatario adquiere *desde luego* la propiedad de lo afectado por la reserva pero todos los negocios que celebre, salvo el arrendamiento en las condiciones del artículo 1520 CC, serán claudicantes, es decir, dependen en su eficacia definitiva de que el donante haga uso o no de esta facultad, debiéndose considerar el negocio jurídico desde el punto de vista registral como una donación sujeta a condición resolutoria (RDGRN 23.10.1980).

La facultad de reservar, que es personalísima, sólo puede establecerse a favor del donante en el momento de otorgarse la donación y en la misma forma que la establecida para ésta. El donante puede ejercitar la facultad de disposición de todos o de parte de los bienes donados tanto por actos *inter vivos* como *mortis causa*: en este supuesto, una vez ejercitada la reserva, la donación se reduce a los bienes no dispuestos, quedando revocada respecto de los demás.

2.2. Separación de la propiedad y el usufructo

Se puede donar a una persona la propiedad de la cosa y a otra u otras el usufructo de la misma, bien simultánea, bien sucesivamente. El usufructo constituido a favor de varias personas simultáneamente dura lo mismo que la vida del último de los usufructuarios. En el usufructo sucesivo (art. 640 CC) se aplicarán los límites de las sustituciones fideicomisarias previstas en el art. 781 CC, en el sentido de que no podrán pasar del segundo grado o llamamiento o deberán constituirse a favor de personas que vivan al tiempo de producir efectos la donación.

2.3. Cláusulas de reversión

La donación con cláusula reversional ha sido calificada como *donación sujeta a condición resolutoria* (SSTS [1ª] 11.3.1988, 13.7.1989, 12.11.1990) cuyo cumplimiento determina que el bien donado vuelva al donante o pase a terceras personas. El artículo 641 CC prevé la posibilidad de inserción de cláusulas de reversión tanto a favor del donante como de terceros. La reversión a favor del donante se configura con carácter muy amplio pues es válida *para cualquier caso y circunstancia,* si bien lo más frecuente es que se pacte para el caso de premoriencia del donatario al donante o de morir el donatario sin descendencia. La impropiamente denominada *«reversión a favor de terceras personas»* (que propiamente es un caso de *sustitución* del donatario) es válida siempre y cuando se guarden las limitaciones previstas para las sustituciones fideicomisarias. En estas donaciones se fija un orden sucesivo de donatarios que adquieren del donante (no del donatario que les precede) y que es válido hasta cierto límite de llamamientos (art. 781 CC): si no se trata de personas vivas en el momento de perfeccionarse la primera donación son válidos dos únicos llamamientos, pero en todo caso deben vivir al producirse el evento productor de la reversión.

Mientras no se ejercite la facultad de reversión, el donatario es el titular de los bienes donados, siendo su situación similar a la del fiduciario, obligado a conservar los bienes para aquellos que les siguen, por lo que no puede disponer de ellos como libres (art. 783 CC). La reversión opera de modo automático cuando acaezca el hecho que la origina. En tal caso, el donante o los terceros recibirán los bienes donados en el estado que tenían al efectuarse la donación, por lo que se resolverán todos los derechos constituidos sobre ellos por el donatario (es decir, tiene carácter retroactivo), quedando a salvo los derechos adquiridos por terceros adquirentes de buena fe (arts. 34 y 37 LH).

2.4. Pago de deudas

La donación en la que el donante impone al donatario la obligación de pagar las deudas del donante anteriores o posteriores a la donación es una donación *modal*. El CC establece una serie de reglas para este tipo de donaciones. En el caso de que se estipule que el donatario pague las deudas contraídas antes por el donante, no exige el Código Civil que se determinen éstas de forma individualizada pero si se tratare de deudas futuras deberían éstas precisarse, de modo que se excluya cualquier indeterminación (art. 633.I CC). Si no contiene la donación ninguna cláusula respecto al pago de deudas, sólo responderá de ellas el donatario cuando la donación se haya hecho en fraude de los acreedores: la donación podría ser impugnada por éstos mediante el ejercicio de la *acción pauliana* (art. 1111 CC), que se traducirá en la restitución de lo donado al patrimonio del donante o, de no ser posible por hallarse la cosa en poder de terceros de buena fe, en la indemnización de daños y perjuicios.

Se presumirá siempre hecha la donación en fraude de los acreedores cuando al hacerla no se haya reservado el donante bienes bastantes para pagar las deudas anteriores a ella (art. 643 CC): ello se explica por el carácter gratuito que tiene la donación, correspondiendo a los acreedores la carga de la prueba de la insuficiencia de los demás bienes del donante para satisfacer el importe de sus créditos. Si la donación se hubiere hecho imponiendo al donatario la obligación de pagar las deudas del donante, sin especificar si son las anteriores o las posteriores a la donación, sólo se entenderá aquél obligado a pagar las contraídas antes (art. 642 CC).

VI. REVOCACIÓN DE DONACIONES

En principio, la donación, como cualquier contrato, es irrevocable (art. 1256 CC). Sin embargo, por su naturaleza gratuita, cuando se producen ciertos acontecimientos que hacen suponer al legislador que, de haberlos conocido el donante, no hubiese otorgado dicha liberalidad, se prevén en el CC ciertas excepciones a este principio general de irrevocabilidad, que son de interpretación estricta y no susceptibles de aplicación analógica.

1. SUPERVIVENCIA O SUPERVENIENCIA DE HIJOS

Toda donación entre vivos, hecha por persona que no tenga hijos ni descendientes, será revocable por el mero hecho de ocurrir cualquiera de los casos siguientes (art. 644 CC).

1.1. Supervivencia de hijos o descendientes

Cuando el donante tenga, después de la donación, hijos (matrimoniales o no), aunque sean póstumos. Son hijos o descendientes que hacen la donación revocable los que hayan nacido (arts. 29 y 30 CC) al tiempo de la donación (no basta con ser concebido) y sigan vivos al tiempo de revocarla. Si la determinación legal de la filiación no matrimonial de un hijo tiene lugar antes del otorgamiento de la donación ésta será irrevocable, pero si tiene lugar después podrá la donación revocarse. En los supuestos de filiación adoptiva, la adopción posterior a la donación hace ésta revocable, no así la realizada con anterioridad.

1.2. Superveniencia de hijos o descendientes

Cuando resulte vivo el hijo del donante que éste creía muerto al tiempo de otorgar la donación. Es necesario que el donante ejercite de forma expresa la acción revocatoria, no operando ésta de modo automático por la mera concurrencia de causa de revocación. En cuanto a los efectos de la revocación por estas causas, son los mismos que los establecidos para el supuesto de revocación por causa de ingratitud: se restituirán al donante los mismos bienes donados (*restitución in natura*) o su valor (*restitución del equivalente*) si el donatario los hubiese vendido entendida la *venta* en el sentido más amplio de *enajenación* onerosa o gratuita (art. 645.I CC).

El momento determinante de la atacabilidad de las enajenaciones e hipotecas hechas o constituidas por el donatario es el de la anotación de la demanda de revocación en el Registro de la Propiedad o el conocimiento o la posibilidad de conocimiento de dicha demanda por el adquirente: a partir de estos hechos no podrá invocarse desconocimiento de la existencia de una causa legal de revocación. Correspondería al donante la prueba de conocimiento por el adquirente de la existencia de la demanda de revocación. De cualquier manera, la revocación nunca perjudicará a terceros adquirentes de buena fe conforme a la legislación hipotecaria (arts. 34 y 37 LH). Dado que la acción revocatoria o pauliana solo cede frente a adquirentes que lo sean a título oneroso (art. 1297.1° CC) las enajenaciones gratuitas podrán ser revocadas por el donante.

Si se hubiere constituido hipoteca sobre los bienes donados podrá el donante liberar la hipoteca pagando la cantidad que garantice, con derecho a reclamarla del donatario (art. 645.II CC). A pesar de que la literalidad del precepto se refiera a las hipotecas, la doctrina entiende que se puede extenderse a otros gravámenes redimibles, debiendo en este caso el donatario entregar el valor de la cosa donada y el de la carga o gravamen. Cuando los bienes no pudieren ser restituidos, se apreciarán por lo que valían al tiempo de hacer la donación (art. 645.III CC): el donatario deberá entregar su valor apreciado éste al tiempo de otorgarse la donación, lo que implica que el donatario deberá devolver no el valor de lo donado entonces sino el equivalente en moneda actual al valor que tenía la cosa al tiempo de otorgarse la donación (*valor real, deuda de valor*).

La acción prescribe por el transcurso de cinco años. Dicho plazo se cuenta desde que el donante tuvo noticia del nacimiento del último hijo o de la existencia del que se creía muerto. Tal plazo es de caducidad y no de prescripción, por analogía con la acción rescisoria y porque se trata de alterar una situación jurídica (STS [1ª] 11.5.1966). Esta acción es irrenunciable y se transmite, por muerte del donante, a los hijos y sus descendientes (art. 646 CC). Es decir, que se prohíbe la renuncia anticipada de la acción antes de que haya nacido el presupuesto legal de la revocación: una vez surgido el mismo, el donante es libre de ejercitar la acción o de no hacerlo.

2. INCUMPLIMIENTO DE CARGAS

Podrá también la donación ser revocada a instancia del donante cuando el donatario haya dejado de cumplir alguna de las *condiciones* que aquél le impuso (art. 647 CC). Hay que entender el término *condiciones* en el sentido de obligaciones o *cargas* (así, STS [1ª] 28.7.1997): el incumplimiento de una *condición*, suspensiva o resolutoria, plantearía un problema de *ineficacia*, no de *revocación* de la donación. El incumplimiento determinante de la revocación ha de ser imputable al donatario (STS [1ª] 31.1.1995) presumiéndose, salvo prueba en contrario, la culpa de éste. La renuncia anticipada de la acción se admite siempre que conste de forma indubitada y clara (STS [1ª] 16.10.1992). La doctrina admite con carácter general su carácter transmisible a los herederos.

No se refiere al CC a los plazos para el ejercicio de la acción: algunos autores entienden aplicable el plazo de cuatro años, por analogía con las acciones rescisorias y resolutorias, mientras que otros consideran más adecuado entender aplicable, por analogía con la revocación por ingratitud, el plazo breve de un año, a fin de que la situación de incertidumbre dure lo menos posible. La jurisprudencia se muestra vacilante asimismo en cuanto a la calificación jurídica de este plazo como de prescripción o de caducidad (en este sentido se decantan las sentencias más recientes (STS [1ª] 20.7.2007). El plazo se contará desde que el donante tuvo conocimiento del hecho y posibilidad de ejercitar la acción.

En cuanto a los efectos de la revocación, opera con carácter retroactivo: los bienes donados volverán al donante, quedando nulas las enajenaciones que el donatario hubiese hecho y las hipotecas (o cualquier otro gravamen) que sobre ellos hubiese impuesto, con la limitación establecida en cuanto a terceros por la LH (art. 647.II CC en relación con los arts. 34 y 37 LH en lo que se refiere a inmuebles) y por el art. 464 CC (en lo que se refiere a muebles).

3. INGRATITUD DEL DONATARIO

También podrá ser revocada la donación, a instancia del donante, por causa de ingratitud en los casos siguientes: *1. Si el donatario cometiere algún delito contra la persona, el honor o los bienes del donante.* El término *comisión* hay que referirlo a cualquier forma de participación criminal (autoría, cooperación necesaria, complicidad) y grado de ejecución delictiva (delito consumado, tentativa, etc.) y hay que entenderlo referido tanto a delitos como a faltas, no siendo suficientes las conductas socialmente reprochables o incluso ilícitas si no constituyen acciones tipificadas como delitos o faltas (STS [1ª] 5.12.2006).

2. Si el donatario imputare al donante alguno de los delitos que dan lugar a procedimientos de oficio o acusación pública, aunque lo pruebe; a menos que el delito se hubiese cometido contra el mismo donatario, su cónyuge o los hijos constituidos bajo su autoridad. El término *imputación* ha de referirse a la interposición por parte del donatario de una querella criminal por parte del donante, ya que solo en su virtud se constituye en *parte* del proceso penal, no bastando la mera denuncia, que es un deber general de todo ciudadano.

3. Si le niega indebidamente los alimentos (art. 648 CC). En este último caso, no se trata del deber legal de alimentos (arts. 142 a 153 CC) sino de la obligación de alimentos que surge del hecho mismo de la donación. La negativa debe ser injustificada: no lo estaría en el caso de que el donatario, dando alimentos al donante, pusiera en peligro su propia subsistencia o el cumplimiento de la obligación legal de alimentos respecto de los familiares que tienen derecho a exigirlos.

En cuanto a los efectos de la revocación, y para el caso de ser imposible la restitución *in natura* por hallarse las cosas en poder de terceros adquirentes protegidos, tendrá derecho el donante a exigir del donatario el valor de los bienes enajenados que no pueda reclamar de los terceros, o la cantidad en que hubiesen sido hipotecados. Se atenderá al tiempo de la donación para regular el valor de dichos bienes (art. 650 CC), teniéndose en cuenta que se trata de una *deuda de valor* y que el monto de la restitución que deberá hacer el donatario deberá determinarse atendiendo al valor real. Las mejoras y aumentos de valor que experimente la cosa donada obtenidos a expensas del donatario deberán ser indemnizados conforme a las reglas de la posesión de buena fe, si bien entendemos que no hay razón bastante para la indemnización de los deterioros o menoscabos acaecidos por culpa suya (arts. 453 y 457 CC).

La acción concedida al donante por causa de ingratitud no podrá renunciarse anticipadamente. Esta acción prescribe en el plazo (de caducidad) de un año, contado desde que el donante tuvo conocimiento del hecho y posibilidad de ejercitar la acción (art. 652 CC). La acción es de naturaleza personal, no afectando a terceros que hayan adquirido del donatario o tengan constituidos derechos reales sobre los bienes donados, salvo que la adquisición o constitución se produzca después de anotada la demanda de revocación en el Registro de la Propiedad. Por eso, revocada la donación por causa de ingratitud, quedarán, sin embargo, subsistentes las enajenaciones e hipotecas anteriores a la anotación de la demanda de revocación en el Registro de la Propiedad. Las posteriores serán nulas (art. 649 CC). Legitimado para el ejercicio de esta acción lo está el donante, no transmitiéndose a los herederos del donante si éste, pudiendo hacerlo, no la hubiese ejercitado (*sensu contrario*, se trasmitirá a los herederos en el caso de que por cualquier circunstancia no la hubieran podido ejercitar). Legitimado pasivamente está el donatario. La muerte impide la interposición de la demanda de revocación. Si ocurriere después, el proceso continúa con su heredero (art. 653.II CC).

Las donaciones por razón de matrimonio presentan un régimen especial de revocación (art. 1343 CC): No serán revocables por supervivencia o superveniencia de hijos. En las otorgadas por terceros se reputará incumplimiento de cargas, además de las previstas, la anulación del matrimonio por cualquier causa, la separación y el divorcio si al cónyuge donatario le fueren imputables, según la sentencia, los hechos que los causaron (esta previsión no es aplicable ya desde la desaparición en el CC de las causas de separación y divorcio). En las donaciones *propter nuptias* entre contrayentes, se reputará incumplimiento de cargas, además de las específicas, la anulación del matrimonio si el donatario hubiere obrado de mala fe. Se estimará ingratitud, además de los supuestos legales, el que el donatario incurra en causa de desheredación (art. 855 CC) o le sea imputable, según la sentencia, la causa de separación o divorcio (previsión que carece igualmente de sentido tras la reforma del CC efectuada por Ley 15/2005, de 8 de julio).

En cuanto al régimen jurídico de la restitución de los frutos en todos los supuestos de revocación legal de donaciones, para los casos de revocación por superveniencia y supervivencia de hijos y descendientes, así como cuando se redujere por inoficiosa, el donatario solo devolverá los frutos percibidos desde la interposición de la demanda (o acto de conciliación). En el supuesto de incumplimiento de cargas, el donatario devolverá, además de los bienes, los frutos que hubiese percibido después de dejar de cumplir las cargas u obligaciones impuestas (art. 651 CC) y según cierto sector doctrinal, también los frutos dejados de percibir si hubiera en el donatario mala fe (art. 455 CC).

VII. REDUCCIÓN DE DONACIONES

1. CONCEPTO

Es la rescisión parcial que la ley establece para rebajar, en cuanto al exceso, las donaciones que resulten inoficiosas, computado el valor líquido de los bienes del donante al tiempo de su muerte. Donación *inoficiosa* es aquella que vulnera la legítima o porción hereditaria de los herederos forzosos o legitimarios. Para apreciar la oficiosidad será preciso calcular exactamente el *relictum* (valor líquido de los bienes que queden a la muerte del donante deducidas las deudas y cargas sin comprenderse en ellas la impuestas en testamento, y el *donatum* (valor de los bienes donados): se mantiene la donación si respeta las legítimas de los herederos forzosos, en caso contrario se reduciría en la cuantía que fuera necesaria para cubrirlas (STS [1ª] 21.4.1990).

2. MODO DE PRACTICARLA Y EFECTOS

De ser posible la reducción se hará *in natura*. Por eso dice el CC que las donaciones que sean inoficiosas computado el valor líquido de los bienes del donante al tiempo de su muerte, deberán ser reducidas en cuanto al exceso; pero esta reducción no obstará para que tengan efecto durante la vida del donante y para que el donatario haga suyos los frutos (art. 636 CC). Serán donaciones reductibles las colacionables, es decir, las que deben computarse para el cálculo de la cuota hereditaria forzosa (art. 1041 y ss.), tanto las donaciones a legitimarios como las efectuadas a favor de quienes no sean herederos forzosos.

Para la reducción de las donaciones el art. 654 CC remite a los artículos 820 y 821 CC: Las donaciones no se reducirán mientras pueda cubrirse la legítima reduciendo o anulando las disposiciones testamentarias; en caso de reducción de donaciones se comenzará por la más moderna y se seguirá por las demás por su orden de fecha. Así dice el Código Civil que, si siendo dos o más las donaciones, no cupieren todas en la parte disponible, se suprimirán o reducirán en cuanto al exceso las de fecha más reciente (art. 656 CC). Quien sostenga la mayor antigüedad de alguna de ellas deberá probarla. En tanto no se prueben las fechas deberá considerarse las donaciones como simultáneas; en el caso de que todas las donaciones fueran de la misma fecha se reducirán a prorrata (proporcionalmente); si la donación consistió en un usufructo o renta vitalicia cuyo valor se tenga por superior a la parte disponible se aplicará el art. 830.III CC; y si la donación sujeta a reducción lo haya sido de una finca que no admita cómoda división se aplicará lo establecido en el art. 821 CC.

3. MOMENTO EN QUE TIENE LUGAR

La reducción no puede llevarse a efecto hasta que tenga lugar el fallecimiento del donante, pues sólo en este momento, con el cómputo del valor líquido de los bienes que integran el caudal hereditario (caudal relicto o *relictum*), puede saberse si la donación es inoficiosa.

4. LEGITIMADOS PARA PEDIR LA REDUCCIÓN

Dado que la reducción de donaciones tiene como finalidad garantizar la intangibilidad de la legítima o porción hereditaria forzosa, el art. 655 CC dice que sólo podrán pedir reducción de las donaciones aquellos que tengan derecho a legítima o a una parte alícuota de la herencia (aunque en sentido estricto el precepto es defectuoso porque, de no ser legitimarios, sobra toda referencia a los legatarios de parte alícuota y a los acreedores). También están legitimados activamente los herederos o causahabientes de los legitimarios, los cuales no podrán renunciar su derecho durante la vida del donante, ni por declaración expresa, ni prestando su consentimiento a la donación. Los donatarios, los legatarios que no lo sean de parte alícuota y los acreedores del difunto, no podrán pedir la reducción ni aprovecharse de ella. Sí podrá solicitarla el cónyuge viudo aunque no tuviese esta condición al tiempo de otorgarse la donación.

5. PLAZO DE EJERCICIO DE LA ACCIÓN

Se discute por la doctrina, si bien mayoritariamente los autores se decantan por entender aplicable por analogía el plazo de cuatro años del art. 1299 CC. La jurisprudencia más reciente, sin embargo (SSTS [1ª] 12.7.1984 y 4.3.1999), entiende aplicable el plazo de cinco años del art. 646 CC previsto para la reducción de donaciones.

Lección 6

El contrato de arrendamiento

ANA DÍAZ MARTÍNEZ
Profesora Titular de Derecho Civil
Universidad de Santiago de Compostela

SUMARIO: I. EL ARRENDAMIENTO DE COSAS EN EL CÓDIGO CIVIL. *1. El Código Civil y la legislación arrendaticia: ámbito de aplicación. 2. Características, sujetos y objeto. 3. Derechos y obligaciones del arrendador y el arrendatario. 4. Extinción.* 4.1. Expiración del plazo de duración: la tácita reconducción. 4.2. Pérdida del derecho del arrendador: especial referencia a la venta de la finca arrendada. 4.3. Otras causas de extinción: resolución y pérdida de la cosa. II. ARRENDAMIENTOS URBANOS SUJETOS A LA LAU/1994. *1. Arrendamientos de vivienda.* 1.1. Duración: plazo mínimo legal, prórrogas, desistimiento, resolución del derecho del arrendador, enajenación de la vivienda, crisis matrimonial y fallecimiento del arrendatario. 1.2. Derechos y obligaciones de las partes: especial consideración del pago de la renta, las obras en la vivienda arrendada y los derechos de adquisición preferente. 1.3. Suspensión, resolución y extinción del contrato por causas distintas del fin del plazo de duración. *2. Arrendamientos para uso distinto del de vivienda.* 2.1. Principio de libertad de pacto. 2.2. Normas legales supletorias: normas aplicables de los arrendamientos de vivienda, cesión del contrato, subarriendo, subrogación «mortis causa» e indemnización por clientela. *3. Normas comunes a los arrendamientos de vivienda y para uso distinto: fianza, formalización e inscripción en el Registro de la Propiedad.* III. ARRENDAMIENTOS URBANOS ANTERIORES A LA ENTRADA EN VIGOR DE LA LAU/1994. IV. ARRENDAMIENTOS RÚSTICOS Y APARCERÍA. *1. Arrendamientos rústicos.* 1.1. Principios inspiradores de la legislación aplicable. 1.2. Elementos subjetivos: la condición de agricultor profesional. 1.3. Forma y prueba. 1.4. Duración del contrato: plazo mínimo legal, prórrogas, enajenación de la finca arrendada y subrogación por muerte del arrendatario. 1.5. Derechos y obligaciones de las partes: renta, obras, mejoras y derechos de adquisición preferente. 1.6. Extinción del contrato: especial referencia a la resolución. *2. Aparcería.* 2.1. Características generales del contrato y breve referencia a su régimen jurídico. V. UN APUNTE PROCESAL EN MATERIA ARRENDATICIA: EL DESAHUCIO.

I. EL ARRENDAMIENTO DE COSAS EN EL CÓDIGO CIVIL

1. EL CÓDIGO CIVIL Y LA LEGISLACIÓN ARRENDATICIA: ÁMBITO DE APLICACIÓN

Entre los contratos de uso y disfrute ocupa un lugar preeminente el de arrendamiento de cosas, que en el Código Civil español se regula, dentro de una categoría más general, junto al arrendamiento de obras y el de servicios. Las diferencias entre los tres son, sin embargo, profundas, pues si en el de cosas se cede al arrendatario el goce y uso de un bien por tiempo determinado y a cambio de un precio cierto (art. 1543 CC), en el de servicios (de regulación obsoleta en el Código) se pacta, a cambio de tal precio, la realización de una actividad y en el de obra la ejecución de ésta, como establece el art. 1544 CC (si se trata de una obra inmobiliaria debe tenerse en cuenta la vigencia de la Ley 38/1999, de 5 de noviembre, de ordenación de la edificación). Por otra parte, la terminología del Código no es la que habitualmente se utiliza en la práctica jurídica, siendo más comunes las denominaciones de contrato de obra y de servicios.

En la regulación del arrendamiento de cosas coexisten la normativa del Código Civil (arts. 1546 y ss.) y dos leyes especiales, una atinente a los arrendamientos urbanos (Ley 29/1994, de 24 de noviembre) y otra a los arrendamientos rústicos (Ley 49/2003, de 26 de noviembre). Aunque pudiera parecer, por los primeros preceptos en que se define el arrendamiento de cosas, que el Código va a regular el de todo tipo de bienes, muebles e inmuebles, en realidad se dedica sólo al de estos últimos. Sin embargo, dado que los de muebles carecen de regulación, deben entenderse regidos, en lo que sea posible (algunas disposiciones sólo tienen sentido en relación con los inmuebles) por estos preceptos del Código Civil. Para delimitar, en los arrendamientos de inmuebles, si es aplicable la legislación especial o el Código Civil debe tenerse en cuenta que éste tiene carácter residual, es decir, entra en juego cuando el arrendamiento en cuestión (de finca rústica o urbana) no esté contemplado en el ámbito de aplicación de la ley que corresponda. Así, se aplica el Código Civil al arrendamiento de solares, al de plazas de garaje cuando estén desvinculadas de las viviendas, a algunos de los que excluye el art. 5 LAU, pues otros quedan sujetos a otras normas legales específicas o a la LAR (viviendas en las que el aprovechamiento agrícola, forestal o pecuario del fundo sea la finalidad primordial) y a los arrendamientos complejos, como el arrendamiento *ad meliorandum,* en que el arrendatario se obliga a realizar en el bien ciertas obras de mejora.

En todo caso, la mayoría de los arrendamientos de inmuebles quedan sometidos a la legislación especial (LAU o LAR), que responde a principios a veces muy alejados del de autonomía de la voluntad que en materia de contratos rige en el Código Civil. Ello se percibe de modo especial en la regulación del arrendamiento de vivienda en la LAU y en algunas normas de los arrendamientos rústicos (aunque sucedía en mayor medida en la Ley de 1980), con una finalidad tuitiva del arrendatario. Sometidos al Código Civil, cuyas normas son generalmente dispositivas, quedan, por tanto, los arrendamientos de inmuebles excluidos de la normativa especial, los de bienes muebles que no se consumen con el uso, los de derechos y los arrendamientos de industria, que no recaen sobre un bien concreto sino sobre una universalidad.

2. CARACTERÍSTICAS, SUJETOS Y OBJETO

El contrato de arrendamiento de cosas consiste, según el art. 1543 CC, en que una de las partes (arrendador) se obliga a ceder a la otra (arrendatario) el uso de un bien durante cierto tiempo y a cambio de un precio determinado. De esta breve definición se desprende ya que es un contrato consensual, bilateral, de cesión de uso y goce, temporal, oneroso y conmutativo. Es consensual puesto que se perfecciona, sin que sea necesaria la entrega de la cosa, con el mero consentimiento de las dos partes intervinientes, sujeto al principio de libertad de forma del art. 1278 CC, sin perjuicio de que cada una de ellas pueda compeler a la otra a cubrir la forma que deriva del art. 1279 CC. A diferencia de los contratos traslativos de dominio, se ceden sólo las facultades de goce de la cosa, siempre por un tiempo determinado o determinable, pues la temporalidad (contrapuesta a la duración indefinida) es otra de las notas caracterizadoras de este tipo contractual, que genera, además, una relación de tracto sucesivo. Lo mismo puede decirse de su carácter oneroso (el arrendatario usa la cosa a cambio del precio) y conmutativo, al quedar la equivalencia de las prestaciones fijada de antemano. La certeza del precio (por lo general, pero no necesariamente, fijado en dinero) significa que esté determinado o sea determinable (por referencia a una cosa cierta, por ejemplo). Lo que no cabe en ningún caso es un arrendamiento gratuito, tal cesión del bien tendrá como base otra figura jurídica, como el comodato o el precario, comúnmente.

En cuanto a los *elementos subjetivos* del contrato, arrendador y arrendatario, lo esencial es determinar la capacidad exigida para serlo. Ningún problema genera afirmar que el arrendatario puede serlo con tal de que tenga capacidad para contratar (con ciertos matices si el precio cierto no es una suma de dinero). Algo más complejo es determinar si el arrendamiento de bienes es siempre acto de administración o puede serlo, en algunos casos, de disposición, lo que incide en la capacidad necesaria para arrendar bienes. Hasta 1994 se entendió que los arrendamientos de más de seis años de duración, que eran los inscribibles en el Registro de la Propiedad, requerían capacidad para enajenar. Por eso el art. 1548 CC establece que los padres o tutores no pueden dar en arrendamiento (sin autorización judicial) bienes de sus hijos o pupilos por un término que exceda de seis años. Sin embargo, hoy el art. 2.5° LH, modificado por la LAU/1994, permite la inscripción de cualquier arrendamiento de inmuebles, con independencia de su duración, y no parece oportuno afirmar que todos son, entonces, actos de disposición. En general, la doctrina niega que el arrendamiento de menos de seis años sea acto de disposición o administración extraordinaria, aunque sea inscribible y oponible frente a terceros y la jurisprudencia exige la unanimidad de los comuneros (art. 397 CC), y no la simple mayoría del art. 398 CC, para concertar un arrendamiento de larga duración de un bien del que son cotitulares. No es necesario que el arrendador sea propietario del bien cuyo uso cede a un tercero, basta la titularidad de un derecho de uso o goce, como el de usufructo. No obstante, el arrendamiento se extinguirá cuando se resuelva la titularidad de quien concertó el contrato, como dispone el art. 480 CC.

En cuanto a los *elementos objetivos* del contrato de arrendamiento, lo son la cosa cuyo goce se cede y el precio que el arrendatario se obliga a pagar por él. Pueden ser objeto del contrato de arrendamiento todos los bienes singulares no consumibles (o los que lo sean, si se destinan a un uso diferente del que les es propio), sean muebles o inmuebles, así como las universalidades, como una industria o empresa, compuesta por heterogéneos elementos vinculados entre sí por la finalidad a la que sirven. Los derechos pueden también ser objeto de arrendamiento; la única exigencia es que no se trate de derechos personalísimos y por ello intransmisibles, como los de uso o habitación, derechos no susceptibles de uso o los inherentes a la titularidad de un inmueble, como el de servidumbre predial. El precio puede consistir en cualquier contraprestación, si bien generalmente se trata de una suma de dinero cuyo pago ha de realizarse periódicamente (podría, sin embargo, pactarse un pago único al comienzo o al final del arrendamiento o determinarse en proporción al desgaste del bien).

3. DERECHOS Y OBLIGACIONES DEL ARRENDADOR Y EL ARRENDATARIO

Constituyen *obligaciones del arrendador,* según el art. 1554 CC y preceptos conexos: a) la puesta a disposición del arrendatario del bien objeto del contrato, a través de la entrega posesoria en el momento y lugar que hayan pactado, junto con todos sus accesorios, entendidos como los elementos necesarios para que pueda darse al bien el uso convenido (art. 1097 CC). Se presume, salvo prueba en contrario, que el arrendatario recibió el bien en buen estado al tiempo del arriendo (art. 1562 CC). El arrendador queda obligado al saneamiento en caso de tener la cosa gravámenes ocultos, en virtud de una regla de remisión a las normas de la compraventa del art. 1553 CC, siempre que no se hubieran mencionado en el contrato y posean tal naturaleza que el arrendatario, de haberlos conocido, no hubiera concertado el contrato. Si fuera así, el arrendatario podrá optar durante un año por la resolución del contrato o la indemnización de daños y perjuicios y si ya hubiera transcurrido ese plazo sólo podrá reclamar la indemnización (si lo hace dentro de un año desde el descubrimiento del gravamen); b) El mantenimiento del arrendatario en la posesión pacífica del bien mientras dure el contrato, lo que implica que ha de prevenir o evitar perturbaciones en el uso del bien, tanto propias como procedentes de terceros. Así, el arrendador no puede realizar por sí perturbaciones de hecho o de derecho en el objeto arrendado (entrar en la finca o constituir una servidumbre que afecte a su uso), pero también ha de proteger al arrendatario de las perturbaciones de terceros, cuando sean jurídicas, ejercitando para ello las acciones oportunas.

Si el arrendatario queda privado del uso del bien como consecuencia de un derecho que correspondía al tercero, el arrendador queda obligado al saneamiento, según las normas del contrato de compraventa, con el matiz del art. 1553.2º CC (si procede la devolución del precio se hará en proporción al tiempo que el arrendatario haya usado la cosa). Si la perturbación procedente del tercero es de hecho, el propio arrendatario podrá ejercitar directamente acciones contra él (art. 1560 CC). El arrendador está obligado a realizar en el bien todas las reparaciones necesarias a fin de conservarlo en estado de servir al uso a que se ha destinado. Para facilitar el cumplimiento de tal obligación el arrendatario ha de poner en conocimiento del arrendador, en el plazo más breve posible, la necesidad de realizar las reparaciones, siendo responsable, si no lo hace, de los daños y perjuicios que se pudieran ocasionar (art. 1559.2º CC).

El arrendatario tiene derecho a exigir del arrendador que realice las reparaciones necesarias en cualquier momento; sin embargo, no tiene deber de soportar las obras, salvo que fueran urgentes (aquellas reparaciones precisas para evitar daños, cuando son inminentes, o conseguir que cesen, si ya se produjeron). Si la obra dura más de cuarenta días y el goce del bien se ve afectado por su realización, puede exigir la reducción de la renta, sin perjuicio del derecho del arrendatario a instar la resolución del contrato si se convierte en inhabitable la parte de finca que el arrendatario y su familia necesitan para vivir (art. 1558 CC). El arrendador no está obligado a llevar a cabo la reconstrucción o reedificación del bien, a las que no se aplicarán las normas sobre reparaciones, sino sobre pérdida de la cosa arrendada. Parece que el arrendador, salvo pacto en contrario, no puede mejorar la cosa mientras dura el contrato en la medida en que ello signifique alterar su forma, lo que prohíbe el art. 1557 CC.

Entre las *obligaciones del arrendatario*, sin duda la principal es la de pago de la renta en los términos convenidos, pudiendo haber establecido cláusulas de estabilización al determinarla para evitar que se devalúe con el paso del tiempo. Por otra parte, ha de usar del bien conforme a su destino, dedicándolo al uso pactado, sin alterar su forma, y responde del deterioro de la cosa a no ser que pruebe que se ocasionó sin su culpa (art. 1563 CC). Como ya se indicó, ha de poner en conocimiento del arrendador la necesidad de hacer reparaciones necesarias en el bien arrendado, así como toda perturbación de derecho procedente de terceros. Terminado el tiempo de duración del contrato ha de restituir el bien al arrendador en el mismo estado en que lo recibió.

Según el art. 1550 CC, el arrendatario puede subarrendar en todo o en parte el bien objeto del contrato, salvo prohibición expresa al concertar éste. Así nace una nueva relación arrendaticia entre el arrendatario, ahora subarrendador, y un tercero, subarrendatario. Éste ha de usar la cosa en las condiciones pactadas entre arrendador y arrendatario y queda obligado frente a ambos. El arrendador tendrá acción directa contra el subarrendatario para reclamarle las rentas que adeudara al arrendatario-subarrendador. Además, el arrendatario también puede ceder su posición jurídica en el contrato de arrendamiento a un tercero, si bien en este caso se precisa consentimiento del arrendador. A diferencia del subarriendo, no se trata de un nuevo contrato, sino de que un tercero ocupe en el contrato la posición que inicialmente correspondía al arrendatario, que desaparece de la relación jurídica. La cesión no puede ser parcial, ha de tener por objeto la totalidad de la cosa arrendada. Si el subarriendo es total puede ser complejo determinar si es subarriendo o cesión, debiendo interpretarse la voluntad de las partes para averiguarlo, pues el Código carece de normas legales de preferencia.

4. EXTINCIÓN

Según el Código Civil, son causas de extinción del contrato de arrendamiento: a) el transcurso del plazo de duración pactado; b) la pérdida del derecho del arrendador, figura genérica en la que merece tratamiento especial la venta de la cosa arrendada; c) la resolución del contrato, por incumplimiento de alguna de las partes; d) la pérdida de la cosa.

4.1. Expiración del plazo de duración: la tácita reconducción

Ya que una de las notas del arrendamiento es su temporalidad, llegado el término pactado, el arrendatario debe devolver el bien al arrendador, pues el contrato concluye sin necesidad de requerimiento previo (art. 1565 CC). Sin embargo, el precepto siguiente del Código (art. 1566) regula la figura denominada tácita reconducción, que implica la suscripción de un nuevo contrato (no la prórroga del anterior) entre las mismas partes por consentimiento tácito de las mismas. Para que exista tácita reconducción se exigen varios requisitos: a) que el término del arrendamiento ya se haya producido; b) que las partes no la hubieran excluido al celebrar el contrato; c) que el arrendatario permanezca en la posesión del bien arrendado quince días desde la finalización del arriendo; d) aquiescencia del arrendador, es decir, que conociendo dicha permanencia del arrendatario en el uso de la cosa arrendada, no le requiera para que la devuelva. La duración del nuevo contrato de arrendamiento será la establecida en el Código Civil para los de duración indeterminada, es decir, en fincas rústicas un año agrícola y en urbanas, el período de tiempo elegido por las partes para determinar la renta (arts. 1577 y 1581). Salvo que se hubiera acordado otra cosa, esta novación del contrato implica la extinción de las obligaciones accesorias asumidas por terceros respecto del primer arrendamiento.

4.2. Pérdida del derecho del arrendador: especial referencia a la venta de la finca arrendada

Si el arrendador no fuera propietario del bien, sino titular de otro derecho, como el de usufructo, el arrendamiento se extingue cuando lo haga éste. De este modo, puede decirse que la extinción del derecho del arrendador es causa de extinción del propio contrato de arrendamiento. Mención especial ha de hacerse a la *venta del objeto arrendado*, regulada en el art. 1571 CC, que recoge la regla general explicitada comúnmente como «venta quita renta». Ello quiere decir que, en principio, cuando se vende un objeto arrendado el comprador tiene derecho a que se dé por finalizado el arriendo y a obtener la posesión del bien. Si así fuera, el arrendatario sólo tiene derecho a una indemnización de daños y perjuicios a cargo del arrendador y, si fuera arrendamiento de finca rústica, a que el comprador le permita recoger los frutos de la cosecha del año agrícola en curso. Como excepciones, no se produce la extinción del contrato de arrendamiento si el comprador, voluntariamente, no ejercita su facultad de dar por terminado el arriendo o si se acordó en el contrato de compraventa concertado entre el arrendador y el tercero que no dispondría de dicha facultad. De todos modos, la excepción más significativa es la relativa a contratos de arrendamiento de bienes inmuebles que estuvieran inscritos en el Registro de la Propiedad, oponibles a terceros. En tal caso, el arrendatario podrá seguir poseyendo la cosa, en el mismo concepto, quedando el comprador subrogado en la posición jurídica del vendedor, como arrendador. La norma del art. 1571 CC sobre extinción del arrendamiento por venta del objeto arrendado se considera aplicable a otros negocios traslativos de dominio como la permuta o la dación en pago e incluso parte de la doctrina afirma lo mismo respecto de la donación o el legado.

4.3. Otras causas de extinción: resolución y pérdida de la cosa

El art. 1556 CC se refiere a las consecuencias del incumplimiento por las partes de las obligaciones nacidas del contrato, señalando, con un indudable error terminológico, que cabe la rescisión (propiamente se trata de la resolución) y la indemnización de daños y perjuicios. La parte cumplidora puede optar, no obstante, por dejar subsistente el contrato y que la otra la indemnice por los daños y perjuicios ocasionados por su incumplimiento. Por otra parte, si la cosa arrendada se pierde son aplicables los arts. 1182 y 1183 CC, según remisión realizada por el art. 1568, lo que significa que la relación arrendaticia se extingue. La pérdida referida es tanto la física como la jurídica, existente en casos como la expropiación forzosa del bien o la afectación al dominio público. Los supuestos de pérdida material del bien más frecuentes en la práctica son el incendio y la ruina del bien, respecto a los cuales doctrina y tribunales han establecido, como criterio determinante para discernir cuando hay pérdida con efecto extintivo del contrato en lugar de obligación de reparar, la cuantía de la reparación o reconstrucción, en relación con el valor total del bien. La existencia de dolo o culpa en el arrendador y el arrendatario modularán la exigibilidad o no de indemnizaciones.

II. ARRENDAMIENTOS URBANOS SUJETOS A LA LAU/1994

La regulación del Código Civil sobre el contrato de arrendamiento, basada en el principio de autonomía de la voluntad, fue desplazada para las fincas urbanas por una legislación social, tuitiva de los arrendatarios, basada, en cuanto a su duración, en un sistema de prórroga forzosa, el Texto refundido de la Ley de Arrendamientos Urbanos de 31 de diciembre de 1964 (en adelante, TR/1964). Años después, el esquema básico de esta norma legal apareció como origen de ciertos problemas en el mercado inmobiliario, pues los arrendadores, obligados a la prórroga del contrato si ello era voluntad del arrendatario, cobraban rentas ínfimas y muchos propietarios en esas condiciones no se decidían a alquilar. En este contexto se aprueba el RDley 2/

1985, de 30 de abril, que hizo posible que las partes acordaran no someterse al sistema de prórroga forzosa del TR/1964. Ante una situación altamente beneficiosa para los arrendadores, se aprueba, en busca del deseable equilibrio, la Ley 29/1994, de 24 de noviembre, aplicable, en principio, para los contratos concertados a partir de su entrada en vigor, el 1 de enero de 1995, aunque unas complejísimas disposiciones transitorias van a ordenar, en ciertos casos, la aplicación de alguna de sus normas a arrendamientos celebrados con anterioridad. Así, el TR/1964 rige todavía, con algunas modificaciones, los contratos celebrados bajo su vigencia y el RDley de 1985 se aplica, en su ámbito, es decir, principalmente la duración, a los arrendamientos concertados a partir del 9 de mayo de 1985, también con algunas modulaciones derivadas de las disposiciones transitorias de la LAU/1994.

La LAU/1994 se basa en una esencial distinción entre los arrendamientos de vivienda y los de uso distinto, que sólo tienen en común unas cuantas disposiciones. Los primeros se regulan en una normativa, contenida en el Título II, fundamentalmente imperativa, en tutela de la posición del arrendatario, sobre todo en lo atinente a su duración, y los pactos que, en perjuicio de aquél, modifiquen las disposiciones de la LAU, son nulos, salvo que la propia norma permita el juego de la autonomía de la voluntad; sin embargo, los de uso distinto están regidos por escasas disposiciones legales, las del Título III, dejando a las partes libertad de pactos y funcionando aquéllas sólo con carácter supletorio. Los arrendamientos de las comúnmente conocidas como «viviendas suntuarias», de gran superficie (más de 300 m^2) o elevada renta (más de 5,5 veces el SMI en cómputo anual) quedan sujetas (art. 4. 2º _in fine_ LAU) a la voluntad de las partes y sólo supletoriamente se les aplica el Título II de la LAU. Quedan excluidos del ámbito de aplicación de la LAU, según el art. 5, por distintas razones, y sometidos a diversas normas legales, los arrendamientos de viviendas asignadas a ciertas personas por razón del cargo que ocupan o el servicio que prestan, el uso de las viviendas militares, los de fincas con casa-habitación en que el aprovechamiento agrícola, forestal o pecuario sea la finalidad primordial del arrendamiento y el uso de las viviendas universitarias.

1. ARRENDAMIENTOS DE VIVIENDA

Se trata del arrendamiento de una edificación habitable cuyo destino primordial sea satisfacer la necesidad permanente de vivienda del arrendatario, pudiendo extenderse el contrato al mobiliario, los trasteros, plazas de garaje y otros espacios accesorios (art. 2 LAU). Los de fincas urbanas celebrados por temporadas, sea la de verano o cualquier otra (curso académico, por ejemplo), tienen la consideración de arrendamiento para uso distinto del de vivienda (art. 3.2º LAU), con los efectos pertinentes en cuanto al juego de la autonomía privada en su regulación.

1.1. Duración: plazo mínimo legal, prórrogas, desistimiento, resolución del derecho del arrendador, enajenación de la vivienda, crisis matrimonial y fallecimiento del arrendatario

Aunque, en principio, las partes pueden pactar libremente la duración del contrato, en realidad, si el arrendatario lo desea, el *plazo de duración mínima* es de cinco años, pues la ley contempla un sistema de prórroga potestativa para él hasta alcanzar ese período de tiempo. Sólo si manifiesta al arrendador, con antelación mínima de treinta días, su voluntad de no renovarlo, el contrato finalizará antes (art. 9 LAU). Finalizado el plazo de cinco años sin que ninguna de las partes haya notificado a la otra la voluntad de no renovarlo, el contrato se prorroga por plazos anuales, hasta un máximo de tres años más. Antes de que termine cada una de las anualidades (con una antelación de un mes) el arrendatario puede manifestar al arrendador su voluntad de no renovar el contrato, pero el arrendador carece de idéntica facultad (art. 10). Este sistema, que sustituye al diseñado por el RDley de 1985, a su vez modificativo de la prórroga forzosa obligatoria para el arrendador del TR/1964, concibe un plazo mínimo de duración del contrato como garantía para el arrendatario de vivienda, salvo que en el contrato se haya hecho constar expresamente que el arrendador la necesitará para sí antes de cinco años. Aunque no lo establece el texto legal, si a la finalización de las tres prórrogas anuales del art. 10 LAU se dan las condiciones del art. 1566 CC habría tácita reconducción.

El contrato, si la duración pactada fuera superior a cinco años, puede finalizar también por *desistimiento del arrendatario*, una vez transcurridos los primeros cinco años, sin necesidad de acreditar la concurrencia de justa causa, dando el correspondiente preaviso al arrendador e indemnizando a éste, si así se hubiera pactado (art. 11 LAU). Se trata de los denominados «arrendamientos de larga duración», en cuya extinción el legislador ha tratado de armonizar los intereses de ambas partes, estableciendo que el pacto sobre la indemnización sólo podrá tener como objeto, como máximo, una mensualidad de renta por cada año de contrato que quede por cumplir.

Otra manifestación de la protección especial que la LAU/1994 otorga al arrendatario de vivienda durante los primeros cinco años de duración del contrato la encontramos en la regulación contenida en el art. 13 sobre la incidencia de la *resolución del derecho del arrendador* en el contrato de arrendamiento. A tal efecto se establece, en el párrafo 1º, que el arrendatario podrá continuar en el uso de la vivienda aunque se resuelva el derecho del arrendador por ejercicio de un retracto convencional, la apertura de una sustitución fideicomisaria, la enajenación forzosa derivada de una ejecución hipotecaria o una sentencia judicial o el ejercicio de un derecho de opción de compra, si ello se produjera durante los primeros cinco años de duración del contrato, cualquiera que fuera la pactada. Sin embargo, si tales situaciones tuvieran lugar en contratos de larga duración (más de cinco años) transcurridos ya los primeros cinco años, el arrendamiento quedaría extinguido, salvo que estuviera inscrito en el Registro antes que los derechos que determinan la resolución del derecho del arrendador. Algunos autores entienden que la enumeración del art. 13.1° LAU es meramente ejemplificativa y que su ámbito de cobertura debe ser ampliado, por analogía con los supuestos previstos, a todas aquellas situaciones jurídicas que funcionalmente desemboquen en el mismo conflicto de intereses que el precepto soluciona (retracto legal, enajenación forzosa derivada de apremio administrativo, cumplimiento de condición resolutoria, anulación de una partición, revocación de una donación, etc.).

En la duración del contrato puede tener incidencia la *enajenación de la vivienda arrendada*, cuestión regulada en el art. 14 LAU atendiendo al tiempo en aquélla tenga lugar (con una protección especial del arrendatario en los cinco primeros años), a la condición o no de tercero hipotecario del adquirente, lo que, evidentemente, depende, entre otros factores, de la inscripción del arrendamiento en el Registro de la Propiedad, y a los pactos de las partes. Por enajenación ha de entenderse no sólo la venta sino cualquier transmisión del derecho del arrendador, a título oneroso o gratuito, incluidas las que tienen lugar *mortis causa* a título particular, pero no los negocios jurídicos divisorios (partición hereditaria, división de comunidad, liquidación de sociedad de gananciales). Si la enajenación se produce antes de que transcurran cinco años desde la celebración del contrato el adquirente de la vivienda queda subrogado en los derechos y obligaciones del arrendador por el tiempo que falte hasta alcanzarlos, aunque fuera tercero hipotecario (art. 34 LH). En definitiva, el arrendamiento de vivienda sujeto a la LAU/1994, aun no inscrito, se opone a todo ulterior adquirente durante sus primeros cinco años de duración.

Cuando el contrato se hubiera concertado por un período superior a cinco años y la enajenación tuviera lugar después de pasados los primeros cinco años es preciso analizar si el adquirente es tercero hipotecario o no. Si lo fuera, quedará libre del arrendamiento finalizado el tiempo de máxima protección del arrendatario, que deberá ser indemnizado por el arrendador enajenante con una suma de dinero equivalente a una mensualidad de renta por cada año de contrato que falte por cumplir. Si el adquirente no es un tercero hipotecario, queda subrogado por la totalidad del plazo de duración pactado en el contrato de arrendamiento. En todo caso, es válido el pacto contractual entre arrendador y arrendatario por el que la enajenación de la vivienda extingue el arrendamiento, salvo en lo relativo a los primeros cinco años. Entonces, el arrendatario no podrá ejercitar ninguna pretensión indemnizatoria y no podrá oponer frente al tercero adquirente que en él no concurren los requisitos del art. 34 LH.

Especial referencia merece también el tratamiento novedoso en la legislación arrendaticia del *arrendamiento de vivienda familiar*, regulando los efectos sobre el contrato de la crisis matrimonial del arrendatario, a lo que se dedican el art. 12 (implícitamente) y, sobre todo, el art. 15 LAU. La jurisprudencia del Tribunal Supremo ha clarificado ya hace algunos años, poniendo fin a una agria polémica doctrinal al respecto, que el derecho de arrendamiento, cuando el contrato ha sido suscrito por uno de los esposos casados en régimen de sociedad de gananciales y constante ésta, no es un bien ganancial (entre las últimas, SSTS [1ª] 3.4.2009 y 24.3.2011). Sin embargo, ello no puede significar dejar totalmente desprotegido al cónyuge que no suscribió el contrato frente a ciertas decisiones adoptadas unilateralmente por el otro, constante el matrimonio, ni tampoco cuando éste acaba en un procedimiento judicial de nulidad, separación o divorcio. Por ello, el art. 12 dispone que si el arrendatario manifiesta al arrendador su voluntad de no renovar el contrato o de desistir de él, sin contar con el consentimiento del cónyuge o pareja de hecho que convive con él, el arrendamiento podrá continuar en beneficio de esta otra persona si, requerida por el arrendador, manifiesta su voluntad de hacerlo. Lo mismo ocurre si el arrendatario abandona la vivienda, supuesto en que el cónyuge o conviviente ha de notificarle por escrito al arrendador, en el plazo de un mes, su voluntad de continuar en el arrendamiento. Se produce, en ambos casos, una subrogación en el contrato, quedando el nuevo titular sujeto a las condiciones del mismo y debiendo, por tanto, en lo sucesivo la renta pactada. Por otra parte, si se dicta sentencia de nulidad, separación o divorcio que atribuye el uso de la vivienda al cónyuge que no suscribió el contrato, bien porque las partes lo hubieran pactado en convenio regulador judicialmente homologado (art. 90 CC), bien porque así lo hubiera dispuesto el Juez en procedimiento contencioso aplicando los criterios del art. 96 CC, el beneficiario debe notificar al arrendador tal atribución del uso haciéndole llegar copia de la sentencia, lo que le permitirá continuar en el arrendamiento (la doctrina no es unívoca en considerarlo auténtica subrogación o no y los tribunales entienden mayoritariamente que seguirá siendo arrendatario, a todos los efectos, el cónyuge que concertó el contrato, que continúa asumiendo frente al arrendador las obligaciones derivadas de éste). La falta de notificación, en general, no se estima causa de resolución del contrato.

Finalmente, hemos de analizar los efectos en la duración del contrato de la *muerte del arrendatario*, que genera, en ciertos casos y bajo ciertos presupuestos, la subrogación en el contrato de determinadas personas. El art. 16 LAU regula, con una finalidad de protección del grupo familiar, el derecho de subrogación *mortis causa* de ciertas personas que convivieran con el arrendatario a la muerte de éste, sin alterar el contenido del contrato ni su duración. Los beneficiarios, que han de decidir si se subrogan o no y manifestar tal voluntad al arrendador, si fuera positiva, con una notificación por escrito, son el cónyuge o persona que conviviera con él con análoga relación de afectividad, descendientes, ascendientes, hermanos y otros parientes hasta el tercer grado en la línea colateral con minusvalía igual o superior al 65 %. La convivencia con el arrendatario, salvo en el caso del cónyuge, pareja de hecho con descendencia en común con el arrendatario o descendientes sujetos a su patria potestad o tutela, debió durar, al menos, dos años inmediatamente anteriores al fallecimiento del arrendatario. Si no se cumplen los requisitos para la subrogación, la muerte del arrendatario extinguirá el contrato; lo mismo ocurrirá si se suscribió un pacto contrario a la subrogación, en arrendamientos por duración superior a cinco años y el arrendatario falleciera pasados los primeros cinco años.

1.2. Derechos y obligaciones de las partes: especial consideración del pago de la renta, las obras en la vivienda arrendada y los derechos de adquisición preferente

Como en todo contrato de arrendamiento, en el de vivienda sujeto a la LAU/1994 la principal obligación del arrendatario es la de *pago de la renta*. La fijación inicial de ésta y la determinación del lugar, tiempo y forma de pago son cuestiones sujetas al principio de autonomía de la voluntad (art. 17). Si no hubiera pacto al respecto, el pago será mensual y en los primeros siete días del mes y se realizará en metálico y en la vivienda arrendada. El arrendador ha de entregar al arrendatario recibo del pago, a fin de facilitarle la prueba del cumplimiento de su obligación, sin perjuicio de que pueda recurrir a otros medios para acreditarlo. Ante la negativa a entregar recibo, el arrendatario no puede negarse al pago de la renta, pues el incumplimiento del arrendador lo es de una obligación meramente accesoria frente a la principal de aquél. Habría de consignar judicial o notarialmente dicha renta, siendo de cuenta del arrendador los gastos derivados de ello.

La Ley se preocupa de la actualización de la renta como medio de garantía del equilibrio entre las prestaciones de las partes, operativa en todo contrato, con independencia de su duración, aunque con un sistema de protección del arrendatario durante los cinco primeros años. Así, durante ese período (art. 18 LAU) se admite la actualización pero limitada por la ley en cuanto al momento en que puede tener lugar, la base de la que se ha de partir y el índice que puede aplicarse. La parte interesada en la actualización ha de realizar una notificación por escrito a la otra parte, expresando la nueva renta, el porcentaje de variación aplicado y, si el arrendatario lo exigiera, certificación del INE o referencia al boletín oficial en que el índice se hubiera publicado. La nueva renta es exigible desde el mes siguiente. El Tribunal Supremo ha establecido (STS [1ª] 5.3.2009) que el art. 18.3º LAU tiene naturaleza imperativa, de modo que es necesario siempre notificar las revisiones que procedan sin que pueda pactarse que funcionarán automáticamente. A partir del sexto año de vigencia del contrato la actualización de la renta queda sometida al libre pacto de las partes y sólo en defecto de acuerdo se aplica supletoriamente el sistema previsto por la ley para los primeros cinco años de duración del contrato.

La renta puede elevarse, a instancia del arrendador, salvo pacto en contrario, como consecuencia de las mejoras que éste hubiera realizado en la vivienda, según establece el art. 19 LAU, siempre que hubieran transcurrido ya los cinco primeros años de duración del contrato, aunque las obras se llevaran a cabo antes. En todo caso, el incremento de la renta por este concepto no puede exceder del 20% de la renta vigente y el arrendador notificará al arrendatario por escrito la cuantía de la elevación, calculada según las previsiones legales. Además de la renta, el arrendatario puede estar obligado al *pago de otras cantidades,* si así se pactó en el contrato. El art. 20.1º LAU permite que se acuerde que sean a cargo del arrendatario los gastos generales para el adecuado sostenimiento del inmueble, sus servicios, tributos, cargas y responsabilidades que no sean susceptibles de individualización y que correspondan a la vivienda arrendada o a sus accesorios (los gastos de comunidad de una vivienda situada en un edificio sujeto al régimen de propiedad horizontal). El pacto ha de ser por escrito y en él ha de hacerse constar el importe anual de los gastos al tiempo de la firma del contrato. El pago de los gastos inherentes a servicios con los que cuente la finca arrendada que se individualicen mediante contadores (luz, agua, electricidad...) corresponde siempre al arrendatario sin necesidad de pacto al respecto, aunque el arrendador podría renunciar a ello y considerarse incluidos en el concepto de renta. Otro tipo de gastos como la tasa de basuras, alcantarillado o incluso el IBI pueden quedar contractualmente a cargo del arrendatario, pero en principio corresponden al arrendador.

El arrendatario no puede *subarrendar* la vivienda sin consentimiento previo y escrito del arrendador, siendo el subarriendo inconsentido causa de resolución del contrato. En todo caso, sólo cabe el subarriendo parcial, es decir, conservando el arrendatario parte de la vivienda para la satisfacción de sus necesidades. El precio del subarriendo nunca podrá exceder de lo que se pague por el arrendamiento y la duración de aquél está subordinada a la de éste. Tampoco puede el arrendatario, sin consentimiento escrito del arrendador, ceder el contrato a un tercero, que se subroga en su posición jurídica contractual y queda convertido en arrendatario, con los mismos derechos y obligaciones. Los requisitos y efectos de la cesión de contrato se contemplan en el art. 8.1º LAU. Para que pueda entenderse verificada una cesión de vivienda inconsentida es requisito indispensable la transmisión real y efectiva del uso o goce hecha por el arrendatario a un tercero sin cumplir las formalidades legales exigidas para su validez. No es, pues, cesión inconsentida, a efectos de que el arrendador pueda promover la resolución del contrato, la fijación de la vivienda arrendada como domicilio social de una sociedad (STS [1ª] 16.10.2009). Si el contrato se celebra con varios arrendatarios y uno de ellos abandona la vivienda sin consentimiento del arrendador los tribunales españoles suelen considerar que hay cesión inconsentida y, por tanto, causa de resolución contractual, al entender que el arrendamiento tiene carácter mancomunado y no solidario (conclusión que, sin embargo, no se aplica al pago de la renta y cumplimiento de otras obligaciones contractuales).

En el arrendamiento de vivienda suele ser origen de conflictos determinar cuál de las partes puede o debe hacer determinadas _obras_ y quién ha de afrontar los _gastos_ que generan. El art. 21 LAU dispone que es obligación del arrendador, sin que por ello pueda elevar la renta, realizar las _obras necesarias de conservación_, para lo cual debe ser advertido por el arrendatario, que tiene la posesión inmediata del bien, de que son precisas para mantener la vivienda en condiciones de habitabilidad. El arrendatario podrá llevar a cabo las necesarias para evitar un daño inminente o una incomodidad grave, exigiendo después al arrendador que le abone su importe. Respecto a las _obras de mejora_, a las que se dedica el art. 22 LAU, el arrendador puede realizarlas si no pueden razonablemente diferirse hasta la conclusión del arrendamiento, dando un preaviso al arrendatario por escrito, en el que se indicará su naturaleza, comienzo, coste (por su incidencia en la elevación de la renta) y duración. Recibida la notificación, el arrendatario puede optar por desistir del contrato y si no lo hiciera se le reducirá la renta mientras duren las obras. Las pequeñas reparaciones que exija el uso cotidiano de la vivienda ha de afrontarlas el arrendatario, que, sin embargo, nunca podrá llevar a cabo, sin consentimiento del arrendador, obras que modifiquen la configuración de la vivienda o sus accesorios o disminuyan su estabilidad o seguridad. Cuando el arrendatario realice este tipo de obras, el arrendador podrá resolver el contrato y, además, exigir la reposición de la vivienda a su estado originario o conservar la modificación, sin indemnizar al arrendatario cuyo contrato se extingue.

Finalmente, dentro de los derechos y obligaciones de las partes en el arrendamiento de vivienda han de analizarse los *derechos de adquisición preferente del arrendatario*, cuando el arrendador procede a venderla, regulados en el art. 25 LAU. Cuando le comunica la decisión de vender y las condiciones esenciales de la venta, tiene derecho de tanteo en el plazo de treinta días naturales a contar desde el siguiente a tal notificación. En caso de que no hiciera la notificación, se realizara omitiendo datos esenciales o si finalmente el precio real de la compraventa fuera inferior al indicado o sus condiciones menos onerosas, el arrendatario tendrá derecho de retracto, también dentro del plazo de caducidad de treinta días desde que el adquirente le notifica la transmisión realizada (en realidad, el TS, en sentencias [1ª] como las de 24.4.2007 y 14.7.2008, pese a los tajantes términos de la LAU, sigue aplicando la misma doctrina que con el TR/1964 y señala que el plazo se cuenta desde que el arrendatario ha tenido pleno y completo conocimiento de la transmisión, aunque no se hubiera practicado en forma la notificación). No nacen los derechos de adquisición preferente del arrendatario cuando la vivienda se vende conjuntamente con las demás del arrendador que formen parte del mismo inmueble ni cuando diferentes propietarios de un inmueble vendan de forma conjunta todas las viviendas y locales del mismo a un mismo comprador (el supuesto más frecuente es la venta de todas las unidades privativas de un edificio a un constructor, que procede a demolerlo y construir uno nuevo en el solar resultante). No puede acceder al Registro de la Propiedad un título de venta de una vivienda sin una declaración de que no estaba arrendada o, en caso contrario, sin acreditar que se hicieron las notificaciones que el art. 25 LAU exige.

1.3. Suspensión, resolución y extinción del contrato por causas distintas del fin del plazo de duración

El contrato de arrendamiento de vivienda sujeto a la LAU *puede suspenderse* mientras se ejecutan en ella obras necesarias de conservación o las ordenadas por la autoridad competente, si la convierten en inhabitable. En todo caso, se trata de una opción libre para el arrendatario, que en tal caso deja de pagar la renta mientras el contrato esté en suspenso, paralizándose también el curso del plazo de duración. Puede decidir también, en lugar de la suspensión, desistir del contrato, sin indemnización alguna (art. 26 LAU).

El art. 27 LAU se dedica a la *resolución del contrato* distinguiendo el régimen general del art. 1124 CC, también aplicable a este contrato cuando una de las partes incumple alguna de sus obligaciones, siendo cumplidora la otra, en cuyo caso se aplicarán los requisitos que la jurisprudencia viene exigiendo en la interpretación de tal precepto, de unas causas específicas de resolución que se mencionan, que funcionan de pleno derecho. El arrendador puede resolver el contrato por las siguientes causas: falta de pago de la renta o cantidades asimiladas, de la fianza o de su actualización, el subarriendo o la cesión inconsentidos, la realización dolosa de daños en la finca arrendada, la ejecución de obras en la vivienda no autorizadas por él, cuando su aquiescencia fuera necesaria, la realización en la finca de actividades molestas, insalubres, nocivas, peligrosas o ilícitas o el cese del destino del inmueble a la finalidad primordial de vivienda. Por su parte, el arrendatario puede resolver el contrato cuando el arrendador no realice en la vivienda las obras necesarias para que sea habitable o perturbe el uso de la misma, de hecho o de derecho.

La LAU contempla dispersas en su articulado diversas *causas de extinción del contrato*, además del fin del plazo de duración, como la muerte del arrendatario sin que concurran los requisitos para la subrogación, el desistimiento del arrendatario, la pérdida de la finca por causas no imputable al arrendador, ciertos casos de enajenación de la vivienda transcurridos los primeros cinco años de vigencia del contrato, etc. Además, en el art. 28 LAU se menciona también como causa de extinción la declaración firme de ruina acordada por la autoridad competente.

2. ARRENDAMIENTOS PARA USO DISTINTO DEL DE VIVIENDA

2.1. Principio de libertad de pacto

En la LAU/1994 los arrendamientos de uso distinto del de vivienda, como la propia denominación escogida anuncia, se definen en sentido negativo, por exclusión, en el art. 3.1°, de modo que pertenecen a esta categoría los arrendamientos que, teniendo por objeto una edificación, su destino principal no sea el de satisfacer la necesidad permanente de vivienda del arrendatario. Se trata, principalmente, de edificaciones para el desarrollo de actividades y fines muy diversos como las de industria o comercio, el ejercicio de una profesión u oficio, la asistencial, recreativa, cultural o docente, cualquiera que sea la persona que lo concierte, física o jurídica, pública o privada. Sin embargo, también queda considerado como tal el arrendamiento de viviendas por temporada (para segunda residencia o para el verano, por ejemplo). Si se arrienda un local para un negocio y tiene dependencias habitables como vivienda será el criterio del destino primordial pactado por las partes el que aclare si queda sujeto a la normativa del arrendamiento de vivienda o el de uso distinto.

A diferencia de los arrendamientos de vivienda, cuyas normas reguladoras son de naturaleza predominantemente imperativa a fin de garantizar una adecuada protección del arrendatario en la satisfacción de una necesidad básica, de hondo alcance familiar, la LAU deja que entre en juego el principio de autonomía de la voluntad de las partes cuando se trata de arrendamientos de uso distinto del de vivienda. Son libres, pues, de pactar el contenido contractual del modo que mejor sirva a sus intereses, partiendo del principio de igualdad en sus posiciones que hace innecesario que el legislador proteja especialmente a alguna de ellas. De hecho, en cuanto a su duración no hay un plazo mínimo en el que se asegure al arrendatario la permanencia en el inmueble, como funciona el de cinco años en el arrendamiento de vivienda.

2.2. Normas legales supletorias: normas aplicables de los arrendamientos de vivienda, cesión del contrato, subarriendo, subrogación «mortis causa» e indemnización por clientela

Las normas del Título III de la LAU, dedicadas a los arrendamientos de uso distinto al de vivienda, se aplican supletoriamente, si la voluntad de las partes no ha dispuesto otra cosa. Algunas de ellas se dedican, simplemente, a indicar que rigen algunas de las previstas para el arrendamiento de vivienda, como las contenidas en los arts. 19 (elevación de renta por mejoras), 21 (obras de conservación), 22 (obras de mejora), 23 (obras prohibidas para el arrendatario), 25 (derechos de adquisición preferente), 26 (suspensión del contrato) y también algunas de las causas de resolución del art. 27 (aunque no se prevé expresamente la realización de obras inconsentidas la STS [1ª] 6.11.2009 considera que es también causa de resolución, si entra en el ámbito de los arts. 1124 y 1569.2º CC). Diferente y más sencilla que en el arrendamiento de vivienda es la regulación de los efectos de la *enajenación de la finca*, pues la regla general es que el contrato subsiste durante el plazo pactado, subrogándose el adquirente en los derechos y obligaciones del arrendador. Sólo si el adquirente es un tercero hipotecario puede poner fin al arrendamiento, estando legitimado el arrendatario para exigir del arrendador una indemnización de daños y perjuicios (art. 29 LAU).

Hay normas especiales también sobre *cesión del contrato y subarriendo*, pues el arrendatario es libre de hacerlo, sin contar con el consentimiento del arrendador, si en la finca desarrolla una actividad empresarial o profesional. No obstante, ha de notificárselo al arrendador, pudiendo éste resolver el contrato, en caso contrario. Si se realizan correctamente el subarriendo (que puede ser total o parcial) o la cesión, el arrendador puede elevar la renta en los porcentajes, salvo que se pactara otra cosa, que establece el art. 32.2º LAU. El trato especial cuando el arrendatario lleva a cabo en la finca arrendada una actividad empresarial o profesional se advierte también en cuanto a la posibilidad de *subrogación mortis causa* de ciertas personas, que en otro caso no existe, extinguiéndose el contrato con el fallecimiento. Tienen derecho a subrogarse, salvo que las partes lo hayan excluido en el contrato, el heredero o legatario que continúen con el ejercicio de la misma actividad del arrendatario, debiendo notificarlo al arrendador en el plazo de dos meses desde el fallecimiento del arrendatario (art. 33).

Como novedad de la LAU/1994 para los arrendamientos de uso distinto al de vivienda (que el TR/1964 no contenía para los de locales de negocio) debe mencionarse la denominada *«indemnización por clientela»* a la que se dedica el art. 34. Se trata de una compensación económica al arrendatario que se ve obligado a abandonar el local en que tenía instalado su negocio de venta al público cuando el contrato se extingue por transcurso del plazo pactado, habiendo manifestado previamente el arrendatario su voluntad de renovarlo por cinco años más, como mínimo, pagando una renta de mercado. La cuantía de la indemnización dependerá de si el arrendatario instala el mismo negocio dentro del mismo municipio dentro de los seis meses siguientes a la finalización del contrato (gastos de traslado y perjuicios derivados de la pérdida de clientela) o inicia una actividad diferente o no inicia ninguna y el arrendador o un tercero desarrollan en la misma finca una actividad idéntica o similar, en la que se presume pueden aprovecharse de la clientela que ya tenía consolidada el arrendatario (una mensualidad de renta por cada año de duración del contrato, con un máximo de dieciocho). Es importante tener en cuenta que es un derecho renunciable, por lo que puede excluirse al celebrarse el contrato de arrendamiento de la finca para uso distinto del de vivienda.

3. NORMAS COMUNES A LOS ARRENDAMIENTOS DE VIVIENDA Y PARA USO DISTINTO: FIANZA, FORMALIZACIÓN E INSCRIPCIÓN EN EL REGISTRO DE LA PROPIEDAD

Como garantía del cumplimiento de las obligaciones del arrendatario, el art. 36 LAU establece, con carácter obligatorio, la constitución de una mal llamada *fianza* al celebrarse el contrato consistente en la entrega de una cantidad en metálico equivalente a una mensualidad de renta en los arrendamientos de vivienda y dos en los de uso distinto. La ausencia de pacto expreso en el contrato no exime al arrendatario del cumplimiento de una obligación que viene impuesta por la propia LAU. Si al finalizar el contrato el arrendatario debiera alguna mensualidad de renta o hubiese causado daños a la finca, el arrendador podrá aplicar la fianza al pago de esas cantidades. Si aquél hubiera cumplido con todas sus obligaciones, habrá de devolvérsele la cantidad íntegra que pagó en el plazo de un mes desde la finalización del contrato y, si no se hiciera en ese plazo, la cantidad de que se trate devengará el interés legal. Vigente el contrato, sin embargo, el arrendatario no puede dejar de pagar la renta y, cuando el arrendador la reclame, oponer la compensación con la fianza. La fianza puede actualizarse transcurridos los primeros cinco años de duración del contrato y la falta de pago de la inicial o de las correspondientes actualizaciones es causa de resolución del contrato, a instancia del arrendador. La norma del art. 36 LAU conecta con la disp. adic. 3ª, que permite que las Comunidades Autónomas establezcan la obligación de que los arrendadores depositen las fianzas a disposición de la Administración autonómica o ente público designado por ella hasta la finalización del contrato (la mayor parte de las CC AA ya habían regulado esta materia antes de la entrada en vigor de la LAU). Las Administraciones Públicas quedan exoneradas de pagar fianza en los arrendamientos que concierten.

Respecto a la *formalización del contrato* de arrendamiento, rigen las normas generales de los arts. 1278 y 1279 CC, que el art. 37 LAU simplemente reitera. Así pues, existe libertad de forma en la celebración del contrato, aunque las partes pueden recíprocamente compelerse a la formalización por escrito del mismo, lo que facilita la prueba de la existencia del arriendo y de su contenido. Por otra parte, todo contrato de arrendamiento (esté o no sujeto a la LAU) puede inscribirse en el Registro de la Propiedad, con independencia de su duración, según la nueva redacción que al art. 2.5º LH da la propia LAU. Ello es esencial para la protección del arrendatario en ciertos casos de extinción del derecho del arrendador y enajenación de la vivienda arrendada (*vid.* arts. 13 y 14 LAU). Para la inscripción, el RD 297/1996, de 23 de febrero, exige que el contrato se hubiera formalizado en escritura pública o se elevara a público el documento privado originario. También serán inscribibles la cesión del contrato, el subarriendo y las subrogaciones.

III. ARRENDAMIENTOS URBANOS ANTERIORES A LA ENTRADA EN VIGOR DE LA LAU/1994

La LAU/1994 deroga el TR/1964 que hasta entonces regía los arrendamientos urbanos, pero no plenamente, por la trascendencia social y económica que tendría un cambio de régimen tan brusco, llevando a cabo, a través de unas complejas disposiciones transitorias, algunas modificaciones esenciales en cuestiones como la duración del contrato y el pago de la renta. En todo caso, deben distinguirse dos grupos de contratos, según su fecha de celebración, antes o después de 9 de mayo de 1985 (fecha del conocido como Decreto-Boyer, que acabó con la prórroga forzosa en el contrato) y ha de atenderse también a la naturaleza del arrendamiento, bien de vivienda, bien de local de negocio o asimilados.

En los *contratos celebrados con posterioridad a 9 de mayo de 1985*, no funciona de forma automática, como antes, el régimen de prórroga forzosa en el contrato (art. 57 TR/1964), pero las partes pueden pactar libremente someterse a él. Según el Tribunal Supremo (STS [1ª] 18.12.2009, entre las más recientes), dicha intención debe constar con toda claridad para que se entienda operativa. Tras la entrada en vigor de la LAU, los que subsistan siguen rigiéndose por el art. 9 del RDley 2/1995, en lo relativo a su duración, pero se ven afectados por algunas variaciones en su régimen, respecto al del TR/1964.

Las más importantes en los *arrendamientos de vivienda* son la aplicación de algunos preceptos de la LAU/1994 (arts. 12, 15 y 24), la supresión de una subrogación *inter vivos* prevista en el art. 24.1º TR/1964, la sujeción del contrato a las normas de la LAU si tuviera lugar la tácita reconducción y la desaparición de los derechos de tanteo y retracto del arrendatario en ciertos casos de división de la cosa común. En cuanto a la duración del contrato, la mayoría de los todavía vigentes están en tácita reconducción mensual, ya se entienda que volvemos al régimen del art. 1566 CC, agotada la tácita reconducción por tres años que prevé la disp. transit. 2ª, ya se considere que era de aplicación el art. 10 LAU, al haber transcurrido ya la prórroga trianual prevista en él. En los *arrendamientos de local de negocio y asimilados*, una vez producida la tácita reconducción según las normas del Código Civil se aplica al nuevo arrendamiento el régimen de la LAU/1994.

Más complejidad presenta el régimen previsto por la LAU para los arrendamientos celebrados *antes del 9 de mayo de 1985* que subsistieran el 1 de enero de 1995. A *los de vivienda*, a los que se dedica la disp. transit. 2ª, se les aplican las normas del TR/1964 y algunas de la LAU/1994 (arts. 12, 15 y 24). Se limitan drásticamente las subrogaciones *mortis causa* en la posición del arrendatario a una sola (dos, excepcionalmente, si la primera hubiera tenido lugar a favor del cónyuge y a su muerte quedaran hijos). Además, el arrendador podrá ir actualizando las rentas de manera progresiva (en algunos casos el período de referencia es de diez años), en relación con los ingresos del arrendatario y las personas que con él convivan. Esta cuestión, que fue una de las más problemáticas en los primeros años de la entrada en vigor de la LAU, hoy ya está, pues, resuelta o se plantea de manera muy residual. El arrendador tiene derecho, además, a exigir al arrendatario el

211

pago del IBI, puede repercutir en él el importe de las obras de reparación necesarias en la vivienda y el coste de los servicios y suministros. Por lo que respecta a las causas de resolución, rigen las del art. 114 TR/1964 y no las del art. 27 LAU/1994, pero en cuanto al impago del IBI por el arrendatario, las SSTS (1ª) de 12.1.2007, 25.9.2008, 8.10.2008 y 7.11.2008 han establecido, como doctrina jurisprudencial, que carece de sentido que sea causa de resolución para los contratos posteriores a la LAU/1994 y no para los anteriores, debiendo entenderse integrada entre las causas de resolución del art. 114.1 TR/1964, en la referencia que se hace a cantidades asimiladas a la renta. También es causa de resolución del contrato, según STS (1ª) 15.6.2009, con el mismo argumento, el impago por el arrendatario de los importes correspondientes a los servicios y suministros.

El *contrato de arrendamiento de local de negocio* anterior al 9 de mayo de 1985 está regido por la disp. transit. 3ª LAU. Cuando el arrendatario sea persona física, el contrato dura hasta su fallecimiento o jubilación, aunque se pueden subrogar el cónyuge o, en ciertas condiciones, los descendientes que continúen desarrollando la misma actividad. La subrogación queda excluida cuando, a pesar de existir los familiares mencionados en esta norma, ya se hubieran producido dos transmisiones conforme al TR/1964 a la entrada en vigor de la LAU/1994. La expresión «jubilación» viene siendo mayoritariamente entendida por los tribunales como toda situación invalidante de carácter permanente, ya tenga su origen en la edad o en una enfermedad que inhabilite al trabajador para el desempeño de su profesión u oficio de una manera completa (la declaración de invalidez permanente absoluta del arrendatario es, pues, causa de extinción del contrato, salvo que proceda la subrogación). Si el arrendatario era una persona jurídica, la LAU establece diferentes normas sobre la extinción del contrato, dependiendo de si se desarrollaban actividades comerciales o de otra naturaleza, de la superficie del local y de la cantidad que el arrendatario satisfacía por el impuesto de actividades económicas. La máxima duración del contrato, desde la entrada en vigor de la LAU/1994, es de veinte años. El sistema de actualización de las rentas es similar al de los contratos de arrendamiento de vivienda, también gradual, pero no se tienen en cuenta los ingresos del arrendatario.

IV. ARRENDAMIENTOS RÚSTICOS Y APARCERÍA

1. ARRENDAMIENTOS RÚSTICOS

1.1. Principios inspiradores de la legislación aplicable

Los arrendamientos rústicos se rigieron durante mucho tiempo por una

Ley de 1935, vigente en buena medida hasta su sustitución por la Ley 83/1980, de 31 de diciembre, a su vez muy afectada por la Ley de modernización de las explotaciones agrarias (Ley 19/1995, de 4 de julio), que liberalizó su régimen, sobre todo en lo atinente a la duración (antes podían llegar a durar 21 años). La actualmente vigente es la Ley 49/2003, de 26 de noviembre (en adelante LAR), modificada en algunos aspectos relevantes por la Ley 26/2005, de 30 de noviembre, que introdujo de nuevo los suprimidos derechos de adquisición preferente del arrendatario y amplió la duración del contrato, reducida en 2003. La Ley 49/2003 pretendió profundizar en un proceso, iniciado años antes, de modernización de la agricultura española, en relación con las exigencias europeas, lo que requería como presupuesto la movilidad de la tierra, a través de figuras como el arrendamiento, frente a otras figuras de tenencia de las fincas rústicas. La pretensión básica de la Ley es, por tanto, flexibilizar el régimen de los arrendamientos rústicos en España para revitalizarlos. Se retorna a la primacía del principio de autonomía de la voluntad de las partes, dejando a la ley un contenido imperativo muy limitado, a diferencia de la LAR/1980, que tenía básicamente tal naturaleza, buscando la protección del arrendatario. En todo caso, son preceptos no dispositivos los que consagran derechos no renunciables anticipadamente por el arrendatario, como el derecho a disfrutar de la finca durante el plazo mínimo que la ley establece y el derecho a determinar el tipo de cultivo, aunque deba entregar la finca, al finalizar el contrato, en el estado en que la recibió.

Se considera arrendamiento rústico, en el art. 1.1° LAR, el contrato de cesión temporal de una o varias fincas, o parte de ellas, para su aprovechamiento agrícola, forestal o ganadero, a cambio de una renta. No es suficiente que la finca sea susceptible de aprovechamiento, sino que ha de ser precisamente éste el objeto de la cesión. El arrendamiento rústico se diferencia, por tanto, de otros arrendamientos, en que no sólo se atribuye al arrendatario el uso de la finca sino también su disfrute. En realidad, la cosa objeto del contrato de arrendamiento rústico sujeto a la ley especial no es la finca, sino cada uno de los aprovechamientos posibles de ella. Por eso, si una finca es susceptible de varios tipos de aprovechamientos compatibles pueden concertarse varios arrendamientos simultáneos.

Por otra parte, puede ser objeto de arrendamiento rústico una explotación agrícola, forestal o ganadera (art. 1.3° LAR), que constituye una unidad orgánica sobre la base de un conjunto de elementos de heterogénea naturaleza, que han de ser inventariados al celebrarse el contrato. En lo que permita su naturaleza, se aplica la LAR a esta modalidad de arrendamiento, en defecto de pactos de las partes. No tienen la consideración de arrendamientos rústicos, a los efectos de aplicación de esta ley, los contratos de recolección de una cosecha a cambio de una parte de los frutos ni los de realización de una tarea agrícola individualizada. Se excluyen también los arrendamientos por temporada inferior al año agrícola y los de tierras ya preparadas por el propietario cuyo objeto es sólo la siembra o plantación. Si la finca arrendada cuenta con edificaciones deberá atenderse a la delimitación de qué es lo principal y qué lo accesorio para determinar si es aplicable la LAU o la LAR (atender a la necesidad permanente de vivienda del arrendatario o el aprovechamiento agrícola, forestal o ganadero de la finca).

1.2. Elementos subjetivos: la condición de agricultor profesional

La LAR/1980 exigía que los arrendatarios tuvieran la condición de «profesionales de la agricultura», pretendiendo proteger al «agricultor a título principal», en consonancia con la normativa europea de los años 70. La perspectiva comunitaria cambia después, poniendo el acento en la viabilidad de las explotaciones agrarias y no en los aspectos subjetivos de los titulares de éstas. Por eso la LAR/2003 elimina el requisito de la «profesionalidad» para ser arrendatario y puede serlo cualquier persona física o jurídica con capacidad para contratar, lo mismo que arrendador (en la de 1980 se consideraba el arrendamiento acto de disposición y se exigía la capacidad de enajenación). Sin embargo, la reforma llevada a cabo por Ley 26/2005 hace reaparecer la condición de profesional de la agricultura, en cuanto que deben reunirla los arrendatarios personas físicas para ejercer los derechos de adquisición preferente cuando el arrendador enajena la finca. Las personas físicas no pueden ser arrendatarias si ya son titulares (por sí o por medio de persona interpuesta) de otra u otras explotaciones agrarias que superen la extensión que en cada comarca señalen los órganos competentes de las Comunidades Autónomas.

Para poder ser arrendatarias, las personas jurídicas deben contemplar en sus estatutos, como objeto social, el ejercicio de la actividad agraria y, en su caso, actividades complementarias dentro del ámbito rural. Es una novedad de la LAR/2003 configurar como posibles arrendatarios a las comunidades de bienes. Como en cualquier contrato de arrendamiento, no es preciso que el arrendador ostente la propiedad de la finca o explotación, basta con que sea titular de un derecho de goce sobre ella que sea transmisible, aunque indudablemente ello incidirá en la duración del contrato, si se extingue este derecho.

1.3. Forma y prueba

Aunque el art. 11.1 LAR dispone que el contrato deberá constar por escrito y que las partes podrán compelerse a formalizarlo en documento público, del párrafo 2º se infiere que el contrato puede seguir siendo verbal, por lo que la exigencia de forma escrita no es requisito solemne, que afecte a la validez del contrato. A falta de pacto entre las partes y salvo prueba en contrario, se presume que existe contrato de arrendamiento siempre que el arrendatario esté en posesión de la finca. Si no consta el importe de la renta, se tendrá por tal la de mercado en la zona. Las partes podrán compelerse también a la realización de un inventario de los bienes arrendados y si el arrendamiento es de explotación el contrato ya deberá ir acompañado por el inventario de los elementos que lo integran (no parece que el contrato sea nulo si faltara, pero se dará al contrato el tratamiento de arrendamiento de finca, sin que la voluntad de las partes pueda superponerse a las normas imperativas de la LAR).

1.4. Duración del contrato: plazo mínimo legal, prórrogas, enajenación de la finca arrendada y subrogación por muerte del arrendatario

La LAR pretende asegurar una cierta estabilidad de la relación arrendaticia, en beneficio del arrendatario, fijando un período de duración mínima del contrato, indisponible por las partes, y un sistema de prórrogas tácitas mientras no se produzca la denuncia del contrato. Según el art. 12.1º LAR, el contrato de arrendamiento de fincas rústicas y explotaciones tendrá una duración mínima de cinco años, pudiendo las partes haber estipulado una duración superior pero no una inferior (tal cláusula será nula y se tendrá por no puesta). El arrendador puede recuperar la posesión inmediata de la finca si le notifica su intención de hacerlo al arrendatario con una antelación de un año, respecto al fin del plazo contractual. Si no lo hiciera así o la notificación fuera incompleta y el arrendatario continuara teniendo la posesión inmediata de la finca, el contrato se entenderá prorrogado por un plazo de cinco años más. Estas prórrogas se sucederán indefinidamente mientras no tenga lugar la denuncia del contrato. Téngase en cuenta que este régimen de duración del contrato es el resultante de la reforma introducida por la Ley de 2005, pero la norma no tiene efectos retroactivos, por lo que es aplicable a cada contrato el régimen vigente cuando se concertó (con la Ley de Modernización de las Explotaciones Agrarias de 1995 la duración mínima era de cinco años y las prórrogas de tres, pero la LAR/2003 redujo el primero de los plazos también a tres, en el año 2003. También diferente era el régimen de la LAR/1980, en que las prórrogas, de hasta quince años, eran potestativas para el arrendatario pero obligatorias para el arrendador).

La _enajenación de la finca_ no extingue el contrato de arrendamiento rústico, subrogándose el adquirente en la posición del arrendador, aun en el caso de que fuera un tercero hipotecario, por el tiempo que falte para completar la duración mínima del contrato (cinco años) o la prórroga tácita que esté en curso (art. 22.1° LAR). Si el adquirente no reuniera los requisitos del art. 34 LH, debe respetar la duración total pactada del contrato. Parece que el contrato no se extingue automáticamente al acabar el quinquenio legal, la prórroga o la duración completa pactada sino que el adquirente de la finca deberá hacer la notificación que prevé el art. 12 LAR (con una antelación, por tanto, de un año) para que se produzca tal efecto extintivo. De todos modos, la enajenación de la finca hace nacer para el arrendatario derechos de adquisición preferente cuando se trate de un agricultor profesional, siendo persona física, o una cooperativa agraria, una cooperativa de explotación comunitaria de la tierra, una sociedad agraria de transformación o una comunidad de bienes.

El contrato de arrendamiento se extingue también si lo hace el derecho del arrendador, que no era propietario sino usufructuario, superficiario, enfiteuta o titular de otro de derecho de goce sobre el inmueble (art. 10 LAR). Si el año agrícola no hubiera terminado se permitirá la subsistencia del contrato, en beneficio del arrendatario, hasta que concluya. Si al otorgamiento del contrato también hubiera concurrido el propietario la resolución de tales derechos no afecta al mantenimiento del contrato por el tiempo pactado.

Aunque el art. 24 e) LAR incluye la muerte del arrendatario entre las causas de terminación del contrato de arrendamiento, en realidad regula precisamente la *subrogación mortis causa* de sus sucesores legítimos (testamentarios o *ab intestato*) en su posición jurídica contractual; es decir, el arrendamiento subsiste, pese al fallecimiento del arrendatario, si existen personas con derecho a sucederle. Si hubiera varios sucesores, el precepto citado establece unas reglas de preferencia para la subrogación en el contrato atendiendo, en primer término, a la voluntad del arrendatario fallecido que hubiera otorgado testamento, a la condición de joven agricultor de alguno de ellos y, en último lugar, a la decisión mayoritaria de los sucesores.

1.5. Derechos y obligaciones de las partes: renta, obras, mejoras y derechos de adquisición preferente

La principal obligación del arrendatario es el *pago de la renta*, que podrá ser libremente pactada por las partes al contratar, según establece el art. 13 LAR. Deberá fijarse en dinero, aunque si se hiciera en especie o de forma mixta (parte en dinero, parte en especie) podrá realizarse su conversión, sin que quede afectada la validez del contrato. Rige también el principio de autonomía de la voluntad en lo relativo al tiempo y lugar de pago, pero si no se hubiera acordado nada se estará a la costumbre del lugar y, en su defecto, se abonará por años vencidos, en metálico y en el domicilio del arrendatario. Si el contrato fuera verbal y no consta el importe de la renta, se tomará como tal la de mercado en la zona de que se trate (art. 11.1º LAR). Si se trata de un arrendamiento *ad meliorandum* la renta consiste, en todo o en parte, en la mejora o transformación de la finca que las partes pacten (disp. adic. 1ª LAR). También pueden acordar arrendador y arrendatario la actualización de la renta, con referencia al índice que estimen oportuno, teniéndose en cuenta el índice de precios al consumo en defecto de pacto en contrario.

El arrendatario puede pedir una reducción de la renta cuando el arrendador no realiza las obras de conservación a que está legalmente obligado, aunque podría optar también por compelerle judicialmente a hacerlas, por resolver el contrato o por hacer por sí mismo las obras, compensando el importe invertido con las rentas pendientes, a medida que vayan venciendo (art. 18 LAR). Paralelamente, el arrendador está legitimado (art. 19 LAR) para exigir una revalorización proporcional de las rentas cuando realice en la finca obras, mejoras o inversiones que excedan de las de conservación y supongan una transformación de aquélla que incida en un incremento de producción (no se trata de obras voluntariamente decididas por él, sino las que vienen impuestas por la ley, resolución judicial o administrativa o acuerdo de la comunidad de regantes). Si el arrendatario se niega al incremento de la renta, el arrendador podrá resolver el contrato (no es, técnicamente, rescisión, término erróneamente utilizado por la LAR).

El arrendatario, obligado, como se ha analizado, al pago de la renta, tiene derecho a elegir el tipo de cultivo y el destino de los productos que obtenga, es decir, es *autónomo en el ejercicio de la actividad agraria* (art. 8 LAR). No obstante, no puede, sin acuerdo del arrendador, decidir establecer un tipo o sistema de cultivo que implique transformar el destino de la finca o mejoras extraordinarias en ella. Integran también el contenido del contrato los denominados «derechos de producción agraria», concepto creación de la Unión Europea que hace referencia a ciertos derechos de carácter personal con fuerte vinculación real y sometidos a un rígido sistema de intervención administrativa (cuotas de producción, derechos de plantación y replantación en ciertos cultivos, etc.).

En cuanto al *régimen de obras*, las necesarias para conservar la finca en estado de servir al aprovechamiento a que fue destinada incumben al arrendador, sin que su realización le dé derecho a elevar la renta. Únicamente queda exonerado de realizar este tipo de obras si se deben a la reparación de daños sufridos en la finca por causa de fuerza mayor, no indemnizables, y cuyo importe excede de una anualidad de renta. Comunicada la decisión de no realizar la obra al arrendatario, éste puede optar por resolver el contrato o continuar con él, con una rebaja proporcional de renta. Incumben también al arrendador las obras, ya mencionadas antes, ordenadas por disposición legal, autoridad judicial o administrativa, aunque impliquen mejora o inversión, con el correspondiente derecho a la revalorización de la renta.

El arrendatario debe hacer las reparaciones, mejoras e inversiones que sean propias del empresario agrario en el desarrollo normal de su actividad y las que le vengan impuestas por disposición legal, resolución judicial o administrativa o acuerdo de la comunidad de regantes. Aunque no puede pedir disminución de la renta, sí puede exigir al arrendador, al finalizar el contrato, una indemnización por el aumento de valor que haya experimentado la finca como consecuencia de tales obras de mejora, si las hubiera consentido. Respecto a las mejoras útiles realizadas por él voluntariamente, el arrendatario recibe el trato que la normativa del Código Civil reserva para el poseedor de buena fe, de modo que puede pedir que se le pague su importe o el aumento de valor de la finca, con derecho de retención hasta que se verifique. Las de puro lujo no generan para el arrendatario derecho de reembolso, aunque puede llevarse los objetos de adorno, si la finca no sufriera con ello daño, a menos que el arrendador prefiera pagarle lo que invirtió. Las mejoras hechas durante el arrendamiento se presumen hechas por el arrendatario, que no podrá eliminar formas de cerramiento del predio arrendado si separan dos o más fincas que forman una unidad de explotación, salvo para permitir el paso de tractores y maquinaria agrícola y para hacer posibles las labores de cultivo. Desde otra perspectiva, el arrendatario no podrá *ceder el contrato* ni *subarrendar* la finca o explotación sin el consentimiento expreso del arrendador, salvo que sea a favor de su cónyuge o uno de sus descendientes, en cuyo caso bastará con notificárselo en el plazo de sesenta días (art. 23 LAU). El subarriendo ha de ser, en todo caso, total, por el tiempo que falte para la conclusión del arriendo y por una renta que no supere la de éste.

Entre los *derechos del arrendatario* de finca rústica merecen referencia especial los *de adquisición preferente*, ya mencionados antes al aludir a la incidencia en el contrato de la enajenación de la finca. La LAR de 2003 los suprimió, pero en la reforma de 2005 volvieron a ser introducidos, en el art. 22, si bien no para todos los arrendatarios, sino sólo para las personas físicas que sean profesionales de la agricultura y ciertas personas jurídicas y comunidades de bienes. En toda transmisión *inter vivos* de la finca, a título oneroso o gratuito (menciona expresamente la ley, además de la venta, la donación, la aportación a una sociedad, la permuta y la adjudicación en pago, aunque la enumeración es sólo ejemplificativa), sea de la totalidad o de una porción determinada o participación indivisa del inmueble (incluso de la nuda propiedad), el arrendatario tiene derecho de adquisición preferente. Aunque en el epígrafe que precede al art. 22 la LAR parece reservar la denominación de tanteo y retracto para las compraventas, utilizando la de «derecho de adquisición preferente» para los otros negocios de enajenación, realmente en el precepto que comentamos dichos términos se funden. Para poder ejercitar el tanteo, el arrendatario debe recibir la notificación del transmitente de su propósito de enajenar, con los elementos esenciales del contrato, disponiendo de un plazo de sesenta días hábiles para hacerlo. A falta de tal notificación o si las condiciones de la enajenación no se correspondieran finalmente con las indicadas en ella, una vez realizada la transmisión, el arrendatario tendrá otros sesenta días hábiles (contados desde que tuvo conocimiento de ella, si lo tuviera antes de la notificación de la escritura de enajenación) para ejercitar su derecho de retracto y adquirirla por el precio que pagó el adquirente. Si el negocio fue gratuito y el transmitente notifica su intención de realizarlo ha de señalar una estimación del precio que se estime justo, aunque si el arrendatario no está de acuerdo con el indicado se establece un procedimiento para su fijación por un perito independiente, sin perjuicio del recurso a los tribunales. Para que el registrador pueda inscribir los títulos de adquisición *inter vivos* de fincas rústicas arrendadas es preciso acreditar que se ha practicado la correspondiente notificación al arrendatario.

Quedan excluidos los derechos de adquisición preferente del arrendatario si la enajenación es gratuita y a favor del cónyuge, descendientes o ascendientes o parientes hasta el segundo grado de afinidad o consanguinidad del transmitente, así como en el caso de permuta, si su finalidad es agregar una de las permutadas y su extensión no supera la que la ley establece (una hectárea para regadío y diez para secano).

1.6. Extinción del contrato: especial referencia a la resolución

Aparte del transcurso del plazo de duración, hemos mencionado ya varias causas de extinción de un contrato de arrendamiento rústico, como el fallecimiento del arrendatario, sin persona con derecho a subrogarse, o la extinción del derecho del arrendador no propietario, con ciertos matices para respetar la conclusión de las labores del arrendatario en el año agrícola. Además, son causas de terminación del arriendo, según el art. 24 LAR, la pérdida total de la cosa arrendada y la expropiación forzosa total (si son parciales, el arrendamiento puede continuar, con una reducción proporcional de la renta), el mutuo acuerdo de las partes, la extinción de la persona jurídica o de la comunidad de bienes arrendataria y el desistimiento unilateral del arrendatario al final del año agrícola, avisando con un año de antelación al arrendador.

Mención especial ha de hacerse a la *resolución del contrato* a instancia del arrendador, que, según el art. 25 LAU, puede tener lugar por las causas siguientes: a) falta de pago de la renta y de las cantidades asimiladas; b) no realización de las obras de mejora o transformación de la finca pactadas en el contrato o de las impuestas por resolución judicial o administrativa o disposición legal; c) no explotación de la finca o asignación de un destino o aprovechamiento distinto del acordado, salvo que ello venga impuesto por planes o programas de obligado cumplimiento para la percepción de ayudas o compensaciones; d) cesión del contrato o subarriendo de la finca sin consentimiento del arrendador, fuera de los casos previstos en la ley; e) aparición sobrevenida en la finca de las circunstancias que determinan que el arrendamiento quede excluido del ámbito de aplicación de la LAR; f) producción de graves daños en la finca, dolosamente o con negligencia manifiesta. Además, es también causa de resolución, bien a instancia del arrendador o del arrendatario, o de desistimiento unilateral, el incumplimiento por la otra parte de sus obligaciones con respecto a la realización y satisfacción de gastos de obras de conservación y mejora (erróneamente el art. 26 habla de rescisión del contrato).

2. APARCERÍA

2.1. Características generales del contrato y breve referencia a su régimen jurídico

La aparcería pertenece a la categoría de los contratos parciarios, caracterizados porque la prestación de una de las partes consiste en la entrega a otra de una parte del beneficio o ganancia obtenido en una explotación económica a la que ambos contribuyen. El contrato es de aparcería, según el art. 28 LAR, cuando el titular de una finca o explotación cede temporalmente su uso y disfrute o el de alguno de sus aprovechamientos, junto con el de los elementos de la explotación, ganado, maquinaria o capital circulante, acordando con la otra parte, el aparcero, repartirse los productos que se obtengan por partes alícuotas, en proporción a sus correspondientes aportaciones. Como fuentes de la relación contractual se señalan los pactos de las partes, en su defecto la costumbre y sólo supletoriamente la propia LAR. Se presume, salvo pacto en contrario, que la aparcería no implica relación laboral alguna entre las partes.

La duración del contrato será la que las partes acuerden y, en defecto de pacto, de un año agrícola, entendiéndose prorrogado por un período de un año, en los mismos términos que el contrato de arrendamiento. A la finalización del contrato, si el titular de la finca quiere suscribir un contrato de arrendamiento el aparcero tendrá derecho preferente, en igualdad de condiciones, a hacerlo. Existe una modalidad de aparcería, denominada asociativa, que se rige, en defecto de acuerdos específicos, por las normas del contrato de sociedad. Consiste en que dos o más personas ponen en común el uso y disfrute de tierras, capital, trabajo y otros elementos de producción para constituir una explotación agrícola, ganadera o forestal, repartiéndose, en proporción a sus respectivas aportaciones, el beneficio que obtengan.

V. UN APUNTE PROCESAL EN MATERIA ARRENDATICIA: EL DESAHUCIO

Ciertas causas de extinción del arrendamiento permiten al arrendador recurrir a un cauce procesal rápido para recuperar la posesión inmediata de la finca que sigue teniendo en su poder el arrendatario. Se trata del juicio de desahucio, que por sus limitaciones derivadas de su naturaleza sumaria, no es apto, sin embargo, para conseguir ese fin cuando es preciso analizar con mayor profundidad la concurrencia o no de una causa de extinción del contrato, casos en que habrá de acudirse a un juicio declarativo ordinario. Las leyes procesales prevén el juicio de desahucio por expiración del plazo de duración del arrendamiento (la doctrina cree que no sólo debe entenderse por tal el pactado por las partes, sino que ha de atenderse también a las prórrogas y, en su caso, tácita reconducción) y por falta de pago de las rentas u otras cantidades debidas por el arrendatario (art. 250.1.1º LECiv). A pesar de que el art. 1569 CC incluye como causas de desahucio judicial del arrendatario algunas diferentes de las mencionadas (así, destinar la cosa a usos no pactados o infracción de cualquiera de las condiciones estipuladas en el contrato), su concurrencia se apreciará a través de un juicio ordinario y no del verbal de desahucio. Se trata, en realidad, del ejercicio de una acción de resolución del contrato, pues aquí «desahucio» ha de entenderse como desposesión o lanzamiento del arrendatario por los trámites procesales que correspondan.

Aunque objetivamente el ámbito de aplicación del juicio de desahucio se refiere a fincas rústicas y urbanas, en alguna ocasión la jurisprudencia ha admitido este cauce para arrendamientos distintos (de industria y *ad meliorandum*, por ejemplo). En todo caso, queda excluida la posibilidad de recurrir al juicio de desahucio en el arrendamiento de bienes muebles. En el juicio de desahucio, recientemente modificado por la Ley 37/2011, de 10 de octubre, de medidas de agilización procesal, la acción para recuperar la posesión de la finca por expiración del plazo de duración del contrato o falta de pago puede acumularse a la reclamación de rentas pendientes (art. 438.3º.3ª LEC) y la sentencia puede condenar al pago de las devengadas desde la presentación de la demanda hasta la entrega de la posesión efectiva del inmueble al arrendatario, lo que conlleva una condena de futuro (art. 220.2º LEC). Especial referencia merece el régimen de enervación de la acción de desahucio por falta de pago que establece el art. 22.4º LEC, si el arrendatario paga o consigna la renta que debiera. La enervación no podrá tener lugar si ya ha habido otra anterior (excepto si el cobro no tuvo lugar por causas imputables al arrendador) o si el demandante realizó un requerimiento previo de pago de las cantidades adeudadas con un mes de antelación a la presentación de la demanda y dicho pago no se había efectuado aún al tiempo de presentación de la misma. Además, el art. 437.3º LEC permite al demandante anunciar en su demanda que asume el compromiso de condonar la totalidad o parte de la deuda condicionándolo al desalojo voluntario de la finca por el arrendatario dentro del plazo que se señale, que no puede ser inferior a quince días. Así, presentada la demanda, el demandado es requerido para que adopte alguna de las siguientes posiciones: a) desalojar el inmueble y pagar al actor; b) en caso de pretender le enervación, pagar lo que deba o poner a disposición del demandante en el tribunal o notarialmente el importe de las cantidades reclamadas en la demanda y el de las que adeude hasta el momento; c) aceptar el ofrecimiento del demandante, en su caso, de condonación a cambio de rápido desalojo, lo que implica un allanamiento; d) comparecer ante el tribunal y formular oposición, exponiendo las razones por las que, a su entender, no debe, en todo o en parte, la cantidad reclamada o las circunstancias relativas a la procedencia de la enervación. Si no realiza ninguna de estas acciones en un breve plazo se puede solicitar directamente el lanzamiento, sin celebrar juicio. Existen también algunas peculiaridades en el recurso de apelación contra la sentencia que se dicte en el juicio de desahucio, que no podrá plantear el arrendatario que no acredite tener satisfechas las rentas vencidas o se declarará desierto si durante su sustanciación dejara de pagar lo que correspondiera.

Los contratos de obras, servicios y colaboración

FRANCISCO JAVIER DÍAZ BRITO

Profesor Titular de Derecho Civil
Universidad de La Laguna

I. EL CONTRATO DE OBRA

1. CONCEPTO Y MARCO LEGAL

Por el contrato de obra una de las partes, llamada empresario o contratista, se obliga frente a la otra, denominada principal o comitente, a ejecutar una obra a cambio de un precio cierto.

El Código Civil se refiere a este contrato como arrendamiento de obra (art. 1544) y también se alude al mismo, en ocasiones, como contrato de empresa o de ejecución de obra. Sin embargo, lo más frecuente y apropiado es hablar del contrato de obra o de ejecución de obra, puesto que el Código lo califica y regula junto a los arrendamientos por razones de tipo histórico y sin que ello comporte ninguna consecuencia concreta sobre el régimen jurídico del contrato.

Se trata de un contrato consensual, oneroso y bilateral.

El Código Civil define conjuntamente el contrato que nos ocupa con el contrato de servicios, al que también denomina impropiamente arrendamiento. Sin embargo, se trata de contratos distintos, pues la prestación que pretende obtener el comitente tiene distinta naturaleza y alcance en cada uno de ellos.

Si lo que se pacta es la prestación de un resultado, sin consideración al trabajo que lo crea, el contrato será de obra. Si, por el contrario, lo que se busca y compromete es la prestación de un servicio, de una actividad, sin consideración al resultado de la misma, el contrato será de servicios (cfr. STS [1ª] 8.10.2001). En el primer caso, el contratista se compromete a una obligación de resultado (por ejemplo, reparar un electrodoméstico o elaborar la tarta, el vestido nupcial o el reportaje fotográfico de la boda), de manera que, si no lo alcanza, incumple el contrato. En el segundo, la obligación es de medios (por ejemplo, asesorar legalmente al cónyuge que decide separarse o asistir médicamente a la mujer durante el embarazo), es decir, no se compromete un resultado concreto, por lo que el incumplimiento existirá únicamente si no se presta el servicio o se hace sin la diligencia exigible (V. STS [1ª] 9.1.2006 y las que allí se citan).

De acuerdo con el planteamiento expuesto, se considera propia del contrato de servicios la labor de los denominados profesionales liberales (abogados, médicos, arquitectos, ingenieros, etc.), aunque ello no impide que, en determinadas ocasiones, el contrato que celebran con sus clientes sea un contrato de obra. Es lo que ocurre, por ejemplo, cuando se encarga al abogado un dictamen sobre un asunto concreto o un proyecto a un arquitecto o ingeniero. Se busca el resultado y, por consiguiente, el contrato es de obra.

En algunos casos, sin embargo, las fronteras entra ambas tipos contractuales se difuminan. Un ejemplo muy ilustrativo es el relacionado con la prestación de determinadas especialidades médicas (odontología, cirugía estética, vasectomía), en las que nuestros tribunales vienen señalando que al profesional corresponde no una mera obligación de medios, sino una obligación próxima a la de resultados, que acerca el contrato celebrado con el paciente al ámbito del contrato de obra (V. STS [1ª] 29.10.2004 y las que allí se citan).

Con arreglo al artículo 1588 CC, puede contratarse la ejecución de una obra acordando que quien la ejecute aporte no solamente su trabajo o su industria, sino también los materiales. En tales casos, puede resultar complicado decidir si el contrato celebrado es un contrato de obra o una compraventa.

Desde la doctrina se han propuesto diversos criterios que pueden servir de ayuda y que, en el fondo, giran en torno a la naturaleza y características del encargo que se hace al contratista. En el contrato de obra, el proceso de fabricación, elaboración y montaje del bien (la prestación de hacer del contratista) tiene una relevancia de la que carece por completo en la compraventa. Por ello, cuando las características del bien que se debe entregar o las circunstancias y condiciones a las que se sujeta el encargo conviertan el proceso de producción o elaboración en un aspecto importante de la relación contractual, estaremos en el ámbito propio del contrato de obra.

El Código Civil dedica al contrato de obra apenas doce artículos (arts. 1588 a 1600), atención a todas luces insuficiente si se tiene en cuenta la variedad de obras que quedan incluidas en el mismo y la importancia económica y complejidad de algunas de ellas (construcción de casas, edificios, etc.).

Precisamente, la importancia del sector inmobiliario y de la construcción determinó la aprobación de la Ley 38/1999, de 5 de noviembre, de Ordenación de la Edificación, dirigida a abordar muchos de los problemas que el Código Civil no resuelve.

En consecuencia, cuando el objeto del contrato de obra es una edificación o construcción de las comprendidas en la LOE (art. 2), además del CC habrá que tener en cuenta las normas contenidas en dicha ley.

Desde otra perspectiva, la gran variedad de obras que pueden ser objeto del contrato obliga a tener siempre presentes, además de las previsiones del Código, la normativa que pueda resultar de aplicación en función de la materia sobre la que recaiga el contrato o, incluso, de otras variables, como la condición de consumidor de uno de los contratantes.

2. SUJETOS

El contrato de obra es un contrato bilateral del que son parte: por un lado, el dueño de la obra o comitente, que es quien la encarga y se obliga a pagar el precio; y, por otro, el contratista, que es quien se compromete a ejecutarla.

A falta de reglas específicas en el Código Civil, hay que entender que es preciso que ambas partes tengan la capacidad general para contratar.

Ahora bien, cuando el objeto del contrato de obra está relacionado con la construcción de edificios, el elemento personal del contrato se torna mucho más complejo por la participación en el proceso edificatorio de diversos sujetos adicionales (promotor, arquitecto, aparejador, ...).

El Código Civil alude únicamente al arquitecto como sujeto añadido que puede estar implicado en la ejecución de la edificación (art. 1591). De ahí que la Ley de Ordenación de la Edificación asumiera como uno de sus grandes objetivos clarificar las obligaciones y responsabilidades de los diferentes sujetos que pueden tener participación en el proceso edificatorio, a los que denomina agentes de la edificación (V. arts. 8 a 16). Entre ellos, disciplina la LOE al promotor (art. 9) y al constructor (art. 11), que vienen a ser el equivalente al comitente y al contratista respectivamente en el CC.

Hay que tener también presente que en el ámbito de la edificación es muy frecuente que el contratista subcontrate con terceros la realización de determinadas obras o servicios necesarios para la ejecución de la obra encargada por el comitente (promotor).

3. ELEMENTOS REALES Y FORMALES

3.1. Objeto

Son múltiples las obras cuya ejecución se puede encargar a través de este contrato: reparación de electrodomésticos, vehículos y maquinaria; construcción de edificios e infraestructuras; elaboración de mobiliario, ropa y equipamiento; creación de *software* y aplicaciones informáticas; elaboración de dictámenes jurídicos y proyectos de arquitectura o ingeniería; elaboración de comida o repostería, etc.

La obra ha de ser posible física y jurídicamente. Además, debe estar de algún modo determinada, generalmente a través de las cláusulas y condiciones pactadas por las partes.

En este último sentido, cuando la obra a ejecutar está relacionada con la construcción, cobra especial relevancia el proyecto, que la LOE define como el conjunto de documentos mediante los cuales se definen y determinan las exigencias técnicas de las obras regulada por dicha ley (art. 4).

3.2. Precio

El contrato de obra es oneroso y, por tanto, debe mediar precio a cambio de la prestación del contratista. A ello se refiere el artículo 1544 CC cuando exige que el precio sea cierto.

No obstante, el Tribunal Supremo ha señalado de manera reiterada que la certeza del precio no implica que tenga que estar determinado al celebrarse el contrato, pues bastará con que pueda concretarse posteriormente por los propios interesados; por un tercero; por el juez; o, incluso, por referencia a las reglas sobre honorarios profesionales (V. STS [1ª] 7.10.1964 y STS [1ª] 22.11.1980). También ha aclarado el Tribunal Supremo que el precio no tiene necesariamente que consistir en dinero (V. STS [1ª] 4.10.1989 y las que allí se citan).

A la hora de fijar el precio las partes tienen diversas opciones, a algunas de las cuales alude el propio CC. En primer lugar, el precio puede fijarse por ajuste o a tanto alzado (la obra se realiza por un precio global pactado de antemano). En segundo lugar, el precio puede acordarse por piezas o unidades de medida (el precio total a pagar por el comitente será el que resulte de la piezas o unidades de medida ejecutadas por el contratista: V. art. 1592 CC). En tercer lugar, el precio puede establecerse por el denominado sistema de administración, con arreglo al cual, la cantidad a pagar resultará de los trabajos ejecutados y los materiales empleados, a los que habitualmente se suma un porcentaje como remuneración para el contratista (el llamado beneficio industrial).

Cuando el precio se fija a tanto alzado no puede modificarse aunque aumente el precio de los materiales o de la mano de obra. Es decir, que el contratista debe soportar el riesgo de que tales incrementos se produzcan (V. art. 1593 CC).

En cambio, es posible el aumento del precio «_cuando se haya hecho algún cambio en el plano que produzca aumento de obra, siempre que hubiese dado su autorización el propietario_» (art. 1593 CC). La previsión es aplicable a todas aquellas variaciones cuantitativas o cualitativas que determinen un mayor valor de la obra (por ejemplo, la utilización de unos materiales de mayor calidad).

En todo caso, habrá que tener en cuenta los eventuales acuerdos de las partes respecto a la revisión del precio, pues pueden haberse incluido cláusulas de revisión o haberse pactado lo contrario, su no variación. Además, doctrina y jurisprudencia coinciden en señalar la posibilidad de revisar el precio por alteración sobrevenida sustancial de las circunstancias (cláusula implícita _rebus sic stantibus_, alteración de la base del negocio, etc.: V. STS [1ª] 27.5.2002 y las que allí se citan).

3.3. Forma

El CC no exige forma especial para este contrato, por lo que es aplicable la doctrina general contenida en los artículos 1278 a 1280 del Código. En consecuencia, es válido e, incluso, frecuente en algunos casos el contrato verbal (V. STS [1ª] 3.10.2001 y las que allí se citan).

El contrato se perfecciona por el mero consentimiento de las partes contratantes (art. 1258 CC) y el Tribunal Supremo ha aceptado, incluso, el consentimiento tácito ante una oferta no rechazada y una obra ejecutada a la vista, ciencia y paciencia del comitente (STS [1ª] 20.05.1997).

Ahora bien, determinada normativa sectorial puede establecer condicionantes relevantes en orden a la forma o documentación necesaria a la hora de contratar ciertas obras. La LOE, por ejemplo, exige el proyecto para las obras de edificación sujetas a la misma (art. 2.2).

4. CONTENIDO DEL CONTRATO

4.1. Obligaciones del contratista

La obligación fundamental del contratista es ejecutar la obra en la forma y plazo convenidos.

Respecto a la forma de ejecutar la obra cabe realizar las siguientes precisiones:

En primer lugar, el contratista debe proceder de acuerdo con las instrucciones del dueño de la obra.

Es decir, ha de ajustarse a los términos del encargo (al proyecto en el ámbito de la construcción). Es posible, no obstante, que durante la ejecución de la obra se plantee la variación de la misma, ya sea por voluntad del comitente o por necesidad. Con carácter general, tales modificaciones deben ser consensuadas por las partes, aunque parece lógico reconocer que el dueño de la obra está facultado para decidir cambios en la misma (*ius variandi*). Las variaciones podrán ser rechazadas por el contratista si por su alcance o envergadura le producen perjuicios evidentes (por ejemplo, porque ocasionan una demora en la ejecución que le impide acometer otros encargos que tenía en cartera). En cambio, la introducción de modificaciones por parte del contratista exige su aprobación por el dueño de la obra, salvo que sean imprescindibles de acuerdo con la *lex artis* o por imperativo legal.

En segundo lugar, el contratista debe actuar con arreglo a su *lex artis*, que integra el contrato en virtud de lo dispuesto en el art. 1258 CC. En la construcción, el Tribunal Supremo ha llegado a señalar que el contratista no puede actuar en contra de las reglas de su oficio, aunque sea siguiendo las instrucciones de un técnico (arquitecto, aparejador, etc.). Ver al respecto la

STS (1ª) 15.5.1995. Por último, el contratista ha de acomodar su actuación a las exigencias de la buena fe (art. 1258 CC).

En el ámbito de la construcción, la LOE recoge expresamente una serie de obligaciones del constructor, entre las que destaca la de suscribir determinados seguros (art. 11.2). Hay que tener presente, además, que el contratista debe ajustar su actuación a la legalidad vigente, por lo que cobra especial relevancia el denominado Código Técnico de la Edificación, que recoge la reglamentación básica en la materia (fue aprobado por Real Decreto 314/2006, de 17 de marzo, y modificado por Real Decreto 173/2010, de 19 de febrero). La obra debe ser ejecutada en el plazo convenido, aunque las variaciones respecto al encargo original o el acuerdo de las partes pueden determinar la ampliación de dicho plazo. Lo normal es que se pacte un plazo límite para la ejecución de la obra (_dies ad quem_), pero, en caso de no hacerlo, será aplicable el art. 1128 CC (fijación por los Tribunales). En determinados sectores, señaladamente en la construcción, es frecuente incluir cláusulas penales para el caso de incumplimiento del plazo.

El contratista está también obligado a conservar la obra y materiales aportados por el dueño hasta el momento de la entrega (art. 1094 CC).

4.2. Obligaciones del dueño de la obra

La obligación principal del comitente es pagar el precio convenido por la ejecución de la obra. Si no hubiere pacto o costumbre en contrario, el precio deberá pagarse al hacerse la entrega (art. 1599 CC).

En la edificación es común acordar que el precio se abone de manera fraccionada, a medida que se va ejecutando la obra (pago mediante certificaciones de obra). Estos pagos parciales constituyen anticipos a cuenta del precio final, que se liquidará una vez recibida la obra por el comitente. El artículo 1592 CC contempla también la posibilidad de pagos parciales cuando se pactó la ejecución por piezas o por medida.

Según el artículo 1600 CC, «_el que ha ejecutado una obra en cosa mueble tiene el derecho de retenerla en prenda hasta que se le pague_». La doctrina coincide en afirmar que se trata de un derecho de retención posesoria con fines de garantía y, por tanto, no puede el contratista disponer de la cosa para cobrar su crédito (realización del valor).

El artículo 1597, por su parte, establece que «_los que ponen su trabajo y materiales en una obra ajustada alzadamente por el contratista, no tienen acción contra el dueño de ella sino hasta la cantidad que éste adeude a aquél cuando se hace la reclamación_». Quiere ello decir que se reconoce a los obreros y proveedores de materiales una acción directa contra el comitente.

Para que los efectos del contrato puedan consumarse, el comitente viene obligado a recibir la obra cuando haya sido ejecutada conforme a lo pactado. De no hacerlo incurre en *mora accipiendi*, lo que implica, entre otras cosas, que pasan a ser de su cuenta los riesgos, como luego veremos.

La recepción de la obra equivale a la aceptación de la misma en los términos en que se ha ejecutado, por lo que libera al contratista de responsabilidad por los vicios o defectos aparentes. En consecuencia, resulta fundamental que el comitente verifique que la obra se ajusta a lo acordado antes de recibirla.

Por lo general, será necesario que se entregue la obra al comitente para que pueda evaluarla y prestar su conformidad. Puede pactarse, incluso, una recepción provisional dirigida a permitir al comitente una verificación detenida de la obra antes de recibirla de manera definitiva, es decir, con todas las consecuencias propias de la recepción.

Si el comitente no está conforme con la obra puede manifestar su desaprobación y negarse a recibirla, aunque sólo podrá hacerlo si la obra no se ajusta objetivamente a lo pactado o se ha ejecutado sin observar la *lex artis* (los usos o reglas del oficio). La negativa no puede basarse en causas subjetivas o arbitrarias o en defectos e irregularidades menores, pues no hay que olvidar que recibir la obra es una obligación del comitente (cfr. art. 1256 CC).

También puede el comitente recibir la obra con reservas, es decir, señalando los vicios o defectos observados, con el fin de que sean corregidos o subsanados por el contratista. En esta hipótesis, la recepción de la obra no implica su aprobación por parte del comitente, que queda condicionada a la reparación de los defectos señalados.

En caso de que la verificación de la obra resulte positiva, el comitente deberá aprobarla y recibirla, quedando el contratista liberado respecto a los vicios aparentes que pueda presentar la obra y que se entiende que el comitente ha tenido ocasión de conocer.

Doctrina y jurisprudencia coinciden en señalar la autonomía de tres hitos relacionados con la recepción de la obra: la entrega, la aprobación y la recepción propiamente dicha.

La entrega supone poner a disposición del comitente la obra, ponerlo en posesión de la misma. La aprobación es la manifestación de voluntad del comitente por la que declara que la obra se ha ejecutado satisfactoriamente. Y la recepción es el acto por el que el comitente se hace cargo de la obra con las consecuencias que ello determina y que anteriormente quedaron señaladas.

El Código Civil alude a la recepción en el art. 1598, mientras que la LOE dedica a este tema su artículo 6, en el que la disciplina con cierto detalle, dada la trascendencia que tiene en el sistema de garantías y responsabilidades diseñado por dicha ley.

4.3. Riesgos

De acuerdo con el art. 1589 CC, los riesgos son para el contratista respecto a los materiales que aporte, salvo que el dueño de la obra se haya retrasado indebidamente en la recepción de la misma. La regla es lógica si se tiene en cuenta que el riesgo se atribuye al propietario de los materiales (_res perit domino_).

El art. 1590 CC añade que «_el que se ha obligado a poner sólo su trabajo o industria, no puede reclamar ningún estipendio si se destruye la obra antes de haber sido entregada, a no ser que haya habido morosidad para recibirla, o que la destrucción haya provenido de la mala calidad de los materiales, con tal que haya advertido oportunamente esta circunstancia al dueño_». Quiere ello decir que: a) si los materiales los aportó el dueño de la obra, será éste quien corra con el riego de su pérdida; y b) el contratista pierde el precio del trabajo desarrollado hasta el momento en la ejecución de la obra, a no ser que exista _mora accipiendi_ del comitente o que la pérdida de la obra derive de la mala calidad de los materiales (aportados por el dueño de la obra).

La doctrina es proclive a considerar que el contratista, como parte de los riesgos que debe soportar, vendrá obligado a iniciar de nuevo los trabajos, siempre que la ejecución siga siendo factible.

5. RESPONSABILIDAD POR INCUMPLIMIENTO

5.1. Aspectos generales

El Código Civil no contiene normas específicas sobre el incumplimiento del contrato de obra, por lo que serán aplicables las reglas generales sobre la materia (arts. 1101 y ss. CC), tal y como ha manifestado reiteradamente el Tribunal Supremo (V. STS [1ª] 9.2.1990 y STS [1ª] 13.7.1987).

La responsabilidad por ruina de los edificios es el único supuesto relacionado con el incumplimiento del contrato de obra al que el Código Civil dedica atención específica en su artículo 1591.

Paradójicamente, uno de los mayores reproches que se ha hecho a la regulación del CC del contrato de obra es la clara insuficiencia del mencionado precepto para ofrecer luz y respuestas a los complejos problemas que comporta la responsabilidad de los diferentes sujetos que participan en la construcción de un edificio. Y ello, a pesar de la ingente labor interpretativa realizada por el Tribunal Supremo, que en las numerosas sentencias dictadas en su aplicación ha ido aclarando, incluso ensanchando, el alcance del art. 1591 CC.

Las carencias apuntadas de la regulación del Código determinaron que la LOE asumiera como uno de sus ejes fundamentales una delimitación más clara de las responsabilidades de los agentes de la edificación. A esta última cuestión dedica la LOE sus artículos 17 y 18, en los que recoge los más sobresaliente de la doctrina que el Tribunal Supremo había elaborado a partir del art. 1591 CC.

La LOE no ha derogado expresamente el artículo 1591 CC, aunque su ámbito de aplicación ha resultado tan seriamente recortado, que algunos autores lo consideran tácitamente derogado. En todo caso, su campo de juego ha quedado circunscrito a las reclamaciones relacionadas con daños o construcciones no sometidos al régimen de la LOE.

Doctrina y jurisprudencia consideran compatibles estas específicas acciones de responsabilidad en el ámbito de la construcción (arts. 17 y 18 LOE y 1591 CC) con las que corresponden al comitente por el incumplimiento del contrato (arts. 1101 y ss. CC). El perjudicado por el incumplimiento será libre de elegir la vía por la que reclamar (V. STS [1ª] 10.10.2006).

5.2. Daños por los que se debe responder

El art. 1591 CC vincula la responsabilidad del contratista y del arquitecto a la ruina del edificio, concepto éste que el Tribunal Supremo se ha encargado de perfilar, ampliando considerablemente el alcance que inicialmente cabría atribuirle. Así, se considera que existe ruina de la edificación, no sólo cuando se derrumba total o parcialmente, sino también cuando existen defectos que la hacen inútil para la finalidad que le es propia o que impiden su normal disfrute y aprovechamiento (ruina funcional); o cuando existan tan graves defectos de construcción que hagan temer su próxima pérdida (ruina virtual o potencial) (V. STS [1ª] 29.5.1997).

La LOE, en cambio, prescinde por completo del concepto de ruina y considera objeto de responsabilidad los *«daños materiales ocasionados en el edificio»*, algunos de los cuales enumera expresamente (V. art. 17.1). Se parte, por tanto, de un concepto más restringido, que no engloba los daños personales o los causados a otros bienes distintos al edificio (para éstos los perjudicados deberán acudir a otras vías de reclamación: responsabilidad por incumplimiento o responsabilidad civil extracontractual).

Al demandante le basta con probar la existencia de los vicios o defectos causantes de los daños, pues se presume (*iuris tantum*) que los mismos son imputables a la actuación de los agentes de la edificación. De manera que corresponderá al demandado acreditar que el origen de los años no le es imputable. Así lo tiene declarado reiteradamente el Tribunal Supremo respecto al artículo 1591 CC; y así se infiere del art. 17.8 LOE.

5.3. Legitimación activa y pasiva

La legitimación activa para accionar *ex* art.1591 CC corresponde al comitente y a los adquirentes de la edificación e, incluso, a las comunidades de propietarios, a través de su presidente (V., por ejemplo, STS [1ª] 07.07.1990; STS [1ª] 11.03.1996; y STS [1ª] 29.11.1999).

La LOE es más restrictiva y reconoce legitimación activa a los propietarios y los terceros adquirentes de los edificios o parte de los mismos (art. 17.1 LOE). De manera que no podrá utilizar la acción del art. 17 el comitente que no sea al tiempo propietario del edificio, aunque sí podrá acudir a las acciones que le corresponden por incumplimiento del contrato. En cambio, no parece razonable negar la legitimación a las comunidades de propietarios, a pesar de que el art. 17 LOE no las mencione expresamente.

Respecto a la legitimación pasiva, el artículo 1591 CC alude expresamente como responsables de los daños al contratista y al arquitecto, aunque el Tribunal Supremo ha ampliado considerablemente el círculo de los legitimados, incluyendo a los arquitectos técnicos, ingenieros, subcontratistas y promotores.

La LOE, por su parte, plantea en términos amplios la legitimación pasiva y hace responsables de los daños a *«las personas físicas o jurídicas que intervienen en el proceso de la edificación»* (art. 17). La redacción del precepto inclina a la doctrina a defender que la legitimación se extiende no sólo a los denominados agentes de la edificación (arts. 8 y ss. LOE), sino, en general, a cualquier persona que haya participado de un modo u otro en el proceso edificatorio (por ejemplo, los subcontratistas).

Conviene resaltar que la LOE destaca expresamente la responsabilidad de los promotores (art. 17.3) y que la extiende a *«a las personas físicas o jurídicas que, a tenor del contrato o de su intervención decisoria en la promoción, actúen como tales promotores bajo la forma de promotor o gestor de cooperativas o de comunidades de propietarios u otras figuras análogas»*. En consecuencia, quedan incluidas en el círculo de responsables las cooperativas de viviendas, a las que el Tribunal Supremo ha venido excluyendo en el ámbito del artículo 1591 CC (V. por todas STS [1ª] 8.6.1992).

La LOE aclara, además, que *«la responsabilidad civil será exigible en forma personal e individualizada, tanto por actos u omisiones propios, como por actos u omisiones de personas por las que, con arreglo a esta Ley, se deba responder»* (art. 17.2). Y entre los actos y omisiones ajenos por los que se responde, el propio art. 17 recoge varios (V. apartados 5, 6 y 7 de dicho precepto).

De los daños responderá finalmente el agente a quien sea imputable el vicio o defecto causante de los mismos (cfr. art. 17.2 LOE). Ahora bien, la complejidad del proceso edificatorio y la participación de diferentes sujetos en el mismo harán que, con frecuencia, resulte muy complicado establecer con precisión a quién es atribuible un vicio o defecto constructivo.

5.4. Plazos

El artículo 1591 CC contempla un plazo de garantía de diez años dentro del cual debe manifestarse o aparecer el vicio o defecto determinante de la responsabilidad y que se cuenta desde que concluyó la construcción. La acción para reclamar los daños correspondientes prescribe a los quince años, contados a partir de ese momento (art. 1964).

La LOE, en cambio, establece unos plazos de garantía y de prescripción mucho más cortos (V. arts. 17.1 y 18).

5.5. Garantías

Uno de los objetivos declarados de la LOE era aumentar la calidad de la edificación y ampliar las garantías para los adquirentes de viviendas. Con ese fin, el artículo 19 recoge un complejo sistema de garantías, que se basa, fundamentalmente, en la suscripción obligatoria de seguros de daños materiales o de caución, que aseguren el cobro de las indemnizaciones previstas en la propia Ley por parte de los perjudicados (por lo general, los compradores de las viviendas).

6. EXTINCIÓN

Además de las causas generales de extinción de las obligaciones, cuando resulten aplicables, habrá que tener en cuenta los siguientes supuestos previstos en el CC: desistimiento del comitente (art. 1594); muerte del contratista (art. 1595) e imposibilidad sobrevenida de terminar la obra (art. 1595 *in fine*).

El artículo 1594 CC recoge un supuesto de desistimiento unilateral que permite al comitente liberarse de una obra que le resulta excesivamente gravosa o que ya no le resulta útil o conveniente. El ejercicio de esta facultad es libre para el comitente, que no tiene que justificar o fundamentar su decisión, si bien debe notificarla al constructor e indemnizarle en los términos señalados por el Código.

De acuerdo con el artículo 1595 CC, procede la extinción por muerte del contratista en aquellos contratos en los que aquél haya sido elegido en función de sus cualidades personales, circunstancia ésta que habrá de demostrar quien la invoque.

Finalmente, el artículo 1595 CC acaba señalando que _«Lo mismo se entenderá si el que contrató la obra no puede acabarla por alguna causa independiente de su voluntad»._

Esta última previsión no engloba, evidentemente, aquellos supuestos en los que la imposibilidad sobrevenida de terminar la obra sea imputable a una de las partes contratantes, puesto que, en tal caso, existiría incumplimiento del contrato.

II. EL CONTRATO DE SERVICIOS

1. CONCEPTO Y MARCO LEGAL

Por el contrato de servicios una de las partes se compromete frente a la otra, denominada comitente, a prestar un servicio a cambio de un precio cierto.

Igual que ocurre con el contrato de obra, el Código Civil se refiere a este contrato como arrendamiento (V. art. 1544), aunque, también aquí, ello obedece a razones de tipo histórico y no comporta ninguna consecuencia concreta sobre el régimen jurídico del contrato.

Se trata de un contrato consensual, bilateral y oneroso.

Quedan fuera del ámbito de este contrato los denominados servicios asalariados, es decir, los propios de los _«trabajadores que voluntariamente presten sus servicios retribuidos por cuenta ajena y dentro del ámbito de organización y dirección de otra persona, física o jurídica, denominada empleador o empresario»_ (art. 1 ET). Este tipo de servicios y los que integran las denominadas relaciones laborales de carácter especial (V. art. 2 ET) cuentan con su disciplina propia en el marco del Derecho laboral.

También quedan fuera otros servicios a lo que el propio Código dota de una disciplina propia, como el mandato (arts. 1709 y ss.) o el depósito (arts. 1758 y ss.).

El Código Civil no contiene reglas para el contrato de servicios en general, sino para una clase muy concreta de los mismos, el servicio de criados y trabajadores asalariados (arts. 1583 a 1587). Tales servicios hay que reconducirlos hoy al marco del Derecho laboral y del Estatuto de los trabajadores. De hecho, la doctrina coincide en señalar que únicamente los arts. 1583 y 1587 continúan en alguna medida vigentes, mientras que los restantes han sido tácitamente derogados por la normativa laboral.

Ahora bien, son los servicios que el Código Civil no disciplina expresamente, es decir, los prestados por profesionales, artistas, artesanos y empresas de servicios los que constituyen hoy la razón de ser de este tipo contractual. La falta de previsiones legales específicas ha sido salvada por doctrina y jurisprudencia, señalando que tales contratos se rigen por la voluntad de los contratantes, por los usos y costumbres, por las reglas generales sobre obligaciones y contratos y por la disciplina normativa de las distintas actividades profesionales (V. STS [1ª] 21.4.2006).

La importancia en términos económicos de las actividades relacionadas con la prestación de servicios determinó la aprobación de la Directiva 2006/123/CE del Parlamento Europeo y del Consejo, de 12 de diciembre de 2006, relativa a los servicios en el mercado interior. Esta Directiva ha sido traspuesta al Derecho español a través de la Ley 17/2009, de 23 de noviembre, sobre el libre acceso a las actividades de servicios y su ejercicio (denominada Ley paraguas) y de la Ley 25/2009, de 22 de diciembre, de modificación de diversas Leyes para su adaptación a la Ley sobre el libre acceso a las actividades de servicios y su ejercicio (Ley Ómnibus). Ambas deben tomarse en consideración, dada su evidente repercusión sobre las condiciones en las que los profesionales pueden ofertar y prestar sus servicios.

2. ELEMENTOS

2.1. Sujetos

No existen reglas específicas sobre capacidad de las partes, por lo que resultan aplicables las normas generales en la materia (ambas partes deben tener la capacidad general para contratar).

En determinados ámbitos profesionales, la normativa sectorial puede imponer al prestador de los servicios determinados requisitos en relación con su titulación, cualificación o colegiación. Es el caso, por ejemplo, de los abogados, respecto a los cuales serán aplicables las previsiones de la LOPJ (arts. 542 y ss.); del Estatuto General de la Abogacía; la Ley 34/2006, de 30 de octubre, sobre el acceso a las profesiones de Abogado y Procurador de los Tribunales y, cuando proceda, de la Ley 2/2007, de 15 de marzo, de sociedades profesionales.

2.2. Objeto

El objeto del contrato viene constituido por el servicio que se contrata, entendido como la prestación de una actividad (prestación de hacer), sin consideración al resultado de la misma.

Son aplicables las reglas contenidas en los artículos 1271 a 1273 CC relativas a la posibilidad, licitud y determinación del objeto del contrato.

El elenco de prestaciones que pueden ser objeto de este contrato es muy amplio y comprende la prestación de servicios que requieren conocimiento técnicos, profesionales o científicos (abogados, economistas, médicos, etc.); la de servicios que exigen habilidades o talento artístico; o servicios para los que bastan habilidades más o menos comunes (servicios de limpieza o de jardinería).

El servicio contratado debe prestarse con arreglo a la ley, a las condiciones acordadas y a las reglas propias de la profesión de la que se trate (*lex artis*).

Con frecuencia, las condiciones en las que debe formalizarse el contrato y prestarse el servicio vienen predeterminadas por la normativa sobre protección de los intereses de los consumidores y usuarios o por la normativa sectorial reguladora de cada tipo de actividad (abogacía, prestaciones sanitarias, seguridad privada, etc.).

2.3. Precio

El artículo 1544 CC exige el precio cierto en el contrato de arrendamiento de servicios y la doctrina coincide en afirmar que la retribución debe existir, pues de otro modo no estaríamos ante un contrato de servicios, sino ante una figura distinta, carente de regulación expresa.

La retribución puede ser de cualquier clase (cosas, servicios, etc.) y no tiene que consistir forzosamente en dinero.

No es necesario que el precio esté exactamente determinado en el momento de celebrarse el contrato. De hecho, es muy frecuente que se acuerde la prestación del servicio sin que las partes tengan un conocimiento exacto de cuál va ser el importe a pagar en concepto de honorarios. Basta pensar al respecto, en la contratación de los servicios de un abogado para un pleito o de un detective para averiguar el paradero de un familiar lejano: la retribución final dependerá del tiempo y las gestiones que sean precisas y que no pueden saberse de antemano.

Ahora bien, es necesario que el precio sea al menos determinable y su fijación no quede al mero arbitrio del prestador de los servicios (art. 1256 CC).

3. CONTENIDO DEL CONTRATO

3.1. Obligaciones del prestador del servicio

Su obligación fundamental es prestar los servicios pactados con arreglo a las reglas de la profesión u oficio (*lex artis*).

La naturaleza y duración de las actividades a realizar dependerá de las características y naturaleza del servicio contratado y, salvo que sus condiciones personales fueran determinantes de la contratación, el profesional puede valerse de auxiliares en la ejecución de los servicios.

El comitente puede dar instrucciones acerca del modo de realizarse el servicio, aunque, tratándose de prestaciones propias de profesiones liberales, no será frecuente, puesto que serán el criterio y el conocimiento del profesional los que determinen los pasos a seguir.

3.2. Obligaciones del comitente

Su obligación principal consiste en pagar el precio que corresponda a los servicios que efectivamente se le han prestado.

Respecto al momento del pago habrá que estar a lo pactado por las partes y a la propia naturaleza de los servicios contratados. Así, si los servicios se prestan fraccionadamente puede acordarse un pago fraccionado o por unidades de tiempo dedicadas al encargo, etc.

4. EXTINCIÓN

El contrato se extingue, además de por las causas generales aplicables a todos los contratos, por las siguientes:

a) Por transcurso del plazo pactado o por haberse ya consumado los servicios contratados (por ejemplo, finalización del pleito para el que se contrató al abogado).

b) Por desistimiento de una de las partes contratantes.

El comitente puede desistir en cualquier momento de continuar el contrato, sin necesidad de contar con justa causa (desistimiento unilateral). En todo caso, deberá notificar su decisión al prestador de los servicios e indemnizarle por los daños que le ocasione.

El prestador de servicios, en cambio, puede desistir únicamente si tiene justa causa para ello. Deberá también notificarlo a la contraparte e indemnizar los daños que ocasione.

c) Por fallecimiento del prestador de los servicios.

Si el contrato se hubiera celebrado en atención a las condiciones personales del prestador del servicios, su fallecimiento o, en general, su imposibilidad para continuar prestando el servicio determinará la extinción del contrato.

III. CONTRATO DE SOCIEDAD

1. CONCEPTO, CARACTERES Y MARCO LEGAL

Tanto el Código Civil (arts. 1665 y ss.) como el Código de Comercio (arts. 116 y ss.) regulan la sociedad, a la que este último denomina compañía.

Según el artículo 1665 CC, _«la sociedad es un contrato por el cual dos o más personas se obligan a poner en común dinero, bienes o industria, con ánimo de partir entre sí las ganancias»._

Por su parte, el artículo 116 CCom señala que _«el contrato de compañía, por el cual dos o más personas se obligan a poner en fondo común bienes, industria o alguna de estas cosas, para obtener lucro, será mercantil, cualquiera que fuese su clase, siempre que se haya constituido con arreglo a las disposiciones de este Código»._

En ambos casos se destaca el carácter contractual de la sociedad, pero no cabe desconocer que dicho contrato genera, además de las correspondientes relaciones obligatorias, una organización que, con frecuencia, tendrá personalidad jurídica propia (V. arts. 1669 CC y 116 CCom). La sociedad es un contrato, pero también una organización de base asociativa.

La definición propuesta tanto por el art. 1665 CC como por el art. 116 CCom permite considerar como rasgos caracterizadores de este contrato los siguientes.

a) Se trata de un contrato plurilateral de colaboración.

En la sociedad son partes dos o más personas cuyos intereses no son contrapuestos, sino concurrentes. Las partes buscan un interés común y la sociedad representa un instrumento para superar las limitaciones que tendrían para perseguirlo de manera individual. Estamos pues ante un verdadero contrato, aunque no sea sinalagmático, ni le resulten aplicables por tanto algunas de las reglas más características de éstos (resolución por incumplimiento, por ejemplo). No obstante, nuestro Derecho admite de manera excepcional sociedades unipersonales, que se basan en un negocio jurídico unilateral dirigido a la creación de una organización dotada de personalidad jurídica (cfr. art. 19 Real Decreto Legislativo 1/2010, de 2 de julio, por el que se aprueba el Texto Refundido de la Ley de Sociedades de Capital).

La voluntad de colaboración de los socios está dirigida a perdurar en el tiempo: se unen, no para realizar un único acto u operación, sino una sucesión indefinida de los mismos. Esa vocación o voluntad de permanencia en la sociedad (*affectio societatis*) permite calificar la sociedad como contrato de ejecución sucesiva, es decir, destinado a desplegar efectos escalonados durante un período de tiempo más o menos largo. La presencia de ese espíritu colaborativo explica también la relevancia de la confianza recíproca entre los socios, que se unen y realizan sus aportaciones al fondo común teniendo presentes las cualidades personales de los demás (*intuitu personae*).

b) Los socios deben constituir un fondo común.

Doctrina y jurisprudencia coinciden en señalar que es requisito esencial del contrato de sociedad que cada uno de los socios aporte o se obligue a aportar algo a la sociedad y que lo aportado se haga común a todos los socios, es decir, que se constituya un fondo común. De acuerdo con el artículo 1665 CC la aportación de los socios puede consistir en *«dinero, bienes o industria»*. Por consiguiente, el socio puede aportar su trabajo (industria) o, incluso, cualidades personales con relevancia económica (prestigio, amistades, conocimiento, etc.).

c) La sociedad se dirige a la obtención de lucro.

El art. 1665 CC y el art. 116 CCom imponen que la finalidad de la sociedad sea lucrativa. El objetivo debe ser la obtención de una ganancia repartible entre los socios.

El fin lucrativo de la sociedad la distingue de otras organizaciones dotadas de personalidad jurídica como la asociación o las cooperativas. En estas últimas se busca una ventaja económica basada en un ahorro para los cooperativistas y no una ganancia para repartir.

Sin embargo, un amplio sector de la doctrina viene abogando desde hace tiempo por un concepto más amplio de la sociedad, desvinculado del ánimo de lucro, tal y como sucede en algunos códigos civiles como el alemán o el suizo.

Para completar la anterior caracterización y culminar la aproximación al concepto de sociedad es preciso analizar el complejo marco normativo de la misma.

El régimen legal de la sociedad en nuestro Derecho descansa en la superposición de normas civiles y mercantiles, que disciplinan la sociedad como contrato, pero también como organización dotada de personalidad jurídica. La relevancia que como organización ha adquirido la sociedad en el tráfico jurídico y económico, especialmente en el ámbito mercantil, ha determinado que el grueso de su normativa reguladora se centre, precisamente, en los aspectos relacionados con el carácter de organización mercantil de la misma.

La delimitación de las sociedades sujetas al régimen civil y al régimen mercantil no siempre resulta sencilla, pues las normas del CC y del CCom son confusas y, en ocasiones, contradictorias. Ello explica que no se trate de una cuestión pacífica en la doctrina.

Con arreglo a la interpretación que parece más razonable de los arts. 116 y 1.2 CCom pueden considerarse mercantiles las sociedades que se constituyan de acuerdo a alguno de los tipos societarios previstos en el CCom (sociedades colectivas y comanditarias) y que se constituyan para desarrollar una actividad comercial o industrial, es decir, que tengan un objeto mercantil.

Ahora bien, debe tenerse presente que:

a) De acuerdo también con la interpretación que parece preferible del art. 1670 CC es posible que una sociedad de objeto civil (que no se dedique al comercio) pueda adoptar una forma mercantil. No es admisible, en cambio, que una sociedad de objeto mercantil adopte la forma de sociedad civil (si lo hiciera le serían aplicables las normas de la sociedad colectiva).

b) Determinados tipos societarios tienen siempre carácter mercantil, sea cual sea su actividad: sociedades de capital, sociedades de garantía recíproca y agrupaciones de interés económico. Estos tipos societarios cuentan con su propia regulación fuera del Código de Comercio: Real Decreto Legislativo 1/2010, de 2 de julio, por el que se aprueba el Texto Refundido de la Ley de Sociedades de Capital; Ley 1/1994, de 11 de marzo, sobre Régimen Jurídico de las Sociedades de Garantía Recíproca; Ley 12/1991, de 29 de abril, de Agrupaciones de Interés Económico.

En consecuencia, y según la caracterización realizada, las sociedades civiles serían, fundamentalmente las dedicadas al ejercicio de actividades agrarias, artesanales o profesionales (para estas últimas el art. 1.2 de la Ley 2/2007 de sociedades profesionales permite que puedan adoptar forma mercantil).

En el tráfico jurídico y económico existe una absoluta preponderancia de las sociedades mercantiles, sobre todo de las sociedades de capital. Las sociedades civiles, por el contrario, son muy poco frecuentes.

En todo caso, la disciplina de la sociedad contenida en el Código Civil no tiene limitada su eficacia a la regulación de las sociedades civiles. Y es que, como destaca unánimemente la doctrina, los preceptos del Código Civil constituyen la referencia en cuestiones de principios o a la hora de colmar eventuales lagunas en la regulación de cualquier tipo societario. El Código Civil contiene la parte general del Derecho de sociedades.

2. ELEMENTOS

2.1. Consentimiento

El consentimiento de las partes debe recaer sobre el objeto y la causa del contrato (art. 1262 CC), es decir, sobre las aportaciones y sobre el fin común que se persigue con la sociedad.

Para prestar consentimiento se requiere la capacidad general de obrar (el menor emancipado necesitará el concurso de sus padres o curador cuando se comprometa a aportar bienes inmuebles y establecimientos mercantiles o industriales u objetos de extraordinario valor: art. 323 CC).

2.2. Objeto

El objeto del contrato de sociedad consiste en las aportaciones comprometidas por los socios y conviene no confundirlo con el objeto social de la sociedad, es decir, con la actividad prevista para la misma.

La aportación puede consistir en cualquier prestación de carácter patrimonial (arts. 1665 y 1088 CC) y puede hacerse por cualquier título.

La obligación de aportar de los socios se rige por las normas generales pertinentes según el tipo de aportación y por las reglas específicas previstas en los artículos 1682 (mora en la realización de la aportación), 1687 (riesgos) y 1701 (imposibilidad de la prestación) del Código Civil.

2.3. Causa

La causa de este contrato es el fin común perseguido por las partes (la obtención de lucro), que engloba el objeto social, es decir, el fin concreto al que se va a dedicar la sociedad (por ejemplo, la venta de vehículos automóviles).

La causa debe ser lícita (art. 1275 CC) y a ello se refiere el artículo 1666 CC cuando señala que *«la sociedad debe tener un objeto lícito, y establecerse en interés común de los socios»* (el CC alude al objeto social, que integra la causa del contrato).

Este último precepto proscribe, además, a aquellas sociedades establecidas en interés exclusivo de uno o algunos de los socios (sociedades leoninas). Tal será el caso, por ejemplo, de aquellas sociedades que pretendan excluir a alguno de los socios de la participación en las ganancias (cfr. art. 1691 CC).

2.4. Forma

Según el artículo 1667 CC, «*la sociedad civil se podrá constituir en cualquiera forma, salvo que se aportaren a ella bienes inmuebles o derechos reales, en cuyo caso será necesaria la escritura pública*». El art. 1668 CC añade que «*es nulo el contrato de sociedad, siempre que se aporten bienes inmuebles, si no se hace un inventario de ellos, firmado por las partes, que deberá unirse a la escritura*».

La doctrina mayoritaria y también la jurisprudencia interpretan ambos preceptos en la línea de lo dispuesto en los arts. 1278 a 1280 CC. Es decir, rige el principio de libertad de forma y la exigencia de escritura pública es *ad probationem* (no condiciona la validez del contrato). El inventario del artículo 1668 CC, por su parte, sería requisito de validez de la escritura pública, pero no del contrato.

No obstante, en el ámbito mercantil se suele condicionar la validez de la sociedad a la observancia de ciertos requisitos de forma y publicidad de su constitución y existencia (V. art. 119 CCom o art. 20 Real Decreto Legislativo 1/2010, de 2 de julio, por el que se aprueba el texto refundido de la Ley de Sociedades de Capital).

2.5. Las sociedades de hecho

El contrato de sociedad está sujeto a los requisitos generales de validez de los contratos y, por tanto, cuando falta algún elemento esencial o existen vicios invalidantes serían de aplicación las reglas contenidas en los arts. 1300 y ss. del Código Civil. La consecuencia inmediata, tratándose de sociedades viciadas de nulidad, es que el Derecho las debería considerar inexistentes y obligar a la restitución de los bienes aportados (eficacia retroactiva de la declaración de nulidad).

Ahora bien, cuando el contrato de sociedad viciado ha dado pie a la puesta en marcha de una organización, de una persona jurídica que se ha relacionado con terceros, la aplicación de los esquemas propios de la nulidad contractual se torna complicada. A las relaciones jurídicas propias del contrato de sociedad, habrá que sumar las surgidas a raíz de la actividad de la sociedad como sujeto de derechos. Y, así las cosas, los mecanismos de eficacia retroactiva propios de la nulidad contractual serán muy difíciles de aplicar sin quebrar principios básicos como la seguridad jurídica o la protección de apariencia.

Para orillar las dificultades planteadas puede aplicarse la denominada doctrina de las sociedades de hecho, con arreglo a la cual se consideran las causas de nulidad como causas de disolución de la sociedad, que obligan a la extinción y liquidación de la misma. El mecanismo que se propone carece de efectos retroactivos, por lo quedan obviados los graves problemas que representaría la aplicación de las reglas sobre nulidad.

La más reciente legislación societaria parece inclinarse por la solución apuntada (cfr. art. 57 del Real Decreto Legislativo 1/2010, de 2 de julio, por el que se aprueba el Texto Refundido de la Ley de Sociedades de Capital o art. 9.1 de la Ley 12/1991, de 29 de abril, de Agrupaciones de Interés Económico). Y también la jurisprudencia (V. por todas la STS [1ª] 25.11.1996).

3. LA SOCIEDAD CIVIL

3.1. Personalidad jurídica y tipología

Según el art. 1669 CC, *«no tendrán personalidad jurídica las sociedades cuyos pactos se mantengan secretos entre los socios, y en que cada uno de éstos contrate en su propio nombre con los terceros»*. Interpretado *a contrario sensu* y en conjunción con los arts. 35 y 36 CC, parece claro que se reconoce personalidad a determinadas sociedades civiles. El Tribunal Supremo ha llegado a afirmar que, de acuerdo con el art. 1669 CC, debe considerarse excepcional que la sociedad no tenga personalidad jurídica (STS [1ª] 31.5.1994).

Con arreglo la doctrina mayoritaria, para que la sociedad tenga personalidad jurídica propia es necesario que tenga una proyección externa a través de su intervención en el tráfico jurídico y económico. En cambio, aquellas sociedades que no se manifiesten externamente como tales y permanezcan en un ámbito de actuación interno (entre los socios) carecerían de personalidad jurídica. Para estas sociedades internas el art. 1669 CC señala que se regirán por las normas de la comunidad de bienes

El Código Civil establece una tipología de las sociedades civiles, según la cual, éstas pueden ser universales o particulares (art. 1671). Las sociedades particulares tiene únicamente por objeto cosas determinadas, su uso, o sus frutos, o una empresa señalada, o el ejercicio de una profesión o arte (art. 1678). Por su parte, las sociedades universales pueden ser de todos los bienes presentes (las partes ponen en común todos los que actualmente les pertenecen, con ánimo de partirlos entre sí, como igualmente todas las ganancias que adquieran con ellos: art. 1673) o de todas las ganancias (comprende todo lo que adquieran los socios por su industria o trabajo mientras dure la sociedad: art. 1675).

La fórmula más frecuente y para la que está pensada la regulación del Código es la sociedad particular y externa (con personalidad jurídica).

3.2. Administración

El modo de gestionarse la sociedad vendrá determinado por la existencia y contenido de los pactos que los socios puedan haber alcanzado al respecto.

Lo habitual es que los socios acuerden cómo se administrará la sociedad, en cuyo caso pueden darse las siguientes hipótesis:

a) Que se encargue la gestión a un socio-administrador, que *«podrá ejercer todos los actos administrativos sin embargo de la oposición de sus compañeros, a no ser que proceda de mala fe»*. Además, si el nombramiento se recoge en el contrato social es irrevocable sin causa legítima (art. 1692 CC);

b) Que se nombre a varios administradores y se señalen expresamente las funciones que corresponden a cada uno y la manera en la que pueden actuar;

c) Que se nombre a varios administradores, pero sin determinarse sus funciones o sin haberse expresado que no podrán obrar los unos sin el consentimiento de los otros. En este caso, *«cada uno puede ejercer todos los actos de administración separadamente; pero cualquiera de ellos puede oponerse a las operaciones del otro antes de que éstas hayan producido efecto legal»* (art. 1693 CC); y d) Que se nombre a varios administradores y se estipule que los socios administradores no hayan de obrar los unos sin el consentimiento de los otros (V. art. 1694 CC).

Si los socios no pactan nada acerca de la gestión de la sociedad, se aplicarán las reglas recogidas en el art. 1695 CC.

3.3. Responsabilidad

Además de las relaciones entre los socios (relaciones internas), la sociedad puede tener relaciones con terceros ajenos al contrato de sociedad (relaciones externas). Respecto a estas últimas resulta fundamental delimitar claramente quién y con qué alcance responde frente a esos terceros.

Según el artículo 1697 CC, la sociedad (y su patrimonio) quedará obligada frente a terceros cuando concurran los siguientes requisitos: 1) *«Que el socio haya obrado en su carácter de tal, por cuenta de la sociedad»*; 2) *«Que tenga poder para obligar a la sociedad en virtud de un mandato expreso a tácito»*; 3) *«Que haya obrado dentro de los límites que le señala su poder o mandato».*

El art. 1698.2 CC añade que *«la sociedad no queda obligada respecto a tercero por actos que un socio haya realizado en su propio nombre o sin poder de la sociedad para ejecutarlo, pero queda obligada para con el socio en cuanto dichos actos hayan redundado en provecho de ella».* Esta última regla evita el enriquecimiento injusto de la sociedad a costa del socio. El alcance de la responsabilidad de los socios (y de su patrimonio) por las deudas de la sociedad no es cuestión pacífica en la doctrina ante la insuficiencia de las previsiones del Código Civil al respecto.

De acuerdo con la interpretación más generalizada del art. 1698 CC, los socios responden personal e ilimitadamente de las deudas de la sociedad, pero de manera subsidiaria y mancomunada. Es decir, que los socios responden con sus bienes únicamente tras agotarse el patrimonio de la sociedad y de manera mancomunada (en función de su participación en la sociedad).

3.4. Pérdidas y ganancias

La distribución entre los socios de las pérdidas y ganancias derivadas de la actividad social se realizará con arreglo a lo que hubieren convenido al respecto (art. 1689.1 CC).

El Código Civil establece, sin embargo, ciertas limitaciones a los posibles acuerdos en la materia. De manera que:

a) La designación de pérdidas y ganancias no puede ser encomendada a uno de los socios (art. 1690.2 CC).

Es lícito, sin embargo, confiar a un tercero la designación de la parte de cada uno en las ganancias y pérdidas. En tal caso, la decisión del tercero solamente podrá ser impugnada *«cuando evidentemente haya faltado a la equidad»*; y

b) *«Es nulo el pacto que excluye a uno o más socios de toda parte en las ganancias o en las pérdidas. Sólo el socio de industria puede ser eximido de toda responsabilidad en las pérdidas»* (art. 1691 CC).

En defecto de pacto, el Código Civil señala que *«la parte de cada socio en las ganancias y pérdidas debe ser proporcionada a lo que haya aportado. El socio que lo fuere sólo de industria tendrá una parte igual a la del que menos haya aportado. Si además de su industria hubiere aportado capital, recibirá también la parte proporcional que por él le corresponda»* (art. 1689.2).

3.5. Extinción y liquidación

De acuerdo con lo dispuesto en el art. 1700 CC, la sociedad se extingue por las siguientes causas:

1) *«Cuando expira el término por que fue constituida»* (V. también art. 1680 CC).

La extinción se produce de modo automático, salvo que se acuerde prorrogar su actividad *«por consentimiento de todos los socios»*, que podrá ser expreso o tácito (art. 1702 CC). *«Si la sociedad se prorroga después de expirado el término, se entiende que se constituye una nueva sociedad. Si se prorroga antes de expirado el término, continúa la sociedad primitiva»* (art. 1703 CC);

2) *«Cuando se pierde la cosa, o se termina el negocio que le sirve de objeto»* (V. art. 1701 CC);

3) *«Por muerte, insolvencia, incapacitación o declaración de prodigalidad de cualquiera de los socios, y en el caso previsto en el artículo 1699».*

No obstante, debe tenerse presente lo dispuesto en el art. 1704 CC, que permite pactar la continuidad de la sociedad entre los socios que sobreviven;

4) *«Por la voluntad de cualquiera de los socios, con sujeción a lo dispuesto en los artículos 1705 y 1707».*

La extinción de la sociedad por esta causa puede producirse de tres maneras: a) por acuerdo unánime de todos los socios (contrato extintivo); b) por desistimiento unilateral sin invocar justa causa (V. arts. 1705 y 1706 CC); y c) por desistimiento unilateral basado en una justa causa (V. art. 1707 CC).

Para que la extinción de la sociedad pueda consumarse es necesario un proceso de liquidación dirigido a saldar las deudas y operaciones pendientes de la sociedad y a convertir en líquido el patrimonio remanente con el fin de poder distribuirlo entre los socios (V. art. 1708 CC).

La doctrina mayoritaria considera que durante este período de liquidación la sociedad mantiene su personalidad jurídica, aunque su objeto y actividad quedan circunscritos al propio proceso liquidatorio.

Son lícitos los pactos acerca del modo en que debe procederse a la liquidación de la sociedad y a ellos habrá que estar en caso de que existan.

IV. EL «MANDATO Y LA COMISIÓN MERCANTIL

1. CONCEPTO, CARACTERES Y MODALIDADES

El mandato y la comisión mercantil son, como vamos a ver, contratos íntimamente relacionados y que evidencian como pocos lo innecesaria que en ocasiones resulta la doble regulación de la materia contractual en el Código Civil y en el Código de Comercio.

Según el artículo 1709 CC, «*por el contrato de mandato se obliga una persona a prestar algún servicio o hacer alguna cosa, por cuenta o encargo de otra*».

El artículo 244 del Código de Comercio dispone, por su parte, que «*se reputará comisión mercantil el mandato, cuando tenga por objeto un acto u operación de comercio y sea comerciante o agente mediador del comercio el comitente o el comisionista*».

El Código de Comercio deja claro que la comisión es básicamente un mandato mercantil, es decir, un mandato caracterizado por la naturaleza mercantil del acto u operación sobre el que recae y por la intervención de al menos un comerciante en el mismo. De ahí que la doctrina coincida en señalar que no existen diferencias de naturaleza jurídica entre ambos contratos: el comisionista se distingue del mandatario por la naturaleza mercantil de la operación que se le encarga. Es necesario, adicionalmente, que el propio comisionista o el comitente sean comerciantes.

Para delimitar con mayor precisión el concepto de ambos contratos es útil tener presentes las características propias de los mismos:

a) Se trata de contratos consensuales, que no están sometidos a reglas especiales en cuanto a capacidad, formación y eficacia (V. art. 1710 CC y 248 y 249 CCom);

b) Se dirigen a la gestión de un interés ajeno por parte del mandatario o comisionista. La actuación de éstos se produce «por cuenta y encargo» de otro y los resultados de la misma les deben ser ajenos (corresponden a la esfera jurídica del mandante o comitente);

c) La actuación que se encarga al mandatario o al comisionista debe ser jurídicamente relevante. El hacer del mandatario, del comisionista, debe ser de carácter jurídico, no material. La ejecución de actividades materiales carentes de relevancia jurídica no es propia del mandato, ni de la comisión mercantil.

El mandato es en principio gratuito (aunque cabe pactar lo contrario: art. 1711 CC); mientras que la comisión se presume retribuida, salvo pacto en contra (art. 277 CCom). Si el contrato resulta gratuito será unilateral; y bilateral en caso contrario.

No resulta sencillo separar con nitidez el mandato y la comisión del contrato de servicios. Se suelen destacar como diferencias fundamentales las siguientes: a) en el mandato y en la comisión, el servicio o la actividad encargada tienen relevancia jurídica (con frecuencia consiste en la celebración de contratos), mientras que en el contrato de servicios la actividad suele ser más bien de carácter material; b) es inherente al mandato y a la comisión la idea de sustitución, el mandatario y el comisionista actúan sustituyendo al principal, circunstancia que no suele darse cuando se trata de un contrato de servicios (V. STS [1ª] 27.11.1992).

En la práctica, los comisionistas suelen ser empresarios que se dedican de manera habitual a realizar operaciones por cuenta ajena.

El Código Civil (art. 1717) y el de Comercio (art. 245) admiten que el mandatario y el comisionista pueden obrar en nombre propio o en el del mandante o comitente.

Según el art. 247 CCom, si el comisionista contrata en nombre del comitente, *«el contrato y las acciones derivadas del mismo producirán su efecto entre el comitente y la persona o personas que contrataren con el comisionista»*. En este caso, el mandato y la comisión tendrán carácter representativo, pues el mandatario y el comisionista actuarán como representantes del principal, que quedará directamente vinculado a los resultados de dicha actuación (representación directa).

Por el contrario, con arreglo al art. 246 CCom, *«cuando el comisionista contrate en nombre propio, no tendrá necesidad de declarar quién sea el comitente, y quedará obligado de un modo directo, como si el negocio fuese suyo, con las personas con quienes contratare, las cuales no tendrán acción contra el comitente, ni éste contra aquéllas, quedando a salvo siempre las que respectivamente correspondan al comitente y al comisionista entre sí»* (V. en la misma línea el art. 1717 CC). Quiere ello decir que el mandatario y el comisionista no vinculan directamente al principal con su actuación, aunque vienen obligados a trasladarle los efectos de lo actuado, en virtud, precisamente, del vínculo jurídico que deriva del contrato de mandato o comisión.

El Código Civil distingue también entre mandato expreso y tácito (art. 1710) y entre mandato general y especial (arts. 1712 y 1713). Respecto a esta última distinción conviene apuntar que la comisión es un mandato especial, no genérico, pues en ese caso estaríamos ante otro tipo de relación (laboral, factor, etc.).

Finalmente conviene aludir brevemente a una modalidad específica de comisión, la de garantía, prevista en el art. 272 CCom. Lo peculiar de esta comisión es la inclusión de la cláusula *star del credere*, en virtud de la cual el comisionista se hace responsable del cumplimiento de los contratos que celebre con terceros por cuenta del comitente. Esta cláusula o pacto se yuxtapone a la comisión e implica la ampliación de la responsabilidad del comisionista para promover que contrate con terceros seguros y solventes.

2. CONTENIDO

2.1. Obligaciones del mandatario y del comisionista

El comisionista y el mandatario tienen fundamentalmente dos obligaciones: cumplir o ejecutar el encargo; y rendir cuentas de su actuación.

La obligación esencial y característica de estos contratos consiste, evidentemente, en la ejecución del encargo recibido por parte del mandatario o del comisionista (V. arts. 1718 CC y 250 CCom).

El modo en que se debe cumplir el encargo viene disciplinado tanto por el Código Civil como por el Código de Comercio en términos que, en líneas generales, son coincidentes. Las directrices básicas en la materia son las siguientes:

a) El encargo debe ejecutarse con respeto a lo dispuesto en las leyes y reglamentos (art. 259 CCom). La vulneración de la legalidad hará responsable de los daños que cause al mandatario y al comisionista (cfr. art. 1726 CC).

b) El encargo debe cumplirse de acuerdo con las instrucciones del mandante o comitente (arts. 1719.1 CC y 254 CCom).

Para la comisión, el Código de Comercio dispone que *«en lo no previsto y prescrito expresamente por el comitente, deberá el comisionista consultarle, siempre que lo permita la naturaleza del negocio»* y que *«si estuviese autorizado para obrar a su arbitrio, o no fuere posible la consulta, hará lo que dicte la prudencia y sea más conforme al uso del comercio, cuidando del negocio como propio»* (art. 255 CCom).

Para el mandato, el Código Civil señala que *«el mandatario no puede traspasar los límites del mandato»* (art. 1714) y que, a falta de instrucciones, el mandatario *«hará todo lo que, según la naturaleza del negocio, haría un buen padre de familia»* (art. 1719).

El Código de Comercio no permite al comisionista apartarse de las instrucciones del comitente, ni aun en el supuesto de que el resultado fuera ventajoso (V. art. 256 CCom). Lo más que acepta es que *«en el caso de que un accidente no previsto hiciere, a juicio del comisionista, arriesgada o perjudicial la ejecución de las instrucciones recibidas, podrá suspender el cumplimiento de la comisión, comunicando al comitente, por el medio más rápido posible, las causas que hayan motivado su conducta»* (art. 255 CCom).

El Código Civil, en cambio, establece que *«no se consideran traspasados los límites del mandato si fuese cumplido de una manera más ventajosa para el mandante que la señalada por éste»* (art. 1715).

c) No es imprescindible que el encargo sea ejecutado personalmente por el mandatario o comisionista.

El Código de Comercio admite la posibilidad de que, mediando consentimiento del comitente, el encargo sea ejecutado por persona distinta del comisionista. En tal caso, *«responderá de las gestiones del sustituto, si quedare a su elección la persona en quien había de delegar, y, en caso contrario, cesará su responsabilidad»* (art. 262 CCom).

También admite el Código de Comercio que el comisionista *«podrá, bajo su responsabilidad, emplear sus dependientes en aquellas operaciones subalternas que, según la costumbre general del comercio, se confían a éstos»* (art. 261).

Para el mandato, el Código Civil parte de una premisa distinta a la del Código de Comercio: el mandatario puede nombrar sustituto siempre que el mandante no se lo haya prohibido (art. 1721). El mandatario será responsable de la gestión del sustituto cuando no se le dio facultad para nombrarlo y cuando se le dio esta facultad, pero sin designar la persona, y el nombrado era notoriamente incapaz o insolvente. Además, el mandante tendrá acción directa contra el sustituto (arts. 1721 y 1722 CC).

Aparte de las tres directrices expuestas, el Código de Comercio contiene una serie de previsiones muy específicas sobre las actuaciones que puede o debe realizar el comitente en la ejecución del encargo: V. arts. 270, 273, 274, 275, 257, 258, 260, 263, 265, 267 y 268 CCom.

Respecto a la responsabilidad del mandatario por la ejecución del encargo, el Código Civil señala que responde *«no solamente del dolo, sino también de la culpa, que deberá estimarse con más o menos rigor por los Tribunales según que el mandato haya sido o no retribuido»* (art. 1726). También dispone el Código que cuando hay dos o más mandatarios, aunque hayan sido instituidos simultáneamente, su responsabilidad no es solidaria, si no se ha previsto así expresamente (art. 1723).

La segunda obligación del mandatario y del comisionista es rendir cuentas de su actuación (art. 1720 CC y 263 CCom).

La rendición de cuentas no debe limitarse al aspecto contable o numérico, sino que se dirige también a hacer posible que el mandante y el comitente puedan valorar adecuadamente los términos en los que se ha ejecutado el encargo.

Una manifestación destacada de la rendición de cuentas es la obligación de informar al mandante o comitente no sólo del resultado final de las gestiones realizadas, sino también de las novedades relacionadas con las mismas durante la ejecución del encargo (V. art. 260 CCom).

También hay que relacionar con la rendición de cuentas las obligaciones recogidas en los arts. 265 y 266 CCom (conservación y riesgos de las mercaderías en poder del comisionista) y 1724 CC y 264 CCom (aplicación de cantidades recibidas por el mandatario o comisionista a fines ajenos al encargo).

Para concluir la referencia a las obligaciones del mandatario y del comisionista hay que aludir a la denominada (en el ámbito mercantil) prohibición de autoentrada (art. 267 CCom y 1459 CC).

El comisionista y el mandatario no pueden ser parte en lo contratos que les hayan sido encomendados. Se pretende con ello evitar que puedan anteponer sus propios intereses a los del comitente o mandante, aunque la prohibición puede salvarse cuando media licencia de éstos, es decir, cuando permitan que el comisionista o el mandatario sean su contraparte. También cuando ratifiquen posteriormente la operación.

2.2. Obligaciones del mandante y del comitente

Las obligaciones más importantes del mandante y del comitente son: a) pagar la remuneración por el encargo; b) asegurar la indemnidad del mandatario o del comisionista; y c) asumir los efectos de la actuación de estos últimos.

a) Pagar la remuneración.

En el mandato esta obligación existirá si se ha pactado expresamente su carácter retribuido o si el mandatario tiene por ocupación el desempeño de servicios de la especie a que se refiera el mandato (art. 1711 CC).

Si al pactar la remuneración no se hubiera determinado su cuantía, habrá que recurrir a los usos del tráfico, a las tarifas o baremos de honorarios profesionales y, en último término, se determinará en sede judicial.

En la comisión, el comitente estará obligado a abonar al comisionista su remuneración (la comisión), salvo pacto en contrario (art. 277 CCom). Sin embargo, la gratuidad de la comisión es sumamente excepcional en el tráfico mercantil.

Por lo general, la remuneración del comisionista se fija en un tanto por ciento del importe de la operación a realizar, aunque cabe también utilizar otros criterios, un tanto alzado por ejemplo. Con arreglo al propio art. 277 CCom, *«faltando pacto expresivo de la cuota, se fijará ésta con arreglo al uso y práctica mercantil de la plaza donde se cumpliere la comisión».*

b) Asegurar la indemnidad del mandatario o comisionista.

El mandatario y el comisionista gestionan un interés ajeno por lo que debe quedar asegurada su indemnidad, es decir, que la gestión de ese interés ajeno no debe reportarles daños o menoscabos en su propio patrimonio. Para ello, pesan sobre el mandante o comitente las siguientes obligaciones:

En primer lugar, *«el mandante debe anticipar al mandatario, si éste lo pide, las cantidades necesarias para la ejecución del mandato»* (art. 1728.1 CC). Para el comitente viene a establecer lo mismo el artículo 250 CCom.

En segundo lugar, deben reembolsarse al mandatario las cantidades que hubiera anticipado, *«aunque el negocio no haya salido bien, con tal que esté exento de culpa el mandatario. El reembolso comprenderá los intereses de la cantidad anticipada, a contar desde el día en que se hizo la anticipación»* (art. 1728.2 y 3 CC). Respecto al comisionista, el 278 CCom contempla la misma obligación.

En tercer lugar, el mandante debe *«indemnizar al mandatario de todos los daños y perjuicios que le haya causado el cumplimiento del mandato, sin culpa ni imprudencia del mismo mandatario».* Para el comitente dispone lo propio el art. 278 CCom, según el cual, *«el comitente estará asimismo obligado a satisfacer al contado, al comisionista, mediante cuenta justificada, el importe de todos sus gastos y desembolsos, con el interés legal desde el día en que los hubiere hecho hasta su total reintegro».*

c) Asumir los efectos de la actuación del mandatario y del comisionista.

De acuerdo con el art. 1727 CC, *«El mandante debe cumplir todas las obligaciones que el mandatario haya contraído dentro de los límites del mandato. En lo que el mandatario se haya excedido, no queda obligado el mandante sino cuando lo ratifica expresa o tácitamente».*

El art. 253 CCom, por su parte, dispone que *«celebrado un contrato por el comisionista con las formalidades de derecho, el comitente deberá aceptar todas las consecuencias de la comisión, salvo el derecho de repetir contra el comisionista por faltas u omisiones cometidas al cumplirla».*

2.3. Protección del crédito del mandatario y del comisionista

El art. 1730 CC reconoce al mandatario la posibilidad de *«retener en prenda»* las cosas que son objeto del mandato hasta que el mandante abone o reembolse al mandatario los gastos, anticipos e indemnizaciones que procedan.

A pesar de la dicción literal del precepto, la doctrina mayoritaria considera que lo que se reconoce al mandatario es un derecho de retención posesoria.

Respecto al comisionista, V. el art. 276 CCom.

3. EXTINCIÓN

Al mandato y a la comisión le son aplicables las causas generales de extinción de las obligaciones: cumplimiento del plazo; imposibilidad sobrevenida no imputable al mandatario; cumplimiento del encargo; mutuo desistimiento de las partes, etc. Pero, además de ellas, tanto el Código Civil como el de Comercio aluden a algunas que son específicas para estos contratos.

De las causas específicas de extinción, algunas son comunes a ambos contratos, mientras que otras operan exclusivamente en relación al mandato. Las comunes son las siguientes:

a) Revocación del encargo (art. 1733 CC y art. 279 CCom).

En realidad se trata de un desistimiento unilateral *ad nutum*, que se fundamenta en la idea de que estamos ante contratos basados en la confianza entre las partes contratantes. La comisión y el mandato tienen sentido en la medida en que el comitente y el mandante mantengan el interés y la confianza en las gestiones del comisionista y el mandatario. Cuando deja de ser así, lo lógico es que se permita la revocación, el desistimiento (V. STS [1ª] 4.4.1998).

La revocación se produce en virtud de una declaración de voluntad del mandante o del comitente que tiene carácter recepticio, es decir, que sólo adquiere eficacia cuando llega a su destinatario (el mandatario o comisionista). En ocasiones es necesario, respecto a terceros, que también estos tengan conocimiento de la revocación (V. art. 1734 CC).

La revocación puede realizarse de forma expresa, pero también táctica, como, por ejemplo, cuando se nombra a un nuevo mandatario o comisionista (V. art. 1735 CC).

Tradicionalmente se consideró que las partes no podían pactar la irrevocabilidad, pero, finalmente, doctrina y jurisprudencia han acabado aceptando la validez del pacto de irrevocabilidad e, incluso, la irrevocabilidad derivada de determinadas circunstancias, como, por ejemplo, la presencia del interés de terceros en el mandato o la comisión (V. por todas STS [1ª] 30.01.1999).

La revocación carece de eficacia retroactiva, sus efectos son para el futuro (*ex nunc*). Notificada la revocación al mandatario o al comisionista, lo realizado por éstos en lo sucesivo es ineficaz frente al mandante o al comitente, no les vincula.

b) La muerte del mandatario o del comisionista (arts. 1732.3 CC y 280 CCom).

Esta causa de extinción tiene su fundamento en la idea de que la elección del mandatario o del comisionista se basa en la confianza que despiertan por sus cualidades personales, solvencia, relaciones comerciales, etc. En consecuencia, a su muerte el encargo no debe pasar a sus herederos (V. art. 1739 CC).

c) La incapacitación, declaración de prodigalidad, insolvencia o inhabilitación del mandatario o del comisionista (art. 1732.2 y 3; y art. 280 CCom).

El Código Civil considera, con toda lógica, que la incapacitación o la prodigalidad del mandatario debe producir la extinción del mandato, ya que en ambas situaciones la capacidad de obrar del mandatario queda comprometida en términos difícilmente compatibles con lo que se espera de quien debe gestionar intereses ajenos. El Código de Comercio, en cambio, no alude a estos supuestos como causa de extinción de la comisión, a pesar de lo cual no parece haber inconveniente en considerar extinguida la comisión por idénticas razones.

La situación de concurso o insolvencia del mandatario también resulta razonable que conduzca a la extinción del mandato, dadas sus consecuencias sobre el crédito y capacidad de actuación de aquél. Para la comisión, el Código de Comercio habla de la inhabilitación del comisionista, que es un concepto más amplio, que engloba los supuestos previstos en los artículos 13 y 14 de dicho cuerpo legal.

Las causas de extinción específicas que resultan aplicables exclusivamente al mandato son:

a) La renuncia del mandatario (arts. 1732.2 y 1736 CC). Con arreglo al art. 1736, _«el mandatario puede renunciar al mandato poniéndolo en conocimiento del mandante»._ Esta posibilidad está expresamente vetada en el ámbito de la comisión mercantil (art. 252 CCom).

No es necesaria justa causa para poder renunciar, aunque las consecuencias en orden a la responsabilidad del mandatario frente al mandante serán diversas en un caso y en otro (V. art. 1736 CC).

La renuncia produce efectos para el futuro (_ex nunc_) y no siempre produce la extinción automática del mandato (V. art. 1737 CC);

b) La muerte, incapacitación sobrevenida, declaración de prodigalidad, concurso o insolvencia del mandante (art. 1732.3 y 1736 CC).

Cuando estas circunstancias se dan en el mandante, el Código Civil contempla la extinción del mandato, mientras que el Código de Comercio mantiene la vigencia de la comisión en los mismos supuestos (art. 280). Hay que tener en cuenta, por último, lo dispuesto en el art. 1738 CC, según el cual, *«lo hecho por el mandatario, ignorando la muerte del mandante u otra cualquiera de las causas que hacen cesar el mandato, es válido y surtirá todos sus efectos respecto a los terceros que hayan contratado con él de buena fe».*

V. CONTRATO DE MEDIACIÓN O CORRETAJE

1. CONCEPTO, CARACTERES Y MARCO LEGAL

Por el contrato de mediación o corretaje una de las partes (el mediador o corredor) se obliga a promover o facilitar la celebración de un determinado contrato entre la otra parte y un tercero al que habrá de buscar, a cambio de una remuneración a pagar en el caso de que el contrato proyectado llegue a concluirse (V. STS [1ª] 10.11.2004).

Este contrato de colaboración permite al interesado recabar el auxilio del mediador o corredor con el fin de celebrar un contrato con un tercero al que hay que buscar. Para este tipo de colaboración se suele recurrir a profesionales dedicados a esta actividad, como, por ejemplo, los agentes de la propiedad inmobiliaria o los corredores de seguros.

La mediación o corretaje presenta evidentes afinidades con otros contratos como el de mandato, comisión o servicios, aunque, como ha destacado reiteradamente nuestra jurisprudencia, tiene sustantividad propia frente a los mismos (V. STS [1ª] 18.3.2010). Esa independencia o autonomía se manifiesta, sobre todo, por la actividad a desarrollar por el mediador o corredor y por la naturaleza de su vinculación con el comitente (así suele llamarse a quién contrata su mediación).

La actividad del mediador y del corredor no es jurídica, sino material. Se limitan a poner en relación a los futuros contratantes, sin participar personalmente en el contrato, ni en nombre propio, ni en el del comitente. Además, actúan con independencia, sin subordinación al comitente y su relación con éste es esporádica, no tiene continuidad en el tiempo (habitualmente para un encargo concreto).

Se suele caracterizar este contrato como bilateral, aunque algunos autores lo cuestionen en atención a que la obligación del comitente de abonar la retribución o prima del mediador únicamente existirá en aquellos casos en los que la mediación ha resultado eficaz y se ha concluido el contrato proyectado.

Se trata de un contrato atípico, carente de regulación legislativa expresa, cuyas fuentes son, por un lado, los pactos y acuerdos de las partes contratantes (autonomía privada) y, por otro, la doctrina jurisprudencial sustentada en las abundantes resoluciones que sobre el mismo han ido dictando nuestros tribunales. También le son aplicables las normas generales sobre contratación del Código Civil; los usos y costumbres y, en ocasiones y por analogía, algunos de los preceptos relativos al mandato o la comisión mercantil (V. STS [1ª] 18.3.2010).

La actividad de algunos de los profesionales que se dedican a la mediación o corretaje viene disciplinada en normas sectoriales, que habrá que tomar en consideración cuando corresponda. Es el caso de los agentes de la propiedad inmobiliaria (V. Real Decreto 1294/2007, de 28 de septiembre, por el que se aprueban los Estatutos Generales de los Colegios Oficiales de Agentes de la Propiedad Inmobiliaria y de su Consejo General) o de los corredores de seguros (Ley 26/2006, de 17 de julio, de mediación de seguros y reaseguros privados).

Cuando el encargo se realiza a un mediador o corredor que se dedica profesionalmente a este tipo de actividad se entiende que el contrato es mercantil.

2. CONTENIDO

2.1. Obligaciones del mediador o corredor

Al tratarse de un contrato atípico, su contenido vendrá determinado principalmente por lo pactado por las partes.

La obligación fundamental del mediador y del corredor es desplegar la actividad y diligencias necesarias para que la gestión encomendada llegue a buen fin.

Si se tiene en cuenta que la gestión suele consistir en promover la celebración de un contrato, puede concluirse que la obligación del mediador y del corredor pasa, en esencia, por poner los medios a su alcance para propiciar que el contrato proyectado llegue a celebrarse (V. STS [1ª] 30.4.1998). Se trata, en consecuencia, de una obligación de medios y no de resultado.

También están obligados el mediador y el corredor a informar al comitente de la marcha de sus gestiones.

2.2. Obligaciones del comitente

Su obligación principal es retribuir la mediación o el corretaje una vez que se ha materializado en la conclusión del contrato.

El derecho a cobrar la remuneración surge cuando, merced a las gestiones del mediador o corredor, el contrato que interesaba al comitente se ha concluido (V. STS [1ª] 30.4.1998). Por tanto, deben darse dos requisitos para que proceda el pago: a) que exista relación de causalidad entre la conclusión del contrato y las gestiones del mediador o corredor; y b) que el contrato proyectado se haya perfeccionado, aunque luego no llegue a consumarse o ejecutarse.

La cuantía de la retribución será la pactada y, en su defecto, habrá que estar al uso y práctica mercantil de la plaza (art. 277 CCom).

Si el contrato proyectado se concluye gracias a las gestiones del mediador o corredor (relación de causalidad), el comitente deberá abonarle su retribución, aún después de extinguido o revocado el encargo (V. STS [1ª] 5.11.2004).

En ocasiones, se incluye en este contrato un pacto de exclusividad, en virtud del cual, el comitente se compromete a no concertar o encargar la mediación a otras personas. Este pacto es muy frecuente, por ejemplo, en el ámbito de la mediación inmobiliaria.

Los contratos de préstamo y depósito

CARMEN PÉREZ DE ONTIVEROS

Catedrática de Derecho Civil
Universidad de Las Palmas de Gran Canaria

I. EL CONTRATO DE PRÉSTAMO

1. RÉGIMEN JURÍDICO

La regulación legal del contrato de préstamo se contiene en los arts. 1740 a 1757 del Código Civil. Por otro lado, el Código de Comercio se ocupa del contrato de préstamo en sus arts. 311 a 319, señalando el primero de dichos preceptos que se reputará mercantil el préstamo, concurriendo las circunstancias siguientes: 1ª) Si alguno de los contratantes fuere comerciante, 2ª) Si las cosas prestadas se destinaren a actos de comercio.

Es en el art. 1740 CC donde se ubica su definición legal, limitándose este precepto a señalar algunas de las notas que identifican el contrato, y a distinguir entre los dos tipos de préstamo que pueden presentarse en atención a lo que constituye el objeto del contrato. De conformidad a dicha norma: *«Por el contrato de préstamo, una de las partes entrega a la otra, alguna cosa no fungible para que use de ella por cierto tiempo y se la devuelva, en cuyo caso se llama comodato, o dinero u otra cosa fungible, con condición de devolver otro tanto de la misma especie y calidad, en cuyo caso conserva simplemente el nombre de préstamo. El comodato es esencialmente gratuito. El simple préstamo puede ser gratuito o con pacto de pagar intereses».*

Al margen de la distinción entre comodato o simple préstamo, que se aprecia en atención al bien que constituye el objeto –cosa no fungible en el comodato y dinero u otra cosa fungible en el mutuo–, la definición legal del préstamo y el hecho de que el art. 1740 CC refiera expresamente la necesaria entrega del bien que constituye su objeto, ha sido determinante para su inclusión tradicional entre los llamados contratos reales. El préstamo exigiría la entrega del bien para su perfección, no bastando el mero acuerdo de las partes, apartándose, por tanto, de la regla general vigente en nuestro Derecho y conforme a la cual los contratos se perfeccionan por el mero consentimiento.

Sin embargo, en la actualidad, doctrina y jurisprudencia son conformes en admitir que la construcción legal del contrato, de conformidad a la cual la entrega se configura como requisito de la perfección del préstamo en nuestro Código Civil, así como la ausencia de toda regulación de su fase consensual, no constituyen obstáculos para admitir la validez y eficacia del contrato por el que, en ejercicio de su autonomía de voluntad (art. 1255 CC), una de las partes se obligue a entregar en préstamo y la otra a devolver lo prestado.

Consecuencia del carácter real del contrato de préstamo es también su calificación como contrato unilateral. Perfeccionado el contrato con la entrega, de éste solo surge la obligación de restitución que se atribuye a prestatario o comodatario. Ni aun en el caso de que se incluya un pacto de intereses en el mutuo o simple préstamo podría admitirse la existencia de un verdadero contrato bilateral, puesto que la obligación de hacer frente a los intereses pactados no se encuentra en relación de correspectividad con la de entrega del bien, que, como sabemos, no es sino un requisito para la perfección del contrato. No obstante, la admisión de contratos consensuales de préstamo permite cuestionar la unilateralidad del contrato, habida cuenta de la configuración de la entrega como verdadera obligación del prestamista o comodante.

Junto a ello, el art. 1740 CC se ocupa de la gratuidad u onerosidad del préstamo, predicando el carácter esencialmente gratuito del comodato y admitiendo la posibilidad de pactar intereses en el préstamo simple o mutuo.

El carácter esencialmente gratuito del comodato deriva de la consideración de este contrato como uno de aquéllos a través de los cuales se hace efectiva la colaboración y ayuda mutua. Estos principios no son tampoco ajenos a la regulación del préstamo simple o mutuo, de la que parece intuirse que, aunque posible, el pacto de intereses debería configurarse como excepcional, habida cuenta de la necesidad de que conste expresamente (arts. 1755 CC y 314 CCom), y del hecho de que, pagados sin estar estipulados, el prestatario no pueda ni reclamarlos, ni imputarlos al capital (art. 1756 CC). No obstante, en la actualidad el préstamo sin interés se ha convertido en una verdadera excepción, dada la proliferación de los contratos de este tipo suscritos con entidades financieras.

Aun cuando la perfección del contrato no exige el sometimiento a forma escrita, la especial naturaleza de algunos de los contratos regulados, como el préstamo al consumo, exige que los contratos se formalicen documentalmente. Finalmente, ha de tenerse en cuenta que el progresivo incremento de los contratos de préstamo ha propiciado el aumento de las normas dirigidas a su regulación. De esta forma, junto a la normativa contenida en el Código Civil y el Código de Comercio, no podemos desconocer la vigencia de determinadas leyes especiales. En particular, dicha normativa especial está dirigida a la protección del consumidor, bien directamente en la medida en que éste es parte en determinados contratos de préstamo específicamente regulados, como el préstamo al consumo, bien desde una perspectiva general en cuanto destinatario de las normas generales que se dirigen a la protección de consumidores y usuarios; a ellas nos referiremos en el momento oportuno. De la misma forma, no pueden desconocerse la multiplicidad de normas, algunas de ellas de rango reglamentario, dirigidas a la ordenación del mercado financiero, que pueden tener incidencia en el régimen jurídico del contrato de préstamo y que, en ocasiones, pueden propiciar cierta dificultad a la hora de determinar la concreta regulación aplicable al caso planteado.

2. CLASES

El art. 1740 CC distingue dos tipos de préstamo: comodato y mutuo o simple préstamo. Dicha distinción que, a su vez, determina un diferente régimen jurídico, tiene su origen en el carácter fungible o no fungible del bien que constituye su objeto, puesto que solo pueden ser objeto de comodato las cosas no fungibles, mientras que podrán constituir el objeto del préstamo el dinero o cualquier otra cosa fungible.

La importancia que ocupa en la distinción entre ambos tipos de préstamo el carácter fungible o no fungible del bien que constituye su objeto está directamente relacionada con la obligación de restitución que compete a comodatario y prestatario, puesto que el comodatario ha de restituir la misma cosa prestada, mientras que al prestatario compete la restitución de «otro tanto de la misma especie y calidad». Cualificada de esta forma la obligación de restitución, lo verdaderamente importante en la distinción entre comodato y mutuo sería el carácter consuntivo o no del uso al que se la destina. Esto es, no pueden ser objeto de comodato las cosas que se extinguen con su uso, dado que el comodatario no podría restituirlas al fin del contrato; lo que no ocurre en el préstamo, puesto que la obligación de restitución no alcanza sino a otro tanto de la misma especie y calidad. Ello no impide que, al menos hipotéticamente, sea admisible un contrato de comodato sobre bienes consumibles, cuando el uso al que se destinen no tenga carácter consuntivo.

La razón por la que el Código Civil remite a la fungibilidad o no del objeto prestado en la distinción entre comodato y mutuo o simple préstamo, y no al uso consuntivo o no que se pretenda realizar, tiene su origen en el hecho que el art. 337 CC identifica bienes fungibles con bienes consumibles. Sin embargo, desde siempre se ha señalado que dicha equiparación legal no resulta del todo exacta, habida cuenta que el carácter fungible o no de un bien tiene más que ver con la posibilidad de su sustitución en el tráfico que con la naturaleza consumible o no del uso que de él se practique.

De esta forma, son dos tipos de préstamo los regulados legalmente: comodato y mutuo o simple préstamo. La simultánea regulación del préstamo tanto en el Código Civil como en el Código de Comercio podría hacer llegar a la conclusión de que el préstamo civil y el mercantil son dos contratos diferentes, sin embargo, ello no es así puesto que la regulación practicada en el Código de Comercio adopta como punto de partida tanto la definición como el contenido obligacional de este contrato, que, como sabemos, se contempla en el Código Civil.

Por otro lado, hemos de tener en cuenta que la regulación contenida en el Código de Comercio lo es exclusivamente del mutuo o simple préstamo. De conformidad a los arts. 312 y 316 CCom, el préstamo regulado en este texto legal puede tener por objeto dinero, títulos valores, así como cualquier otra cosa fungible cualificada por su pertenencia a un género.

Como señalamos, el carácter mercantil del contrato vendrá determinado, a tenor de lo dispuesto en el art. 311 CCom, por la concurrencia de los siguientes hechos: que alguno de los contratantes sea comerciante, y que las cosas prestadas se destinen a actos de comercio. La dificultad práctica que presenta la apreciación de la última de las exigencias citadas, ha propiciado la búsqueda de fórmulas dirigidas a su simplificación, en particular cuando se trata de contratos de préstamo otorgados por entidades de crédito. En esta línea de pensamiento debe ubicarse la doctrina sostenida tanto por un sector de la doctrina como por algunas sentencias del Tribunal Supremo, de conformidad a la cual los contratos de préstamo en los que el prestamista sea una entidad de crédito, se encuentran sometidos a la disciplina del Código de Comercio, dada su naturaleza mercantil. Sin embargo, la simpleza de esta posición, en la que parece considerarse relevante la condición comercial del prestamista, es patente. Basta para ello observar que, a su tenor, quedarían fuera del ámbito civil los préstamos dirigidos al consumo, que se encuentran sometidos a una normativa específica, precisamente dirigida a proteger a quien aparece como prestatario y en los que consta el marcado carácter comercial del prestamista, lo que no resulta correcto.

II. EL PRÉSTAMO MUTUO O SIMPLE

1. CONCEPTO Y CARACTERES

El mutuo es el contrato por el que una de las partes entrega a la otra dinero o cualquier otra cosa fungible, con la obligación de restituir otro tanto de la misma especie o calidad (art. 1740 CC). A este contrato, por tanto, son aplicables los caracteres que señalamos con anterioridad. Así, la necesidad de la entrega de la cosa para su perfección y su ubicación, por ello, entre los llamados contratos reales; su marcado carácter unilateral, puesto que de este contrato solo nace la obligación de restitución imputable al prestatario, y su carácter naturalmente gratuito, sin que ello impida la validez del pacto por el que se acuerdan intereses.

Por otro lado, el contrato de préstamo es un contrato temporal, puesto que, como veremos, corresponde al prestatario devolver la cosa prestada en el plazo pactado para ello, con independencia de que dicha devolución pueda pactarse en una sola vez o en varias. Como dijimos, la regulación legal del préstamo no precisa el sometimiento del mismo a forma alguna, siendo aplicable la regla general contenida en el art. 1278 CC que propugna la libertad de las formas contractuales. No obstante, la exigencia de forma escrita en la mayoría de las ocasiones viene prescrita de la aplicación del último inciso del art. 1280 CC, con los efectos que de su falta se deducen de lo dispuesto en el art. 1279 del mismo texto legal, así como de la normativa dirigida a la protección de los consumidores y usuarios. Junto a ello, la formalización documental del contrato puede apreciarse de la normativa reguladora de las operaciones concluidas con entidades de crédito, en las que se configura como derecho básico del cliente el de recibir un ejemplar del contrato, siempre que lo pida o sea de entrega obligatoria (en este sentido, puede verse la norma sexta de la Circular del Banco de España 8/1990, y la Orden EHA/1608/2010, de 14 de junio, sobre transparencia de las condiciones y requisitos de información aplicables a los servicios de pago).

Elemento identificador del contrato de mutuo o simple préstamo es el hecho de que el prestatario adquiere la propiedad del objeto prestado; en este sentido se expresa el art. 1753 CC. Por otro lado, la adquisición de la propiedad del objeto es también nota que diferencia este tipo de préstamo del comodato o préstamo de uso, y tiene su origen en el carácter consumible del bien que constituye su objeto y en el hecho de que el prestatario no tenga que restituir el mismo objeto prestado, sino otro tanto de la misma especie y calidad.

Consecuencia de la adquisición de la propiedad por el prestatario es el hecho de que a él deban imputarse los riesgos que puedan afectar al objeto prestado por pérdida de la cosa, aunque ésta no le sea imputable. Del efecto traslativo del dominio se deduce, igualmente, el hecho de que la regulación legal del contrato no contemple precepto alguno dirigido a ordenar la imputación de los gastos que puedan derivarse de su uso o disposición del objeto, gastos que, lógicamente, corresponden al prestatario, en el mismo sentido que a él deben atribuirse los posibles frutos que del objeto prestado puedan generarse.

Lo que cualifica el contrato de préstamo mutuo es el carácter fungible del bien que constituye su objeto. A estos efectos, el Código Civil señala que el préstamo puede ser de dinero u otra cosa fungible, mientras que de los arts. 312 y 316 CCom se deduce que el préstamo debe ser de dinero, títulos valores o cualquier otro bien determinado respecto a su especie. Lo habitual es que el objeto del mutuo sea el dinero. El dinero siempre ha sido considerado como el bien fungible por excelencia dado que, por su propia naturaleza, el uso que de él se predica será siempre un uso consuntivo. El problema que plantea el préstamo de dinero está directamente relacionado con la obligación de restitución y, sin perjuicio de abordar esta cuestión con posterioridad, hemos de señalar que en nuestro derecho rige el principio nominalista, conforme al cual y salvo que se haya establecido alguna cláusula de estabilización, la posible depreciación que haya podido experimentar el dinero no afectará a la cantidad que deba restituir el prestatario, que será la recibida en concepto de capital. Si el objeto prestado constituye otro bien de naturaleza fungible, la posible diferencia de valor al momento de entrega y al de restitución, salvo que se haya pactado otra cosa, tampoco tendrá relevancia en el contrato. Por ello, la fluctuación del mercado podrá beneficiar tanto a prestamista como a prestatario, según se haya producido un incremento o una disminución del precio entre el existente al momento de la entrega y el real al momento de la restitución.

2. CAPACIDAD DE LAS PARTES

Para celebrar el contrato de préstamo la capacidad requerida es la capacidad general de obrar, exigencia que se extiende tanto a prestamista como a prestatario. Específicamente, el art. 323 CC prohíbe al menor emancipado tomar dinero a préstamo sin consentimiento de sus padres y, a falta de ambos, de su curador. Por otro lado, el art. 271.8 CC impone la necesaria autorización judicial al tutor para dar o tomar dinero a préstamo, en la representación que ostenta respecto a los sometidos a tutela. Respecto a los incapacitados sometidos a curatela, la asistencia del curador se extiende a aquellos actos que expresamente imponga la sentencia que la ha establecido (art. 289 CC). Si la sentencia no hubiere especificado nada, la asistencia del curador será necesaria para dar o tomar dinero a préstamo, habida cuenta de la remisión que efectúa el art. 290 CC a los actos para los que el tutor requiere autorización judicial.

3. OBLIGACIONES DE LAS PARTES: EN ESPECIAL, LA OBLIGACIÓN DE DEVOLUCIÓN

Calificado el contrato de préstamo como un contrato de naturaleza real, la única obligación que surge de la perfección del contrato es la de restitución que corresponde al prestatario. El contrato de préstamo es, por tanto, un contrato unilateral. Sin embargo, ya que no existe obstáculo alguno, cabe la posibilidad de otorgar validez y eficacia a aquellos contratos en los que, en ejercicio de su autonomía de voluntad (artículo 1255 CC), una de las partes se obliga a entregar dinero o cualquier otra cosa fungible en préstamo y la otra a devolver lo prestado. Se trata de una práctica habitual que puede observarse con frecuencia en los contratos bancarios, en los que es usual la formalización antecedente del contrato, asumiendo la entidad prestataria la obligación de poner a disposición del prestatario la cantidad que constituye el objeto del contrato en un plazo determinado. En tal caso, decae también la configuración unilateral del préstamo.

Configurado el contrato como consensual, de él surgirán obligaciones para ambas partes: para el prestamista la de entregar el bien que constituye su objeto, y para el prestatario la de restitución, que se encuentra causalmente condicionada a la entrega.

Si el préstamo se constituye con pacto de intereses, corresponde igualmente al prestatario la obligación de hacerlos efectivos.

De conformidad al art. 1740 CC, el prestatario ha de restituir otro tanto de la misma especie y calidad. Por tanto, la obligación de restitución es una obligación esencial en el contrato de préstamo. En este sentido señala el art. 1154 CC que: «*La obligación del que toma dinero a préstamo se regirá por lo dispuesto en el art. 1170 del este Código. Si lo prestado es otra cosa fungible, o una cantidad de metal no amonedado, el deudor debe una cantidad igual a la recibida y de la misma especie y calidad, aunque sufra alteración su precio*».

De la misma forma, el art. 312 CCom dispone que: «*Consistiendo el préstamo en dinero, pagará el deudor devolviendo una cantidad igual a la recibida, con arreglo al valor legal que tuviere la moneda al tiempo de la devolución, salvo si se hubiere pactado la especie de moneda en que había de hacerse el pago, en cuyo caso la alteración que hubiese experimentado su valor, será en daño o en beneficio del prestador. En los préstamos de títulos o valores, pagará el deudor devolviendo otros tantos de la misma clase en idénticas condiciones, o sus equivalentes si aquéllos se hubiesen extinguido, salvo pacto en contrario. Si los préstamos fueren en especie, deberá el deudor devolver, a no mediar pacto en distinto sentido, igual cantidad en la misma especie y calidad, o su equivalente en metálico si se hubiere extinguido la especie debida*».

Solo cabe considerar que el préstamo es de dinero cuando el objeto prestado es una cantidad de moneda de curso legal. Por otro lado, ya vimos que en nuestro Derecho rige el principio nominalista, conforme al cual y salvo que se haya establecido alguna cláusula de estabilización, la posible depreciación que haya podido experimentar el dinero no afectará a la cantidad que deba restituir el prestatario, que será la recibida en concepto de capital. Puesto que, de conformidad al art. 1754 CC, la obligación del que toma dinero a préstamo se regirá por el art. 1170 del mismo texto legal, la obligación de restitución habrá de cumplirse en la especie pactada, y, no siendo posible entregar la especie, en moneda que tenga curso legal en España.

Cuando el préstamo es de cualquier otra cosa fungible, la obligación alcanza a otro tanto de la misma especie y calidad. El art. 312.3 CCom explicita que éste será el alcance de la obligación de restitución a no mediar pacto en sentido contrario; señalando, igualmente, que si la cosa se hubiere extinguido, la obligación de restitución alcanzará a su equivalente en metálico. El Código Civil no dice nada sobre la devenida imposibilidad de restitución por causa sobrevenida, ni tampoco acerca de la posibilidad de que el prestatario pueda cumplir con la entrega de su valor. Sin embargo, el hecho de que dicha posibilidad se admita legalmente para los préstamos de dinero (art. 1754 en relación con el art. 1170 CC), podría considerarse un argumento admisible para otorgar validez al pacto que contemple dicha posibilidad.

Puesto que el préstamo es un contrato temporal, resulta especialmente importante determinar cuándo se ha cumplir la obligación de restitución. El Código Civil no prevé nada sobre el particular, por lo que ha de acudirse a las reglas que con carácter general regulan las obligaciones y contratos, siendo aplicable en este punto lo dispuesto en los arts 1125 y 1128 CC. Por tanto, ha de estarse, en primer lugar, a lo pactado, y a falta de pacto, a lo que se determine judicialmente. Es igualmente aplicable lo dispuesto en el art. 1127 CC, en virtud del cual, siempre que en las obligaciones se designa término, éste se presume entendido en beneficio de acreedor y deudor, a no ser que del tenor de aquéllas o de otras circunstancias resultara haberse puesto a favor del uno o del otro. En la aplicación de esta norma al préstamo, es habitual distinguir entre el préstamo sin interés y aquel en el que consta pacto sobre los mismos. En el primer caso, sería posible entender que el plazo se ha establecido en beneficio del deudor, por lo que éste podrá cumplir anticipadamente con la obligación de restitución; a diferencia, cuando el préstamo es con interés ha de entenderse que el término beneficia a ambas partes, por lo que no se puede obligar al acreedor a recibir la prestación anticipadamente, con la consiguiente reducción de los intereses.

Otra cuestión relevante es la relativa a la posibilidad de que el prestamista inste resolución por incumplimiento parcial de la obligación de restitución, en aplicación de lo dispuesto en el art. 1124 CC. En contra, se ha dicho que el art. 1124 CC es aplicable exclusivamente a los contratos bilaterales, no siéndolo el préstamo, del que surge una sola obligación a cargo del prestatario (en este sentido, podemos citar las SSTS [1ª] de 22.1.2001 y 20.12.2006). Sin embargo, la validez de los contratos consensuales de préstamo cuestiona esta argumentación, si bien supeditando el ejercicio de la resolución al previo cumplimiento de la obligación de entrega que compete al prestamista. Para los préstamos mercantiles, el art. 313 CCom señala expresamente que: «En los préstamos por tiempo indeterminado, o sin plazo marcado de vencimiento, no podrá exigirse al deudor el pago sino pasados treinta días, a contar desde la fecha del requerimiento notarial que se le hubiere hecho».

Finalmente, respecto al lugar en el que ha de cumplirse la obligación de restitución, hemos de remitirnos también a las reglas que regulan con carácter general las obligaciones y contratos, siendo aplicable el art. 1171 CC. A su tenor, la restitución ha de efectuarse en el lugar pactado; a falta de pacto y tratándose de cosa determinada, la restitución deberá efectuarse en el lugar en el que existía en el momento de constituirse la obligación; en cualquier otro caso, el lugar será el del domicilio del deudor.

4. EL PRÉSTAMO CON INTERÉS Y LA REPRESIÓN DE LA USURA

Aun cuando el préstamo es un contrato naturalmente gratuito, es válido el pacto de intereses (art. 1740 CC y 314 CCom). No obstante, los intereses no se presumen sino que han de pactarse expresamente (art. 1755 CC y 314 CCom, en donde se señala que el pacto debe constar por escrito). Si no constando pacto de intereses, éstos se pagan, el art. 1756 CC dispone que el prestatario que los ha pagado no puede reclamarlos ni imputarlos al capital. La imposibilidad de repetición ha sido considerada como dimanante del cumplimiento de una obligación natural, por lo que el pago que se efectúa debe hacerse propiamente en concepto de intereses, no siendo aplicable esta norma si ello no concurre.

Hoy en día el préstamo con interés es el más habitual en la práctica. La obligación de pago de intereses se configura como una obligación accesoria respecto de la obligación principal de restitución del capital, que ha de ser pagada como contraprestación a la utilización y disfrute del mismo. En general, la deuda de intereses es una obligación pecuniaria, cuestionando algún sector de la doctrina española la posibilidad de que pueda admitirse como tal cualquier otra prestación de diferente naturaleza. A favor de esta última posibilidad se cita el art. 315 CCom, a cuyo tenor y para los préstamos que tengan carácter mercantil: *«Se reputará interés toda prestación pactada a favor del acreedor»*, por tanto, con independencia de cuál sea su naturaleza.

La fijación de la cuantía de los intereses es, en principio libre, pues el Código Civil no establece límite alguno, mientras que el art. 315 CCom señala que: *«Podrá pactarse el interés del préstamo, sin tasa ni limitación de ninguna especie»*. Si bien, ello no quiere decir que la libertad admitida al amparo de estos preceptos sea absoluta, puesto que resulta directamente aplicable a los contratos de préstamo la Ley de Represión de la Usura de 23 de julio de 1908, conocida como Ley Azcárate, y también la normativa de protección de los consumidores y usuarios que, dentro de su ámbito de aplicación, puede suponer un límite frente a la aparición de situaciones claramente lesivas derivadas de la aposición de intereses desproporcionados.

El art. 1 de la Ley de Represión de la Usura señala que: *«Será nulo todo contrato de préstamo en que se estipule un interés notablemente superior al normal del dinero y manifiestamente desproporcionado con las circunstancias del caso o en condiciones tales que resulte aquél leonino, habiendo motivos para estimar que ha sido aceptado por el prestatario a causa de su situación angustiosa, de su inexperiencia o de lo limitado de sus facultades mentales».* Junto a ello, su art. 9 nos dice que: *«Lo dispuesto por esta ley se aplicará a toda operación sustancialmente equivalente a un préstamo de dinero, cualesquiera que sean la forma que revista el contrato y la garantía que para su cumplimiento se haya ofrecido».*

Para apreciar la nulidad de un determinado préstamo no existe un criterio general establecido, correspondiendo a los Tribunales la valoración de las circunstancias que concurran en cada caso. Esto es lo que dispone el art. 319.3 de la Ley de Enjuiciamiento Civil, que vino a derogar lo que con anterioridad se establecía en el art. 2 de la Ley de Represión de la Usura; a tenor de esta norma: *«En materia de usura, los tribunales resolverán en cada caso formando libremente su convicción sin vinculación a lo establecido en el apartado primero de este artículo».*

En su interpretación jurisprudencial, nuestro Tribunal Supremo ha señalado que ello constituye *«un juicio de valor que versa sobre un presupuesto fáctico»* (SSTS [1ª] 30.12.1987 y 17.12.1990), lo que implica la facultad de apreciar libremente tanto las alegaciones de las partes como la prueba practicada (STS [1ª] 27.12.1989), concediéndose así, a los tribunales, una gran libertad de criterio, que sólo puede combatirse proyectando la atención sobre el hecho objeto de la calificación jurídica (STS [1ª] 7.11.1990). Si bien tales manifestaciones se refieren al derogado art. 2 de la Ley Azcárate, son perfectamente aplicables en la interpretación del art. 319 de la Ley de Enjuiciamiento Civil.

Por otro lado, los efectos de la nulidad del contrato en base a la Ley de Represión de la Usura se regulan en su art. 3, señalando esta norma que: *«Declarada con arreglo a esta ley la nulidad de un contrato, el prestatario estará obligado a entregar tan sólo la suma recibida; y si hubiera satisfecho parte de aquélla y los intereses vencidos, el prestamista devolverá al prestatario lo que, tomando en cuenta el total de lo percibido, exceda del capital prestado».* Como ha señalado el Tribunal Supremo en su STS (1ª) 14.7.2009, la nulidad del préstamo usurario comporta una ineficacia del negocio, que es radical, absoluta y originaria, y que no admite convalidación confirmatoria.

Ha de tenerse en cuenta que, como ha admitido la jurisprudencia, la Ley Azcárate se aplica tanto a los préstamos sometidos al Código Civil, como a aquellos que se rigen por el Código de Comercio. De conformidad al art. 317 CCom, los intereses vencidos y no pagados no devengarán intereses, por tanto, se prohíbe con carácter general el anatocismo. No obstante, dicha norma establece como excepción la posibilidad de que las partes puedan capitalizar los intereses líquidos y no satisfechos que, como aumento del capital, devengarán nuevos réditos. Distintos de los intereses propiamente remu-

269

neratorios, esto es, aquellos que derivan de la utilización y disfrute del capital prestado, son los llamados intereses moratorios, que tienen su origen en el incumplimiento de la obligación de restitución. En este punto, la regla a aplicar es la establecida en los arts. 1108 CC y 316 CCom, por lo que ha de estarse, en primer lugar, a lo pactado, y a falta de pacto, al interés legal.

III. EL CRÉDITO AL CONSUMO

1. RÉGIMEN JURÍDICO

El BOE de 25 de junio de 2011 publicó la Ley 16/2011, de 24 de junio, de Contratos de Crédito al Consumo, estableciendo en su Disposición final séptima que esta Ley entrará en vigor a los tres meses de su completa publicación en el BOE. Esta norma jurídica deroga la Ley 7/1995, de 23 de marzo, de Crédito al Consumo y es el instrumento por medio del cual se incorpora a nuestro Ordenamiento Jurídico la Directiva 2008/48/CE del Parlamento Europeo y del Consejo, de 23 de abril de 2008, relativa a los contratos de crédito al consumo. Modificando, igualmente, la Ley 28/1998, de 13 de julio, de Venta a plazos de bienes muebles, de forma que aquellos contratos que entren dentro del ámbito de aplicación de ambas normas se regirán por la Ley de Crédito al Consumo; y estableciendo, a su vez, una remisión a su art. 32 para la determinación de la tasa de interés anual equivalente (TAE).

De conformidad a lo dispuesto en el art. 5 de la nueva Ley de Contratos de Crédito al Consumo, esta norma tiene carácter imperativo, por lo que la renuncia a los derechos en ella reconocidos a los consumidores, así como los actos contrarios a la norma serán nulos, sancionando, igualmente, los actos realizados en fraude de ley, con remisión al art. 6 CC.

Como su propio nombre indica, la norma se aplica a los contratos de crédito al consumo, entendiendo por tales aquellos en los que un prestamista concede o se compromete a conceder a un consumidor un crédito bajo forma de pago aplazado, préstamo, apertura de crédito o cualquier otro medio equivalente de contratación. No obstante, a los efectos de dicha Ley, no se consideran contratos de crédito al consumo los que consistan en el suministro de bienes de un mismo tipo o en la prestación continuada de servicios, siempre que en el marco de aquéllos asista al consumidor el derecho a pagar por tales bienes o servicios.

Dada la amplitud con la que se configura su ámbito objetivo de aplicación, los arts. 3 y 4 de la Ley regulan respectivamente aquellos contratos que han de considerarse excluidos total y parcialmente del mismo. A estos efectos, no se entienden incluidos en el ámbito de aplicación de la Ley: los contratos de crédito garantizados con hipoteca inmobiliaria; aquellos cuya finalidad sea adquirir o conservar derechos de propiedad sobre los terrenos o edificios construidos o por construir; los contratos de crédito cuyo importe sea inferior a 200 euros; los contratos de arrendamiento o de arrendamiento financiero en los que no se establezca una obligación de compra del objeto del contrato por el arrendatario; los contratos de crédito concedidos en forma de facilidad de descubierto y que tengan que reembolsarse en el plazo de máximo de un mes; los contratos de crédito libres de intereses y sin ningún tipo de gasto, y aquellos en los que el crédito deba ser reembolsado en el plazo máximo de tres meses y por los que solo se deban pagar unos gastos mínimos; los contratos concedidos por un empresario a sus empleados a título subsidiario y sin intereses o cuyas tasas anuales equivalentes sean inferiores a las del mercado y que no se ofrezcan al público en general; los contratos de créditos celebrados con empresas de servicios de inversión o con entidades de crédito con la finalidad de que el inversor pueda realizar una operación relativa a determinados instrumentos financieros; los contratos de crédito que son resultados de acuerdos alcanzados en los Tribunales; los contratos relativos al pago aplazado, sin intereses ni comisiones de una deuda existente y, finalmente, aquellos contratos en los que para cuya celebración se pide al consumidor que entregue un bien al prestamista como garantía de seguridad y en los que la responsabilidad del consumidor éste estrictamente limitada a dicho bien.

Particular importancia tiene el hecho de que la Ley se ocupe de los llamados contratos de crédito vinculados, entendiendo por tales aquellos en los que el crédito contratado sirve exclusivamente para financiar un contrato relativo al suministro de bienes específicos o a la prestación de servicios específicos y ambos contratos constituyen una unidad comercial desde el punto de vista objetivo.

Puesto que se trata de una norma de protección de los consumidores, el art. 2 de la Ley define quién ostentará tal cualidad a sus meros efectos, señalando que será consumidor la persona física que, en las relaciones negociales en ella reguladas, actúa con fines que están al margen de su actividad comercial o profesional. Por lo que se refiere al prestamista, este precepto señala que será la persona física o jurídica que se compromete a conceder un crédito, en el ejercicio de su activad profesional. Junto a ello, la norma también contempla la posibilidad de que estos contratos se formalicen con la intervención de un intermediario, entendiendo por tal la persona física o jurídica que, sin actuar como prestamista, y en el trascurso de su actividad comercial o profesional, contra una remuneración, presenta u ofrece contratos de este tipo, asiste a los consumidores o celebra estos contratos en nombre del prestamista. Como vemos, esta Ley solo se aplica a los contratos concluidos por personas físicas fuera de su actividad comercial o profesional y no a los que, en su caso, pudieran celebrar las personas jurídicas dentro del mismo ámbito.

2. FORMA Y CONTENIDO DE LOS CONTRATOS

El art. 16.1 de la Ley establece que los contratos a ella sometidos han de constar por escrito, bien en papel, bien en otro soporte duradero, debiendo redactarse con letra que resulte legible y con contraste de impresión adecuada. A su vez, deberá entregarse a cada una de las partes un ejemplar del mismo. Por soporte duradero ha de entenderse cualquier instrumento que permita al consumidor conservar la información que se le transmita y poderla recuperar en el futuro durante un período de tiempo adaptado a sus fines, permitiendo, a su vez, una reproducción idéntica a la información almacenada. El incumplimiento de la forma escrita determina la anulabilidad del contrato.

El documento deberá expresar de manera clara y concisa, entre otras cosas, la identidad y el domicilio social del prestamista y, en su caso, los del intermediario; el tipo de crédito, su duración e importe, así como las condiciones de disposición del mismo; el tipo deudor y las condiciones de aplicación de dicho tipo y, si se dispone de ellos, los índices o tipos de referencia aplicables al tipo inicial, así como los períodos, condiciones o procedimientos de variación del tipo; la tasa anual equivalente y el importe total adeudado; el importe, el número y la periodicidad de los pagos; el tipo de interés de demora aplicable en el momento de la celebración del contrato de crédito y los procedimientos para su ajuste, así como los gastos por impago; las consecuencias en caso de impago; la existencia o no de derecho de desistimiento y las condiciones para hacerlo efectivo; y el derecho de reembolso anticipado. Junto a ello, el art. 17 de la Ley de los Contratos de Crédito al Consumo establece la información que necesariamente han de contener los contratos de crédito en forma de posibilidad de descubierto. Si se omiten las cláusulas que la Ley considera obligatorias, los efectos serán los que se enumeran en el art. 21 de la Ley.

3. DERECHOS Y OBLIGACIONES DE LAS PARTES

3.1. Derechos y obligaciones del profesional

La Ley es particularmente minuciosa en la regulación de la obligación que incumbe a los profesionales de informar convenientemente al consumidor en la fase previa al contrato, regulando pormenorizadamente la información que debe figurar en la publicidad y en los anuncios comerciales, así como las ofertas que practiquen. De la misma forma, la protección del consumidor se aprecia en la obligación que incumbe a los profesionales de asistir y asesorar acerca de la adecuación del crédito a sus necesidades, de las distintas propuestas que pueden servir a las mismas, así como de las consecuencias que derivan del impago. La información que ha de recibir el consumidor no alcanza exclusivamente a la previa al contrato, sino que la Ley también se ocupa de regular la que éste ha de recibir durante la vigencia y a su extinción.

Por otro lado, el art. 14 de la Ley establece como obligación del prestamista la de evaluar la solvencia del consumidor sobre la base de una información suficiente obtenida por los medios adecuados a tal fin, ubicándose entre dichos medios la información suministrada por el propio prestatario. Con igual finalidad, se podrán consultar los ficheros de solvencia patrimonial y crédito, a los que se refiere el art. 29 de la Ley Orgánica 15/1999, de 13 de diciembre, de Protección de Datos de Carácter Personal.

El art. 27 de la Ley otorga validez al pacto por medio del cual el prestamista podrá poner fin al derecho del consumidor a disponer de cantidades de un contrato de crédito de duración indefinida, por el procedimiento habitual, dando al consumidor un preaviso de dos meses. De la misma forma, y si así se ha pactado, el prestamista, por razones objetivamente justificadas, podrá poner fin a este contrato, informando al consumidor y notificándole las razones en las que se apoya.

Junto a ello, entre los derechos que esta norma otorga al profesional se incluyen aquellos que tienen su origen en la ineficacia o resolución de los contratos de adquisición. En este sentido, cuando un crédito se otorgue para la adquisición de bienes determinados y el prestamista recupere el bien como consecuencia de la nulidad o resolución del contrato de adquisición o financiación de los mismos que no le fuera imputable, tendrá derecho a deducir el 10 por 100 del importe de los plazos pagados en concepto de indemnización por haber tenido las cosas el comprador, así como una cantidad igual al desembolso inicial por la depreciación comercial del objeto. De la misma forma, si la cosa se hubiere deteriorado, el vendedor podrá exigir, además, la indemnización que en derecho proceda.

La Ley contempla también los derechos que corresponden al profesional en caso de reembolso anticipado. A estos efectos, su art. 30 señala que el prestamista tendrá derecho a una compensación justa y justificada objetivamente por los posibles costes directamente derivados del reembolso anticipado del crédito, siempre que el reembolso anticipado se produzca dentro de un período en el que el tipo deudor sea fijo; compensación cuyo alcance se cuantifica y que puede incrementarse si el prestamista demuestra la existencia de pérdidas producidas directamente como consecuencia de dicho reembolso.

3.2. Derechos y obligaciones del consumidor

Puesto que se trata de una norma jurídica de protección de los consumidores, son varios los derechos que se articulan para hacer dicha protección efectiva. Así, en primer lugar, el art. 22 de la Ley señala expresamente que el importe total del crédito no podrá ser modificado en perjuicio del acreedor, a no ser que esté previsto en acuerdo mutuo de las partes formalizado por escrito, estableciendo, a su vez, una serie de requisitos a los que necesariamente han de ajustarse las modificaciones que resulten procedentes.

Junto a ello, el art. 25 de la Ley establece los derechos del consumidor en el caso de que exista cobro indebido, señalado en este punto que todo cobro indebido devengará inmediatamente el interés legal, salvo que el contractual fuere superior, en cuyo caso éste será el devengado. Por otro lado, si el cobro indebido se hubiere producido por dolo o negligencia del prestamista, el consumidor tendrá derecho a la indemnización de daños y perjuicios, indemnización que, en ningún caso, será inferior al interés legal incrementado en cinco puntos o la del contrato, si es superior al interés legal, incrementado, a su vez, en cinco puntos.

También hemos de incluir entre los derechos del consumidor, la posibilidad de poner fin gratuitamente al contrato en cualquier momento cuando se trate de un contrato de crédito de duración indefinida. Sobre ello, el art. 27 de la Ley señala que el consumidor podrá hacerlo por el procedimiento habitual y en la misma forma en que lo celebró, a menos que las partes hayan convenido un plazo de notificación.

Igualmente, el art. 28 le reconoce el derecho de desistimiento, que el consumidor podrá ejercer en el plazo de catorce días naturales, sin necesidad de indicar los motivos y sin penalización alguna. El ejercicio del derecho de desistimiento deberá notificarse al prestamista antes de que expire el plazo, abonándole el capital y los intereses acumulados sobre dicho capital entre la fecha de disposición del crédito y la de reembolso del capital.

Cuando el prestamista o un tercero proporcionen un servicio accesorio relacionado con el contrato de crédito sobre la base de un acuerdo entre ese tercero y el prestamista, el consumidor dejará de estar vinculado por dicho servicio accesorio, si ejerce su derecho de desistimiento respecto al contrato de crédito.

Por otro lado, si el consumidor ejerce su derecho de desistimiento respecto a un contrato de suministro de bienes o de servicios financiado total o parcialmente mediante un contrato de crédito vinculado, dejará de estar obligado por este último contrato sin penalización alguna.

Finalmente, entre los derechos que la Ley reconoce al consumidor se encuentra el de reembolso anticipado del crédito, de forma total o parcial y en cualquier momento, derecho que se regula en su art. 30. Si lo ejercita, tendrá derecho a una reducción del coste total del crédito que comprenderá los intereses y los costes correspondientes a la duración del contrato que quede por trascurrir, incluso si éstos hubieren sido ya pagados.

IV. EL COMODATO

1. CONCEPTO Y CARACTERES

El contrato de comodato es aquel por el que una de las partes, comodante, entrega a la otra, comodatario, una cosa no fungible para que use de ella y se la devuelva (art. 1740 CC).

A este contrato, por tanto, son aplicables las notas que señalábamos con carácter general para el contrato de préstamo, así, la necesidad de la entrega de la cosa para su perfección y su ubicación, por ello, entre los llamados contratos reales, así como su carácter unilateral, puesto que de este contrato solo nace la obligación de restitución imputable al comodatario. Junto a ello, el art. 1740 CC configura el contrato de comodato como esencialmente gratuito, puesto que si se establece precio como contrapartida al uso de la cosa, el contrato será de arrendamiento.

En relación al carácter real de este contrato, hemos de reiterar lo ya expuesto respecto al préstamo en general. En principio no existe inconveniente alguno en otorgar validez y eficacia a aquellos acuerdos en virtud de los cuales una de las partes se obligue a entregar a otra una cosa gratuitamente para que use de ella y la devuelva. En este punto, quizá el inconveniente mayor para la admisión de los acuerdos consensuales de comodato se halla en el carácter gratuito del contrato y en el hecho de que, presupuesta la gratuidad esencial a este negocio, cabría cuestionarse la coercibilidad de la obligación de entrega que incumbiría al comodante, puesto que la fase anterior a ésta se encuentra huérfana de regulación en el Código. No obstante, tal argumento podría salvarse considerando que las consecuencias que derivan del incumplimiento de la obligación de entrega se regularán por las reglas generales contenidas en el Código Civil, mientras que, con referencia a este contrato, el comodante podría relevarse de la misma si prueba que tiene necesidad de la misma (aplicando analógicamente el art. 1749 CC), o si descubre que corre inminente peligro de perderla (aplicando analógicamente el art. 1467 del mismo texto legal).

El comodato tiene por objeto una cosa no fungible, lo que deriva de la forma en la que se configura la obligación de restitución que incumbe al comodatario y que alcanza a la misma cosa prestada. Cualificada de esta forma la obligación de restitución, lo verdaderamente importante sería el uso no consuntivo al que se destina el objeto, de forma que no podrán ser objeto de comodato las cosas que se extinguen con su uso, dado que el comodatario no podría restituirlas al fin del contrato. Ello no impide que, al menos hipotéticamente, sea admisible un contrato de comodato sobre bienes consumibles cuando el uso al que se destinen no tenga carácter consuntivo.

Al igual que el préstamo simple o mutuo, el contrato de comodato es un contrato temporal. Así lo establece expresamente el propio art. 1740 CC y puede deducirse de los arts. 1749 y 1750 CC. En efecto, de los dos últimos preceptos citados se desprende que corresponde al comodatario la restitución de la cosa, una vez finalizado el uso al que se destina o el plazo para el que se pactó, pudiendo el comodante exigir la restitución en cualquier momento si no consta pacto ni está determinado el uso y éste no puede determinarse conforme a la costumbre del lugar.

Elemento identificador del contrato del comodato es que, a diferencia de lo que ocurre en el mutuo, el comodante sigue conservando la propiedad del objeto prestado. El art. 1741 CC lo dice expresamente, señalando, junto a ello, que el comodatario solo adquiere el uso, pero no los frutos, que corresponden al comodante. No obstante, no existiría ningún inconveniente para admitir como válido el pacto por el cual se atribuyan los frutos al comodatario. Ha de tenerse en cuenta, además, que en muchos casos no resulta concebible un uso sin atribución de los frutos.

Consecuencia de que el comodante conserve la propiedad de la cosa es también que a él deben imputarse los riesgos que puedan afectar al objeto prestado por pérdida o deterioro. En este sentido, el art. 1746 CC señala que el comodatario no responde de los deterioros que sobrevengan a la cosa prestada por el solo efecto del uso y sin culpa suya. Por otro lado, el art. 1744 CC dispone que solo se atribuye al comodatario la responsabilidad por pérdida de la cosa en caso de que la destine a un uso diferente para el que se prestó o la conserve en su poder por más tiempo del convenido. Como excepción, el art. 1745 CC imputa al comodatario los riesgos de pérdida, aunque sea fortuita, de la cosa, en aquellos casos en que la misma se entregara con tasación y se pierde, a no ser que, aun tasándose el bien al momento de la entrega, las partes pacten expresamente la exclusión de la responsabilidad del comodatario.

2. OBLIGACIONES DE LAS PARTES

2.1. Obligaciones del comodante

De conformidad a su regulación legal, el comodato es un contrato real del que deriva una sola obligación, la obligación de restitución, que corresponde al comodatario. Sin embargo, el Código Civil impone al comodante determinadas obligaciones que no por ello convierten este contrato en bilateral, puesto que las mismas no se encuentran en relación de correspectividad con la que se impone al comodatario.

En primer lugar, de la regulación legal de este contrato se deduce que el comodante no puede reclamar la cosa prestada sino después de concluido el uso para el que se prestó o el plazo, fuera de los casos en los que tenga urgente necesidad de ella (arts. 1749 y 1750 CC). De ello se deduce que se impone al comodante la obligación de respetar el uso que ha atribuido al comodatario, absteniéndose de perturbarle en su utilización. Cuestión diferente es si de este contrato nace como obligación para el comodante la de mantener al comodatario en el uso pacífico de la cosa, lo que puede cuestionarse desde la óptica del carácter esencialmente gratuito del contrato.

Junto a ello, entre las obligaciones del comodante se encuentra la regulada en el art. 1751 CC. A tenor de esta norma, es a él al que corresponde abonar los gastos extraordinarios causados durante el contrato para la conservación de la cosa prestada, siempre que el comodatario los ponga en su conocimiento antes de hacerlos, salvo que fueren tan urgentes que no pudiera esperarse el resultado del aviso sin peligro.

La norma establece un criterio de imputación de los gastos extraordinarios, atribuyéndoselos al comodante; criterio de imputación cuyo fundamento parece residir en la consideración del legislador de que hay determinados gastos que por su transcendencia e importancia no es adecuado atribuir a un poseedor meramente incidental, como sería el comodatario. La dificultad práctica en su aplicación residirá en la determinación concreta de qué gastos han de tener este carácter y cuáles no, sirviendo a tales efectos el criterio que se establece en el art. 500 CC para el usufructo.

Finalmente, el art. 1752 CC establece que el comodante está obligado a responder de los daños que se causen al comodatario por vicios de la cosa prestada si conociéndolos no se los hubiere hecho saber. La responsabilidad que establece esta norma deriva de la falta de información y no de la propia existencia de los vicios causantes del daño, por lo que no se actúa si los defectos que afectan a la cosa son manifiestos o fácilmente apreciables por el comodatario.

2.2. Obligaciones del comodatario

Puesto que al fin del contrato el comodatario ha de restituir la cosa prestada, a éste corresponde la obligación de conservación. La regulación legal del comodato no contempla norma específica en la que se establezca el grado de diligencia exigible en el cumplimiento de dicha obligación, por lo que hemos de acudir a la regla general establecida en el art. 1104 CC, entendiendo que la diligencia empleada ha de ser la que corresponda a un buen padre de familia.

Entre las obligaciones que el Código Civil impone al comodatario está la de satisfacer los gastos ordinarios que sean de necesidad para el uso y conservación de la cosa prestada (art. 1743). Criterio de imputación que encuentra su fundamento en el carácter gratuito del comodato y en el beneficio que el uso de la cosa puede reportar al comodatario. A efectos de la determinación de qué gastos tienen este carácter y a falta de norma específica, puede acudirse, igualmente, a lo establecido en el art. 500 del Código para el usufructo.

El comodatario está también obligado a servirse de la cosa para el uso para el que se prestó, de forma que si la destina a un uso diferente será responsable de su pérdida, aun cuando ésta sobrevenga por caso fortuito (art. 1744 CC). Si no se pactó el uso, del art. 1750 CC puede entenderse que éste será el que resulte según la costumbre de la tierra o sea más adecuado a su naturaleza.

Por otro lado, la obligación principal que surge de este contrato es la obligación de restitución. El comodatario ha de restituir la cosa al fin del contrato, sin que pueda retenerla so pretexto de lo que el comodante le deba, aunque sea por razón de expensas (art. 1747 CC), y sin que pueda imputársele responsabilidad alguna por los deterioros que sobrevengan a la cosa por el solo efecto del uso y sin culpa suya (art. 1746 CC).

La responsabilidad por pérdida o deterioro se agrava, como hemos visto, en el caso de que el comodatario destine la cosa a un uso diferente para el que se prestó o la tenga en su poder por más tiempo del convenido (art. 1744 CC). De la misma forma, se establece una agravación de la responsabilidad si la cosa se entregó con tasación y se pierde, a no ser que medie pacto expreso que le exima de dicha responsabilidad (art. 1745 CC).

Cuando la cosa se presta a varios comodatarios conjuntamente, la responsabilidad será solidaria (art. 1748 CC). Carácter solidario de la responsabilidad que afecta no solo a la que deriva de los daños que se causen por pérdida o deterioro, sino también a la que derive de la obligación de hacer frente a los daños que se imputan a los comodatarios.

3. EXTINCIÓN

El comodato se extingue cuando llega el término pactado o finaliza el uso para el que se prestó (arts. 1749 y 1750 CC). Si no se pactó termino ni uso, de conformidad al art. 1750 del Código, éste será el derive de la costumbre de la tierra, correspondiendo su prueba al comodatario. No obstante, si no se pactó termino ni uso y éste no puede deducirse acudiendo a la costumbre del lugar, el comodante podrá reclamarla a su voluntad (art. 1750 CC). La posibilidad de reclamación en cualquier momento por parte del comodante en este último supuesto tiene su origen en el carácter gratuito del contrato.

Particular importancia en la práctica han tenido los supuestos en los que el préstamo era el de una vivienda por parte de padres a los hijos para que estos últimos establecieran en ella su residencia, sobreviniendo con posterioridad la separación o el divorcio y la atribución de la vivienda como consecuencia del mismo al cónyuge no unido con vínculos de filiación al comodante o comodantes. En tal caso es frecuente la reclamación judicial de la misma por parte de los propietarios mediante el ejercicio de una acción de desahucio por precario, sobre cuya procedencia se ha pronunciado en numerosas ocasiones nuestro Tribunal Supremo. De las sentencias dictadas podemos señalar que hoy en día va asentándose una doctrina conforme a la cual se entiende que ciertamente en la cesión de una vivienda a un hijo para que constituya en él el hogar conyugal o familiar pueden apreciarse las notas caracterizadoras del préstamo de uso, sin embargo, para apreciar su verdadera existencia ha de constar claramente cuál es el uso al que se la destina, que será el de facilitar un lugar destinado a servir de vivienda o domicilio conyugal. Si tal uso consta, se debe considerar que cuando desaparece el uso concreto y determinado al que se ha destinado la cosa –lo que puede suceder cuando se rompe la convivencia conyugal–, y el propietario o titular de la cosa no la reclama, la situación de quien la posee es la propia de un precarista. Señalando que, por otro lado, el derecho de uso y disfrute de la vivienda, como vivienda familiar, atribuido por resolución judicial a uno de los cónyuges, no sería oponible ni podrá afectar a terceros ajenos al matrimonio cuya convivencia se ha roto o cuyo vínculo se ha disuelto, que no son parte –porque no pueden serlo– en el procedimiento matrimonial (en este sentido, podemos citar, entre otras, las SSTS [1ª] 2.10.2008, 30.10.2008 y 13.11.2008).

Derivado del carácter gratuito del contrato, es también la posibilidad del derecho a reclamar la restitución de la cosa que se otorga al comodante en caso de urgente necesidad de la misma (art. 1749 CC). Finalmente, el como-dato se extingue al fallecimiento del comodatario si se pactó con carácter *intuitu personae*, puesto que, caso contrario y de conformidad a lo dispuesto en el art. 1742 CC, los derechos y obligaciones que nacen de este contrato pasan a los herederos de ambos contratantes.

V. EL PRECARIO

El precario es una figura jurídica que tiene su origen en el Derecho Romano y que, en términos generales, supone una situación posesoria que no encuentra su fundamento en vínculo contractual alguno, respondiendo a una mera actitud permisiva del propietario que, por tal razón, podrá recla-marla en cualquier momento.

No obstante, el texto del art. 1750 CC en el que se establece que el comodante podrá exigir la restitución de la cosa en cualquier momento en aquellos casos en los que no se pacta ni la duración del contrato ni el uso que ha de darse al objeto, ni éste puede determinarse, ha llevado a un sector de la doctrina y la jurisprudencia española a señalar que en este precepto se encuentra implícito el precario romano. Sin embargo, ésta no parece ser una solución adecuada. El art. 1750 CC regula propia y simplemente un como-dato sin determinación de duración, por tanto la posibilidad de reclamación en cualquier momento tiene su origen en la misma relación contractual y no en una mera relación de tolerancia fáctica.

Con base en sus antecedentes, el precario es algo mucho más amplio, pudiendo subsumirse en esta figura no solo la mera situación posesoria sin base contractual alguna, sino también aquellos supuestos en los que, extin-guida una relación contractual que legitimaba la posesión, el poseedor conti-núa en la misma indebidamente. Ésta es la posición que parece haber admi-tido nuestro Tribunal Supremo. En este sentido podemos citar, entre otras, la STS (1ª) 25.2.2010, en un supuesto en el que, extinguido el comodato, continuaba el comodatario en posesión de la cosa. Sobre ello, nos dice la Sala que existe precario, pues a pesar de la existencia inicial de comodato como título que legitima la ocupación gratuita de un inmueble, dicha ocupa-ción se había perpetuado de forma que debía entenderse concluido el como-dato, transformándose el título de ocupación en precario.

Lo que puede ocurrir también en aquellos casos en que la situación posesoria se perpetúa a la extinción de cualquier otro contrato o derecho real que legitime la posesión del usuario, Así, en el usufructo o en el arrendamiento. Tal es también el concepto de precario que puede deducirse del art. 250.1.2 de la vigente Ley de Enjuiciamiento Civil, norma que remite al juicio verbal para las demandas en las que se pretenda la recuperación de la plena posesión de una finca rústica o urbana, cedida en precario, por el dueño, usufructuario o cualquier otra persona con derecho a poseer dicha finca.

VI. EL DEPÓSITO

1. CONCEPTO Y CARACTERES

La regulación legal del depósito se contiene en los arts. 1758 a 1784 CC, dedicando este mismo texto legal sus arts. 1785 a 1789 a la regulación del llamado depósito judicial o secuestro. Por otro lado, el Código de Comercio se ocupa del depósito en sus arts. 303 a 310, señalando el primero de dichos preceptos que para que el depósito sea mercantil se requiere: 1º Que el depositario, al menos, sea comerciante. 2º Que las cosas depositadas sean objeto de comercio. 3º Que el depósito constituya por sí una operación mercantil, o se haga como causa o a consecuencia de operaciones mercantiles.

La amplitud con la que el art. 1758 describe el depósito al señalar que: *«Se constituye el depósito desde que uno recibe la cosa ajena con la obligación de guardarla y restituirla»*, así como la regulación posterior del llamado depósito propiamente dicho en sus arts. 1760 a 1784, que comprenden la verdadera regulación de este contrato, permiten señalar que el depósito, en realidad, comporta una situación derivada de una relación posesoria en virtud de la cual una persona debe guardar y restituir una cosa ajena ajustando su comportamiento a unos determinados estándares, y quedando sometido al régimen de responsabilidad establecido, más allá del origen contractual o no que legitime la posesión.

Centrados en el contrato de depósito, éste sería aquel por medio del cual una de las partes, el depositante, entrega a la otra, depositario, una cosa mueble para que la guarde y la restituya. Puesto que, a tenor de lo dispuesto en el art. 1758 CC, se constituye el depósito desde que uno recibe una cosa ajena, este contrato debe incluirse, al igual que el préstamo, entre los llamados contratos reales. Conclusión que se alcanza, igualmente, del art. 305 CCom, a cuyo tenor: *«El depósito quedará constituido mediante la entrega, al depositario, de la cosa que constituya su objeto».*

No obstante, debe plantearse respecto a este contrato, al igual que vimos en relación con el préstamo, la posibilidad de admitir la validez y eficacia de los acuerdos consensuales en virtud de los cuales una de las partes se comprometa a entregar a la otra una cosa a otra para que ésta la guarde y la restituya, sin que la falta de regulación de la fase previa a la entrega constituya un obstáculo a su admisión. En tal caso, la doctrina sostiene que nos encontramos, bien ante un verdadero contrato consensual del depósito, o bien ante un precontrato de depósito.

El art. 1758 CC contiene también otra de las notas identificativas del contrato de depósito, esto es, la ajenidad de la cosa. La ajenidad que predica el precepto lo es respecto al depositario, puesto que no se exige que la cosa entregada en depósito sea propia del depositante, como se deduce de lo dispuesto en el art. 1771 CC, a tenor del cual el depositario no puede exigir que el depositante pruebe ser propietario de la cosa. Hoy en día se cuestiona la adecuación de la exigencia de la ajenidad de la cosa ante situaciones en las que ésta es propia del depositario, constituyéndose el depósito como medio de garantía del derecho de un tercero, como ocurriría en la prenda sin desplazamiento de la posesión, o en el depósito judicial cuando la cosa embargada queda en posesión del depositario (art. 626.3 LECiv).

Por otro lado, la regulación que del depósito hace el Código Civil lo configura como un contrato gratuito, sin embargo, la gratuidad no se cualifica como elemento esencial al mismo. De esta forma, el art. 1760 CC señala que el depósito es un contrato gratuito, salvo pacto en contrario. Aun cuando la gratuidad puede apreciarse también en el depósito regulado en el Código de Comercio, el art. 304 de este texto legal parte del carácter oneroso del contrato al señalar que: «*El depositario tendrá derecho a exigir retribución por el depósito, a no mediar pacto expreso en contrario*». La onerosidad del contrato determina alguna particularidad en su regulación, como el derecho de retención que el art. 1780 CC otorga al depositario hasta el completo pago de lo que se le deba por razón del depósito. Del carácter gratuito del depósito deriva su ubicación entre los contratos unilaterales, puesto que de este contrato surgen las obligaciones de guarda y restitución, que corresponden al depositario. Sin embargo, el carácter unilateral se desvirtúa cuando el contrato es oneroso, al pactarse una retribución a cargo del depositante. Del depósito surge para el depositario la obligación de guarda y restitución que, en su configuración como contrato unilateral, ha de entenderse como obligación principal de este contrato. A ella nos referiremos con posterioridad. En relación al objeto, el depósito solo puede constituirse sobre bienes muebles, tal como señala el art. 1761 CC. Sin embargo, ello solo es aplicable al llamado en el Código Civil depósito propiamente dicho, esto es, al depósito contractual, puesto que el art. 1786 del Código permite que el depósito judicial o secuestro tenga por objeto tanto bienes muebles como inmuebles. Dada la naturaleza del contrato, si se trata de cosa mueble genérica, ésta tiene que estar individualizada a efectos de apreciar el exacto cumplimiento de la obligación de restitución.

2. CLASES

El art. 1759 CC diferencia entre depósito judicial y extrajudicial. De esta clasificación legal, que parece tener su origen en la naturaleza del acto de constitución del depósito, podría señalarse que depósito judicial sería el que nace como consecuencia de una disposición judicial, originándose el extrajudicial como consecuencia de un acto de autonomía individual. No obstante esta clasificación, en la regulación legal del depósito extrajudicial, el Código Civil diferencia entre el depósito voluntario, que tiene como nota característica el que la entrega se realiza por la voluntad del depositante (art. 1763 CC), y el necesario, que es aquel en el que el depósito se realiza en cumplimiento de una obligación legal o cuando tiene lugar con ocasión de alguna calamidad, como incendio, ruina, saqueo, naufragio o otra semejante (art. 1781 CC). En este último caso no puede hablarse de la constitución del depósito como consecuencia de un acto de autonomía de la voluntad del depositante, sino entendiendo que dicha autonomía se encuentra mediatizada por la concurrencia de un elemento externo, esto es, el cumplimiento de una obligación legal o la concurrencia de un hecho extraordinario que interfiere en la voluntad del depositante al momento de constitución del depósito.

De conformidad a lo dispuesto en el art. 1782 CC, cuando el depósito necesario se hace en cumplimiento de una obligación legal, se regirá por las disposiciones de la Ley que lo establezca y, en su defecto, por las del depósito voluntario. Cuando el depósito necesario tiene lugar con ocasión de alguna calamidad, como incendio, ruina, saqueo, naufragio u otras semejantes, éste se rige por las reglas del depósito voluntario.

Por otro lado, el art. 1783 CC considera también depósito necesario el de los efectos introducidos por los viajeros en las fondas y mesones. Dicho precepto impone a los fondistas o mesoneros la responsabilidad que como depositarios les corresponde si se hubiere dado conocimiento a ellos o a sus dependientes de los efectos introducidos en su casa, y si los viajeros hubieren observado las prevenciones que dichos posaderos o sus sustitutos les hubiesen hecho sobre cuidado y vigilancia de los efectos. Esta responsabilidad comprende los daños hechos en los efectos tanto por los criados o dependientes de los fondistas, como por los extraños, pero no los que provengan de robo a mano armada, o sean ocasionados por otro suceso de fuerza mayor (art. 1784 CC).

Junto a la anterior clasificación, se suele incluir entre las clases de depósito el llamado depósito irregular. Puesto que en el contrato de depósito el depositario asume la obligación de guarda y restitución del mismo objeto prestado, sin que pueda usar la cosa depositada sin permiso expreso del depositante (art. 1767 CC y 309 CCom), se habla de depósito irregular cuando el depositario podrá servirse de ella, con la autorización del depositante. En particular, en un sentido más estricto, se habla de depósito irregular para referirse a aquellos supuestos en los que el objeto del depósito es una cosa fungible, en los que el depositario no ha de restituir la misma cosa prestada sino otra del mismo género, lo que supone que éste adquiere la propiedad del objeto, pudiendo servirse de él. Concretamente, se suele hablar de depósito irregular cuando se trata de depósito de dinero. La admisión de esta figura jurídica como tipo específico de depósito encuentra como inconveniente el hecho de que el art. 1768 CC señala que cuando el depositario tiene permiso de servirse de la cosa depositada, el contrato pierde el concepto de depósito y se convierte en préstamo o comodato. En tales casos, la jurisprudencia ha señalado que pueden apreciarse en el depósito irregular algunos rasgos que lo individualizan, en particular, el hecho de que el depósito se constituye en interés del depositante, quien podrá exigir la devolución en cualquier momento.

Por otro lado, en el ámbito mercantil ha de tenerse en cuenta el texto del art. 310 CCom, conforme al cual los depósitos verificados en los bancos, en los almacenes generales, en las sociedades de crédito o en otras cualesquiera compañías, se regirán, en primer lugar, por los estatutos de las mismas, en segundo, por las prescripciones de este Código, y últimamente, por las reglas del Derecho común, que son aplicables a todos los depósitos. El análisis de las normas a cuya regulación remite el Código de Comercio para los depósitos efectuados en tales entidades permite sostener la posible admisión del depósito irregular.

3. SUJETOS Y CAPACIDAD

En el contrato de depósito propiamente dicho intervienen dos partes: depositante y depositario. Depositante será la persona que entrega la cosa para su guarda y custodia, sin que se exija la acreditación de ser de su propiedad, y depositario que sería la persona que asume dicha obligación, debiendo restituirla al fin del contrato. El Código Civil establece alguna regla específica relativa a la capacidad de las partes en su constitución, y también se ocupa de regular el caso en el que intervengan una pluralidad de depositantes.

En primer lugar, el art. 1764 CC señala que: «*Si una persona capaz de contratar acepta el depósito hecho por otra incapaz, queda sujeta a todas las obligaciones del depositario y puede ser obligada a la devolución por el tutor, curador o administrador de la persona que hizo el depósito, o por ella misma, si llega a tener capacidad*». Este precepto no implica sino una traslación de la regla general en los casos de que el contrato se haya celebrado por quien no tiene capacidad para contratar; contrato que resultará en todo caso anulable. No obstante, su texto parece querer subrayar el hecho de que la falta de capacidad del depositante no exime al depositario capaz del cumplimiento de las obligaciones propias del contrato. Junto a ello, el art. 1773 CC contempla el supuesto en que la pérdida de la capacidad para contratar del depositante se produce con posterioridad al depósito, en cuyo caso, el mismo no podrá restituirse sino a quienes tengan la administración de sus bienes y derechos.

En segundo lugar, el art. 1765 CC contempla el supuesto en el que, a diferencia, media capacidad del depositante afectando la falta de capacidad al depositario. Si ello es así, el depositante solo podrá reivindicar la cosa mientras exista en poder del depositario, no pudiendo reclamarle sino aquello en lo que se hubiere enriquecido con la cosa o con el precio.

Por otro lado, el art. 1772 CC contempla el supuesto en el que sean dos o más los depositantes, señalando que si no fueren solidarios y la cosa admitiere división, no podrá pedir cada uno de ellos más que su parte; cuando haya solidaridad o la cosa no admite división, el precepto se remite a lo dispuesto en los arts. 1141 y 1142 del mismo texto legal. En realidad, lo que el art. 1772 CC ha venido a regular es la forma de hacer efectivo el derecho de crédito que ostentan los depositarios a la restitución de la cosa, remitiendo a la regulación general de las obligaciones solidarias cuando así se haya constituido o el objeto sea indivisible. Un supuesto habitual en la práctica bancaria de depósito constituido con carácter solidario por pluralidad de depositantes es el llamado depósito indistinto. En estos casos, la jurisprudencia ha venido considerando que la posibilidad admitida de que cada uno de ellos pueda pedir la restitución no prejuzga la titularidad común de los fondos depositados, ni su pertenencia por partes iguales.

4. OBLIGACIONES DE LAS PARTES

4.1. Obligaciones del depositante

Cuando el depósito se constituye con carácter retribuido, corresponde al depositante la obligación de satisfacer la retribución pactada. Junto a ello, el art. 1779 CC impone al depositante la obligación de reembolsar al depositario los gastos que haya hecho para la conservación de la cosa depositada y la de indemnizarle de todos los perjuicios que se le haya seguido a causa del depósito. La determinación concreta de cuáles son los gastos que el depositante ha de reembolsar al depositario por razón de la conservación de la cosa habrá de especificarse en cada caso. No obstante, debe entenderse que el precepto está pensando en aquellos que sean estrictamente necesarios, salvo que hubieren sido debidamente autorizados por el depositante.

Cuando el depósito es gratuito, la concurrencia de estas obligaciones que, de conformidad al art. 1779 CC, incumben al depositante, no convierten al depósito en un contrato bilateral, puesto que las mismas no se encuentran en relación de correspectividad con las que corresponden al depositario. Para garantizar el efectivo cumplimiento de las obligaciones que corresponden al depositante, el art. 1780 CC otorga al depositario el derecho de retención de la cosa hasta su completo pago.

4.2. Obligaciones del depositario: la obligación de guarda y restitución

El art. 1766 CC señala que el depositario está obligado a guardar la cosa y a restituirla cuando le sea pedida por el depositante o su causahabiente o a la persona que hubiere sido designada en el contrato. La obligación de guarda es una obligación de hacer en cuya virtud se impone al depositario la de realizar cuantos actos y utilizar cuantos medios sean necesarios para evitar la pérdida o deterioro de la cosa depositada. Los medios empleados y los actos necesarios para el exacto cumplimiento de dicha obligación deberán determinarse en cada caso concreto, pudiendo depender de la propia naturaleza del objeto y de las circunstancias que acompañen al depósito.

Dada la naturaleza del depósito, se ha venido entendiendo que la obligación de guarda es una obligación personalísima. No obstante, el carácter *intuitu personae* de esta obligación no impide que el depositario pueda servirse de auxiliares para el puntual desempeño de las tareas que se integran en la obligación de guarda. La posesión que ostenta el depositario no le legitima para el uso de la cosa si no cuenta para ello con permiso expreso del depositante, respondiendo, en caso contrario, de los daños y perjuicios (art. 1767 CC).

Por lo que respecta a la obligación de restitución, ésta es consecuencia del cese de la obligación de guarda, y ha de cumplirse en el momento en que el depositante la reclame, aunque en el contrato se haya fijado un plazo o tiempo determinado para la devolución; pero esta disposición no tendrá efecto cuando judicialmente haya sido embargado el depósito en poder del depositario, o se haya notificado a éste la oposición de un tercero a la restitución o traslación de la cosa depositada (art. 1775 CC). No obstante esta posibilidad que el Derecho otorga al depositante para poder exigir la restitución en cualquier momento, su ejercicio estaría condicionado a las exigencias de la buena fe, de manera que no podrá hacer uso de ella si la petición de restitución puede considerarse intempestiva y excesivamente gravosa para el depositario.

La cosa depositada ha de ser devuelta con todos sus frutos y accesiones; si consiste en dinero, se aplicará al depositario lo dispuesto respecto al mandatario en el art. 1724 CC (art. 1770 CC). La remisión al régimen del mandato en este caso comporta que el depositario tendrá que pagar intereses si dedica el dinero a usos propios, o si una vez acabado el depósito incurre en morosidad. La restitución debe realizarse al propio depositante, o a sus causahabientes o a la persona que hubiere sido determinada en el contrato.

Por otro lado, el art. 1776 CC señala que el depositario que tenga justos motivos para no conservar el depósito podrá, aun antes del término designado, restituirlo al depositante, y si éste lo resiste, podrá obtener del juez su consignación. De conformidad a lo dispuesto en el art. 1774 CC, el lugar donde deberá practicarse la restitución será el que se designó a tal efecto en el contrato; si no se había designado lugar para la devolución, ésta deberá hacerse en el lugar en que se halla depositada la cosa, aun cuando no sea el mismo en el que se hizo el depósito, con tal de que no haya habido malicia de parte del depositario. Los gastos que ocasione la traslación se imputan al depositante.

El depositario será responsable por la guarda y pérdida de la cosa depositada, remitiendo el art. 1766 CC para su regulación al régimen general que regula la responsabilidad contractual. El art. 1777 CC señala que: «_El depositario que por fuerza mayor hubiese perdido la cosa depositada y recibido otra en su lugar, está obligado a entregar ésta al depositante_». Si el heredero del depositario hubiese vendido de buena fe la cosa depositada, ignorando que tuviera dicho carácter, solo estará obligado a restituir el precio que hubiese recibido o a ceder sus acciones contra el comprador, caso que de que el precio no se le haya pagado (art. 1778 CC).

5. EL SECUESTRO

Tiene lugar el secuestro o depósito judicial cuando se decreta el embargo o el aseguramiento de bienes litigiosos (art. 1785 CC). Este tipo de depósito se individualiza en atención a la fuente de su constitución, la autoridad judicial, y su finalidad que, dado el tenor literal del precepto, será la de garantizar la efectividad de un procedimiento de ejecución o la de asegurar cautelarmente el resultado de un proceso.

Existe, además, otro tipo de depósito, el referido en último párrafo del art. 1763 CC, al que se denomina «secuestro convencional». El secuestro convencional sería aquel que se realiza por dos o más personas que se crean con derecho a la cosa depositada, en un tercero que hará la entrega a quien corresponda. Su diferencia respecto al secuestro judicial se encuentra en el hecho de que en tal caso no interviene la autoridad judicial en su constitución, aun cuando su finalidad podrá ser similar a la que origina el depósito judicial.

El secuestro puede tener por objeto bienes muebles e inmuebles (art. 1786 CC). Dada su finalidad, el depositario no podrá quedar libre de su encargo hasta que termine la controversia que lo motivó, a no ser que el Juez lo ordenare por consentir en ello todos los interesados o por cualquier causa legítima (art. 1787 CC). El art. 1788 CC establece el nivel de diligencia exigible al depositario, señalando que ésta será la que corresponde a un buen padre de familia. Finalmente, el art. 1789 CC remite a la Ley de Enjuiciamiento Civil para todo aquello que no se hallare dispuesto en el mismo.

Lección 9

Los contratos de garantía

Mª LUISA ARCOS VIEIRA
Profesora Titular de Derecho Civil
Universidad Pública de Navarra

I. LA GARANTÍA DE LAS OBLIGACIONES

El derecho del acreedor puede quedar insatisfecho si la conducta del deudor no se corresponde puntualmente con la prestación debida. La tutela del derecho de crédito frente a tal riesgo puede articularse a través de una multitud de expedientes, unos principalmente de carácter disuasorio, tendentes a prevenir el incumplimiento (por ejemplo, la facultad de retención), y otros previstos más bien como reacción frente a esa situación, aunque indirectamente incentiven también el cumplimiento. En unos casos los mecanismos de refuerzo son inherentes al propio derecho (el principio de responsabilidad patrimonial universal –art. 1911 CC–, la ejecución forzosa, la resolución por incumplimiento en obligaciones sinalagmáticas, la facultad de retención, el vencimiento anticipado de la obligación en el caso del art. 1129

CC, el carácter privilegiado del crédito, etc.), y otros son puestos por el ordenamiento a disposición del acreedor, que puede incorporarlos o no a la relación obligatoria (solidaridad de deudores, cláusula penal, arras, fianza, hipoteca, prenda, etc.).

Todos estos mecanismos sirven de alguna manera al objetivo de reforzar la posición del acreedor, disminuyendo el riesgo del incumplimiento del deudor e incrementando paralelamente la confianza de aquél en la efectiva satisfacción de sus intereses. En esa medida puede decirse que, en un sentido amplio e impropio, todos esos mecanismos sirven de «garantía» al titular del derecho de crédito. Desde esta perspectiva general se aprecia que la noción de garantía alude a una *función* que describe la utilidad derivada de ciertas figuras, y que puede coincidir con la causa de su constitución (fianza, hipoteca, depósito en garantía) o aparecer incorporada a la propia de la institución correspondiente (mandato de crédito, determinados contratos de seguro).

En un sentido menos amplio la noción de garantía suele referirse específicamente a ciertos derechos subjetivos (reales o de crédito) y facultades que se constituyen a favor del acreedor estrictamente con esa finalidad, ampliando el poder jurídico derivado del derecho de crédito principal. Algunos de ellos no tienen nunca otra función que precisamente la de garantía (hipoteca, fianza, aval), mientras otros pueden cumplir esa función si se constituyen con tal propósito (por ejemplo, el depósito). Es frecuente que el estudio de las garantías se limite al primer grupo, esto es, a las figuras que responden típicamente a una función o causa de garantía.

Una primera división de las garantías en sentido estricto distingue entre las de carácter personal y las de carácter real. Las garantías se califican como *personales* cuando se constituyen a través de nuevos derechos de crédito frente a un tercero (fianza, aval). Las garantías son *reales* cuando confieren al titular un poder directo sobre bienes determinados, bien mediante la constitución a favor del acreedor de ciertos derechos reales sobre bienes del deudor o de un tercero (hipoteca, prenda, anticresis), la prolongación de la posesión de un bien ajeno hasta el pago de la deuda pendiente (facultad de retención), la reserva de la propiedad de la cosa por el transmitente hasta el completo pago de la deuda aplazada (pacto de reserva de dominio), etc. Conviene aclarar que no todas las garantías calificadas como «reales» conforme a esta clasificación, por atribuir al acreedor algún poder directo sobre una cosa, son al mismo tiempo auténticos «derechos reales» (así, por ejemplo, la facultad de retención), lo que significa que no atribuyen al titular el poder de vender la cosa para cobrar el crédito, ni de perseguirla si pasa a manos de terceros, etc.

Los derechos de garantía personal o real tradicionales comparten dos características. En primer lugar, la _accesoriedad_: su existencia está subordinada a la del derecho de crédito –_principal_– que garantizan (no al revés), que determina además el máximo de su cobertura y con el que se transmiten y extinguen. De esta forma, no cabe constituir una garantía respecto de una obligación nula de pleno derecho, ni establecerla por cantidad que exceda de la realmente debida por el deudor principal, ni conservarla el acreedor más allá del momento en que haya dejado de serlo bien por haberse extinguido la deuda principal o por haber cambiado la titularidad del derecho. Manifestaciones concretas del principio de accesoriedad de las garantías se encuentran en los preceptos que disponen que _la condonación de la deuda principal extinguirá las obligaciones accesorias_ (art. 1190 CC); que _la subrogación transfiere al subrogado el crédito con los derechos a él anexos, ya contra el deudor, ya contra los terceros, sean fiadores o poseedores de las hipotecas_ (art. 1212 CC); y que _la venta o cesión de un crédito comprende la de todos los derechos accesorios, como la fianza, hipoteca, prenda o privilegio_ (art. 1528 CC).

La segunda característica que puede predicarse de las garantías tradicionales es la _subsidiariedad_, entendida (DELGADO) en el sentido de que su ejecución requiere siempre el _previo_ incumplimiento del deudor principal, por lo que el acreedor no puede dirigirse contra el garante sino una vez comprobado dicho extremo.

Las necesidades impuestas por el tráfico mercantil han puesto de relieve la inadecuación de las garantías tradicionales en ciertos sectores, además de los inconvenientes que implican, por ejemplo, un excesivo formalismo –fianza–, o la complejidad del procedimiento de ejecución –hipoteca–. Ello explica la implantación de nuevas formas de garantía que atienden mejor al equilibrio entre seguridad y agilidad que exige la actividad mercantil. Se trata normalmente de garantías personales y atípicas, calificadas como _independientes_ o _autónomas_ por carecer al menos de una de las características anteriores (garantías «a primera demanda» o «a primer requerimiento», cartas de patrocinio). Dado su carácter personal, su atipicidad y su función de garantía, el estudio de estas figuras implica siempre una referencia a la fianza, con la que se comparan a fin de determinar si constituyen realmente nuevas formas de garantía o si no son más que simples modalidades, más o menos especiales, de aquélla.

II. LAS GARANTÍAS PERSONALES. LA FIANZA

Son garantías personales aquellas que se constituyen mediante un nuevo _derecho de crédito_ que produce el efecto de vincular un segundo patrimonio al cumplimiento de la deuda principal. Puesto que el acreedor, por el simple hecho de serlo, ya se beneficia de la responsabilidad patrimonial universal del deudor principal (art. 1911 CC), el efecto de garantía lo obtiene a través del establecimiento de una segunda deuda con las características que se analizarán más adelante– a cargo de un tercero –el garante– que se obliga para el caso de que el deudor principal incumpla y, en virtud de aquel mismo precepto, vincula todo su patrimonio al pago de la garantía con la que el acreedor satisface su interés.

La fianza es la figura típica de garantía personal y, por lo que respecta al Derecho común (existen normas sobre fianza en la Compilación navarra), se encuentra regulada casi en su totalidad en el CC (arts. 1822 y ss.). Conviene sin embargo tener en cuenta que el término «fianza» se puede utilizar en varios sentidos. Por una parte, alude a *un tipo de deuda* denominada también *obligación fideiusoria*, que es la propia de quien garantiza con su patrimonio una deuda ajena y que puede tener su origen en distintas fuentes. En un segundo sentido, se emplea para aludir precisamente a una de esas fuentes, esto es, a un *tipo contractual* del que nace para una de las partes una obligación fideiusoria. Y, finalmente, el término puede hacer referencia de manera imprecisa a figuras con efecto de garantía que fuera de ello no guardan mayor relación con la fianza de los arts. 1822 y ss. CC: así, por ejemplo, la denominada «fianza» arrendaticia del art. 36 LAU es realmente una prenda irregular; y la contemplada en ciertos artículos del CC (por ejemplo, arts. 260 y 491 y ss.) se refiere, en sentido amplio, a cualquier modalidad de garantía.

1. CONCEPTO Y CARACTERES DE LA OBLIGACIÓN FIDEIUSORIA: ACCESORIEDAD Y SUBSIDIARIEDAD

El art. 1822 CC explica que por la fianza «se obliga uno a pagar o cumplir por un tercero, en el caso de no hacerlo éste». A pesar de las dudas que puede sugerir el tenor literal de la norma, la doctrina coincide hoy en entender que el fiador tiene una deuda propia que debe distinguirse de la obligación principal garantizada. Dicho esto, se trata sin embargo de una obligación con unas características especiales, derivadas de la función de garantía a la que responde:

A) Es una deuda *accesoria*, dependiente de la principal. Esta dependencia o subordinación se aprecia en diversas normas: *la fianza no puede existir sin una obligación válida* (art. 1824 CC); *el fiador puede obligarse a menos, pero no a más que el deudor principal, tanto en la cantidad como en lo oneroso de las condiciones* (art. 1826 CC, que aclara que en otro caso se reduciría la obligación fideiusoria); aparte de poder extinguirse por causas propias, en cualquier caso *la* _obligación del fiador se extingue al mismo tiempo que la del deudor_ (art. 1847); _el fiador puede oponer al acreedor todas las excepciones que competan al deudor principal y sean inherentes a la deuda_ (con la excepción de las _puramente personales_ del deudor: art. 1853 CC), entre ellas la cosa juzgada, la prescripción de la deuda principal, los vicios del consentimiento del deudor principal, la compensación de un crédito que éste tuviera frente al acreedor (art. 1197), o la transacción acordada entre el deudor principal y el acreedor (art. 1835.II).

Además de lo anterior, cabe recordar que la fianza prescribe en el mismo plazo que la deuda principal (o, según otra doctrina, que el fiador puede oponer al acreedor la excepción de prescripción de la deuda garantizada que correspondiera al deudor principal), y que _la interrupción de la prescripción contra el deudor principal por reclamación judicial de la deuda, surte efecto también contra su fiador_ (art. 1975 CC).

La accesoriedad no es incompatible con la posibilidad de afianzar deudas futuras (art. 1825 CC) siempre que su objeto resulte al menos suficientemente _determinable_: el fiador por deuda futura queda vinculado desde el principio, pero sometido a la _condición suspensiva_ del nacimiento de la deuda garantizada.

B) Es una deuda _subsidiaria_, característica que debe referirse con parte de la doctrina (DELGADO) a su inexigibilidad con anterioridad al incumplimiento de la deuda garantizada. Por tanto, correctamente entendida, la subsidiariedad es también predicable de la fianza en la que el fiador se obliga _solidariamente_ con el deudor principal, como se verá más adelante: ninguna reclamación puede dirigirse contra el fiador, aun solidariamente obligado, antes de producirse efectivamente el incumplimiento por el deudor principal.

C) Es una deuda cuyo _objeto_ debe ser el mismo que el de la obligación principal. Sin duda el supuesto habitual es el de garantía de deudas pecuniarias, obligándose el fiador también al pago de una cantidad de dinero (la misma o inferior que el deudor principal). Pero cabría también afianzar obligaciones con prestaciones diferentes, siempre que admitan el cumplimiento por un sujeto distinto al deudor original (entrega de cosas distintas del dinero, servicios no personalísimos). Si el «fiador» se obliga al pago de una cantidad de dinero para garantizar una deuda con otro objeto, probablemente lo que los interesados pretenden afianzar es la _indemnización de daños_ que resulte a consecuencia del incumplimiento.

D) Es una deuda cuyo _contenido_ queda también referido a la obligación garantizada. Como ya se ha adelantado, el fiador puede obligarse a menos o de manera menos rigurosa que el deudor principal, pero no a más. Sin embargo, esto debe entenderse correctamente: el máximo viene representado no sólo por la cantidad objeto de la deuda garantizada, sino también por *todos sus accesorios, incluso los gastos del juicio, entendiéndose, respecto de éstos, que no responderá sino de los que se hayan devengado después que haya sido requerido el fiador para el pago* (art. 1827.II CC). Son «accesorios» tanto los intereses generados por la deuda como la indemnización por incumplimiento o la cláusula penal aplicable en tal caso.

El contenido descrito en el art. 1827.II CC, que se corresponde con lo que el código llama «fianza simple o indefinida», es el que tendrá la obligación fideiusoria cuando no se haya dispuesto en otro sentido –reduciéndolo– al constituir la garantía.

E) Por lo que respecta al sujeto pasivo de la obligación fideiusoria, puede constituirse una fianza a cargo de varios fiadores simultáneamente (*cofianza*). El régimen aplicable a esta situación plantea algunas dificultades en lo relativo a la forma en que los cofiadores responden frente al acreedor, por lo que se remite al apartado correspondiente (V. *infra* punto 5.3).

F) En cuanto su *extinción*, además de producirse por la de la deuda principal la obligación fideiusoria puede también extinguirse por causas propias (V. punto 7).

2. LA OBLIGACIÓN GARANTIZADA. LA SUBFIANZA

Como se ha explicado ya, al margen del caso sin duda más habitual de las deudas pecuniarias pueden también garantizarse con fianza deudas consistentes en prestaciones no personalísimas, en las que cabe por tanto constituir una segunda obligación con idéntica prestación pero a cargo de persona distinta. En otro caso, la garantía afectará más bien a la obligación de indemnizar los daños derivados del incumplimiento.

2.1. Obligaciones futuras. La «fianza general» o «fianza omnibus»

Pueden también afianzarse «deudas futuras». El art. 1825 CC propiamente se refiere con esa expresión a aquéllas ya existentes pero cuyo importe no se conoce todavía (ilíquidas) aunque, como se ha comentado anteriormente, nada impide que se vincule el fiador con la condición suspensiva de que una deuda suficientemente determinada llegue efectivamente a nacer.

Además de estos casos, la doctrina admite también que dos sujetos que mantienen una cierta relación comercial garanticen con fianza una pluralidad de deudas que pueden surgir entre ellos en el futuro. Esta fianza denominada *omnibus* o *general* puede constituirse por tiempo determinado o con duración indefinida (entonces el fiador podrá desistir a voluntad), exige al menos la determinación del deudor principal y del máximo por el que responderá el fiador, y se mantiene más allá de las concretas fianzas en que se materializa durante su vigencia. En cuanto al tipo de deudas que deben entenderse incluidas en la garantía habrá que estar a lo pactado al respecto; a falta de pacto, la doctrina propone diversos criterios para resolver las dudas que puedan plantearse.

2.2. Obligaciones anulables

En virtud del principio de accesoriedad, la fianza no puede existir sin una obligación *válida* (art. 1824 CC). Mientras la nulidad absoluta de la deuda principal no representa mayores dificultades (quizá cierta complejidad en los casos de nulidad absoluta *parcial* del negocio garantizado) en cuanto a la inexistencia de la garantía, no puede decirse lo mismo de las repercusiones que tiene, en orden a la subsistencia de la fianza, la *anulabilidad* de la deuda garantizada. Para este supuesto deben diferenciarse tres supuestos:

A) Si las obligaciones son anulables por causas no comprendidas en el concepto de «excepciones puramente personales del deudor» (V. letra B), esto es, por vicios del consentimiento o ausencia del consentimiento del cónyuge cuando fuera necesario, la fianza nacerá con una eficacia *claudicante*. De esta forma: a) si la obligación principal es confirmada, la fianza se mantiene; b) si la obligación principal se anula por el sujeto directamente legitimado (quien padece los vicios, el cónyuge excluido, sus herederos) y la fianza todavía no se hubiera cumplido, se extinguirán ambas; c) si al producirse la anulación ya se hubiera pagado la fianza, el fiador podrá repetir del acreedor lo pagado; y d) si dentro del plazo de impugnación se produce el incumplimiento del deudor principal y el acreedor reclama al fiador, éste podrá oponerle la excepción correspondiente (error, dolo, etc.), porque el art. 1853 le permite oponer las excepciones «inherentes a la deuda» que correspondieran al deudor principal. El fiador, según el art. 1302 CC, podría también impugnar el negocio anulable al ser un obligado «subsidiario».

B) El art. 1824.II CC, admite con carácter excepcional afianzar obligaciones anulables en virtud de lo que denomina «excepciones puramente personales» del deudor. El propio precepto aporta como ejemplo la minoría de edad, lo que debe extenderse a cualesquiera otros casos de incapacidad del deudor que conviertan su deuda en anulable (art. 1304 CC).

En puridad, lo excepcional de la norma no estriba en que la fianza pueda garantizar obligaciones válidas pero *anulables,* sino en el particular efecto que se produce al permitir la fianza de obligaciones anulables *por esa concreta razón* (excepciones puramente personales) en el caso de que sean efectivamente *anuladas*: dirigida la reclamación contra el fiador, no podrá éste evitar cumplir oponiendo al acreedor la circunstancia que motivó la anulación de la deuda principal –lo que sí puede hacer en el resto de casos (V. letra A)–, porque el art. 1853 CC le impide expresamente oponer las «excepciones puramente personales». Por tanto, la fianza no se extinguirá, y el acreedor –que no puede ya cobrar del incapaz con quien contrató– sí conserva en cambio el crédito frente al fiador que, además, tampoco podrá recuperar de un inexistente «deudor principal» lo que pague. Este régimen es independiente de que el fiador conociera o no la incapacidad del deudor.

En estos casos si la deuda principal no llega a anularse el efecto será el de una fianza normal. Por el contrario, producida la anulación de aquélla, la subsistencia de la obligación del tercero garante contradice el principio de accesoriedad y aleja por ello esta garantía personal del concepto tradicional de fianza, convirtiéndola en una garantía *independiente*, con la que se pretende impedir que los incapaces que pueden consentir válidamente (las deudas afianzadas en estos casos son meramente *anulables*) queden totalmente al margen de la contratación, protegiendo al mismo tiempo sus intereses.

C) El párrafo tercero del art. 1824 CC establece una excepción al régimen ya excepcional del párrafo segundo para el concreto negocio que contempla: préstamo a un menor de edad (interpretación actual del «hijo de familia»). Estrictamente, debería entenderse que no cabe afianzar tales préstamos, como si fueran *per se* nulos de pleno derecho (art. 1824.I CC); sin embargo, la interpretación acorde con el Derecho vigente, en el que tales contratos son normalmente anulables, aconseja reconducir el supuesto al régimen general de las obligaciones de ese tipo y, con ello, mantener el carácter claudicante de la garantía.

2.3. La subfianza

La obligación garantizada frente al acreedor puede ser también la del fiador (art. 1823.II CC) o la de uno de ellos, si intervinieran varios conjuntamente (art. 1846). En tales casos, la garantía recibe el nombre de *subfianza*, rigiéndose por los principios generales adaptados a la particularidad del supuesto.

3. ORIGEN DE LA OBLIGACIÓN FIDEIUSORIA: FIANZA CONVENCIONAL, LEGAL Y JUDICIAL

Cuando el art. 1823 CC clasifica las fianzas en esas tres categorías no está en realidad aludiendo a la *fuente* directa de la obligación fideiusoria, en el sentido del art. 1089 CC, sino al *origen* que explica la existencia de la garantía. Es decir, el precepto explica que a veces la fianza se constituye en cumplimiento de lo que una ley, una resolución judicial o un contrato anterior obligan –al deudor principal– a hacer: se trata en los tres casos de fianzas *debidas*:

A) La fianza *debida* es *convencional* cuando responde a un contrato celebrado entre el deudor principal y el acreedor, por el que el primero se comprometió a presentar un fiador. Puede también tener su origen en un pacto entre el deudor principal y quien será el fiador, en el que éste promete asumir esa obligación frente al acreedor del primero. Estos dos contratos explican por tanto la decisión del fiador de intervenir como tal, pero deben distinguirse del *contrato de fianza* del que nace propiamente la obligación fideiusoria (V. punto 5) que entonces es también *convencional*, pero en el sentido de ser un contrato la *fuente* de la misma.

B) La fianza *debida* es *legal* cuando una norma impone al deudor el deber o la carga de presentar un fiador (arts. 260 y 491 CC, respectivamente). Como en el punto anterior esto debe distinguirse del supuesto, menos frecuente, de que la fianza sea *legal* por ser una norma la fuente directa de la obligación del fiador.

C) La fianza *debida* es *judicial* cuando una resolución de este carácter impone a un sujeto la carga de prestar fianza con fines procedimentales.

En los tres casos el fiador, para serlo, necesitará celebrar un negocio jurídico mediante el cual asumirá la obligación fideiusoria. Puede tratarse de un *contrato de fianza*, pero podría consistir también en una *declaración unilateral* del fiador independiente de la voluntad del acreedor, ya que éste no podría rechazarlo si aquél cumple los requisitos del art. 1828 CC (al que remite también el art. 1854: «capacidad para obligarse y bienes suficientes para responder de la obligación que garantiza»).

4. EL CONTRATO DE FIANZA

Habitualmente –sea en cumplimiento del deber del deudor de presentar fiador, o no– la fuente de la obligación fideiusoria es el contrato de fianza, en el que son partes el acreedor y el fiador. No es parte, por tanto, el deudor, quien puede *ignorar* o incluso *contradecir* su celebración (art. 1823 CC), aunque de darse estas circunstancias el fiador puede ver limitados los derechos que le asisten antes y después de verse obligado al pago si cuenta con el consentimiento del deudor principal (art. 1838, excluido en caso de negativa del deudor principal; art. 1843, excluido en ambos supuestos).

El contrato regulado en el Código Civil es *consensual.* No existen especiales requisitos de forma, pero el art. 1827 CC dispone que «la fianza no se presume: debe ser expresa y no puede extenderse a más de lo contenido en ella». Este precepto prohíbe presumir la voluntad de un sujeto de convertirse en fiador, o de extender el alcance de la garantía que quiso prestar más allá de los límites de lo expresamente asumido, lo que no constituye una regla específica de la fianza aunque la jurisprudencia suele entenderlo así. La voluntad real del fiador –de ambas partes del contrato, en realidad– podrá acreditarse por cualesquiera medios de prueba admisibles en Derecho.

El contrato de fianza puede constituirse como sinalagmático si el acreedor promete una contraprestación, pero con frecuencia es *unilateral* en el sentido de que sólo genera obligaciones para una de las partes (el fiador). El art. 1823 CC alude al carácter *oneroso* o *gratuito* de la fianza, y esto puede aplicarse al *contrato de fianza* en el sentido indicado. Pero si se analiza exclusivamente la *obligación fideiusoria* –la atribución o ventaja patrimonial que representa–, ésta es gratuita si el fiador no recibe nada a cambio, ni del acreedor ni –lo que es más frecuente– del deudor principal; y será onerosa en otro caso (por tanto, también cuando el fiador cobre del deudor principal).

En cuanto a la capacidad necesaria para la celebración del contrato de fianza, se discute si concurre en el menor emancipado. A favor se defiende que la prestación de fianza no se encuentra entre las exclusiones del art. 323 CC. La tesis acaso dominante, sin embargo, entiende que debe considerarse incapaz al emancipado por cuanto la fianza pone en peligro el total de su patrimonio, incluyendo por tanto los bienes de los que no podría disponer individualmente.

5. RELACIÓN ENTRE EL ACREEDOR GARANTIZADO Y EL FIADOR

5.1. El beneficio de excusión

Producido el incumplimiento del deudor principal, el acreedor puede dirigirse contra el fiador (conjuntamente o no con aquél: art. 1834) para que lleve a cabo la prestación prometida (idéntica o no a la incumplida).

El fiador dispone entonces de las defensas derivadas de su propio vínculo con el acreedor (nulidad, compensación, etc.) y puede también oponer, como se ha visto ya, las excepciones «inherentes a la deuda» (no las «puramente personales») que correspondieran al deudor principal frente al acreedor; no puede, sin embargo, oponer circunstancias relativas a su relación con el deudor principal (por ejemplo, en caso de que éste no haya cumplido lo que prometiera al fiador).

En principio, además, el fiador puede defenderse de la reclamación judicial o extrajudicial del acreedor alegando que éste no ha perseguido los bienes del deudor principal, con los que debe intentar cobrar en primer lugar (art. 1830 CC: «el fiador no puede ser compelido a pagar al acreedor sin hacerse antes excusión de todos los bienes del deudor»).

Esta excepción –«beneficio de excusión»– debe ir acompañada del señalamiento de bienes del deudor que se encuentren en territorio español y con los que el acreedor pudiera cobrar la deuda; y, de estimarse, evita que la sentencia que se obtenga contra el fiador pueda ejecutarse antes de que se realice la debida excusión de los bienes del afianzado. La insolvencia del deudor principal imputable al acreedor negligente en la excusión no perjudicará al fiador que señaló bienes suficientes para el cobro de la deuda (art. 1833).

El beneficio de excusión queda excluido de la fianza, endureciendo por tanto la posición del fiador, en los casos siguientes:

– por renuncia inequívoca del fiador, en cualquier momento (art. 1831.1);

– cuando el fiador se haya obligado solidariamente con el deudor principal (art. 1831.2), ya que ello implica que el acreedor, producido el incumplimiento, puede dirigirse contra cualquiera de los dos deudores a su elección (V. punto 5.2);

– cuando el deudor principal haya sido previamente declarado insolvente (art. 1831.3);

– cuando el deudor principal no pueda ser demandado en territorio español (art. 1831.4);

– en las fianzas judiciales (art. 1856).

5.2. La fianza solidaria

Con frecuencia los contratos de fianza, sobre todo los redactados unilateralmente por la entidad acreedora, incorporan expresamente la cláusula de solidaridad entre el fiador y el deudor principal. Según afirma el art. 1822.II CC, deben entonces aplicarse las normas de los arts. 1137 a 1148 CC, reguladoras de las obligaciones mancomunadas y solidarias. Sin embargo, la doctrina actual considera que la fianza solidaria no deja de ser una auténtica fianza para convertirse en un caso concreto de deuda solidaria. El intento de compatibilizar este criterio con aquella remisión normativa plantea dudas en cuanto al verdadero alcance de ésta, ya que en algunos extremos (por ejemplo, en lo relativo a las relaciones entre el fiador que paga y el deudor principal, o entre aquél y el acreedor) el régimen aplicable difiere.

La opinión más extendida considera que la solidaridad de la fianza no impide que se aplique a la misma preferentemente el régimen general de los arts. 1822 ss. CC (y no el de la solidaridad), si bien con la salvedad de que el fiador no dispone del beneficio de excusión. Como se ha explicado ya, ello es compatible con el carácter subsidiario de la fianza, también predicable entonces de la fianza solidaria.

5.3. La cofianza

El afianzamiento de una deuda puede ser asumido por una pluralidad de sujetos. Esta situación, que incrementa la garantía del acreedor al multiplicar los patrimonios que responden de la deuda principal, puede articularse de diversas maneras. Por una parte, pueden coexistir fiadores simultáneos pero independientes, cada uno de ellos garantizando el total de la deuda. Por otra, puede constituirse una *cofianza*, en la que los distintos fiadores comparten la garantía limitando así las posibles repercusiones en sus respectivos patrimonios del incumplimiento del deudor principal.

Como cualquier otro supuesto de concurrencia de deudores, la cofianza impone la necesidad de explicar el régimen aplicable a la relación de los cofiadores entre sí, y con el acreedor, en defecto de pacto entre los interesados. El párrafo primero del art. 1837 CC dice que *«siendo varios los fiadores de un mismo deudor y por una misma deuda, la obligación a responder de ella se divide entre todos»*, añadiendo que el acreedor *«no puede reclamar a cada fiador sino la parte que le corresponda satisfacer, a menos que se haya estipulado expresamente la solidaridad»*.

Es claro que este precepto opta por la mancomunidad entre los cofiadores siguiendo con ello el principio del art. 1137. Sin embargo, la doctrina ha puesto de relieve que esta norma resulta incompatible con el resto de los artículos que contemplan la cofianza (arts. 1844-1846 y 1850), incluido el segundo párrafo del mismo art. 1837: efectivamente, la pérdida del *beneficio de división* –y con ella el deber de un cofiador de pagar la parte de otro insolvente– estaba inicialmente prevista para un régimen de *solidaridad* entre cofiadores y no es coherente con la mancomunidad que finalmente se impuso, en la que la insolvencia de un codeudor recae sobre el acreedor. Tampoco lo son, por ejemplo, las previsiones del art. 1844.I y II, y del art. 1850 CC.

La doctrina ha intentado explicar el régimen de la cofianza armonizando en lo posible las normas aplicables y ofrece diversas propuestas. Parece probable que, salvo pacto, la cofianza simple implica –art. 1837.I– que cada cofiador debe pagar una parte del total (la pactada o, en su defecto, igual al del resto); que –art. 1837.II– en los casos del art. 1831 CC (por ejemplo, concurso de un cofiador, imposibilidad de demandarle en España), el acreedor que acredite tales circunstancias podrá reclamar al resto de fiadores la parte correspondiente; que si un cofiador paga más que su parte puede reclamar a cada uno de los otros en vía de regreso la parte proporcional del exceso; que si en ese caso alguno de los cofiadores reclamados no cumple, su insolvencia se reparte entre todos (también el que pagó) en proporción a su cuota en la deuda principal; que las desafortunadas restricciones a la acción de regreso del art. 1844.III CC deben interpretarse en el sentido menos limitativo posible (SSTS [1ª] 13.10.2009 y 20.7.2007: *«no cabe exigir el estricto cumplimiento del párrafo 3º del artículo 1844 en los supuestos de pago por un cofiador solidario que a todos beneficia, sólo en aquellos supuestos en que el pago entero y espontáneo del cofiador se produzca por móviles torcidos, buscando su propio beneficio o en perjuicio de los demás fiadores»*); que los cofiadores pueden oponer al que pagó –art. 1845– las mismas excepciones del deudor principal que se atribuyen a todo fiador (las inherentes a la deuda: art. 1853), además de las que correspondan al resto de cofiadores conforme al art. 1148 CC; y que si el acreedor libera a uno de los fiadores –art. 1850– el efecto es la reducción de la deuda de todos en proporción, salvo que los demás consientan que esa liberación beneficie exclusivamente al fiador liberado, que únicamente quedará vinculado con el resto para el caso de que se necesite repartir la insolvencia de uno de ellos.

El cofiador que paga dispone, además de la acción de regreso contra los cofiadores, de las acciones de reembolso y subrogación atribuidas a cualquier fiador contra el deudor afianzado (V. punto 6.2).

En la práctica es frecuente el pacto de solidaridad entre los cofiadores, añadido al que establece la solidaridad de éstos con el deudor principal. Las normas aplicables a los cofiadores solidarios entre sí serán los arts. 1137 y ss. CC. Es admisible igualmente el pacto expreso de mancomunidad o de indivisibilidad de la cofianza, así como disponer la solidaridad de cada uno de los cofiadores con el deudor principal pero no entre aquéllos, o al contrario. Salvo en los casos del art 1831, los cofiadores disponen del beneficio de excusión.

6. RELACIÓN ENTRE EL FIADOR Y EL DEUDOR PRINCIPAL

6.1. La acción de relevación

Antes de proceder al pago, el fiador dispone ya de una acción contra el deudor principal, tendente «*a obtener relevación de la fianza o una garantía que lo ponga a cubierto de los procedimientos del acreedor y del peligro de insolvencia en el deudor*» (art. 1843 CC). Esta acción de relevación o cobertura –algún autor señala que son dos acciones alternativas aunque acumulables– se fundamenta en la idea de que el fiador asumió la garantía cumpliendo la voluntad del afianzado, por lo que no corresponde al fiador que actuó ignorándolo el deudor principal o en contra de su criterio.

La «relevación» de la fianza no puede concederla unilateralmente el deudor principal demandado, puesto que el fiador se obligó frente al acreedor; pero puede aquél conseguirla pagando su deuda, u ofreciendo un nuevo fiador u otro tipo de garantía que el acreedor acepte. Por lo que respecta a la garantía que asegure al fiador el cobro de su derecho de reembolso, podrá ser real o personal.

La acción de relevación procede en cinco casos: cuando el fiador es demandado por el acreedor (acumulándose aquélla); en casos de «quiebra, concurso o insolvencia» del deudor principal; cuando el deudor se comprometió a relevar al fiador de la fianza en un plazo determinado, una vez transcurrido éste; cuando la deuda afianzada es exigible y el acreedor no ha reclamado, sin conceder tampoco una prórroga (en cuyo caso se aplica el art. 1851, extinguiéndose la fianza); y, cuando la deuda principal es de duración indeterminada, al cabo de diez años «*a menos que sea de tal naturaleza que no pueda extinguirse sino en un plazo mayor de los diez años*».

6.2. Reembolso y subrogación

Si el fiador se vio obligado a pagar al acreedor dispone de una acción de reembolso contra el afianzado cuyo contenido establece el art. 1838 CC –para el caso de que no se hubiera pactado en otro sentido– incluyendo:

- la cantidad abonada al acreedor, sea o no «el total» de la deuda (V. art. 1839.II);

- los intereses legales de esa cantidad a contar desde que se comunicó al deudor el pago realizado por el fiador (no, por tanto, desde el momento del pago);

- los gastos sufridos por el fiador desde que comunicó al deudor que había sido requerido para el pago (por ejemplo, costas judiciales);

- los daños y perjuicios, cuando procedan, al margen de los incluidos en los casos anteriores.

Es discutible si el reembolso favorece también al fiador que actuó contra la voluntad del deudor: para negar esa extensión se recuerda el último párrafo del art. 1838 CC, remitiendo al fiador en tal caso al art. 1158 *in fine*, y a favor se argumenta que el reembolso corresponde a todo fiador por serlo y haber pagado, con independencia de sus relaciones con el deudor. El plazo de prescripción de la acción es el general del art. 1964 CC, a contar desde que se realizó el pago (STS [1ª] 8.7.2010).

Aclarado el contenido del derecho de reembolso del fiador, añade el artículo siguiente que el fiador *«se subroga por el pago en todos los derechos que el acreedor tenía contra el deudor»*. Una de las cuestiones más discutidas doctrinalmente en materia de fianza es si el Código Civil ofrece dos acciones al fiador que paga (reembolso en el art. 1838 CC y subrogación en el art. 1839 CC), o una sola (reembolso) en la que la subrogación sirve para describir las características del crédito que ostenta el fiador.

La primera tesis, seguramente mayoritaria, explica también que el fiador puede *optar* entre la acción de reembolso o la subrogación en el crédito del acreedor. La segunda entiende que el fiador que ejercita la acción de reembolso, única de la que dispone, puede beneficiarse del rango, privilegios y garantías que tuviera el derecho del acreedor al que pagó.

En la reclamación del fiador frente al deudor principal deben tenerse en cuenta además las siguientes circunstancias:

– *Si el fiador paga sin ponerlo en noticia del deudor, podrá éste hacer valer contra él todas las excepciones que hubiera podido oponer al acreedor al tiempo de hacerse el pago* (art. 1840): el fiador debe por tanto comunicar al deudor su intención de pagar, para que éste pueda aportar información sobre posibles excepciones oponibles al acreedor. Si el fiador no hace uso de esas excepciones, el deudor principal podrá oponer tal circunstancia cuando sea reclamado por el fiador, sin perjuicio de que éste, en ciertos casos, pueda entonces dirigirse contra el acreedor por cobro de lo indebido (por ejemplo, si el acreedor había condonado la deuda al deudor principal).

– *Si la deuda era a plazo y el fiador la pagó antes de su vencimiento, no podrá exigir reembolso del deudor hasta que el plazo venza* (art. 1841).

– *Si el fiador ha pagado sin ponerlo en noticia del deudor, y éste, ignorando el pago, lo repite por su parte, no queda al primero recurso alguno contra el segundo, pero sí contra el acreedor* (art. 1842): de no ser por este precepto sería el deudor, que pagó en segundo lugar y por tanto una deuda ya inexistente, quien debería accionar contra el acreedor por cobro de lo indebido. La notificación del pago al deudor es en consecuencia una carga impuesta al fiador, cuyo incumplimiento le priva de la acción de reembolso frente al deudor principal que también pagó aunque no de la repetición contra el acreedor.

6.3. La retrofianza

Se denomina *retrofianza* o *contragarantía* a la fianza que garantiza la obligación del deudor principal de responder frente al fiador que pagó la deuda. Puede constituirse, por ejemplo, como consecuencia de la acción de relevación o cobertura instada por el fiador en los casos del art. 1843 CC.

7. EXTINCIÓN DE LA OBLIGACIÓN FIDEIUSORIA

La obligación fideiusoria se extingue:

A) Con la obligación garantizada, en virtud del principio de accesoriedad.

B) Por las causas generales de extinción de las obligaciones.

C) Por las causas específicas de extinción de la obligación del fiador, a las que se alude en los arts. 1848 y ss. CC. Así, por ejemplo:

— La fianza se extingue, salvo pacto en contrario, si el acreedor concede al deudor una prórroga sin el consentimiento del fiador (art. 1851). Este consentimiento que mantiene la vigencia de la fianza no necesita ser expreso. La jurisprudencia no aplica esta norma a prórrogas no concedidas voluntariamente por el acreedor sino impuestas (por ejemplo, por una resolución judicial).

— La pérdida por evicción de la cosa admitida por el acreedor *en pago* de la deuda principal no le permite ya dirigirse contra el fiador (art. 1849).

— La acción u omisión imputable al acreedor que haga inviable la subrogación del fiador en los derechos y garantías de aquél, libera a éste (art. 1852).

8. LA FIANZA MERCANTIL

Contrasta con la extensión de la regulación de la fianza en el Código Civil la escasa atención que el Código de Comercio dedica al afianzamiento mercantil en los arts. 439-442.

La fianza se considera mercantil cuando garantiza un contrato de ese carácter, aunque el fiador no sea comerciante (art. 439 CCom). Salvo pacto, la fianza será gratuita a pesar del carácter mercantil de la operación (art. 441). Si se fija una retribución al fiador, el art. 442 CCom deroga lo dispuesto en el art. 1843.5 CC, declarando la subsistencia de la fianza «_hasta que, por la terminación completa del contrato principal que se afiance, se cancelen definitivamente las obligaciones que nazcan de él, sea cual fuere su duración, a no ser que por pacto expreso se hubiere fijado plazo a la fianza_».

La mayor especialidad de la fianza mercantil estriba en el carácter formal del contrato, que requiere constancia escrita sin la cual «_no tendrá valor ni efecto_» (art. 440). Por otra parte, cierta línea jurisprudencial, no exenta de justificadas críticas, mantiene que la fianza mercantil debe ser por principio solidaria, por lo que el fiador no dispondría del beneficio de excusión. En la práctica, en el ámbito mercantil la solidaridad de la fianza es ciertamente la _norma_ al imponerse el pacto expreso de solidaridad, pero debe coincidirse con la doctrina que critica aquella línea jurisprudencial resaltando la ausencia de preceptos legales que permitan aplicar a la fianza mercantil un régimen opuesto al de la fianza civil en este aspecto.

III.   OTRAS GARANTÍAS PERSONALES Y FIGURAS AFINES

1.   EL MANDATO DE CRÉDITO

El mandato de crédito es un contrato atípico para el Derecho civil común español. Está por el contrario regulado en varios países europeos, como Italia y Portugal, y también en la Compilación de Derecho civil navarro. Los precedentes de la figura se remontan al Derecho romano, en cuyo contexto se enmarcaba entre las variadas modalidades de contrato de mandato.

La atipicidad de la figura en el Derecho común dificulta precisar su régimen, pero en general consiste en un encargo que un sujeto (mandante de crédito) da a otro, frecuentemente una entidad financiera (mandatario de crédito), para que éste conceda _con cargo a su propio patrimonio_ un préstamo o un crédito a un tercero determinado (acreditado) con el que el mandante suele tener algún tipo de relación. El encargo puede incorporar más o menos instrucciones sobre las condiciones del negocio de crédito, como el plazo o el interés; evidentemente, la aceptación por parte de una entidad bancaria de un encargo de estas características suele explicarse por la notable influencia del mandante de crédito.

El contrato puede ser gratuito u oneroso: esto último cuando el mandatario reciba del mandante una contraprestación, de cualquier tipo, por haber accedido a cumplir el encargo.

Si el tercero cumple sus compromisos frente al mandatario el mandato de crédito se extingue. En caso contrario, el mandante de crédito responde por ello. Este efecto que produce para el mandante el incumplimiento del tercero es lo que aproxima la figura a los contratos de garantía. Ciertamente, para el mandatario la existencia del encargo previo le aporta una mayor probabilidad de ver satisfecho su derecho de crédito frente al tercero, al poder dirigirse en caso de incumplimiento también contra el mandante. Por ello la mayor parte de la doctrina española considera que el mandato de crédito es un contrato de garantía, y extiende al mismo el régimen de la fianza: el mandante quedaría como fiador del tercero frente al mandatario.

La explicación es otra, a mi juicio, en el único sistema jurídico español que ha tipificado la figura. La ley 526 del Fuero Nuevo de Navarra, que contempla el mandato de crédito, está ubicada entre las normas de la fianza y dice expresamente que el mandante *«se hace fiador»*, pero el contrato es un *mandato*, como con toda claridad afirma la ley 555 que, tras recordar que todo contrato de mandato *«debe interesar al mandante»*, continúa aclarando que *«se entiende que le interesa en los casos previstos en la ley 526»*: en suma, con esta remisión (cuyo significado último enlaza con los precedentes de Derecho romano) el Fuero Nuevo admite expresamente que el mandato de crédito reúne los requisitos para ser considerado un auténtico contrato de mandato a pesar de su ubicación en sede de fianza.

Partiendo de esta base, se explica fácilmente que el mandante de crédito deba responder frente al mandatario si el tercero incumple: en todo contrato de mandato el mandante debe indemnizar al mandatario de las consecuencias perjudiciales que se deriven para éste del cumplimiento del encargo y no le sean imputables. Sin duda, el mandatario de crédito que cumple diligentemente el encargo recibido se ve perjudicado por el incumplimiento del acreditado, por lo que incluirá el crédito no satisfecho entre los daños sufridos. La alusión de la ley 526 FN a la fianza para describir la posición del mandante en este punto sirve para explicar que su responsabilidad es *subsidiaria* de la deuda del tercero, que por tanto nada se podrá reclamar al mandante antes de que se produzca el incumplimiento de aquél. No es necesario el recurso al beneficio de excusión, ni el mandante tiene la carga de señalar bienes del deudor principal que basten para satisfacer la deuda: todo mandatario debe cumplir su encargo diligentemente, y ello incluye intentar satisfacer el crédito pendiente con cargo al patrimonio de quien es el deudor incumplidor, antes de reclamar al mandante.

La calificación del mandato de crédito como una modalidad de contrato de mandato es defendible en el ámbito del Derecho civil navarro también porque ese contrato difiere en algunos aspectos del mandato del Código Civil: en particular, el mandato del Fuero Nuevo es un contrato desvinculado del fenómeno de la representación. Pero la conclusión alcanzada para el

Derecho navarro no puede compartirse desde la perspectiva del Código Civil porque en éste el mandato, principalmente por influencia del Código francés, quedó reducido a los encargos que implican una representación directa o indirecta del mandante. Y puede apreciarse que el mandante de crédito no quiere ser representado, ni directa ni indirectamente, frente al tercero que va a recibir el crédito; no quiere asumir en su patrimonio las consecuencias de ese negocio, pero sí quiere que el tercero obtenga el crédito, y por ello busca la colaboración de un sujeto que se lo facilite con cargo a su propio patrimonio. Tal encargo, carente en absoluto de representación (el mandatario de crédito concede el crédito *por cuenta propia*), no puede encajar por tanto en el tipo contractual de los arts. 1709 y ss. CC: de ahí la tendencia de la doctrina a ubicarlo en sede de garantías.

La imposibilidad de considerar en el ámbito del Derecho común el mandato de crédito como un mandato no altera sin embargo el hecho de que la función típica de aquél es la *promoción del crédito* y no la garantía, aunque puede admitirse que esta función se cumple también indirectamente (como, por ejemplo, en cualquier caso de responsabilidad objetiva por hecho ajeno) y sólo en la fase posterior a la concesión del crédito: es claro, a mi juicio, que mientras las garantías miran a la extinción de una deuda ajena, el mandato de crédito busca, contrariamente, su nacimiento. La fianza no explica la iniciativa del mandante de dirigirse a un posible acreditante, instarle a dar crédito al tercero, negociar las condiciones, etc. Por otra parte el mandante de crédito, a diferencia de un simple garante, se dirige al mandatario para proponerle la celebración de un negocio –con un tercero– del que también el propio mandatario obtendrá los beneficios correspondientes. La fianza no existe sin una obligación válida, pero el mandato de crédito existe, es eficaz y vincula a las partes (mandante y mandatario) a cumplir lo prometido desde el primer momento y con independencia de que el negocio de crédito con el tercero se concluya o no: el mandatario se obliga a actuar *diligentemente* conforme a las instrucciones recibidas, no a «contratar», para lo cual es evidentemente imprescindible el consentimiento del tercero. El encargo aceptado de conceder crédito a un tercero no debe someterse al requisito del art. 1827 CC (en este sentido, STS [1ª] 30.6.2005): la existencia o no de contrato entre el mandante y el mandatario se acreditará conforme a los principios generalmente aplicables al respecto.

El mandato de crédito adquiere interés en relación con ciertas prácticas frecuentes en el ámbito bancario en las que un sujeto (empresario) manifiesta a otro (entidad financiera), frecuentemente por escrito, su interés en un negocio de crédito que el segundo parece plantearse con un tercero (generalmente una tercera empresa relacionada con la primera). La dificultad para determinar si existe o no un mandato de crédito estriba, entre otros extremos, en acreditar la existencia de un *encargo* así como la *aceptación* del mismo (de cuya concurrencia se derivan entonces derechos y obligaciones para las partes), más allá de simples contactos en los que un sujeto se limita a transmitir a otro cierta información o comentarios sin intención de vincularse contractualmente, y sin que la concesión del crédito al tercero pueda relacionarse con esa conducta previa. Estas prácticas suelen englobarse en las denominadas «cartas de patrocinio».

2. LAS CARTAS DE PATROCINIO

Con ésta y otras denominaciones equivalentes (cartas de garantía, cartas de conformidad, *letter of responsibility, comfort letter*) se alude a un conjunto heterogéneo de operaciones bancarias caracterizadas por la remisión de un escrito, redactado en forma epistolar, que una empresa dirige a –en la mayoría de los casos– una entidad bancaria en relación con un negocio que ésta se plantea celebrar con un tercero (generalmente filial de la remitente), o ha celebrado ya. El contenido de estas cartas varía en cada caso, pero en general se pretende aportar al banco cierta seguridad en el buen fin de la operación si bien normalmente con afirmaciones deliberadamente imprecisas.

Si el tercero no cumple, la entidad destinataria de la carta de patrocinio puede considerar que en ella se fundamenta una reclamación a la remitente, y de hecho son ya varias las sentencias emitidas por el Tribunal Supremo acerca del alcance de este tipo de documentos desde la primera en la que se aborda esta cuestión, de 16 de diciembre de 1985. Acertadamente afirma la STS (1ª) 13.2.2007 que *«ante una carta de esta naturaleza, es preciso, mediante las técnicas de interpretación contractual, determinar, en primer término, si la declaración de voluntad tiene entidad para vincular al emitente, y supuesto que la tenga, calificarla y, de conformidad con el resultado de ésta, aplicar las normas que procedan ...».*

La doctrina y la jurisprudencia ha distinguido entre cartas *fuertes* y cartas *débiles*, queriendo con ello diferenciar entre aquellas que incluyen afirmaciones con repercusión jurídica (STS [1ª] 18.3.2009: «haremos todos los esfuerzos necesarios para que X disponga en todo momento de medios financieros que le permitan hacer frente a sus compromisos alcanzados con ustedes, por los créditos que le concedan», «prestaremos a la misma todos los recursos necesarios de tipo financiero, técnico o de otra clase, que le permitan cumplir satisfactoriamente sus compromisos, tanto en lo que se refiere a nominal, intereses, costas y todos los gastos que conllevasen la presente operación») y las que simplemente transmiten hechos (por ejemplo, se informa de que la emitente «controla directa o indirectamente la absoluta mayoría de las acciones» de la empresa prestataria, o que «ha aprobado un aumento del capital social de ésa en 300 millones de pesetas»), pareceres o deseos (por ejemplo: «tenemos interés de que la citada operación se resuelva con toda normalidad») de la empresa remitente. Estas cartas débiles _«más se pueden estimar como verdaderas recomendaciones que no sirven de fundamento para que la entidad crediticia pueda exigir el pago del crédito a la entidad patrocinadora»_ (STS [1ª] 30.6.2005).

La jurisprudencia reitera que entre los requisitos exigibles a las cartas de patrocinio para admitir su eficacia jurídica se encuentran los siguientes: que exista intención de obligarse por parte de la firmante; que la vinculación obligacional resulte clara, sin que pueda basarse en expresiones equívocas, por aplicación analógica de los requisitos de la declaración constitutiva de la fianza del art. 1827 CC; y que las expresiones vertidas en la carta sean determinantes para la conclusión de la operación que el patrocinado pretenda realizar.

La doctrina jurisprudencial predominante tiende a asimilar las cartas de patrocinio fuertes con las garantías personales, en particular con la fianza. Tampoco es infrecuente encontrar ciertas reflexiones acerca de la calificación del contenido como mandato de crédito, aunque en el Derecho común la atipicidad de éste y la tendencia a aproximarlo a la fianza llevan a exigir que la carta de patrocinio reúna requisitos semejantes en ambos casos. Más ajustada resulta, a mi juicio, la valoración que del mandato de crédito realiza la STS (1ª) 30.6.2005, que concluyó calificando como tal la carta en examen. Tras aceptar que ciertas cartas pueden encuadrarse en algunas de las categorías contractuales tipificadas (fianza, contrato a favor de tercero, etc.), añade que:

«en algunos supuestos ello podría chocar con el presupuesto o requisito esencial de que la declaración constitutiva de fianza ha de ser clara y precisa, sin que pueda sustentarse en expresiones equívocas, que a menudo se prodigan en las cartas de patrocinio, con tendencia a atenuar su fortaleza y consecuencias jurídicas, pudiéndose acudir con otros sectores doctrinales a la asimilación con otras figuras contractuales menos sensibles al factor de equivocidad que frecuentemente pretende introducirse en estos documentos por aquel que los emite para así desdibujar la idea de afianzamiento, en concreto, la figura tradicional del mandato de crédito asimilando las relaciones derivadas de la emisión de las cartas de patrocinio y las relaciones típicas del mandato, implicando como principal consecuencia, el reconocimiento de la responsabilidad del emisor en aquellos casos en que su destinatario atiende al requerimiento formulado en la carta, o en otros términos, el hecho de que el destinatario provea a la financiación del patrocinado, lo que debe determinar el nacimiento de una obligación encaminada *a mantener indemne al colaborador, de los perjuicios que se deriven del cumplimiento del encargo, constituyendo la propuesta de mandato, el motivo determinante de la actuación del mandatario y provocando en caso de ser aceptada, los efectos jurídicos correspondientes al contrato de mandato, y así el encargo de dar crédito a persona determinada pasa a constituir como cualquier otro encargo, una proposición de mandato con sus propios efectos jurídicos, cuando esa invitación o incitación a la concesión de crédito va acompañada de una promesa de garantía, asumiendo más o menos directamente el exhortante (mandante) el riesgo de la operación (promesa atípica de garantía), susceptible de llevarse a cabo por cualquiera de las formas admitidas en el Código Civil –Sentencia del TS de 10 de julio de 1995–. Así quien inste a otro a dar crédito a un tercero y logra efectivamente la concesión del crédito solicitado puede quedar obligado jurídicamente, no ya tanto por mediar contactos previos más o menos explicitados en acuerdos, sino por que el ordenamiento viene a contemplar y dar relevancia al hecho de haber obtenido la satisfacción del interés que el encargo expresaba, pudiendo el destinatario de la carta de patrocinio (concedente) dirigirse para reclamar la efectividad y cumplimiento del contrato de crédito contra el también interesado (patrocinador-mandante) cuando el acreditado incumpla –artículos 1712, 1729 del CC y 287 del Código de Comercio».*

En suma, tras la fachada de una carta de patrocinio *fuerte* pueden esconderse diferentes compromisos jurídicamente vinculantes, típicos o atípicos, si se dan los requisitos necesarios en cada caso. La fianza o por extensión cualquier garantía personal atípica requiere en virtud del art. 1827 CC, como recuerda el Tribunal Supremo, un compromiso *expreso* difícilmente apreciable en documentos tan deliberadamente ambiguos. En contra de lo afirmado por parte de la doctrina, tal requisito no es exigible para calificar la carta de patrocinio como un mandato de crédito, lo que facilita la reclamación de la entidad acreditante.

3. LAS GARANTÍAS «A PRIMER REQUERIMIENTO»

Las garantías «a primera demanda» o «a primer requerimiento» se han extendido como garantías personales que se reconducen a un esquema común: el garante (normalmente un banco) se compromete frente a su cliente («ordenante») a cumplir frente al tercero beneficiario en cuanto éste le reclame el pago, generalmente contra la presentación de ciertos documentos pero sin opción a oponer las excepciones (por ejemplo, beneficio de excusión, vicios del consentimiento del deudor principal) que sí puede plantear un fiador. El garante podría únicamente defenderse mediante la denominada *exceptio doli*, si se aprecia una conducta dolosa en el tercero beneficiario que reclama, o en el caso de enriquecimiento injusto del reclamante (STS [1ª] 29.4.2002).

La doctrina discute si se trata simplemente de una fianza sin beneficio de excusión ni posibilidad de oponer las excepciones del art. 1853 CC, o si –como defiende la doctrina mayoritaria– las notables y numerosas diferencias respecto de la fianza permiten considerarla como una figura distinta, atípica, manifestación del principio de autonomía de la voluntad y encuadrable en el concepto amplio de «garantías autónomas» o «independientes».

4. EL SEGURO DE CAUCIÓN

Explica el art. 68 de la Ley 50/1980, de 8 de octubre, del Contrato de Seguro (LCS), que en virtud de esta modalidad de contrato de seguro *«el asegurador se obliga, en caso de incumplimiento por el tomador del seguro de sus obligaciones legales o contractuales, a indemnizar al asegurado a título de resarcimiento o penalidad los daños patrimoniales sufridos, dentro de los límites establecidos en la Ley o en el contrato».* En suma, se trata de un contrato de seguro celebrado por el deudor (aquí, «tomador») con la aseguradora, al objeto de que ésta prometa indemnizar al acreedor («asegurado», en este caso) si el deudor incumple. Si esto efectivamente ocurre, la aseguradora indemnizará al acreedor por los perjuicios derivados del incumplimiento pero, aclara el mismo precepto, *«todo pago hecho por el asegurador deberá serle reembolsado por el tomador del seguro».*

La falta de mayor regulación legal ha planteado algunas interrogantes en relación con esta figura. En particular, la doctrina duda acerca de si este contrato responde a la función propia de un verdadero contrato de seguro de daños (indemnizatoria), o si prevalece en él el carácter de garantía, entonces *independiente* o *autónoma* sobre todo si lleva aparejada, lo que no es infrecuente, una cláusula de pago «a primer requerimiento». Explica la STS (1ª) 13.12.2000 que *«la inserción de una cláusula de aval a primera demanda, a modo de complemento de la póliza suscrita, no desnaturaliza el contrato de seguro de caución transformándolo en un contrato autónomo de garantía, a pesar de acentuar esta función causal»,* y que tal cláusula *«impone un deber cuasi-automático de pago por parte de la aseguradora ante el simple requerimiento del asegurado, que no precisa acompañarse de justificación alguna, resultando inane la oposición del tomador del seguro pues no se precisa de su conformidad expresa, ni tácita».*

El Tribunal Supremo ha señalado, por una parte, que el asegurador no se obliga a cumplir por el deudor, sino a indemnizar los daños por incumplimiento sufridos por el acreedor, lo que aleja la figura de la fianza (no se trata de una deuda accesoria; el acreedor debe demostrar no sólo el hecho del incumplimiento sino además los perjuicios efectivamente sufridos); por otra parte, entiende también que la acción atribuida a la aseguradora frente al tomador es una acción de reembolso, sin que aquélla pueda subrogarse —como es la norma en otros seguros de daños— en los derechos del asegurado al que pagó (STS [1ª] 20.12.2004).

En la práctica la función del seguro de caución se equipara a la de otras garantías personales atípicas. La STS (1ª) 12.3.2003, tras considerar que *«se trata de una figura polémica con regulación legal imprecisa y con terminología criticada por la doctrina y su configuración práctica dificultosa»*, reconoce en el seguro de caución *«la función económico-social (causa) predominantemente de garantía»*.

5. EL AVAL CAMBIARIO

El aval es una declaración incorporada en una letra de cambio, en virtud de la cual un sujeto (*avalista*) garantiza que alguno de los formalmente obligados al pago (*avalado*) cumpla sus obligaciones. Se encuentra regulado en los arts. 35 a 37 de la Ley 19/1985, de 16 de julio, Cambiaria y del Cheque (LCCH).

El aval debe incorporarse, ya sea mediante una declaración o simplemente mediante la firma del avalista (art. 36.II: *«La simple firma de una persona puesta en el anverso de la letra de cambio vale como aval, siempre que no se trate de la firma del librado o del librador»*), en la letra de cambio o en su suplemento. Una declaración de garantía similar en documento independiente no podrá considerarse aval cambiario, aunque sí, en su caso, una fianza mercantil. El aval puede garantizar el valor total de la letra de cambio o una cantidad menor (art. 35.I LCCH).

La posición de avalista puede corresponder a más de un sujeto. En tal caso, puede tratarse de un *coaval* cuando todos los avalistas firman una misma declaración obligándose así solidariamente (sin posibilidad de oponer el beneficio de división), de manera que el coavalista que pague dispone de la acción de regreso frente al resto (art. 1145 CC); y puede también tratarse de una pluralidad de avales independientes, en cuyo caso el coavalista que paga nada podrá reclamar de los restantes.

El avalado puede ser el aceptante, el librador, el endosante o incluso otro avalista (*subaval*). Si no se explicita qué sujeto es el avalado, se entenderá que es el aceptante de la letra y, en su defecto, el librador (art. 36 LCCH).

A diferencia de la fianza, el aval cambiario es una garantía personal *independiente*, dado que el art. 37 aclara que *«será válido el aval aunque la obligación garantizada fuese nula por cualquier causa que no sea la de vicio de forma»*. El avalista no dispone del beneficio de excusión, y tampoco puede oponer al acreedor las excepciones que correspondieran al avalado. Éste tampoco podrá oponerlas al avalista que le reclama tras haber pagado.

Se denomina *contraaval* a la garantía real o personal que se presta –por el avalado o un tercero– en favor del avalista para el caso de tener éste que hacer frente al pago.

6. LA PROMESA DE HECHO AJENO

La promesa de hecho ajeno, o *contrato a cargo de tercero*, consiste en que un sujeto (promitente) promete a otro (promisario) que un tercero se obligará frente a él a realizar una determinada prestación.

El promitente cumple su obligación –de resultado– cuando el tercero efectivamente acepta vincularse frente al acreedor, debiendo en caso contrario indemnizar a éste (o realizar él mismo la prestación que iba a llevar a cabo el tercero, si la persona del deudor es fungible), con independencia de que haya actuado o no negligentemente.

La promesa de hecho ajeno se diferencia de la fianza en que en la primera el promitente sólo se obliga a conseguir la vinculación del tercero frente al acreedor, pero una vez establecida esta relación el promitente ya no responde del cumplimiento del tercero, salvo que se pacte así, incorporando entonces una obligación fideiusoria al contrato a cargo de tercero. La promesa, por tanto, no es accesoria ni subsidiaria de una deuda del tercero que en ese momento todavía no existe, y tampoco genera en el promitente que tenga que responder frente al promisario ningún derecho de reembolso frente al tercero.

Esta figura, no está expresamente regulada en el Código Civil español. Sin embargo, puede establecerse cierta relación con el contenido del art. 1259 CC que, tras negar eficacia al contrato celebrado a nombre de otro sin tener su representación legal o voluntaria, admite sin embargo que el tercero lo ratifique. La promesa de hecho ajeno existe si se promete que el tercero ratificará el contrato que se está celebrando en su nombre pero sin su apoderamiento.

IV. GARANTÍAS REALES: REFERENCIA A LOS «CONTRATOS» DE PRENDA, HIPOTECA Y ANTICRESIS

Las garantías se califican como *reales* cuando atribuyen al acreedor un poder directo sobre un bien ajeno –del deudor o de un tercero– que concluye con el cumplimiento de la deuda garantizada. El tipo de poder varía según las concretas figuras de garantía real (y el bien al que afectan), siendo jurídica y económicamente más relevante el que incorporan los *derechos reales de garantía*. Como ya se ha comentado (punto I), conviene distinguir el concepto de «garantía real», más amplio, del de «derecho real de garantía», predicable de algunas de las figuras de garantía real entre las que se encuentran las de mayor relevancia jurídico-económica, como la hipoteca y la prenda. Frecuentemente la noción de garantía real se identifica con estos derechos reales.

La denominada «facultad o derecho de retención» es un ejemplo de garantía real que no es al mismo tiempo un derecho real. Consiste en el poder que el acreedor tiene atribuido, en los casos previstos legalmente (por ejemplo, art. 1600 CC), de retener hasta que se cumpla la obligación la posesión de una cosa ajena que debería restituir a quien se la entregó si no dispusiera de esa facultad. La retención de la cosa sirve para desincentivar el incumplimiento del deudor que quiera recuperarla, y en ese sentido garantiza al acreedor una mayor seguridad en el cobro de su crédito.

La doctrina considera mayoritariamente que la facultad de retención no pertenece a la categoría de los derechos reales, aunque comparte con ellos la característica de consistir en un poder directo e inmediato sobre un bien ajeno, y la de resultar oponible frente a cualquiera que reclame la entrega de la cosa (*erga omnes*). El retentor no puede, en cambio, disponer de ella para cobrar su crédito (*ius distrahendi*), ni perseguir la cosa si pierde su posesión, lo que atenúa en alguna medida la eficacia de la figura.

Los derechos reales de garantía configuran una categoría dentro de los derechos reales, junto a los de goce y los de adquisición preferente. La garantía la obtiene el acreedor principalmente a través de la posibilidad de enajenar el bien para cobrar lo debido si el deudor no cumple. El Código Civil contiene las normas básicas de tres de ellos: la prenda, la hipoteca inmobiliaria (regulada con detalle en la Ley Hipotecaria) y la anticresis (el primero sobre bienes muebles y los dos últimos sobre inmuebles). Otros derechos reales de garantía son la hipoteca mobiliaria y la prenda sin desplazamiento de la posesión, reguladas ambas en la Ley de 16 de diciembre de 1954. Al margen de otras figuras, cabe señalar que parte de la doctrina considera también un derecho real de garantía la *reserva de dominio*, contemplada, para los bienes muebles, en la Ley de Venta de Bienes Muebles a Plazos.

El contenido, los caracteres y el régimen de los derechos reales de garantía deben remitirse a la disciplina correspondiente, pero interesa ahora destacar que tales derechos pueden constituirse a consecuencia de ciertos contratos celebrados con esa finalidad: habitualmente el estudio del *derecho real* absorbe el del *contrato* subyacente, al que apenas suele hacerse referencia fuera de la disciplina que estudia los derechos reales. Pero, sin duda, los contratos de los que nacen estos derechos serán *contratos de garantía* cuando el derecho real que se constituye a raíz de los mismos sea de los que ofrecen esa concreta utilidad a su titular.

Curiosamente, el Código Civil, que no alude al «contrato» cuando regula la fianza, sí lo hace en cambio inmediatamente a continuación cuando aborda en el Título XV del Libro IV el régimen de «los contratos de prenda, hipoteca y anticresis». Estos contratos se celebran entre el acreedor de la obligación garantizada y el titular, sea o no el deudor, del bien mueble o inmueble (incluso derechos) que quedará gravado con el derecho real en garantía del cumplimiento de aquella obligación. Son contratos *accesorios* del negocio garantizado, y pueden ser onerosos o gratuitos. Si el titular del bien no es el propio deudor se suele aludir a él con la denominación *fiador real* haciendo referencia a que es un tercero el que garantiza la deuda, aquí constituyendo a favor del acreedor un derecho real sobre alguno de sus bienes.

El contrato de prenda regulado en el Código Civil es un *contrato real*, para cuya validez es así imprescindible que la cosa –mueble– sobre la que recae ese derecho sea entregada al acreedor o a un tercero (art. 1863 CC). En otro caso no existe el contrato (quizá una promesa de prenda: art. 1862) ni nace el derecho real. Para que el derecho de prenda pueda oponerse a terceros (por ejemplo, para hacer valer frente a ellos una preferencia de cobro sobre el bien), el contrato deberá además constar en documento público (art. 1865).

El contrato de hipoteca inmobiliaria es para parte de la doctrina un *contrato formal*, ya que la Ley Hipotecaria (art. 145) afirma que para la constitución de este derecho es necesario que (1) se haya constituido en *escritura pública*, y (2) se inscriba en el Registro de la Propiedad. Sin escritura pública podrá existir una promesa, y existiendo escritura pública pero no inscripción registral del derecho existe un contrato con meros efectos obligacionales entre las partes y no oponible a terceros.

Estos contratos no pueden incluir en ningún caso el pacto de que el acreedor, en lugar de instar la venta de la cosa para cobrarse con su precio, se apropiará directamente de los bienes si el deudor incumple (art. 1859 CC). Este pacto (*pacto comisorio*) será nulo de pleno derecho (art. 6.3 CC), sin que la nulidad afecte necesariamente al resto del contrato.

Lección 10

Los contratos de distribución comercial

RAFAEL LARA GONZÁLEZ

Catedrático de Derecho Mercantil
Universidad Pública de Navarra

I. LOS CONTRATOS DE DISTRIBUCIÓN COMERCIAL

Del tronco común del contrato de comisión (arts. 244 a 280 CCom) han ido surgiendo otros negocios jurídicos de «colaboración y distribución», impulsados por las nuevas necesidades económicas y sociales resultantes de las transformaciones del sistema de distribución de bienes y servicios. Así, dentro de este criterio de clasificación de los contratos, se vienen contemplando fundamentalmente los contratos de agencia, los contratos de distribución comercial y los contratos de franquicia, relaciones contractuales cuya causa o finalidad económica es la de proporcionar bienes o servicios a los destinatarios últimos de los mismos (clientes) a través de la colaboración empresarial (empresario-agente, concedente-concesionario, proveedor-distribuidor o franquiciador-franquiciado). Éste es también el criterio que se ha tenido presente a la hora de elaborar la *Draft Common Frame of Reference*, documento de trabajo destinado a contribuir a la unificación del derecho patrimonial privado en el marco de la Unión Europea [Part IV. E. (*Commercial agency, franchise and distributorship*)].

La distribución comercial es un fenómeno económico que envuelve todas las operaciones destinadas a colocar un producto o servicio en el mercado. Ahora bien, cuando es el propio fabricante o prestador de servicios quien asume la distribución se está aludiendo a la «distribución directa» (*v. gr.* mediante la creación de filiales o venta directa), aunque lo habitual sea delegar en otros empresarios esta función, en cuyo caso se habla de «distribución indirecta o a través de terceros», que se articula jurídicamente mediante contratos mercantiles. Los empresarios productores de bienes o prestadores de servicios necesitan pues la colaboración de otros empresarios intermediarios a fin de instalar o ampliar su red comercial y, por ende, su clientela.

II. EL CONTRATO DE AGENCIA

1. CONCEPTO Y CARACTERES

El contrato de agencia se encuentra regulado en la Ley 12/1992, de 27 de mayo –en adelante, LCA–, norma por la que se incorpora al derecho español la Directiva 86/653, de 18 de diciembre. El régimen jurídico del contrato de agencia se configura bajo el principio general de la imperatividad de sus preceptos, salvo expresa previsión en contrario, estableciendo la propia LCA un derecho común aplicable a toda clase de agencias mercantiles –*v. gr.* agentes de seguros, mediadores de dicho sector financiero regulados específicamente en la Ley 26/2006, de 17 de julio–, habida cuenta que, en defecto de ley que les sea expresamente aplicable, cualquiera que sea su denominación, se regirán por lo dispuesto en la LCA, la cual exceptúa expresamente de su ámbito de aplicación los agentes que actúen en mercados secundarios oficiales o reglamentados de valores (art. 3 LCA). La ley es, por consiguiente, imperativa y supletoria.

Por el contrato de agencia una persona física o jurídica, denominada agente, se obliga frente a otra (denominada empresario, aun cuando el agente también lo es) de manera continuada o estable a cambio de una remuneración, a promover actos u operaciones de comercio por cuenta ajena, o a promoverlos y concluirlos por cuenta y en nombre ajenos, como intermediario independiente, sin asumir, salvo pacto en contrario, el riesgo y ventura de tales operaciones (art. 1 LCA). A los efectos de delimitar los perfiles definitorios del contrato de agencia se revela conveniente hacer hincapié en las notas características del mismo, notas que sustancialmente se deducen de la definición legal reproducida.

El agente comercial es un intermediario independiente, radicando precisamente en esa independencia o autonomía la diferencia fundamental entre el representante de comercio (figura que se regula en el Real Decreto 1438/1985, de 1 de agosto) y el agente comercial. En efecto, no se consideran agentes los representantes y viajantes de comercio dependientes ni, en general, las personas que se encuentren vinculadas por una relación laboral, sea común o especial, con el empresario principal por cuya cuenta actúan, presumiéndose *ex lege* que existe dependencia cuando quien se dedique a promover actos u operaciones de comercio por cuenta ajena, o a promoverlos y concluirlos por cuenta y en nombre ajenos, no pueda organizar su actividad profesional ni el tiempo dedicado a la misma conforme a sus propios criterios (art. 2 LCA).

El agente puede ser un mero negociador, es decir, una persona dedicada a promover actos y operaciones de comercio, o asumir también la función de concluir los contratos promovidos por él en el supuesto de que el empresario principal le haya atribuido dicha facultad. El acto u operación de comercio que el agente promueve puede estar dirigido a la circulación de mercancías o más genéricamente a la circulación de bienes muebles y aun de servicios.

El contrato de agencia exige permanencia o estabilidad: es un contrato de duración. Sin embargo, la duración no se debe confundir con el carácter indefinido de la relación, ya que tan duradero a estos efectos resulta ser un contrato de agencia por tiempo determinado como uno por tiempo indefinido, si bien la ley establece que si no se hubiera fijado una duración determinada, se entenderá que el contrato ha sido pactado por tiempo indefinido (art. 23 LCA). La duración se debe poner asimismo en consonancia a la potencialidad del agente para que a lo largo del espacio temporal por el que se haya estipulado el contrato promueva o concluya tantos actos u operaciones de comercio como le sean posibles.

La actividad del agente debe ser en todo caso retribuida y la ausencia de estipulación expresa en el contrato sobre este punto, no significa que sea gratuito, sino que la remuneración tiene que fijarse conforme a los usos o, en último término, según el criterio de la razonabilidad. La onerosidad como nota sustancial del contrato de agencia encuentra su fundamento en la calificación del agente como empresario que hace precisamente de la intermediación comercial su actividad económica habitual. Por ello, además, se revela plenamente coherente que el agente, salvo pacto en contrario, no tenga derecho al reembolso de los gastos que le origine el ejercicio de su actividad profesional (art. 18 LCA).

El agente, salvo pacto en contrario, no garantiza las operaciones al no asumir el riesgo y ventura de tales operaciones. El pacto por cuya virtud el agente asuma el riesgo y ventura de uno, de varios o de la totalidad de los actos u operaciones promovidos o concluidos por cuenta de un empresario será nulo si no consta por escrito y con expresión de la comisión de garantía a percibir por el agente (art. 19 LCA), comisión ésta distinta de la remuneratoria.

2. EL CONTENIDO DEL CONTRATO

2.1. La formalización del contrato

El contrato de agencia se sitúa en el ámbito del principio de libertad de forma del derecho contractual español (arts. 1254 y 1258 CC así como 51 y 52 CCom), por cuanto se perfecciona por el mero consentimiento de agente y empresario, haya sido expresado éste de forma verbal o escrita. La forma queda enmarcada, en consecuencia, en la esfera de la prueba y no en la de la validez del contrato. Ahora bien, la ley esboza una singularidad dentro de dicho ámbito al prever un derecho a la formalización por escrito del contrato. En efecto, cada una de las partes podrá exigir de la otra, en cualquier momento, la formalización por escrito del contrato de agencia, en el que se harán constar las modificaciones que, en su caso, se hubieran introducido en el mismo (art. 22).

Cuestión distinta de la formalización del contrato en cuanto tal, es la relativa a la forma escrita como requisito para la validez de ciertos pactos que pueden establecerse entre empresario y agente comercial. Así, por una parte, el pacto en cuya virtud el agente asuma el riesgo y ventura de uno, de varios o de la totalidad de los actos u operaciones promovidos o concluidos por cuenta de un empresario será nulo si no consta por escrito (art. 19 LCA); y, por otra parte, el pacto de limitación de la competencia deberá asimismo formalizarse por escrito para su validez (art. 21 LCA).

2.2. Actuación del agente

El agente, en cuanto empresario que es, podrá llevar a cabo la promoción y, en su caso, la conclusión de los actos u operaciones de comercio que se le hubieran encomendado, bien por sí mismo bien a través de sus dependientes. Sin embargo, la actuación por medio de subagentes requerirá la autorización expresa del empresario, respondiendo el agente de la gestión del subagente cuando sea precisamente él quien hubiere designado a éste (art. 5 LCA). En todo caso, el agente no actúa por cuenta propia sino ajena estando facultado para promover los actos u operaciones objeto del contrato. No obstante, el agente sólo podrá concluir dichos actos u operaciones en nombre del empresario cuando tenga atribuida esta facultad (art. 6 LCA). La ley soslaya la consideración de la fuente del actuar representativo para la conclusión de los actos y operaciones de comercio promovidos por el agente, materia que queda confiada a los principios generales en materia de representación.

En la actuación del agente no se configura la exclusiva como rasgo definidor, toda vez que el agente puede desarrollar su actividad profesional por cuenta de varios empresarios, salvo pacto en contrario. Empero, el agente necesitará el consentimiento del empresario con quien haya celebrado un contrato de agencia para ejercer por su propia cuenta o por cuenta de otro empresario una actividad profesional relacionada con bienes o servicios que sean de igual o análoga naturaleza y concurrentes o competitivos con aquellos cuya contratación se hubiera obligado a promover (art. 7 LCA), imponiéndose así, en definitiva, una exclusividad de alcance material que puede ser salvada en el supuesto de que el empresario otorgase su consentimiento.

El agente en su actuación debe velar por los intereses del empresario o empresarios por cuya cuenta actúe (art. 9.1 *in fine*), revelándose así como un promotor parcial a diferencia del mediador o corredor cuya actividad persuasora se caracteriza por su imparcialidad frente a los dos potenciales contratantes.

2.3. Obligación común de las partes: actuación leal y de buena fe

La ley a la hora de fijar el contenido específico del contrato de agencia lo hace fundamentalmente desde la perspectiva de las obligaciones que asumen empresario y agente, obligaciones que vienen guiadas por una recíproca y común dispuesta a modo de frontispicio de las restantes. Así, en el ejercicio de su actividad profesional, el agente deberá actuar lealmente y de buena fe, a la vez que el empresario, en sus relaciones con el agente, deberá actuar de igual modo (arts. 9.1 y 10.1 LCA, respectivamente). La expresa inclusión de tales deberes generales no convierte al contrato de agencia, sin embargo, en una relación *uberrima bona fide,* sino que el legislador español se ha limitado a transcribir los términos textuales de la Directiva comunitaria. En ningún caso, pues, resulta necesaria la proclamación expresa de tales parámetros de comportamiento habida cuenta lo dispuesto en los artículos 7.1 y 1258 CC así como el artículo 57 CCom.

2.4. Obligaciones del agente

La obligación fundamental del agente consiste en ocuparse con la diligencia de un buen comerciante del objeto del contrato, esto es, de la promoción o promoción y conclusión de los actos u operaciones de comercio que se le hubieran encomendado [art. 9.2 a) LCA]. El agente tiene, por ende, la obligación de procurar para el empresario cuantas operaciones le sean posibles, deber que se concreta en la práctica en unas regulares y continuas visitas y/o contactos con la actual o potencial clientela. El agente, en el ejercicio de su actividad profesional, goza de independencia, autonomía que, en principio, no es óbice para que el empresario pueda darle ciertas instrucciones que el agente deberá acatar, siempre y cuando no afecten a dicha independencia, utilizando para ello la ley el criterio de la «razonabilidad» de las mismas [art. 9.2 c) LCA].

El agente tiene, por otra parte, la obligación de informar al empresario, en cualquier momento, acerca de toda clase de noticias de que disponga, siempre y cuando éstas sean necesarias para la gestión correcta de los negocios de que esté encargado. La mencionada obligación de comunicación de carácter general encuentra asimismo concreción en la propia ley la cual pone su acento en la información acerca de la solvencia de las terceras personas con las que existan operaciones pendientes de conclusión o ejecución [art. 9.2 b) LCA], quizá porque sea ésta la información que más le puede interesar de forma inmediata al empresario. Informar sobre las condiciones generales del mercado o sobre el desenvolvimiento de la competencia supone otro claro ejemplo de esta obligación del agente. En definitiva, el agente debe proporcionar al empresario cuantos datos le permitan valorar la posición de su empresa en el ámbito de responsabilidad del agente.

Asimismo el agente tiene la obligación de recibir en nombre del empresario cualquier clase de reclamaciones de terceros sobre defectos o vicios de calidad o cantidad de los bienes vendidos y de los servicios prestados como consecuencia de las operaciones promovidas, aunque no las hubiera concluido [art. 9.2 d) LCA], deber que se muestra plenamente coherente con la facultad otorgada por la propia ley al agente para exigir en el acto de la entrega el reconocimiento de los bienes vendidos, así como para efectuar el depósito judicial de dichos bienes en el caso de que el tercero rehusara o demorase sin justa causa su recibo (art. 8 LCA). En todo caso, el contrato concluido entre el empresario y el tercero, o entre el agente (que actúa en nombre de aquél) y el tercero, así como las acciones derivadas del mismo producirán su efecto entre el empresario y el tercero.

La lista de obligaciones legales previstas para el agente se cierra con aquella consistente en llevar una contabilidad independiente de los actos u operaciones relativas a cada empresario por cuya cuenta actúe [art. 9.2 e) LCA], deber contable que supone una concreción matizada de la obligación general de todo empresario recogida en el artículo 25 CCom. La específica obligación del agente se sitúa en un plano de no exclusividad, de forma que presupone la actuación del agente por cuenta de más de un empresario. Además de las obligaciones expuestas con anterioridad, el estatuto del agente puede ser ampliado, por aplicación analógica y salvo pacto en contrario con la regulación que del contrato de comisión se estatuye en el Código de Comercio (*v. gr.* obligaciones de conservación y de guarda y custodia de las mercancías del empresario previstas en los arts. 265 y 266 CCom).

2.5. Obligaciones del empresario

En la misma línea que la empleada para las obligaciones del agente, la ley particulariza aquellas relativas al empresario, previendo como la primera de ellas la de poner a disposición del agente, con antelación suficiente y en cantidad apropiada, los muestrarios, catálogos, tarifas y demás documentos necesarios para el ejercicio de la actividad profesional del intermediario [art. 10.2 a) LCA]. Esta obligación supone de hecho un verdadero presupuesto para la ejecución misma del contrato por parte del agente al posibilitarle a través de los documentos oportunos una actividad eficaz.

Por otro lado, el empresario deberá procurar al agente todas las informaciones necesarias para la ejecución del contrato de agencia y, en particular, advertirle, desde que tenga noticia de ello, cuando prevea que el volumen de los actos u operaciones va a ser sensiblemente inferior al que el agente hubiera podido esperar [art. 10.2 b) LCA]. Esta obligación se sitúa en la misma línea que la anteriormente expuesta, en tanto que no se revela bastante que el agente disponga de los documentos y materiales señalados, sino que para planificar su actividad y orientarla adecuadamente debe el agente conocer de forma inmediata todas las circunstancias necesarias para la ejecución de su actividad.

También en este mismo sentido informativo se imponen al empresario otros dos deberes de comunicación para con el agente (art. 10.3 LCA). Por una parte, dentro del plazo de quince días, el empresario deberá comunicar al agente la aceptación o el rechazo de la operación anunciada por éste a aquél, obligación que encuentra su máxima comprensión bien en aquellos contratos de agencia en los que el agente se limita a promover los actos u operaciones de comercio, bien en aquellos otros en los cuales se haya previsto la cláusula «salvo aprobación de la casa». Y, por otra parte, el empresario deberá comunicar al agente, dentro del plazo más breve posible, habida cuenta de la naturaleza de la operación, la ejecución, ejecución parcial o falta de ejecución de dicha operación. Ambas indicaciones del empresario presentan relevancia tanto para el conocimiento por el agente de los resultados de sus gestiones, en aras a recibir en último término las retribuciones correspondientes, cuanto para la delimitación de posibles consecuencias para el empresario en el supuesto de que la operación no llegase a buen fin por causas imputables a él.

El empresario, por lo demás, tiene la obligación de entregar al agente una relación de las comisiones devengadas por cada acto u operación el último día del mes siguiente al trimestre natural en que se hubieran devengado, en defecto de pacto que establezca un plazo inferior. Este derecho del agente se sitúa en la línea de defensa de su derecho fundamental, cual es el derecho a percibir la remuneración acordada y, en concreto, la comisión, de ahí la importancia de que la información que se contenga en la relación sea no solo veraz sino exacta. Con esta misma finalidad, en la relación de comisiones devengadas se consignarán los elementos esenciales en base a los que haya sido calculado el importe de las comisiones (art. 15.1 LCA).

Finalmente, el empresario tiene la obligación legal de exhibir al agente la contabilidad en los elementos necesarios para que éste verifique todo lo relativo a las comisiones que le correspondan, exhibición que se deberá llevar a cabo en la forma prevenida en los artículos 32 y 33 CCom (art. 15.2 LCA). Se trata pues de una obligación del empresario que se activa a instancia del agente y se encuentra limitada a los solos efectos de verificar exclusivamente lo relativo a las comisiones del intermediario, no teniendo en consecuencia un alcance de reconocimiento general de la contabilidad. Con el mismo objetivo, el agente tiene derecho a que el empresario le proporcione las informaciones de que disponga y que sean necesarias para comprobar la cuantía de la retribución variable.

2.6. En especial, la obligación del empresario de satisfacer la remuneración pactada

La esencial onerosidad del contrato de agencia conduce a que la obligación fundamental del empresario consista precisamente en satisfacer al agente la remuneración que le corresponda [art. 10.2 c) LCA], dedicando la ley reguladora del contrato de agencia buena parte de sus preceptos (arts. 11 a 17) a disponer acerca del régimen de la remuneración del agente. Así, se ofrece a los contratantes un abanico de posibilidades respecto del sistema de remuneración, pudiendo consistir ésta en una cantidad fija, en una comisión o en una combinación de los dos sistemas anteriores, previéndose que, en defecto de pacto, la retribución se fijará de acuerdo con los usos de comercio del lugar donde el agente ejerza su actividad, y de no existir tales usos el agente percibirá la retribución que fuera razonable teniendo en cuenta las circunstancias que hayan concurrido en la operación.

La remuneración consistente en una cantidad fija no es objeto de atención alguna por parte de la ley más allá de su simple mención, consecuente con la escasa importancia que en la práctica del contrato de agencia representa este tipo de retribución, así como con el hecho de que la comisión resulta ser más acorde con la naturaleza de la relación empresarial intermediadora que lleva a cabo el agente y con la finalidad incentivadora de la misma. La norma legal se centra, en consecuencia, en el supuesto habitual de que la remuneración consista en todo o en parte en una comisión, entendiéndose por tal cualquier elemento de la remuneración que sea variable según el volumen o el valor de los actos u operaciones promovidos, y, en su caso, concluidos por el agente (art. 11 LCA).

Respecto del derecho a la comisión, es preciso distinguir entre la conclusión de los actos u operaciones de comercio durante la vigencia del contrato (art. 12 LCA) y aquellos otros que se hayan concluido con posterioridad a la extinción del contrato (art. 13 LCA). Así, por los actos y operaciones que se hayan concluido vigente el contrato, el agente tendrá derecho a la comisión, en primer lugar, cuando el acto u operación se haya concluido como consecuencia de la intervención profesional del agente, pudiéndose denominar a esta comisión como «directa» puesto que nace como efecto vinculado derechamente con la labor inmediata del agente.

En segundo lugar, el agente tiene derecho a comisión cuando el acto u operación de comercio se haya concluido con una persona respecto de la cual el agente hubiera promovido y, en su caso, concluido con anterioridad un acto u operación de análoga naturaleza. En este supuesto, el negocio se lleva a cabo entre el empresario y el tercero sin intervención directa en el mismo del agente. No obstante, éste goza del derecho a la comisión que genera el acto u operación concluido puesto que, en último término, ha sido posible gracias a una intervención anterior y de análoga naturaleza del agente. Dicha comisión se puede calificar, por contraposición a la anterior, como comisión «indirecta».

El tercer y último supuesto de comisión por actos u operaciones concluidos durante la vigencia del contrato de agencia se circunscribe dentro del ámbito de exclusividad del agente; esto es, cuando el agente tenga exclusividad sobre una zona o sobre un grupo determinado de personas, y el empresario concluya un negocio con un tercero perteneciente a dicha zona o grupo, tendrá el agente derecho a la comisión y ello con independencia de que el acto u operación no haya sido promovido ni concluido por el agente. La exclusividad a la que se ha hecho referencia presupone un pacto a favor del agente y la comisión que nace del acto u operación concluido por el empresario es calificable, al igual que la anterior, de comisión «indirecta», si cabe y en sentido figurado, más indirecta todavía, puesto que ya no solo el agente no tiene que intervenir en la realización del negocio con el tercero, sino que no exige que haya tenido relación anterior alguna con él, bastando para causar el derecho el dato objetivo de la exclusividad territorial o personal a su favor.

Por los actos u operaciones de comercio que se hayan concluido después de la terminación del contrato, el agente tendrá derecho a la comisión, en primer lugar, cuando el acto u operación se deba «principalmente» a la actividad desarrollada por el agente durante la vigencia de la relación, siempre además que se hubiera concluido dentro de los tres meses siguientes a partir de la extinción del contrato. Una segunda circunstancia que puede concurrir para que el agente cause derecho a la comisión por un negocio finada la relación de agencia es que bien el empresario bien el agente haya recibido el encargo o pedido antes de la extinción del contrato e igualmente el agente hubiera tenido derecho a percibir la comisión de haberse concluido el acto u operación vigente el contrato.

La extinción del contrato de agencia y la natural sucesión de agentes plantea de lleno un problema respecto del derecho a la comisión por negocios concluidos durante la vigencia del contrato con el segundo agente, pero que, de acuerdo con las anteriores reglas, correspondería al primero. La ley da respuesta a tal cuestión decantándose a favor éste. No obstante, ello no resulta absolutamente excluyente para con el derecho a la comisión del segundo agente, dado que cabe la posibilidad de que, en atención a las circunstancias concurrentes en el supuesto, fuese «equitativo» distribuir la comisión entre ambos intermediarios (art. 13.2 LCA). Estas circunstancias no serán otras que las motivadas por el grado de participación de cada uno de los agentes en la gestación del acto u operación de comercio generador del derecho remuneratorio.

Del mismo modo que el nacimiento del derecho a la comisión se encuentra unido a la conclusión de los actos u operaciones de comercio, el devengo de la misma, en general, camina de la mano de la ejecución de dichos negocios. En términos de causa/efecto, cabría señalar que la conclusión del negocio es al nacimiento de la comisión lo que la ejecución del mismo es al devengo de ésta. Pues bien, la comisión se devengará en el momento en que el empresario hubiera ejecutado o hubiera debido ejecutar el acto u operación de comercio, o éste hubiera sido ejecutado total o parcialmente por el tercero (art. 14 LCA). Tres son, pues, los momentos en que la comisión se devenga. En primer lugar, cuando el empresario haya ejecutado el negocio, esto es, cuando haya realizado el servicio contratado o entregado la cosa vendida. En segundo lugar, cuando el empresario hubiera debido ejecutar el acto u operación de comercio, por lo que, en definitiva, está soportando el empresario sobre su patrimonio las consecuencias económicas de su falta de actividad o de su insuficiente diligencia al no ejecutar el negocio por su exclusiva voluntad. Y, en tercer lugar, la comisión se devengará en el momento en que el acto u operación de comercio haya sido ejecutado, total o parcialmente, por el tercero; esto es, cuando el cliente haya abonado en parte o por completo el precio del negocio y ello con independencia de la falta de ejecución de sus obligaciones por parte del empresario.

Estos tres supuestos de devengo deben ser complementados con la disposición referente a la pérdida del derecho a la comisión (art. 17 LCA), por cuanto es preciso tener presente que el agente perderá el derecho a la misma si el empresario prueba que el acto u operación concluido por intermediación del agente no ha sido ejecutado por circunstancias no imputables al propio empresario. En tal caso, la comisión que hubiera percibido el agente a cuenta del acto u operación pendiente de ejecución, deberá ser restituida inmediatamente al empresario.

Generada y devengada la comisión, ésta se abonará por el empresario al agente no más tarde del último día del mes siguiente al trimestre natural en el que se hubiere devengado, salvo que se hubiere pactado pagarla en un plazo inferior (art. 16 LCA). En este caso, se aplicará la normativa general sobre los contratos mercantiles, y concretamente el artículo 63.1 CCom al tratarse de una obligación que tiene día señalado para su cumplimiento (el pactado o en su defecto el legal propio del contrato de agencia), por lo que los efectos de la morosidad en el cumplimiento del pago comenzarán al día siguiente de su vencimiento.

3. LA EXTINCIÓN DEL CONTRATO DE AGENCIA

3.1. Causas específicas de extinción del contrato: el criterio de la duración

Sobre el criterio de la duración de la relación jurídica se prevén dos causas específicas de extinción de los contratos de agencia, según sean estos de duración determinada o indefinida. Así, el contrato de agencia convenido por tiempo determinado se extinguirá por cumplimiento del término pactado (art. 24.1 LCA). Una vez que en el contrato se ha fijado un término final la llegada de éste supone *per se* la extinción del vínculo obligacional, produciéndose ésta sin necesidad de denuncia, requerimiento, preaviso o noticia alguna. Ahora bien, se debe tener asimismo presente que el contrato de agencia si continúa siendo ejecutado por ambas partes después de transcurrido el plazo inicialmente previsto, se considerará transformado en contrato de duración indefinida (art. 24.2 LCA), cuestión por la que la extinción queda en cierto modo condicionada, en el sentido de que la finalización de estos supuestos contractuales no operará automáticamente con el mero cumplimiento del término final pactado, sino que además se requiere que al menos una de las partes deje de ejecutar sus obligaciones y, con ellas, la relación contractual misma, dado que de no concurrir esta circunstancia el contrato de agencia por tiempo determinado se transformará *ope legis* en indefinido.

De otro lado, el contrato de agencia de duración indefinida se extinguirá por la denuncia unilateral de cualquiera de las partes mediante preaviso por escrito (art. 25.1 LCA). La notificación de la denuncia unilateral del contrato a la contraparte deberá hacerse por escrito, debiendo ser cursada de manera que pueda cumplir su finalidad recepticia. Dicha denuncia unilateral, además del señalado requisito de forma, precisa de un elemento temporal, el preaviso, cuyo plazo se encuentra en función directa al tiempo de vigencia del contrato.

En efecto, el plazo de preaviso será de un mes para cada año de vigencia de la relación, con un máximo de seis meses; y, si el contrato de agencia hubiera estado vigente por un tiempo inferior a un año, el plazo de preaviso será, en todo caso, de un mes. No obstante, las partes podrán pactar plazos más amplios de preaviso, sin que el plazo para el preaviso del agente pueda ser inferior, en ningún caso, al establecido para el del empresario. También, salvo pacto en contrario, el final del plazo de preaviso coincidirá con el último día del mes. Finalmente, para la determinación del plazo de preaviso de los contratos por tiempo determinado que se hubiesen transformado *ministerio legis* en contratos de duración indefinida, se computará la duración que hubiera tenido el contrato por tiempo determinado, añadiendo a la misma el tiempo transcurrido desde que se produjo la transformación en contrato de duración indefinida (art. 25.2 a 5 LCA).

3.2. Causas comunes de extinción del contrato de agencia

Con independencia de la duración del contrato de agencia, éste se extingue por diversas causas comunes tanto a las relaciones de tiempo determinado como a aquellas de duración indefinida: incumplimiento resolutorio, declaración de concurso o fallecimiento de alguna de las partes son las principales. En efecto, cada una de las partes de un contrato de agencia pactado por tiempo determinado o indefinido podrá dar por finalizado el contrato en cualquier momento, sin necesidad de esperar al transcurso del término y sin necesidad de preaviso, respectivamente, «cuando la otra parte hubiera incumplido, total o parcialmente, las obligaciones legal o contractualmente establecidas» [art. 26.1 a) LCA]. Una interpretación literal de la ley obligaría a sostener que el incumplimiento de cualquier obligación en un contrato de agencia sería susceptible de facultar a la contraparte para resolver el contrato, sin embargo, debe realizarse una interpretación correctora del precepto desde la óptica de la teoría general del incumplimiento resolutorio (art. 1124 CC).

Asimismo, cada una de las partes de un contrato de agencia pactado por tiempo determinado o indefinido podrá dar por finalizado el contrato en cualquier momento, sin necesidad de esperar al transcurso del término y sin necesidad de preaviso, respectivamente, «cuando la otra parte hubiere sido declarada en concurso» [art. 26.1 b) LCA]. Este precepto supone una excepción a la regla general de los efectos del concurso de acreedores sobre los contratos vigentes con obligaciones recíprocas, por el que se tiene incluso por no puestas las cláusulas que establezcan la facultad de resolución o la extinción del contrato por la sola causa de la declaración de concurso de cualquiera de las partes (art. 61.2 y 3 LCon). Ahora bien, la propia Ley Concursal prevé indirectamente los supuestos especiales, como el del contrato de agencia, al disponer que lo establecido como regla general no afecta a la aplicación de las leyes que dispongan o expresamente permitan pactar la extinción del contrato en los casos de situaciones concursales o de liquidación administrativa de alguna de las partes (art. 63.2 LCon).

Ninguna de las dos causas comunes señaladas conlleva la extinción automática del contrato de agencia. Tanto en el supuesto del incumplimiento resolutorio como en el de la concurrencia de causa concursal se entenderá que el contrato por tiempo determinado o por tiempo indefinido finaliza a la recepción de la notificación escrita en la que conste la voluntad de la parte contractual cumplidora o de la parte *in bonis* de dar la relación por extinguida, con la mención expresa de la causa que la motiva (art. 26.2 LCA).

Asimismo, el contrato de agencia se extinguirá por muerte o declaración de fallecimiento del agente, mientras que, por el contrario, no se extinguirá por muerte o declaración de fallecimiento del empresario, aunque puedan denunciarlo sus sucesores en la empresa con el preaviso que proceda (art. 27 LCA en la línea del art. 280 CCom para el contrato de comisión). La muerte o declaración de fallecimiento del agente es, en consecuencia, causa automática de extinción del contrato, no así la del empresario, cuyos sucesores en la empresa cuentan con la facultad de denunciar el contrato respetando el correspondiente plazo de preaviso, causa específica del contrato de agencia por tiempo indefinido que en estos momentos parece hacerse extensiva *ex lege* al contrato de agencia de duración determinada.

3.3. Consecuencias indemnizatorias de la extinción del contrato

Extinguido el contrato de agencia pueden derivarse del mismo dos específicas consecuencias indemnizatorias a favor del agente: las denominadas por la ley «indemnización por clientela» e «indemnización de daños y perjuicios» (arts. 28 y 29 LCA, respectivamente), consecuencias que expresamente se declaran compatibles. La primera de ellas se ha revelado en la práctica absolutamente predominante y puede manifestarse tanto para los contratos de agencia por tiempo determinado como por tiempo indefinido, revelándose, por el contrario, extraña la segunda de las indemnizaciones que, además, queda circunscrita a los contratos de agencia de duración indefinida.

Para que el agente (o sus herederos en caso de extinción del contrato por causa de muerte o declaración de fallecimiento de éste) tenga derecho a la indemnización por clientela es preciso que bien haya aportado nuevos clientes al empresario bien haya incrementado sensiblemente las operaciones con la clientela preexistente, siempre en el supuesto de que la actividad desarrollada por el agente pueda continuar produciendo ventajas sustanciales al empresario y resulte equitativamente procedente por la existencia de pactos de limitación de la competencia, por las comisiones que pierda o por las demás circunstancias que concurran. La cuantía de la indemnización no podrá exceder, en ningún caso, del importe medio anual de las remuneraciones percibidas por el agente durante los últimos cinco años o, durante todo el período de duración del contrato, si éste fuese inferior.

En cambio, para que el agente tenga derecho a la denominada «indemnización de daños y perjuicios» (propiamente es una compensación por inversiones del agente) es preciso que el empresario denuncie unilateralmente el contrato de duración indefinida y esta extinción le haya provocado al agente daños y perjuicios al no haberle permitido dicha resolución la amortización de los gastos que el agente, instruido por el empresario, haya realizado para la ejecución del contrato. Esta indemnización no sustituye a la general de daños y perjuicios del artículo 1101 CC, sino que es, en principio, compatible con ella.

La acción para reclamar tanto la indemnización por clientela como la indemnización de daños y perjuicios prescribirá al año a contar desde la extinción del contrato (art. 31 LCA).

3.4. Supuestos de inexistencia del derecho a la indemnización

Aun concurriendo los presupuestos necesarios para la oportunidad del derecho a cualquiera de las indemnizaciones anteriormente indicadas, dicho derecho no existirá cuando el empresario hubiese extinguido el contrato por causa de incumplimiento de las obligaciones legal o contractualmente establecidas a cargo del agente; tampoco cuando el agente hubiese denunciado el contrato, salvo que la denuncia tuviera como causa circunstancias imputables al empresario (*v. gr.* incumplimiento resolutorio) o se fundara en la edad, la invalidez o la enfermedad del agente y no pudiera exigírsele razonablemente la continuidad de sus actividades; y finalmente el agente tampoco tendrá derecho a la indemnización por clientela o a la de daños y perjuicios cuando, con el consentimiento del empresario, el agente hubiese cedido a un tercero los derechos y las obligaciones de que era titular en virtud del contrato de agencia (art. 30 LCA). Asimismo, se ha resuelto que la extinción del contrato de agencia por mutuo disenso provoca también la inexistencia del derecho a la indemnización por clientela (SAP Álava [2ª] 4.10.1997).

3.5. El pacto de limitación de la competencia

Mientras que el pacto de exclusividad se enmarca en el contrato de agencia en cuanto relación vigente, el pacto de limitación de la competencia (arts. 20 y 21 LCA) encuentra su encaje temporal una vez extinguido el contrato. En efecto, entre las estipulaciones del contrato de agencia, las partes podrán incluir una restricción o limitación de las actividades profesionales a desarrollar por el agente una vez extinguido dicho contrato, no pudiendo tener una duración superior a dos años a contar desde la finalización de la relación y, si el contrato de agencia se hubiera pactado por un tiempo menor, el pacto de limitación de la competencia no podrá tener una duración superior a un año. Ahora bien, para la validez de dicho pacto es necesario que se formalice por escrito. Además, dicha limitación de la competencia sólo podrá extenderse a la zona geográfica o a ésta y al grupo de personas confiados al agente y sólo podrá afectar a la clase de bienes o de servicios objeto de los actos u operaciones promovidos o concluidos por el agente. Recuérdese que la existencia de un pacto de limitación de la competencia es uno de los elementos que se deberán tener en cuenta a la hora de ver si resulta equitativamente procedente la indemnización por clientela (art. 28.2 *in fine* LCA).

4. COMPETENCIA PARA EL CONOCIMIENTO DE LAS ACCIONES DERIVADAS DEL CONTRATO DE AGENCIA Y PLAZO DE PRESCRIPCIÓN GENERAL DE LAS MISMAS

Al configurarse el régimen jurídico del contrato de agencia bajo el criterio de la protección del agente, además de haberse sentado como regla general la imperatividad de los preceptos de la ley (art. 3.1 LCA), se ha dispuesto una norma, con igual orientación tuitiva, acerca de la competencia territorial para conocer judicialmente de las cuestiones derivadas de dicho contrato (Disposición Adicional segunda LCA, que discurre en paralelo con el art. 24 LCS). Así, la competencia territorial para el conocimiento de las acciones derivadas del contrato de agencia corresponderá al juez del domicilio del agente, siendo nulo cualquier pacto en contrario. Sin embargo, ello no excluye el sometimiento de la controversia a arbitraje, si bien sólo a «arbitraje de derecho» habida cuenta la general imperatividad de los preceptos de la Ley de Contrato de Agencia y, muy particularmente, el de la mencionada disposición adicional, disposición que incluso obligaría a que el lugar del arbitraje sea circunscrito al propio ámbito del domicilio del agente.

Desde el punto de vista de la competencia objetiva el juez natural que deberá conocer de las acciones derivadas de un contrato de agencia será el de primera instancia del orden jurisdiccional civil (art. 85 LOPJ), pues a pesar de ser el contrato de agencia un contrato mercantil (nítidamente art. 10.2 LMSRP) no se halla éste entre las cuestiones que son competencia de los juzgados de lo mercantil (art. 86 ter LOPJ).

La ley establece que la prescripción de las acciones derivadas del contrato de agencia se regirá, salvo en lo especialmente previsto para las acciones indemnizatorias (art. 31 LCA), por las reglas establecidas en el Código de Comercio (art. 4 LCA). Esta remisión genérica al articulado del mencionado Código (arts. 942 a 954 CCom) resulta censurable, habida cuenta que estas acciones no pueden ser encuadradas fácilmente en ninguno de los preceptos aludidos, y en virtud de lo establecido con carácter general en el artículo 943 de dicho cuerpo legal, habrá que aplicar, en principio, el plazo general de quince años fijado por el artículo 1964 CC para las acciones que no tengan un plazo específico. Ahora bien, es preciso poner de relieve que la acción para reclamar la retribución de los agentes viene entendiéndose que prescribe a los tres años *ex* artículo 1967.1ª CC (SSTS [1ª] 22.1.2007, 25.2.2009, 10.10.2009 y 29.6.2011).

II. EL CONTRATO DE CONCESIÓN O DISTRIBUCIÓN

1. PANORAMA NORMATIVO

Los llamados de modo específico «contratos de distribución» presentan, en general y en comparación con el contrato de agencia, una carencia de regulación desde la óptica del Derecho privado, estando contemplados normativamente desde el Derecho de la competencia. La orfandad regulatoria conlleva una especial conflictividad en los mismos por cuanto a su finalización se refiere, con especial incidencia en las consecuencias indemnizatorias. Ahora bien, en los últimos años se ha producido una relevante actividad prelegislativa. Así, es preciso recordar el Anteproyecto de Ley de contratos de distribución elaborado por la Sección de Derecho Mercantil de la Comisión General de Codificación (2002) y publicado por el Ministerio de Justicia (2006), el Proyecto alternativo presentado en las Cortes por un sector de los empresarios y profesionales de la distribución (2008), el Proyecto de Código Mercantil promovido por el Ministerio de Justicia (2009) y elaborado asimismo por la Comisión General de Codificación, incorporando el aludido Anteproyecto con leves modificaciones, o el reciente Proyecto de Ley de Contratos de Distribución aprobado por el Consejo de Ministros el día 24 de junio de 2011 y publicado en el Boletín Oficial de las Cortes (Congreso de los Diputados) el 29 de junio de 2011.

La ausencia de regulación parece pues tener visos de ser colmada. En efecto, la Ley 1/2010 de reforma de la Ley de Ordenación del Comercio Minorista, en su disposición adicional undécima, emplaza al Gobierno a regular el régimen jurídico de los contratos de distribución comercial, previsión que sigue estando presente en la Ley 2/2011 de Economía Sostenible cuya disposición adicional decimosexta, que modifica la Ley de Contrato de Agencia, realiza una nueva referencia a una futura aprobación de la «Ley reguladora de los contratos de distribución», previendo hasta entonces la aplicación del régimen jurídico del contrato de agencia a los «contratos de distribución de vehículos automóviles e industriales». En consecuencia, el sector de la distribución comercial continúa teniendo a los Códigos Civil y de Comercio como principal referencia normativa, junto con algunas regulaciones parciales como la citada Ley de Contrato de Agencia o la Ley de Ordenación del Comercio Minorista y sus desarrollos reglamentarios, estando desempeñando la jurisprudencia una verdadera función de complemento del ordenamiento jurídico y la doctrina una importante labor de delimitación de la compleja figura contractual.

2. NOCIÓN COMÚN Y PRINCIPALES MODALIDADES DE CONTRATOS DE DISTRIBUCIÓN

Sea cual fuere la denominación que se le dé al acuerdo, por el contrato de distribución una persona física o jurídica (distribuidor) se obliga frente a otra (proveedor) a realizar de manera continuada o estable actos u operaciones de comercio consistentes o relacionadas con la venta de productos, actuando como empresario independiente y asumiendo el riesgo y ventura de tales operaciones. De conformidad con la jurisprudencia, lo que singularizaría al contrato de distribución con respecto al de agencia es que el distribuidor actúa en nombre y por cuenta propia, adquiriendo los productos del proveedor para su posterior reventa (por todas, SSTS [1ª] 9.2.2004, 2.12.2005, 6.11.2006 o 18.10.2007).

Las modalidades contractuales más utilizadas vienen siendo las siguientes: el «contrato de compra en exclusiva», por el cual un distribuidor, a cambio de contraprestaciones especiales, se obliga a adquirir para su comercialización determinados bienes solamente al proveedor o a otras personas a quienes éste designe; el «contrato de venta en exclusiva», por el cual el proveedor se obliga a vender únicamente a un distribuidor en una zona geográfica determinada los bienes especificados en el contrato para su comercialización en dicha zona; el «contrato de distribución autorizada», por el cual el proveedor se obliga a suministrar al distribuidor bienes para que éste los comercialice, bien directamente o bien a través de su propia red, como distribuidor oficial, en una zona geográfica determinada; el «contrato de distribución selectiva», por el cual el proveedor se obliga a vender los bienes objeto del contrato únicamente a distribuidores seleccionados por él y que no gozan de exclusividad territorial, mientras que el distribuidor se compromete a revenderlos a consumidores y usuarios, respetando las instrucciones pactadas y prestando, en su caso, asistencia técnica a los compradores; y el «contrato de concesión mercantil», por el cual el distribuidor o concesionario pone su establecimiento al servicio de un proveedor o concedente para comercializar, en régimen de exclusividad y bajo directrices y supervisión de éste, bienes en una zona geográfica determinada.

3. EL CONTENIDO DEL CONTRATO

Los contratos de distribución se rigen por el principio de autonomía de la voluntad (art. 1255 CC y STS [1ª] 25.4.2011) y por el de libertad de forma (arts. 51 y 52 CCom y STS [1ª] 15.1.2008). Son relaciones jurídicas sinalagmáticas pues contienen derechos y obligaciones para cada parte, conservando el distribuidor una posición independiente, con personalidad jurídica y comercial distinta del proveedor, aunque éste fije los términos y condiciones para la comercialización de sus productos. El distribuidor debe disponer de una organización empresarial suficiente y desarrollar una actividad comercial adecuada para promover la difusión de los productos adquiridos al proveedor.

La complejidad del contrato de distribución supone pues la creación de relaciones obligatorias plurales (SSTS [1ª] 17.5.1999, 1.2.2001, 16.7.2002 o 25.10.2006) entre las que se encuentra primeramente la compra de los productos por el distribuidor al proveedor, adquiriendo aquél su propiedad y contrayendo por tanto la obligación de pagar su precio; y de ahí que la reciprocidad atendible en este aspecto sea la de pago a cambio de la adquisición de los bienes.

Generalmente el distribuidor asume la obligación de compra mínima inicial al objeto de contar con un stock, reserva o contingente de mercancías en almacén, obligación que suele discurrir en paralelo con la fijación, en régimen estimatorio o no, de stocks o niveles mínimos de abastecimiento a lo largo de la relación contractual. Igualmente suelen determinarse en el contenido del contrato unos objetivos comerciales para el distribuidor, objetivos que deberán tener presente las condiciones del mercado que sean razonablemente previsibles en cada momento. Por su parte, el proveedor mantendrá disponibles el número de unidades de producto necesarias para el normal abastecimiento, según el volumen usual de pedidos.

Con el fin de que el distribuidor pueda comercializar los bienes, parece necesario que el proveedor deba suministrar al distribuidor la información comercial y técnica que sea precisa para promover la mejor distribución de los mismos. Asimismo dentro de este ámbito obligacional informativo acorde con la finalidad de la relación el proveedor deberá comunicar al distribuidor con la mayor anticipación posible las circunstancias y hechos que puedan afectar con carácter sustancial al desarrollo de la actividad comercial o a los niveles de abastecimiento del distribuidor, así como las variaciones previstas por el proveedor en cuanto a la orientación, imagen o actividad del sistema comercial diseñado por el mismo. Por su parte, el distribuidor deberá informar al proveedor, también con la mayor antelación posible, acerca de las circunstancias o hechos de los que tenga conocimiento y que puedan afectar a la imagen, prestigio y salvaguarda de los bienes que por él sean comercializados.

Dentro de los límites impuestos por el Derecho de la competencia los contratos de distribución suelen contemplar la atribución, a una o ambas partes, de pactos de exclusividad territorial referidos a una determinada gama de productos o a un concreto grupo de clientes. El pacto de exclusiva despliega sus efectos solamente entre las partes contratantes (y sus sucesores), de modo que resultará ineficaz frente a terceros. Asimismo, en relación con la distribución de bienes de naturaleza duradera (*v. gr.* vehículos), suele preverse en el contrato la prestación por el propio distribuidor de un servicio postventa (por todas, SSTS [1ª] 20.6.2011 y 21.6.2011).

Cuando se utilicen en el contrato condiciones generales de la contratación se deberá tener presente obviamente la Ley 7/1998. El contenido del contrato responderá, en definitiva, a las distintas variedades que presentan los contratos de distribución. De esta manera la determinación de las diversas obligaciones que pesan sobre los contratantes están supeditadas a las condiciones que hubieran convenido (cfr. SAP Islas Baleares [5ª] 28.10.2004 y SAP Zamora [1ª] 31.3.2006). Y, en todo caso, ambas partes en el cumplimiento de sus obligaciones deberán actuar según los parámetros de la buena fe, habida cuenta lo dispuesto en los artículos 7.1 y 1258 CC así como el artículo 57 CCom.

4. LA EXTINCIÓN DE LOS CONTRATOS DE DISTRIBUCIÓN

En los propios contratos de distribución suele contemplarse su período de vigencia, teniéndose presente que pueden pactarse por tiempo determinado o preverse una duración indefinida de los mismos. Ahora bien, como natural relación jurídica estable que es el contrato de distribución, si las partes no hubieran determinado su plazo de duración cabrá entender que el contrato fue concertado por tiempo indefinido. Parece asimismo consecuente con la característica de «estabilidad» o «permanencia» del contrato de distribución que éste tenga una duración mínima, duración que tendrá que estar íntimamente conectada con las diversas particularidades del supuesto concreto que concurran en el contrato (*v. gr.* lugar de desarrollo, objeto, situación de mercado), y, en todo caso, el tiempo mínimo debe ser suficiente para hacer posible la amortización de las específicas inversiones necesarias para el cumplimiento del contrato de distribución.

El contrato concluido por tiempo determinado se extinguirá por el cumplimiento del término pactado pues, en ausencia de cláusulas establecidas al efecto, no existe un derecho del distribuidor ni tampoco del proveedor a que el contrato de distribución sea renovado o prorrogado una vez vencido el término previsto. La extinción del contrato de distribución por tiempo determinado se producirá *ipso facto* por el cumplimiento del término pactado sin necesidad de denuncia, requerimiento, preaviso o noticia alguna por ninguna de las dos partes. No obstante, si después de transcurrido el plazo inicialmente previsto el contrato continuase siendo ejecutado por ambas partes, parece razonable considerar su transformación en un contrato de duración indefinida.

En los contratos de distribución de duración indefinida se sitúa el desistimiento unilateral como causa específica de finalización de los mismos, acompañado de un plazo de preaviso por corto que éste sea (*vid.* STS [1ª] 9.7.2008 –siete días, sin que por ello se repute abusivo–), con el límite de la buena fe y el abuso del derecho (*vid.* STS [1ª] 15.3.2011). El incumplimiento por una de las partes de lo estipulado en el contrato acerca del preaviso daría derecho a la otra parte para exigir una indemnización por los daños y perjuicios que a consecuencia de ello se le hubiera irrogado (*vid.* STS [1ª] 22.6.2011).

Asimismo, el contrato de distribución sea cual fuere su duración podrá ser resuelto unilateralmente sin preaviso alguno, a iniciativa de cualquiera de las dos partes, por justa causa (*v. gr.* incumplimiento) conforme a las reglas generales reconocidas en la normativa civil y mercantil. Es preciso poner de relieve que la jurisprudencia ha entendido que la Ley de Contrato de Agencia permite integrar los contratos de distribución cuando éstos no contengan previsión alguna sobre la liquidación de las relaciones entre las partes al extinguirse el contrato; en segundo lugar, que se rechaza aplicar analógicamente al contrato de distribución, a modo de regla general, la indemnización o compensación por clientela; y en tercer lugar, que la compensación por clientela y la aplicación analógica de la idea inspiradora del artículo 28 LCA no pueden obedecer a criterios miméticos o de automatismo (por todas, SSTS [1ª] 15.1.2008 y 9.7.2008). Ello ha llevado a excluir en el ámbito de un contrato de distribución la posibilidad de tener en cuenta el plazo de prescripción (un año) de la acción para reclamar indemnización por clientela previsto en la LCA (SSTS [1ª] 6.6.2006 y 22.7.2008). En esta misma línea, las normas que deben aplicarse para determinar la competencia territorial en materia de contratos de distribución serán las generales previstas en la LECiv (arts. 50 y 51), y no la específica que para el contrato de agencia prevé la disposición adicional de la LCA (STS [1ª] 8.6.2010).

No se consideran abusivas ni contrarias a las leyes, a la moral, al orden público ni al artículo 1256 CC las cláusulas de los contratos de distribución que permitan su extinción por denuncia unilateral de cualquiera de las partes cumpliendo el plazo de preaviso estipulado y sin derecho a indemnización alguna para ninguna de ellas por el solo hecho de la extinción, y se descarta que una cláusula de ese tipo exija al denunciante del contrato expresar en el preaviso la causa de la denuncia, ya que de exigirse la expresión de una causa la facultad de extinguir el contrato dejaría de ser tal, es decir, de libre ejercicio, para pasar a convertirse en algo similar o equivalente a la resolución por incumplimiento del contrato (SSTS [1ª] 18.3.2004 y 26.4.2004).

Mediante la disposición final cuarta (*medidas sobre la distribución comercial*) de la Ley 7/2011 se dejó sin efecto, hasta que no entre en vigor la anunciada «Ley de Contratos de Distribución», la modificación de la Ley de Contrato de Agencia introducida mediante la disposición adicional decimosexta de la Ley de Economía Sostenible y en virtud de la cual se extendió la aplicación del régimen jurídico del contrato de agencia a los contratos de distribución de vehículos automóviles e industriales, regulando efectos tan importantes como la obligación del proveedor de indemnizar al distribuidor por la clientela a la terminación o resolución de su contrato o pagarle el importe de las indemnizaciones que tuviese que abonar a sus trabajadores como consecuencia de dicha extinción o resolución.

III. EL CONTRATO DE FRANQUICIA

1. NOCIÓN, FASE PRECONTRACTUAL Y REGISTRO DE FRANQUICIADORES

No existe una normativa sistemática reguladora del contrato de franquicia, lo que ha llevado a afirmar que la franquicia es un contrato nominado porque está previsto en el ordenamiento, pero sigue siendo atípico, porque no goza de regulación legal (STS [1ª] 9.3.2009). Ahora bien, la actividad comercial de franquicia básicamente se encuentra prevista de una manera deslavazada en el artículo 62 de la Ley 7/1996, de 15 de enero, de Ordenación del Comercio Minorista –en adelante LOCM– así como en su normativa de desarrollo hoy plasmada en el Real Decreto 201/2010, de 26 de febrero. El contrato de franquicia es aquel por el cual un empresario (denominado franquiciador) cede a otro (llamado franquiciado) en un mercado determinado, a cambio de una contraprestación financiera directa, indirecta o ambas, el derecho a la explotación sobre un negocio o actividad mercantil que el primero venga desarrollando anteriormente con suficiente experiencia y éxito, para comercializar determinados tipos de productos o servicios.

La propia normativa reglamentaria contempla una modalidad de contrato de franquicia denominado «franquicia principal» o «franquicia maestra», entendiéndose que mediante él un empresario (el franquiciador) le otorga a otro (el franquiciado principal) a cambio de una compensación financiera directa, indirecta o ambas el derecho a explotar una actividad con la finalidad de concluir acuerdos de franquicia con terceros (los franquiciados) conforme al sistema definido por el franquiciador, asumiendo el franquiciado principal el papel de franquiciador en un mercado determinado.

La regulación ha prestado especial atención a la fase precontractual de las relaciones de franquicia por cuanto se dispone que, con una antelación mínima de veinte días hábiles a la firma del contrato o precontrato de franquicia o a la entrega por parte del futuro franquiciado al franquiciador de cualquier pago, el franquiciador o franquiciado principal deberá dar por escrito al potencial franquiciado una serie miscelánea de datos. Así, los datos de identificación del franquiciador; la acreditación de tener concedido para

España, y en vigor, el título de propiedad o licencia de uso de la marca y signos distintivos de la entidad franquiciadora, y de los eventuales recursos judiciales interpuestos que puedan afectar a la titularidad o al uso de la marca, si los hubiere, con expresión, en todo caso, de la duración de la licencia; la descripción general del sector de actividad objeto del negocio de franquicia; la experiencia de la empresa franquiciadora; el contenido y características de la franquicia y de su explotación; la estructura y extensión de la red en España; así como los elementos esenciales del contrato de franquicia, que recogerá los derechos y obligaciones de las respectivas partes, duración del contrato, condiciones de resolución y, en su caso, de renovación del mismo, contraprestaciones económicas, pactos de exclusivas, y limitaciones a la libre disponibilidad del franquiciado del negocio objeto de franquicia. Su objeto no es otro que facilitar a cualquier contratante potencial (franquiciado) unos datos mínimos sobre la identidad, naturaleza y localización del franquiciador, con el fin de otorgarle una inicial tutela mínima al contratante considerado como más débil. El franquiciador podrá exigir al potencial franquiciado un deber de confidencialidad de toda la información precontractual que reciba o vaya a recibir del franquiciador.

Con pretensión meramente divulgativa se encuentra previsto el «registro de franquiciadores», configurado con un carácter público y naturaleza administrativa a los solos efectos de información y publicidad. De este modo, las personas físicas o jurídicas que pretendan desarrollar en territorio español la actividad de franquiciadores, deberán comunicar al citado registro el inicio de su actividad en el plazo de tres meses desde el inicio de la misma. Dicha comunicación se realizará bien al registro de la comunidad autónoma donde prevean iniciar sus actividades, o cuando la comunidad autónoma no establezca la necesidad de comunicación de datos a la misma, al registro de franquiciadores del Ministerio de Industria, Turismo y Comercio.

La comunicación al registro de franquiciadores no condiciona el inicio de la actividad, empero la falta de comunicación de datos transcurrido el mencionado plazo conllevará la correspondiente sanción administrativa, de conformidad con lo previsto en la LOCM, y demás legislación aplicable, sin que, por el contrario, provoque la nulidad del contrato (*vid.* SAP Madrid [11ª] 30.12.2010). Ahora bien, quedan exentos de la obligación de comunicación de datos al registro, los franquiciadores establecidos en otros Estados miembros de la Unión Europea que operen en régimen de libre prestación, sin establecimiento permanente en España. En este caso, la única obligación para el prestador consistirá en comunicar el inicio de sus actividades en España al registro, a través de la comunidad autónoma donde tenga previsto comenzar su prestación. En defecto de registro autonómico, la precitada comunicación de inicio de actividad deberá dirigirse al registro de franquicia-dores del Ministerio de Industria, Turismo y Comercio. Pese a la pretendida finalidad «tutelar» del registro de franquiciadores éste no pasa de desarrollar una función meramente testimonial. En efecto, el Registro de franquiciado-res es un instrumento de mera identificación, pero no ofrece seguridades respecto a las condiciones de franquicia, su realidad o la solvencia del fran-quiciador.

2. EL CONTENIDO DEL CONTRATO

Pese a que jurídicamente la validez del contrato de franquicia no apa-rece condicionada a la utilización de forma alguna, parece lógico que, en coherencia con la obligación de proporcionar por escrito la información precontractual referida anteriormente, también haya de ser ésta la vía de formalización más utilizada usualmente. Ahora bien, tratándose en principio de un contrato consensual, es posible que por razón de la regulación jurídica de los derechos integrados en la cesión de franquicia (*v. gr.* patentes) sea imprescindible la conclusión de contrato de forma escrita.

Constituyen prestaciones principales del contrato de franquicia el uso de una denominación o rótulo común u otros derechos de propiedad intelec-tual o industrial y una presentación uniforme de los locales o medios de transporte objeto del contrato, la comunicación por el franquiciador al fran-quiciado de unos conocimientos técnicos o un saber hacer (*know-how*), que deberá ser propio, sustancial y singular, así como la prestación continúa por el franquiciador al franquiciado de una asistencia comercial, técnica o ambas durante la vigencia del acuerdo; todo ello sin perjuicio de las facultades de supervisión que puedan establecerse contractualmente.

Únicamente el engaño en cuanto a alguna de las prestaciones principa-les del contrato de franquicia (*v. gr.* que el franquiciador no fuera el titular de la marca cuyo uso cede al franquiciado; o que careciera de un «saber hacer» propio u original), podría dar lugar a la nulidad del contrato por vicios del consentimiento. Por el contrario, no puede entenderse que posea la relevancia suficiente para provocar la nulidad del contrato, el incumpli-miento por el franquiciador de prestaciones accesorias precontractuales, como es la información sobre previsión de inversiones y gastos en un negocio tipo, ni las previsiones sobre cifras de ventas o resultados de explotación del negocio, sin perjuicio de la competencia sancionadora administrativa propia de la LOCM por la ausencia de información veraz sobre estos extremos. Lo que debe ser tenido en cuenta para declarar en su caso la nulidad del con-trato son los pactos, cláusulas o condiciones contenidas en el contrato, y no en las negociaciones preliminares, de conformidad con las normas de los artículos 1254, 1255, y 1258 CC, máxime la independencia comercial y jurídica de las partes, lo que se traduce en que el franquiciado como empresario independiente asume el pleno riesgo y ventura de la explotación de su negocio. Por otro lado, para que el error invalide el consentimiento, además de ser sustancial, ha de ser inexcusable, lo cual significa que no haya podido ser evitado mediante el empleo por el que lo padeció, de una diligencia media o regular, teniendo en cuenta la condición de las personas, siendo mayor la diligencia exigida cuando se trata de un profesional o un experto, y menor cuando se trata de una persona inexperta (SAP Barcelona [13ª] 21.9.2004).

El contenido del contrato de franquicia suele variar en función de la modalidad de franquicia de que se trate. No obstante, a modo de denominador común, el franquiciador se obliga a comunicar al franquiciado los conocimientos secretos necesarios para poder desarrollar el negocio y a prestarle la asistencia técnica y comercial requerida. Por su parte, el franquiciado se obliga a pagar el canon de acceso estipulado. Son asimismo obligaciones del franquiciado el pago de las cuotas por la transmisión pactada, la adquisición o mantenimiento de los elementos materiales o necesarios para una correcta aplicación del bien trasmitido, informar al franquiciador sobre cuantos eventos puedan afectar a la marcha del ejercicio de la franquicia, la obligación de explotar y dedicarse con intensidad al uso del bien concedido y actuar lealmente y en buena fe, sin práctica de competencia desleal con el franquiciador (*vid.* SAP Valencia [9ª] 16.3.2007), así como responsabilizarse de las obligaciones contraídas por el contrato, siempre que cumpla adecuadamente el franquiciador aquellas que asume por el contrato mismo y que hemos referido anteriormente, pues no basta remitir el «saber hacer» si luego se desatiende la formación, el suministro del material pactado y las fichas técnicas de rigor, desamparando al franquiciado a su suerte y con el solo propósito de percibir la cantidad o cantidades pactadas en el propio contrato (SAP León [3ª] 30.1.2009).

3. LA EXTINCIÓN DEL CONTRATO DE FRANQUICIA

Entre la información precontractual que el potencial franquiciado debe recibir del franquiciador se encuentra la relativa a la «duración del contrato, condiciones de resolución y, en su caso, de renovación del mismo». En consecuencia, los contratos de franquicia pueden pactarse por tiempo determinado o preverse una duración indefinida de los mismos, sin que además resulte ajeno al contrato de franquicia el pacto de duración de la relación por tramos temporales continuados una vez vencido el primer período determinado (*vid.* STS [1ª] 21.10.1996). Asimismo, como natural relación jurídica estable que es el contrato de franquicia, si las partes no hubieran determinado su plazo de duración cabrá entender que el contrato fue concertado por tiempo indefinido. Parece, en la misma línea que lo señalado anteriormente para el contrato de distribución, que el contrato de franquicia deba tener una duración mínima, duración que tendrá que estar íntimamente conectada con las diversas particularidades del supuesto concreto que concurran en la relación jurídica (*v. gr.* lugar de desarrollo, objeto, situación de mercado), y, en todo caso, el tiempo mínimo debe ser suficiente para hacer posible la amortización de las específicas inversiones necesarias para el cumplimiento del contrato de franquicia.

Habida cuenta la ausencia de un régimen normativo referente a la extinción del contrato de franquicia, en defecto de previsión contractual que contemple tal fase jurídica, los problemas que se residencien en dicha sede conclusiva deberán resolverse de acuerdo con las normas generales en materia de extinción de las obligaciones y contratos (*v. gr.* mutuo disenso –STS [1ª] 21.5.2005–, cláusula penal –STS [1ª] 5.11.2010–). Así, el contrato concluido por tiempo determinado se extinguirá por el cumplimiento del término pactado pues, en ausencia de cláusulas establecidas al efecto, no existe un derecho del franquiciador ni tampoco del franquiciado a que la relación sea prorrogada una vez vencido el término previsto, extinción que se producirá sin necesidad de denuncia, requerimiento, preaviso o noticia alguna por ninguna de las dos partes. No obstante, si después de transcurrido el plazo inicialmente previsto el contrato de franquicia continuase siendo ejecutado por ambas partes, parece razonable considerar su transformación en un contrato de duración indefinida.

La denuncia unilateral del contrato o desistimiento *ad nutum* es causa de extinción de los contratos de franquicia pactados por tiempo indefinido, con independencia de su previsión expresa en el contrato. Ahora bien, con sustento en la buena fe y soslayando la posibilidad del abuso del derecho, parece razonable la necesidad de un preaviso razonable que acompañe a tal desistimiento unilateral, cuyo incumplimiento por la parte denunciante daría derecho a la otra para exigir una indemnización por los daños y perjuicios que a consecuencia de ello se le hubiera ocasionado. Asimismo el contrato de franquicia sea cual fuere su duración podrá ser resuelto unilateralmente sin preaviso alguno, a iniciativa de cualquiera de las dos partes, por justa causa como el incumplimiento (STS [1ª] 1.6.2009).

Se consideran acorde a Derecho las cláusulas de los contratos de franquicia que contemplen la extinción ordinaria del contrato sin derecho a indemnización alguna para ninguna de ellas por el solo hecho de la extinción, así como se excluye la aplicación analógica del régimen indemnizatorio previsto para el contrato de agencia en su normativa específica (SAP Álava [1ª] 10.4.2006, STS [1ª] 16.3.2007).

IV. CONTRATOS DE DISTRIBUCIÓN Y DERECHO DE LA COMPETENCIA

En los contratos de distribución comercial la autonomía de la voluntad de las partes a la hora de configurar el contenido de los mismos encuentra un límite en las normas reguladoras de la competencia. En efecto, resulta incontrovertido que el contenido de las relaciones verticales que se establecen entre las partes de un contrato de distribución es susceptible de incluir restricciones que impidan u obstaculicen la libre competencia. El hecho de que exista una normativa de competencia específica para este tipo de relaciones, como son los Reglamentos comunitarios de exención por categorías en materia de restricciones verticales a la competencia, demuestra la preocupación del ordenamiento jurídico por evitar determinado tipo de cláusulas cuando éstas conllevan efectos anticompetitivos y van en detrimento de la eficiencia de los mercados. Fundamentalmente se debe tener presente el Reglamento (UE) núm. 330/2010 de la Comisión de 20 de abril de 2010, relativo a la aplicación del artículo 101, apartado 3, del Tratado de Funcionamiento de la Unión Europea a determinadas categorías de acuerdos verticales y prácticas concertadas, y sus Directrices de interpretación de la Comisión Europea (2010/C 130/01).

No obstante, esta misma normativa permite no considerar incursas en las prohibiciones de acuerdos restrictivos de la competencia del artículo 1 de la Ley 16/2007, de 3 de julio, de Defensa de la Competencia y el citado 101 TFUE determinadas conductas y estipulaciones que, constituyendo restricciones a la competencia, pueden, sin embargo, estar justificadas en atención a las eficiencias que incorporan para la producción y/o comercialización de determinados servicios, en beneficio de los consumidores finales. Asimismo, deben tenerse en cuenta, en el ámbito de la distribución de vehículos a motor, el Reglamento (UE) núm. 461/2010 de la Comisión de 27 de mayo de 2010, relativo a la aplicación del artículo 101, apartado 3, del Tratado de Funcionamiento de la Unión Europea a determinadas categorías de acuerdos verticales y prácticas concertadas en el sector de los vehículos de motor; y el Reglamento (CE) núm. 1400/2002 de la Comisión de 31 de julio de 2002, relativo a la aplicación del apartado 3 del artículo 81 del Tratado CE (actual art. 101 TFUE) a determinadas categorías de acuerdos verticales y prácticas concertadas en el sector de los vehículos de motor, al que sustituye aquél y vigente transitoriamente hasta 2013.

Por último, la interrelación contratos de distribución y derecho de competencia no se limita a las normas *antitrust* pues no debe olvidarse tampoco la potencial aplicación de la Ley 3/1991, de 10 de enero, de Competencia Desleal, principalmente en las conductas relativas a la inducción a la infracción contractual (art. 14) así como a las referentes a discriminación y dependencia económica (art. 16), sin olvidar la cláusula general (art. 4) que reputa desleal todo comportamiento que resulte objetivamente contrario a la exigencias de la buena fe (*vid.* SAP Barcelona [15ª] 23.3.2005 y SAP Valencia [9ª] 12.3.2008 a modo de ejemplos de la conexión entre contratos de distribución y competencia desleal).

Lección 11

Sistemas de contratación de instrumentos financieros

FERNANDO OLEO BANET[*]
Catedrático de Derecho Mercantil
Universidad de La Laguna

AURORA MARTÍNEZ FLÓREZ[**]
Profesora Titular de Derecho Mercantil
Universidad Autónoma de Madrid

[*] Autor de los epígrafes I (*Introducción*) a VI (*Las ofertas públicas sobre valores negociables*).
[**] Autora del epígrafe VII (*La contratación en los mercados de valores*).

345

I. INTRODUCCIÓN

Junto al mercado de crédito el mercado de instrumentos financieros es parte del sistema financiero, cuya función institucional consiste en facilitar la movilización de recursos dinerarios de quienes los poseen hacia quienes los precisan para el desarrollo de la actividad económica. Para asegurar esta función, la confluencia de la oferta y la demanda, propia de cualquier tipo de mercado, requiere de manera singular en los mercados de instrumentos financieros de unas especiales condiciones de *regularidad* y seguridad que favorezcan la asignación de los recursos dinerarios que materializan los productos y servicios financieros. A diferencia de lo que ocurre en el mercado de crédito, en el que la canalización del ahorro hacia los demandantes de recursos se realiza a través de la interposición de una entidad bancaria, en el mercado de instrumentos financieros la transferencia de recursos financieros se realiza directamente entre oferentes y demandantes de capital con la necesaria intervención de entidades de servicios especializadas miembros del mercado en cuestión.

La articulación de sistemas de contratación organizados (mediante la normalización del régimen de conclusión y liquidación de las operaciones), sobre activos financieros homogéneos y basados en un principio de transparencia informativa (*disclosure*), permite superar los inconvenientes de una negociación individualizada, facilitando de este modo tanto la adquisición segura y eficiente de aquellos activos en el denominado mercado primario o de emisión como su negociación o transmisión a terceros en los mercados llamados secundarios que dotan de liquidez a las inversiones realizadas de modo impersonal y de manera masiva.

De la organización institucional de dichos sistemas de contratación (mercados) se encarga en primera instancia la Ley del Mercado de Valores de 28 de julio de 1988 (modificada en numerosas ocasiones), que tiene por objeto, según dispone su art. 1, «la regulación de los sistemas españoles de negociación de instrumentos financieros, estableciendo a tal fin los principios de su organización y funcionamiento y las normas relativas a los instrumentos financieros objeto de su negociación y a los emisores de esos instrumentos; la prestación en España de servicios de inversión y el establecimiento del régimen de supervisión, inspección y sanción».

II. INSTRUMENTOS FINANCIEROS Y VALORES NEGOCIABLES

La Ley del Mercado de Valores (en adelante LMV) no contiene una definición del concepto de instrumento financiero, sino que recoge en su art. 2 un catálogo abierto de activos financieros a los que cabe atribuir aquella calificación que comporta su sometimiento al régimen de ordenación de los sistemas de contratación y supervisión establecido en la ley. Dentro de aquella categoría general quedan comprendidos los valores negociables emitidos por personas o entidades públicas o privadas agrupados en emisiones y los instrumentos financieros derivados.

Pertenecen a la figura de los valores negociables, entre otros, las acciones de las sociedades; los bonos y obligaciones representativos de un empréstito sean o no convertibles o canjeables; las cédulas bonos y participaciones hipotecarias; las participaciones y acciones de instituciones de inversión colectiva; los instrumentos que se negocian habitualmente en el mercado monetario, tales como las letras del Tesoro, certificados de depósito y pagarés, salvo que sean librados singularmente, excluyéndose los instrumentos de pago que deriven de operaciones comerciales antecedentes que no impliquen captación de fondos reembolsables; los _warrants_ y demás valores negociables derivados que confieran el derecho a adquirir o vender cualquier otro valor negociable, o que den derecho a una liquidación en efectivo determinada por referencia, entre otros, a valores negociables, divisas, tipos de interés o rendimientos; y en fin –en palabras de la propia ley– «cualquier derecho de contenido patrimonial que, al margen de su denominación, por su configuración jurídica propia y régimen de transmisión, sea susceptible de tráfico generalizado e impersonal en un mercado financiero».

Rasgo característico de estos activos o derechos financieros es el de su negociabilidad, es decir, están dotados de una especial aptitud para su rápida y segura transmisión, tanto si se representan de forma documental como si se representan por medio de registro de anotaciones en cuenta, que con independencia de las circunstancias personales de los contratantes, permiten una contratación impersonal, continuada y masiva, al configurarse como un producto (financiero) de contenido genérico destinado al mercado.

Por su parte, en la categoría de los instrumentos financieros derivados se inscriben los contratos de opciones, futuros, permutas, acuerdos sobre tipos de interés a plazo e instrumentos financieros derivados para la transferencia del riesgo de crédito (*swaps, fraps*), etc., que estén relacionados (subyacente) con valores negociables, divisas, tipos de interés, índices financieros u otros bienes o referencias financieras que puedan negociarse bajo aquel régimen, a los que son de aplicación, con las adaptaciones precisas, las reglas previstas en la ley para los valores negociables. No obstante, cabe advertir que, al objeto de someter a otros derivados financieros a los poderes de regulación y supervisión de la Comisión Nacional del Mercado de Valores (en adelante CNMV), la LMV incluye también dentro de esta categoría de los instrumentos financieros derivados a contratos de derivados financieros que no se negocian en mercados regulados por su contenido individualizado (*swaps, fraps*), y a contratos de derivados financieros sobre subyacentes no financieros (materias primas, estadísticas económicas, variables meteorológicas, etc.) que sean susceptibles de negociación bajo aquel régimen,

III. ESTRUCTURA INSTITUCIONAL DE LOS MERCADOS DE INSTRUMENTOS FINANCIEROS

1. FUENTES NORMATIVAS

Europea comunitaria. Como otros mercados sectoriales, el mercado español de servicios financieros está integrado en el «mercado único» europeo. En 1999 la Comisión Europea acordó un *Plan de Acción de los Servicios Financieros* (PASF) en el que se establecieron las acciones necesarias para alcanzar ese mercado único de servicios financieros. Conforme a dicho Plan se han aprobado un numeroso grupo de Directivas y Reglamentos relativos a diversas materias (abuso de mercado; folletos; transparencia; y mercados de instrumentos financieros; autoridad de supervisión, etc.), cuya obligada aplicación, en sus diferentes grados, ha tenido una incidencia capital en la fisonomía actual de nuestro mercado de valores. Entre otras cabe citar: Directiva 2010/78/UE del Parlamento Europeo y del Consejo, de 24 de noviembre de 2010, facultades de la Autoridad Europea de Supervisión; Reglamento (UE) núm. 1095/2010 del Parlamento Europeo y del Consejo de 24 de noviembre de 2010 por el que se crea una Autoridad Europea de Supervisión (Autoridad Europea de Valores y Mercados); Directiva 2006/73/CE de la Comisión, de 10 de agosto de 2006, por la que se aplica la Directiva 2004/39/CE del Parlamento Europeo y del Consejo en lo relativo a los requisitos organizativos y las condiciones de funcionamiento de las empresas de inversión, y términos definidos a efectos de dicha Directiva; la importantísima Directiva 2004/39/CE del Parlamento Europeo y del Consejo, de 21 de abril de 2004, relativa a los mercados de instrumentos financieros (conocida como MiFID, que constituye la regulación general para los mercados financieros de la Unión Europea), por la que se modifican las Directivas 85/611/CEE y 93/6/CEE del Consejo y la Directiva 2000/12/CE del Parlamento Europeo y del Consejo y se deroga la Directiva 93/22/CEE del Consejo; Directiva 2004/25/CE del Parlamento Europeo y del Consejo, de 21 de abril de 2004, relativa a las ofertas públicas de adquisición (Opas).

Constitución y mercados de valores. No hay en nuestra Constitución de 1978 (CE) ninguna mención expresa a los mercados de valores o, en general, a los mercados de instrumentos financieros. Sin embargo, contiene algunas disposiciones que proyectan su eficacia sobre los mismos. En primer lugar hay que mencionar el art. 38 CE que establece el derecho a la libertad de empresa dentro de un sistema de economía de mercado, en el que se inscribe la actividad económica consistente en producir, distribuir y adquirir instrumentos financieros. Los poderes públicos pueden ordenar el mercado de instrumentos financieros como *actividad regulada*, pero esa ordenación no puede eliminar el libre intercambio a través del mecanismo privado de precios, que constituye la entraña misma del sistema de mercado. Por otro lado, atendiendo a la organización territorial del Estado, conviene advertir que, en contraste con el silencio que guarda la Constitución, algunos Estatutos de Autonomía atribuyen a sus respectivas Comunidades Autónomas competencias en materia de establecimiento y regulación de bolsas de comercio o de valores y centros de contratación mercantil (entre otros, art. 145 EA Cataluña; art. 10.29 EA País Vasco; art. 44.28 LORAFNA Navarra; art. 26.1.13 EA Madrid), siendo la doctrina emanada del Tribunal Constitucional la que ha venido a precisar la distribución de títulos competenciales en relación con esta materia. En esta tarea destaca particularmente la STC 133/1997, de 16 de julio, que tras precisar que la noción de mercado de valores define una realidad más amplia que la de bolsa o centro de contratación, identifica como títulos competenciales del Estado sobre esta materia el relativo a la legislación mercantil (art. 149.1.6ª CE), que le autoriza a regular lo concerniente a la contratación en los mercados de valores, así como las referentes a las bases de la ordenación del crédito (art. 149.1.11ª CE) y de la ordenación general de la economía (art. 149.1.13ª CE).

Legislación. La ordenación legal básica de los mercados de valores e instrumentos financieros se contiene en la Ley del Mercado de Valores (Ley

24/1988, de 29 de julio). Esta ley ha sido reformada en numerosas ocasiones, destacando las modificaciones introducidas por la Ley 37/1998, y particularmente las producidas por exigencias de la armonización europea en la Ley 47/2007, ordenando esta última la elaboración de un Texto Refundido de la ley. Además existe una abundante regulación infralegal (reales decretos, órdenes ministeriales y circulares de la CNMV) que se ocupa de las más variadas materias relativas a la ordenación, funcionamiento y supervisión de estos mercados. A dicha *regulación heterónoma* hay que añadir además una abundante regulación emanada de los propios órganos rectores de los diferentes mercados (reglamentos de mercado, estatutos de las sociedades rectoras, normas de conducta, etc.), formando así un complejo y denso *corpus* normativo de estos mercados como «sector regulado» de la economía, es decir, un ámbito en el que convergen intereses privados con otros generales o públicos, consistente en la protección y potenciación de la inversión mediante el adecuado desenvolvimiento de los mercados financieros, para cuya tutela se establece un conjunto de normas imperativas, cuyo cumplimiento se somete a supervisión pública y, en su caso, al correspondiente régimen de infracciones y sanciones administrativas.

2. MERCADOS PRIMARIOS (DE EMISIÓN) Y SECUNDARIOS (DE NEGOCIACIÓN) DE VALORES

La emisión y puesta en circulación de nuevos valores puede realizarse por los emisores (demandantes de ahorro o recursos financieros) mediante esquemas ordinarios de contratación bilateral con los inversores, en cuyo caso la suscripción (adquisición) de los nuevos valores queda sometida al régimen común del derecho de obligaciones y contratos, o llevarse a cabo mediante su colocación en el mercado. En este segundo caso la suscripción de los nuevos valores se produce mediante ofertas de carácter impersonal, bien dirigidas a los inversores en general o bien a un grupo determinado de inversores, que quedan sometidas a la legislación del mercado de valores, en los que se suple la ausencia de negociación bilateral por mecanismos que garanticen la seguridad jurídica de las transacciones y faciliten la transparencia informativa sobre el contenido de los valores emitidos. A estos mercados, que unen directamente a los demandantes de capitales y ahorro con los oferentes de los mismos en calidad de inversores, se les denomina *mercados primarios* (de emisión), para distinguirlos de este modo de los mercados secundarios o de negociación de los valores suscritos por los inversores. En ocasiones, sin embargo, lo pretendido no es la suscripción (adquisición originaria) de nuevos valores emitidos, sino la colocación entre el público inversor de carteras de valores ya existentes pertenecientes a personas ajenas al mercado (salidas a bolsa, privatización de valores en manos de entidades públicas, etc.), mediante la formulación de una oferta pública de venta. La función análoga que en uno u otro caso cumplen ambas ofertas públicas de suscripción o de venta de valores, justifica que la LMV someta a ambas a una ordenación común, contenida en su Título III relativo al mercado primario de valores. Las mismas razones de índole funcional explican la coincidencia del régimen de la admisión a negociación de los valores en un mercado secundario oficial con aquel común de las ofertas, de las que suele ir de la mano. De hecho la ley establece el régimen del procedimiento de admisión de los valores a negociación como pauta para la formulación de las ofertas públicas de suscripción y venta de valores.

Los *mercados secundarios* –como se ha señalado anteriormente– tienen por objeto facilitar liquidez a la inversión realizada, mediante la trasmisión de los activos a terceros interesados en adquirirlos, sin descapitalización de las empresas, ya que lo que se transmite de unos a otros inversores son los valores ya creados, emitidos y suscritos en el mercado primario. En estos mercados se concentra la oferta y la demanda de valores u otros instrumentos financieros para simplificar su transmisión de forma segura, mediante la disposición de mecanismos de negociación y liquidación, y la asignación eficiente de los recursos financieros por medio de la correcta formación de los precios.

3. LOS SISTEMAS DE NEGOCIACIÓN DE INSTRUMENTOS FINANCIEROS

La LMV contempla tres sistemas de negociación de instrumentos financieros.

En primer lugar, los mercados regulados o *mercados secundarios oficiales*, entendiendo por tales los organizados conforme a lo dispuesto por la LMV sobre condiciones de acceso, admisión a negociación, procedimientos operativos, información y publicidad (art. 30).

En segundo lugar, los *sistema multilaterales de negociación* (SMN). Tendrá la consideración de sistema multilateral de negociación todo sistema operado por una empresa de servicios de inversión, por una sociedad rectora de un mercado secundario oficial, o por la entidad constituida al efecto por una o varias sociedades rectoras, para este único objeto de gestión del sistema, que permita reunir, dentro del sistema y según sus normas no discrecionales, los diversos intereses de compra y de venta sobre instrumentos financieros de múltiples terceros para dar lugar a contratos, de conformidad con lo dispuesto en la Ley (art. 118 LMV). No son mercados regulados oficiales, siendo libre su creación, con sujeción al régimen de verificación previa y supervisión por la CNMV. El sistema multilateral de negociación estará regido por una entidad rectora, que será responsable de su organización y funcionamiento internos. La entidad rectora habrá de elaborar un reglamento de funcionamiento específicamente referido a la gestión del sistema multilateral de negociación que deberá ser autorizado por la Comisión Nacional del Mercado de Valores. Dicho reglamento deberá contener, entre otras materias, la indicación de instrumentos financieros que podrán negociarse, los miembros del sistema, el régimen de garantías, negociación, compensación y liquidación de las transacciones, así como el registro y el régimen de supervisión y disciplina del mercado. En España están autorizados como SMN: el Sistema Electrónico de Negociación de Activos Financieros (SENAF), que es la plataforma electrónica de negociación mayorista de Bolsas y Mercados Españoles (BME) para deuda pública española, estando supervisado su funcionamiento por la sociedad rectora del Mercado AIAF de Renta Fija; El Mercado Alternativo Bursátil (MAB), cuyo objetivo básico es ofrecer un sistema organizado de contratación, liquidación, compensación y registro de operaciones que se efectúen sobre acciones y otros valores de Instituciones de Inversión Colectiva (IIC) y valores e instrumentos emitidos o referidos a entidades de reducida capitalización.

Y en tercer lugar, el sistema denominado de *internalización sistemática* por el que una empresa de servicios de inversión o una entidad de crédito ejecutan por cuenta propia, al margen de un mercado regulado o de un sistema multilateral de negociación, órdenes de clientes sobre acciones admitidas a negociación en mercados regulados siempre que esta actuación se desarrolle de forma organizada, frecuente y sistemática y que se refiera a órdenes cuyo importe sea igual o inferior al volumen estándar del mercado que corresponda al valor (art. 128 LMV).

4. LOS MERCADOS SECUNDARIOS OFICIALES: ORGANIZACIÓN Y CLASES

Los inversores no tienen acceso por sí mismos a los mercados secundarios oficiales. Éstos han de servirse de la prestación de servicios de entidades especializadas que tengan la condición de miembro del mercado de que se trate. La LMV reserva tal condición a las entidades que reúnan determinados requisitos. A este respecto el art. 37.2 de la LMV dispone que podrán ser miembros de los mercados secundarios oficiales, las siguientes entidades: a) Las empresas de servicios de inversión que estén autorizadas para ejecutar órdenes de clientes o para negociar por cuenta propia; b) Las entidades de crédito españolas; y c) Las empresas de servicios de inversión y las entidades de crédito autorizadas en otros Estados miembros de la Unión Europea que estén autorizadas para ejecutar órdenes de clientes o para negociar por cuenta propia.

Por otro lado, los mercados secundarios oficiales cuentan con un órgano rector (_la sociedad rectora_) constituido en forma de sociedad anónima especial, de la que no se requiere ser socio para ostentar la condición de miembro del mercado, que desempeña las funciones de organización, funcionamiento y supervisión internos de los mercados [art. 31 bis 2.a) LMV; Real Decreto 726/1989, de 23 de junio, sobre Sociedades Rectoras y miembros de las Bolsas de Valores, Sociedad de Bolsas y Fianza Colectiva, modificado por el RD 363/2007, de 16 de marzo]. En nuestro ordenamiento tienen la consideración de mercados secundarios oficiales las bolsas de valores, el mercado de deuda pública en anotaciones, los mercados de futuros y opciones MEFF y el mercado AIAF de renta fija, previendo la LMV que puedan constituirse otros con tal carácter.

4.1. Las bolsas de valores

Las bolsas son instituciones privadas, pero su creación está sometida a una autorización pública, bien de la Administración general del Estado o de las Comunidades Autónomas, en este último caso cuando se trate de bolsas de valores ubicadas en el territorio de Comunidades Autónomas cuyos Estatutos de Autonomía les reconozcan dicha competencia (art. 45 LMV). Son cuatro (Madrid, Barcelona, Bilbao y Valencia) las bolsas de valores que operan en nuestro país como mercados de valores oficiales, sometidas a la supervisión de la CNMV y administradas por una sociedad rectora responsable de su organización y funcionamiento internos, que no puede ser miembro del mercado y, por tanto, no puede realizar ninguna actividad de intermediación financiera. Las sociedades rectoras de las cuatro bolsas españolas son titulares de la _Sociedad de Bolsas SA_ encargada (órgano rector) de la gestión y funcionamiento del _Sistema de Interconexión Bursátil_ (SIBE). Estas sociedades junto a las que rigen los demás mercados secundarios oficiales y la que administra los _Sistemas de Registro, Compensación y Liquidación de Valores_ (Iberclear) están integradas en _Bolsas y Mercados Españoles, Sociedad Holding de Mercados y Sistemas Financieros SA_ (BME), que agrupa, bajo la misma unidad de acción, decisión y coordinación, los mercados de renta variable, renta fija, derivados y sistemas de compensación y liquidación españoles.

Las bolsas de valores tendrán por _objeto la negociación_ de aquellas categorías de valores negociables y otros instrumentos financieros relacionados en el art. 2 LMV, que por sus características sean aptos para ello. Tradicionalmente las bolsas se han ocupado singularmente de la negociación de las acciones de las compañías mercantiles admitidas a negociación y de valores convertibles o que otorguen derecho de adquisición o suscripción de acciones, pudiendo también utilizarse por los emisores de estos valores como mercado primario donde formalizar sus ofertas de venta de acciones o ampliaciones de capital. Asimismo, quizá por ser los mercados secundarios de mayor tradición histórica, herederos de las antiguas bolsas de comercio, el art. 46 LMV permite además la negociación de otros valores o instrumentos financieros en las bolsas de valores aun cuando los mismos sean objeto de negociación en otros mercados oficiales. Junto al más importante mercado de acciones, por volumen de operaciones, la práctica de las bolsas de valores también se extiende a la negociación de valores de deuda pública o privada (obligaciones, bonos, etc.), *warrants* (valores que dan derecho a comprar o vender un activo en unas condiciones preestablecidas), ETFs (participaciones de fondos de inversión que se negocian y liquidan exactamente igual que las acciones), *certificados* (valores emitidos por una entidad financiera que replican sistemáticamente un activo subyacente o de referencia y su evolución, que puede ser un índice bursátil, una cesta de acciones o un sector específico).

La contratación en las bolsas es pública, ya que resulta obligado difundir las operaciones realizadas y sus condiciones (precio y volumen) a fin de procurar la transparencia del mercado y la eficiencia en la formación de los precios (art. 43.1 LMV). Es consustancial a la ordenación del mercado el establecimiento de normas de contratación relativas a sesiones, horarios, conclusión de operaciones, precios oficiales, variaciones permitidas en cada sesión, operaciones especiales, etc. En relación con los *sistemas de contratación* el art 49 LMV prevé la existencia de un sistema de interconexión de ámbito nacional, el denominado *Sistema de Interconexión Bursátil* (SIBE), integrado a través de una red informática en el que se negociarán, por los miembros del mercado autorizados, aquellos valores que acuerde la CNMV, de entre los que estén previamente admitidos a negociación en, al menos, dos bolsas de valores, a solicitud de la entidad emisora y previo informe favorable de la Sociedad de Bolsas a la que compete la gestión de dicho sistema como órgano rector, que deberá comprobar que el valor es objeto de una contratación significativa en frecuencia y volumen. Del mismo modo que para las sociedades rectoras de los diferentes mercados (arts. 31 bis 3 y 31 quáter LMV), los estatutos de la Sociedad de Bolsas y la designación de los miembros de su consejo de administración están sometidos a la aprobación de la CNMV.

La negociación de instrumentos financieros en un mercado oficial puede ser suspendida por decisión de la CNMV o de la sociedad rectora del propio mercado cuando concurran circunstancias especiales que puedan perturbar el normal desarrollo de la negociación, poniendo en riesgo el interés de los inversores (art. 33.1 LMV). Si la decisión de _suspensión de la negociación_ es adoptada por la sociedad rectora, ésta deberá comunicar inmediatamente tal circunstancia a la CNMV. De otro lado, la admisión a negociación en un mercado secundario no es irreversible. Tanto la CNMV como la sociedad rectora del mercado (en los mismos términos que para la suspensión) pueden acordar la _exclusión de negociación_ de aquellos instrumentos financieros que no alcancen los parámetros de negociación previstos por el reglamento del mercado o porque el emisor no cumpla con las obligaciones de información que le incumben. Pero la exclusión de negociación puede producirse también por decisión voluntaria del emisor que, por diversas razones, estime conveniente retirar del mercado los instrumentos financieros emitidos y negociados en el mismo. En este caso la LMV (art. 34.5) obliga al emisor a formular una oferta pública de adquisición de todos los valores afectados por la exclusión (oferta de exclusión), pudiendo la CNMV, no obstante, dispensar de dicha obligación al emisor siempre que por otro procedimiento equivalente se asegure la protección de los legítimos intereses de los titulares de las acciones afectadas por la exclusión o de valores que den derecho a su suscripción.

Finalmente, la ordenación y el aseguramiento de _la liquidación de las operaciones_ concluidas constituyen una materia de particular relevancia en estos mercados organizados. Esta función se realiza en la actualidad a través de mecanismos multilaterales que, en el caso de los mercados bursátiles, se asigna a una entidad independiente y especializada llamada _Sociedad de Gestión de los Sistemas de Registro, Compensación y Liquidación de Valores_ (Sociedad de Sistemas o _Iberclear_), sociedad anónima de carácter especial encargada, entre otras funciones, de: a) llevar el registro contable correspondiente a valores representados por medio de anotaciones en cuenta, admitidos a negociación en las bolsas de valores o en el mercado de deuda pública en anotaciones, así como a los valores admitidos a negociación en otros mercados secundarios oficiales u otros mercados regulados y en sistemas multilaterales de negociación, cuando sus órganos rectores así lo soliciten, b) gestionar la liquidación y, en su caso, la compensación de valores y efectivo derivada de las operaciones realizadas sobre valores. Debido a la delicada función que desempeña esta entidad para el correcto desenvolvimiento de los mercados, la LMV somete a esta sociedad a un riguroso y minucioso régimen de organización y funcionamiento (art. 44 bis).

Ahora bien, no obstante lo señalado anteriormente, conviene advertir que la muy reciente Ley 32/2011, de 4 de octubre (BOE núm. 240, de 5 de octubre), por la que se modifica la LMV, introduce una profunda reforma del régimen de compensación y liquidación (cumplimiento y ejecución) de las operaciones sobre valores (nuevo art. 31 bis 7 y modificación del art. 44 *ter*, ambos de la LMV), cuya aplicación práctica queda diferida al ulterior desarrollo reglamentario (disposición final primera). El principal objetivo de la reforma es la sustitución del vigente sistema de liquidación multilateral de las operaciones por otro de carácter bilateral mediante la interposición de una *Entidad de Contrapartida Central* (ECC) que intermedia en las operaciones de entrega y pago entre todos los operadores, asumiendo el riesgo de contrapartida del mismo modo que sucede en la actualidad en los mercados de futuros en el MEFF (*vid. infra*). Ello supone una simplificación y reforzamiento de la garantía de los inversores, dado que son las ECC quienes asumen en nombre propio las obligaciones de entrega de los valores y de pago. Las ECC deberán adoptar la forma de sociedad anónima independientes de la Sociedad de Sistemas.

4.2. El mercado de deuda pública en anotaciones

El mercado de deuda pública en anotaciones tiene por objeto atender a las necesidades de financiación de las Administraciones públicas. Las limitaciones que presenta la política fiscal para financiar de manera eficiente el gasto público y atender las necesidades coyunturales de financiación del déficit público, generado por la actividad de la Administración, han impulsado la organización de mercados especializados que faciliten la financiación de las Administraciones públicas mediante la emisión y ulterior negociación de instrumentos financieros que reconocen compromisos de deuda, principalmente del Estado. Si bien el mercado de deuda pública es un mercado especializado que tiene por objeto la suscripción y negociación de los valores de deuda del Estado emitidos por el Tesoro Público (letras del tesoro, bonos y obligaciones del Estado, etc.), también puede acoger la emisión y negociación de valores emitidos por otras administraciones públicas territoriales o institucionales. Sin embargo –como se ha indicado más arriba– no es el único mercado secundario oficial en el que pueden negociarse dichos valores, previendo la LMV la posibilidad de que las Comunidades Autónomas, con competencia en la materia, puedan crear mercados de deuda pública que tengan por objeto exclusivo la negociación de valores de deuda autonómica (art. 55.5). El mercado oficial de deuda pública comprende tanto el mercado primario de emisión como el mercado secundario de negociación de los valores de deuda (renta fija) representado mediante anotaciones en cuenta, actuando como órgano rector del mismo el Banco de España (art. 55.2 LMV).

4.3. El mercado AIAF de renta fija

El mercado AIAF (Asociación de Intermediarios de Activos Financieros) es un mercado secundario organizado oficial, especializado en la negociación de valores de renta fija privada o corporativa. Aunque reconocido como tal mercado oficial por la LMV, ésta no contiene una regulación específica del mismo, quedando sometido a las disposiciones generales de la ley sobre mercados oficiales y al régimen de supervisión de la CNMV, así como a su reglamento de mercado y normas de organización. AIAF Mercado de Renta Fija, SA desempeña las funciones de sociedad rectora de este mercado. Son miembros del mercado los miembros de la Asociación y aquellos contemplados en el art. 37 LMV (empresas de servicios de inversión y entidades de crédito) que reúnan los requisitos exigidos por el órgano rector. En AIAF se negocian valores de renta fija emitidos por entidades privadas, como bonos y obligaciones, pagarés de empresa, cédulas hipotecarias, participaciones preferentes y bonos de titulización. La liquidación de las operaciones está encomendada en la actualidad a la Sociedad de Sistemas (*Iberclear*). No obstante, esta función pasará a desempeñarse por la correspondiente Entidad de Contrapartida Central (Ley 32/2011).

4.4. Los mercados de futuros y opciones

Fruto de la moderna evolución de la economía financiera es la aparición en el mercado de nuevos instrumentos de financiación de compleja composición, que en numerosas ocasiones tienen por objeto la cobertura de determinados riesgos financiaros. Éste es el caso de los denominados productos derivados, entre los que se cuentan los contratos de futuros y de opciones. Estos contratos se caracterizan (*vid. infra*) por erigirse sobre «subyacentes» homogéneos, sean o no financieros, lo que permite que sus «derivados» puedan ser objeto de normalización y negociación en mercados organizados. Además de lo previsto en el art. 59 LMV, y de las normas generales de la ley que le sean aplicables, estos mercados secundarios se rigen por lo dispuesto en el RD 1282/2010, de 15 de octubre.

En términos generales, en el contrato de *futuro* el comprador se obliga a comprar un activo (subyacente) y el vendedor a venderlo a un precio pactado (precio de futuro), en una fecha futura (fecha de liquidación). En un contrato de *opción* –también en términos generales– el comprador adquiere el derecho, pero no la obligación, de comprar o vender un activo (subyacente) a un precio pactado (precio de la opción) en una fecha futura (fecha de liquidación). En ambos casos las partes pueden pactar que no sea necesario el intercambio de cosa por precio, sino que se sustituyan las obligaciones de comprar y vender por la llamada «liquidación por diferencias», que consiste en que una parte abone a la otra la diferencia a su favor que resulte de comparar el precio pactado con el precio de mercado en el momento en el que se debe liquidar el contrato. Como se ha apuntado anteriormente la función de estos productos derivados no es la de adquisición futura de un activo, sino protegerse de las oscilaciones que pueda sufrir su precio en el futuro, es decir, la cobertura de dicho riesgo por parte de un tercero dispuesto a asumirlo porque prevé que los precios oscilaran en sentido inverso al previsto por la contraparte, de ahí que la liquidación por diferencias sea la consecuencia natural en este tipo de productos derivados.

La singularidad de estos instrumentos derivados implica que los mecanismos de contratación en el mercado difieran de los habituales de los valores negociables. Su contratación se realiza mediante condiciones predispuestas por el órgano rector del mercado, que además actúa como contrapartida de todos los contratos que se celebren, de manera que se interpone entre comprador y vendedor, colocándose en el lugar de la contrapartida encontrada en el mercado, dotando de este modo de mayor seguridad y menor riesgo a las operaciones efectuadas (art. 10 RD 1282/2010). Por otra parte, la LMV confiere también a la sociedad rectora del mercado las funciones de compensación y liquidación de los contratos y de llevanza del registro contable de los instrumentos negociados (art. 59.2) atribuidas por el momento en otros mercados secundarios oficiales a la Sociedad de Sistemas (recuérdese, no obstante, la transformación del sistema de compensación y liquidación introducida por la Ley 32/2011). En nuestro país el mercado organizado de derivados sobre activos e índices financieros reconocido por la ley con carácter oficial es el MEFF, integrado en el *holding* BME, si bien la LMV admite la posibilidad de creación y autorización de nuevos mercados sobre estos instrumentos financieros.

5. LAS EMPRESAS DE SERVICIOS DE INVERSIÓN

La LMV, siguiendo la práctica de los mercados de valores extranjeros más avanzados, prescinde de la figura del agente mediador individual, sustituyéndolo por unas entidades financieras especializadas, denominadas empresas de servicios de inversión, a fin de asegurar la solvencia financiera de quienes desarrollan actividades que encierran importantes riesgos económicos. En palabras del art. 62.1 LMV, «[L]as empresas de servicios de inversión son aquellas empresas cuya actividad principal consiste en prestar servicios de inversión, con carácter profesional, a terceros sobre los instrumentos financieros señalados en el artículo 2 de la presente Ley». La ley recoge una extensa relación de actividades consideradas servicios de inversión que pueden prestar estas entidades, que van desde las operaciones de transmisión y ejecución en el mercado de las órdenes recibidas de los inversores, la colocación y aseguramiento de las emisiones y ofertas públicas de valores, la gestión de carteras de inversión y de sistemas multilaterales de negociación, hasta servicios que la ley califica de auxiliares, como la custodia y administración de instrumentos financieros y monetarios, asesoramientos y análisis financieros, etc.

La LMV distingue entre cuatro tipos diferentes de empresas de servicios de inversión en consideración a su diferente campo de actuación (art. 64). De un lado, contempla las sociedades y las agencias de valores, que se conciben como sociedades anónimas cuyo objeto social queda limitado a las actividades que les atribuye la ley. A las *sociedades de valores* (SV) se las faculta para operar por cuenta propia y de terceros, estando autorizadas para realizar todos los servicios de inversión (principales y auxiliares) previstos en la ley. Por su parte las *agencias de valores* (AV) únicamente podrán operar por cuenta ajena, con representación o sin ella, no pudiendo asegurar la suscripción de emisiones y ofertas públicas, ni conceder créditos o préstamos para su inversión en valores. De otro lado, se sitúan las *sociedades gestoras de carteras* (SGC), que son aquellas empresas de servicios de inversión que únicamente pueden prestar los servicios de gestión de carteras de inversión y la prestación de servicios auxiliares de asesoramiento, y finalmente las *empresas de asesoramiento financiero* (EAFI), personas físicas o jurídicas que exclusivamente pueden prestar los servicios de asesoramiento en materias de inversión en instrumentos financieros y sobre estructura de capital, estrategia industrial y materias afines.

La ley contempla los requisitos que deberán reunir estas entidades y el procedimiento para obtener la autorización para operar como tales, que se configura como reglada, dado que la autorización únicamente puede ser denegada por incumplimiento de los requisitos previstos en la ley y en las disposiciones que la desarrollan. Todas las sociedades y agencias de valores son miembros potenciales de los mercados secundarios oficiales (art. 37.2 LMV). La ley atribuye al Gobierno la regulación de los aspectos financieros de la actividad de sociedades y agencias, así como el régimen de organización y funcionamiento del conjunto de las empresas de servicios de inversión (RD 217/2008, de 15 de febrero, sobre régimen jurídico de las empresas de servicios de inversión y de las demás entidades que presten servicios de inversión, que desarrolla la regulación contenida en la LMV).

Ahora bien, el principio general de reserva de la actividad de servicios de inversión en favor de las empresas mencionadas tiene, sin embargo, algunas excepciones en la ley. Así sucede con la autorización a las entidades de crédito para la prestación de servicios de inversión (art. 65 LMV), y con las empresas de servicios de inversión autorizadas en otro Estado miembro de la Unión Europea que, por virtud del denominado «pasaporte comunitario», pueden desempeñar su actividad en el mercado español. La violación de la reserva de actividad constituye una infracción administrativa sancionable, estando facultada la CNMV para requerir el cese inmediato de la misma con imposición de multas coercitivas (art. 68.8 LMV), así como para realizar advertencias públicas sobre la conducta prohibida.

6. LA COMISIÓN NACIONAL DEL MERCADO DE VALORES (CNMV). ORGANI-ZACIÓN Y FUNCIONES

La Comisión Nacional del Mercado de Valores (CNMV) es un ente de naturaleza pública con personalidad jurídica propia y plena capacidad jurídica (art. 14.1 LMV), que actúa con plena independencia en el ejercicio de sus funciones, y estar dirigido por un Consejo y un Comité ejecutivo. Cuenta con un Comité consultivo integrado por representantes de los diferentes sectores y segmentos de la industria, que deberá emitir informe sobre aquellas decisiones de especial relieve que corresponda adoptar a la Comisión o sobre las que su Consejo requiera su parecer. Sin perjuicio de su condición de órgano consultivo del Consejo de la CNMV, dicho Comité informará los proyectos de disposiciones de carácter general sobre materias directamente relacionadas con el mercado de valores que le sean remitidos por el Gobierno o por el Ministerio de Economía y Hacienda al objeto de hacer efectivo el principio de audiencia de los sectores afectados en el procedimiento de elaboración de disposiciones administrativas (arts. 22 y 23 LMV).

La CNMV tiene atribuidas en la LMV las funciones de regulación y supervisión, inspección y sanción de los mercados de instrumentos financieros, debiendo velar por su trasparencia, la correcta formación de precios y la protección de los inversores, promoviendo las informaciones que sean de interés para éstos. Cuida el correcto desarrollo de los mercados primarios, la admisión a negociación de valores en los mercados secundarios oficiales, así como su suspensión y exclusión. Vela por el cumplimiento de las normas de conducta por cuantos intervienen en el mercado de valores. Asesora al Gobierno y al Ministerio de Economía y Hacienda en las materias relacionadas con los mercados de valores. Y cuida del cumplimiento de cuantas obligaciones y requisitos se exigen en la ley, ejerciendo a tal efecto la potestad sancionadora. Siempre que disponga de habilitación expresa para ello, la CNMV puede dictar disposiciones de naturaleza reglamentaria, denominadas *circulares*, para el desarrollo y ejecución de normas generales (art. 15 LMV). Dichas circulares han de publicarse en el BOE para su difusión general.

IV. PROTECCIÓN DEL INVERSOR

1. LA TRASPARENCIA INFORMATIVA

La protección del inversor es uno de los principios que informa el régimen institucional de los mercados de instrumentos financieros (art. 13 LMV). Con esa finalidad nuestra ley ha optado, en contraste con los tradicionales mecanismos de reparación *ex post*, por un régimen de protección de carácter institucional en el que la tutela del inversor se sustenta en un sistema de garantías informativas que hacen posible la eficiencia y el buen funcionamiento del mercado. Mediante una técnica de *protección preventiva*, consistente en la imposición a los emisores de activos financieros de la obligación de presentación de un *folleto*, en el que se define el objeto y contenido del contrato, acompañado de la correspondiente documentación justificativa, así como de obligaciones de suministro periódico de información económica y contable y de *hechos relevantes* que les afecten, no sólo se persigue poner a disposición del inversor la información necesaria para la valoración del contenido y riesgo de su inversión, sino también alcanzar una normalización de la información financiera relevante para el mercado, que contribuya a facilitar la comparación entre los activos de los diferentes emisores y con ello dirigir la decisión del inversor final hacia aquellos en los que la colocación de sus ahorros resulte económicamente más rentable.

Por otra parte, el sistema legal de información imperativa reduce los costes de captura y procesamiento de la información por los intermediarios del mercado, abaratando la prestación de sus servicios, favoreciendo de este modo la eficiencia del mercado allí donde faltan incentivos para afrontar el esfuerzo privado en favor de la trasparencia informativa (*disclosure*).

2. NORMAS DE CONDUCTA Y ABUSO DE MERCADO

Con la finalidad de contribuir a la transparencia de los mercados y a la protección de los inversores, la LMV dispone un conjunto de normas dirigidas a disciplinar la actuación de los operadores en los mercados para evitar conductas anómalas o irregulares que puedan obstaculizar o entorpecer el correcto funcionamiento del mercado asentado sobre las «buenas prácticas financieras». Son normas imperativas y de naturaleza pública, cuyo incumplimiento lleva aparejada la correspondiente sanción administrativa, sin perjuicio de la responsabilidad en la que pueda incurrir el infractor. La ley (Título VII) formula una serie de normas de conducta de contenido genérico destinadas principalmente a los intermediarios profesionales que operan en los mercados, y que son expresión particular del principio general de la buena fe. Esas normas encuentran ulterior desarrollo (art. 78 LMV) en los llamados *códigos de conducta* y en los *reglamentos internos de conducta* aprobados por los distintos operadores, bien voluntariamente o por prescripción legal, que establecen las pautas de comportamiento y actuación relativas a la organización y funcionamiento interno de la entidad y aquellas otras destinadas a ordenar su actuación frente a clientes y terceros.

Del examen de la prolija regulación que contiene la LMV en relación con las normas de conducta, se desprende la existencia de un conjunto de principios generales a los que ha ajustarse la actuación de los *prestadores de servicios de inversión*, ya reciban y ejecuten órdenes en el mercado o presten mero asesoramiento sobre el mismo. Sobre éstos pesa la satisfacción de especiales deberes de comportamiento diligente, transparente y leal, que se traducen, entre otros, en el deber de prevención de conflictos de intereses (tanto en la toma de posiciones en el mercado como en la prestación de asesoramiento); en el deber de gestión ordenada y prudente de los intereses de los clientes; en el deber de disponer de los medios adecuados para el cumplimiento de los servicios ofertados y de los controles internos oportunos para garantizar la correcta gestión de los mismos; en el deber de conocimiento de la información necesaria sobre sus clientes y en el suministro de toda la información disponible para que los clientes puedan tomar de manera fundada sus decisiones de inversión; en el deber de igualdad de trato de los clientes en la gestión de sus intereses, evitando privilegiar a unos frente a otros; o, en fin, el deber de cuidar de los intereses de sus clientes como si fueran propios.

Por otra parte, la LMV dispone normas de conducta aplicables a los *emisores de valores negociables* a los que impone una obligación permanente de suministrar al mercado información constantemente actualizada para contribuir a la correcta fijación de los precios de los valores emitidos. De este modo obligados a difundir de inmediato al mercado, mediante su comunicación a la CNMV, toda *información relevante* que pueda influir en las decisiones de los inversores y, en consecuencia, afectar a la cotización de los valores en un mercado secundario (art. 82 LMV). Cuando el emisor considere que la información no debe hacerse pública por perjudicar a sus legítimos intereses, informará de ello a la CNMV, que podrá dispensarle, si lo estima justificado, de dicha obligación.

Abuso de mercado. Finalmente, la ley dispone normas de conducta exigibles a *cualquier persona que actúe en los mercados secundarios oficiales* o que ejerza actividad relacionada con ellos. Para preservar la trasparencia del mercado y la protección del inversor, la ley prohíbe el uso de información privilegiada (*insider trading*) y la manipulación de las cotizaciones como dos manifestaciones de una misma realidad que convergen en un concepto omnicomprensivo el de *abuso de mercado*. De ello se ocupan los arts. 80 a 83 quáter LMV y el RD 1333/2005, de 11 de noviembre, que desarrolla las mencionadas disposiciones legales. Se considerará *información privilegiada* toda información de carácter concreto que se refiera directa o indirectamente a uno o varios valores negociables o instrumentos financieros de los comprendidos dentro del ámbito de aplicación de la Ley, o a uno o varios emisores de los citados valores negociables o instrumentos financieros, que no se haya hecho pública y que, de hacerse o haberse hecho pública, podría influir o hubiera influido de manera apreciable sobre su cotización en un mercado o sistema organizado de contratación. Tal noción se aplica igualmente a los valores negociables o instrumentos financieros respecto de los cuales se haya cursado una solicitud de admisión a negociación en un mercado o sistema organizado de contratación (art. 81.1). Toda persona que disponga de información privilegiada deberá abstenerse de ejecutar por cuenta propia o ajena, directa o indirectamente, cualquiera las conductas siguientes: a) preparar o realizar cualquier tipo de operación sobre los valores negociables o sobre instrumentos financieros a los que la información se refiera, o sobre cualquier otro valor, instrumento financiero o contrato de cualquier tipo, negociado o no en un mercado secundario, que tenga como subyacente a los valores negociables o instrumentos financieros a los que la información se refiera; b) comunicar dicha información a terceros, salvo en el ejercicio normal de su trabajo, profesión o cargo; c) recomendar a un tercero que adquiera o ceda valores negociables o instrumentos financieros o que haga que otro los adquiera o ceda basándose en dicha información. Las prohibiciones reseñadas se aplican a cualquier persona que posea información privilegiada cuando dicha persona sepa, o hubiere debido saber, que se trata de esta clase de información, pudiendo incurrir, en su caso, en un ilícito penal (art. 285 CP).

Los deberes de reserva y no utilización de la información privilegiada pesan de modo especial sobre las empresas que actúan profesionalmente en el mercado, por lo que éstas deberán establecer medidas y mecanismos para evitar que la información privilegiada que manejan, incluso dentro de cada departamento o secciones, pueda filtrarse (murallas chinas) *ad extra*, de forma que se garantice que aquéllos toman sus decisiones referentes al mercado de forma autónoma con la información disponible. Por su parte, el art. 83 ter LMV prohíbe la *manipulación del mercado*, es decir, toda actuación que falsee la libre formación de los precios en el mercado a través del libre juego de la oferta y la demanda. Se entienden por tales: a) las operaciones u órdenes que proporcionen o puedan proporcionar indicios falsos o engañosos en cuanto a la oferta, la demanda o el precio de los valores negociables o instrumentos financieros; b) las que aseguren, por medio de una persona o de varias personas que actúen de manera concertada, el precio de uno o varios instrumentos financieros en un nivel anormal o artificial; c) las operaciones u órdenes que empleen dispositivos ficticios o cualquier otra forma de engaño o maquinación; y d) la difusión de información a través de los medios de comunicación, incluido internet, o a través de cualquier otro medio, que proporcione o pueda proporcionar culposa o negligentemente indicios falsos o engañosos en cuanto a los instrumentos financieros, incluida la propagación de rumores y noticias falsas o engañosas (*vid.* art. 284 CP). Finalmente la ley impone a las entidades que operan con valores e instrumentos financieros una obligación de comunicación a la CNMV de todas aquellas operaciones que puedan ser sospechosas de uso de información privilegiada o de falseamiento de la libre formación de precios en el mercado.

3. SISTEMAS DE INDEMNIZACIÓN DE LOS INVERSORES. EL FONDO DE GARANTÍA DE INVERSIONES

Los *sistemas de indemnización de los inversores* tienen por objeto ofrecer a los inversores una cobertura en determinadas situaciones de crisis (concurso) de las entidades intermediarias, cuando no puedan obtener de una empresa de inversión o de una entidad de crédito el reembolso de las cantidades de dinero o la restitución de los valores o instrumentos financieros que les pertenezcan y que aquéllas tuvieran en depósito con ocasión de la realización de servicios de inversión. Para prestar aquélla cobertura y contribuir a la generación de confianza y buen funcionamiento general de los mercados, además de la cobertura que el Fondo de Garantía de Depósitos en Entidades de Crédito (Real Decreto-ley 16/2011, de 14 de octubre) prestan a los inversores en relación con los servicios de inversión que reciban de las entidades de crédito, la LMV prevé la constitución de un *Fondo de Garantía de Inversiones* obligatorio, constituido como patrimonio separado, sin personalidad jurídica, cuya representación y gestión se encomienda a una sociedad gestora sujeta al control y supervisión de la CNMV, al que han de adherirse todas las sociedades y agencias de valores y las sociedades gestoras de carteras. Este Fondo se nutre de las aportaciones realizadas por las empresas de servicios de inversión adheridas al mismo. La cobertura del Fondo se extiende al dinero y a los valores que los clientes hubieran confiado a las empresas para realizar servicios de inversión, pero no alcanzará a cubrir el riesgo implícito de toda inversión, es decir, las pérdidas de valor de la inversión o cualquier riesgo de crédito. En este sentido debe destacarse que en ningún caso están cubiertas por este Fondo las empresas de asesoramiento financiero.

La garantía que representa el Fondo se encuentra, sin embargo, limitada tanto respecto de los inversores favorecidos como en relación a la cuantía garantizada. De un lado, la ley excluye de la cobertura a los inversores de carácter profesional, institucional y a los especialmente vinculados a la empresa incumplidora. De otro lado, el importe máximo de la garantía ofrecida ha quedado establecido en 100.000 euros. La ejecución de la garantía implica la subrogación del Fondo en los derechos de los inversores frente a las empresas de servicios por el importe que se les hubiese abonado.

V. LA INVERSIÓN COLECTIVA

Junto al modelo de inversión individual directa, en los mercados de valores confluyen otros esquemas de inversión. Destaca entre ellos la llamada _inversión colectiva_, caracterizada por la agrupación de capitales de diferentes sujetos para invertirlos total o parcialmente en los mercados de valores. Esta actividad inversora está reservada por la ley (art. 14.1 LIIC) a entidades (inversores institucionales) cuya única actividad es la gestión conjunta y profesional de los capitales invertidos, sin ánimo de control empresarial, buscando disminuir los riesgos de la inversión mediante la diversificación de la cartera y estableciendo el rendimiento de cada inversor en función de los resultados globales obtenidos. Las _instituciones de inversión colectiva_ (en adelante IIC) son pues entidades que captan fondos del público para reinvertirlos colectivamente, obteniendo de este modo una disminución de los costes y de los riesgos de la inversión, mediante una gestión profesional. Su régimen legal se contiene en la Ley 35/2003, de 4 de noviembre, de Instituciones de Inversión Colectiva, desarrollada por el Reglamento aprobado por RD 1309/2005, de 4 de noviembre, modificado parcialmente por los RD 362/2007, RD 1818/2009 y RD 749/2010.

Las IIC revestirán la forma de sociedad de inversión o fondo de inversión, pudiendo ser de carácter financiero o no financiero dependiendo del tipo de activos a los que se dirige la inversión. Las _sociedades de inversión_ son IIC que adoptan la forma de sociedad anónima con capital variable, cuyo régimen jurídico especial se halla recogido en la propia Ley de IIC. Por su parte, los _fondos de inversión_ se configuran como patrimonios separados sin personalidad jurídica pertenecientes a una pluralidad de inversores, incluidos entre ellos otras IIC, cuya gestión y representación corresponde a una _sociedad gestora_ que ejerce las facultades de dominio, sin ser propietaria del fondo, con el concurso de un _depositario_ de los valores en que se haya invertido el patrimonio del fondo, que puede ser una entidad de crédito o una empresa de servicios de inversión.

La constitución de las sociedades y fondos de inversión colectiva está sometida a autorización de la CNMV, que sólo podrá denegar la misma por incumplimiento de los requisitos legal o reglamentariamente exigidos. La singularidad económica de la actividad de inversión colectiva y de la necesaria tutela de los intereses particulares e institucionales implicados en su desarrollo, justifican la imposición por el legislador a las IIC de unos principios de la política de inversión, que aseguren el correcto desenvolvimiento de su actividad. Así el art. 23 LIIC dispone que las IIC inviertan su activo atendiendo a los principios de liquidez, diversificación del riesgo y de transparencia. En relación con este último principio la ley señala que las IIC deberán definir claramente su perfil de inversión, que deberá quedar reflejado en los instrumentos informativos que dispone la ley para el cumplimiento de las obligaciones de transparencia de estas entidades. Expresión peculiar de esta política legislativa es el reconocimiento y regulación de los denominados «fondos de gestión alternativa» (*hedge funds*) que gozan de gran libertad y flexibilidad inversora, destinados a inversores cualificados que precisan, por ello, de menor protección. Finalmente, cabe señalar que la ley otorga al inversor un «derecho a trasferir» su inversión (participación en el fondo o acciones de la sociedad de inversión) a otras IIC (art. 28 LIIC).

VI. LAS OFERTAS PÚBLICAS SOBRE VALORES NEGOCIABLES

1. OFERTAS PÚBLICAS DE SUSCRIPCIÓN (OPS) Y OFERTAS PÚBLICAS DE VENTA (OPV)

Las *ofertas públicas de suscripción* de valores negociables (OPS) son las operaciones que constituyen el mercado primario (*vid. supra*). La suscripción de los nuevos valores se produce mediante ofertas de carácter impersonal (*ad incertam personam*), bien dirigidas a los inversores en general o bien a un grupo determinado de inversores. Tales ofertas quedan sometidas a la legislación del mercado de valores, que suple la ausencia de negociación bilateral con los mecanismos de regulación propios de estos mercados, orientados a dotar de seguridad jurídica y transparencia a las transacciones realizadas. En ocasiones, sin embargo, no se trata de la emisión y suscripción (adquisición originaria) de nuevos valores, sino de la colocación entre el público inversor de carteras de valores ya existentes pertenecientes a personas ajenas al mercado (salidas a bolsa, privatización de valores en manos de entidades públicas, etc.), mediante la formulación de una *oferta pública de venta* (OPV). La función análoga que en uno u otro caso cumplen ambas ofertas públicas de suscripción y de venta de valores, justifica que la LMV dispense a aquéllas una ordenación común (art. 30 bis) contenida en su Título III relativo al mercado primario de valores. Las mismas razones funcionales justifican la extensión de aquel régimen común de las ofertas, la admisión a negociación de los valores en un mercado secundario oficial de las que suele ir de la mano. No es de extrañar, por tanto, que sean los requisitos del procedimiento de admisión de los valores a negociación los que marcan la pauta del régimen legal para la formulación de las ofertas públicas tanto de suscripción como de venta de valores.

De conformidad con lo dispuesto en el art. 30 bis LMV una oferta pública de venta (OPV) o de suscripción (OPS) de valores es toda comunicación a personas, en cualquier forma o por cualquier medio, que preste información suficiente sobre los términos de la oferta y de los valores que se ofrecen de modo que permita a un inversor decidir la adquisición o suscripción de estos valores. Si bien la emisión y la admisión a negociación de los valores en un mercado secundario no requieren autorización administrativa previa, la ley exige el cumplimiento de unos requisitos, especialmente de información, a las ofertas públicas de suscripción y de venta de valores. En primer lugar la ley (art. 25.3 y 4 LMV) exige, como es natural, que el emisor (oferta de suscripción) esté válidamente constituido de acuerdo con la legislación del país de su domicilio, así como que los valores cumplan con el régimen jurídico al que estén sometidos. A este respecto el oferente deberá aportar y registrar en la CNMV los documentos que acrediten la sujeción del emisor y de los valores al régimen jurídico que les sea aplicable. En segundo lugar se exige al oferente la aportación y registro en la CNMV de sus estados financieros formulados y auditados de acuerdo con la legislación aplicable. Y finalmente se requiere la aportación, aprobación y registro en la CNMV de un folleto informativo y su publicación.

Este último requisito relativo a la elaboración, registro, aprobación y publicación por el oferente de un *folleto* informativo que contenga de forma clara y precisa la información económico-empresarial del oferente así como las características económico-jurídicas de los valores ofertados, a fin de que los inversores puedan formarse un juicio fundado sobre la inversión que se les ofrece, cobra especial relieve en el régimen de las ofertas públicas por la responsabilidad en la que pueden incurrir los oferentes por la veracidad y exactitud de la información suministrada. Si en la oferta interviniera, como suele ser habitual, una entidad «directora» (empresa de servicios de inversión o entidad de crédito) con mandato para preparar y organizar la operación, o una entidad «coordinadora» encargada de controlar el estado y evolución de la demanda y de coordinar a las distintas entidades que, en su caso, aseguren o coadyuven a la colocación de la emisión, el folleto deberá indicar que dichas entidades se han cerciorado a cerca de la veracidad e integridad de las informaciones contenidas en el mismo.

Como se ha señalado, cuestión de especial relieve en este tipo de ofertas es la de la responsabilidad en que puede incurrirse por la veracidad y exactitud de la información suministrada por el folleto (*responsabilidad por folleto*). Su regulación se contiene en el art. 28 LMV, y es independiente de las responsabilidades de orden administrativo (art. 99 LMV) o, incluso, penales (falsedades, maquinaciones, estafas, fraudes) en que pudiere incurrirse por tal motivo. En cuanto a los sujetos responsables, la responsabilidad por la información que figura en el folleto recae, al menos, sobre el emisor, el oferente o la persona que solicita la admisión a negociación en un mercado secundario oficial y los administradores de los anteriores, de acuerdo con las condiciones que se establezcan reglamentariamente. Asimismo, dicha responsabilidad recaerá sobre el garante de los valores en relación con la información que ha de elaborar. También serán responsables, en su caso, la entidad directora respecto de las labores de comprobación que realice y aquellas otras personas que acepten asumir responsabilidad por el folleto, siempre que así conste en dicho documento, y todas aquellas que hayan autorizado su contenido. Las personas indicadas serán responsables de los daños y perjuicios que hubiesen ocasionado a los titulares de los valores adquiridos como consecuencia de las informaciones falsas o las omisiones de datos relevantes del folleto o del documento que en su caso deba elaborar el garante. Dicha responsabilidad puede ser tanto de naturaleza contractual, si se atiende a la relación que media entre los suscriptores y adquirentes de los valores con el oferente, o de naturaleza extracontractual en relación con los demás operadores que intervienen en verificación del folleto (entidad directora, coordinadora o garante).

Las ofertas que venimos examinando encarnan una *oferta contractual* que expresa una declaración de voluntad contractual destinada a consumarse mediante la concurrencia de la aceptación de sus destinatarios. La aceptación de la oferta debe ser puramente adhesiva, además de formularse en tiempo y forma (RD 291/1992, de 27 de marzo). Es frecuente en la práctica que con anterioridad al período de la aceptación propiamente dicha se abra un período denominado de «prospección de la demanda», durante el cual los inversores expresan sus intenciones no vinculantes de suscripción o compra, que permiten al oferente precisar las condiciones definitivas de la oferta. Es también habitual en la práctica que las aceptaciones superen la oferta. Para estos casos la oferta ha de precisar necesariamente el sistema de adjudicación de los valores entre los inversores. Los más utilizados son los de prorrateo, cronológico y el de subasta. El primero consiste en la distribución de los valores entre todas las aceptaciones, bien de manera proporcional al importe de cada una de ellas o bien con ponderación de otros factores. El sistema cronológico determina la adjudicación de los valores por orden de recepción de las aceptaciones. Finalmente, el de subasta consiste en adjudicar los valores al mejor postor.

La concurrencia de la oferta y de las aceptaciones efectivas determina la perfección de otros tantos contratos entre el oferente y los inversores, desplegando los efectos típicos de sus respectivas obligaciones. De un lado, la «entrega» de los valores que, en el caso más frecuente de estar representados mediante anotaciones en cuenta, se realizará mediante su inscripción en el libro registro a nombre de los inversores, y, de otro lado, el desembolso del precio de los valores suscritos o comprados. Para concluir cabe señalar que el art. 30 bis. 1 LMV contempla algunos supuestos que por razón de la cualificación de los inversores a los que se destina la oferta, el escaso número de personas a las que va dirigida, la reducida cuantía de la emisión o venta ofrecida, o, en fin, por la elevada cuantía de la inversión requerida, exime de la aplicación del régimen legal de las ofertas públicas.

2. OFERTAS PÚBLICAS DE ADQUISICIÓN DE ACCIONES (OPA)

2.1. Concepto y clases

Las *ofertas públicas de adquisición* (OPAS) son las dirigidas a todos los titulares de acciones de una sociedad o a los titulares de otros valores que puedan dar derecho a su suscripción o adquisición (derechos de suscripción, obligaciones convertibles, etc.) para adquirir la totalidad o parte de unas u otros. La OPA generalmente se utiliza en la práctica como cauce para lograr o incrementar el *control* de sociedades anónimas con la conformidad del órgano de administración (OPAS amistosas) o sin ella (OPAS hostiles). La LMV establece el régimen jurídico de la OPAS en los arts. 60 y ss. Dicho régimen legal ha sido desarrollado por el RD 1066/2007, de 27 de julio, que contiene la regulación de aspectos sustanciales del sistema de OPAS, tales como, entre otros: las reglas y plazos para el cómputo del porcentaje de votos que brinda el control de una sociedad, tomando en consideración las participaciones directas e indirectas, así como los convenios, acuerdos o situaciones de control conjunto; la persona que estará obligada a presentar la oferta pública de adquisición en los supuestos de pactos parasociales y situaciones de control sobrevenido en los que exista obligación de presentarla; los términos en que la oferta será irrevocable o en los que podrá someterse a condición o ser modificada; las garantías exigibles según que la contraprestación ofrecida sea en dinero, valores ya emitidos o valores cuya emisión aún no haya sido acordada por la sociedad o entidad oferente; el régimen de las posibles ofertas competidoras; las reglas de prorrateo; la caducidad de las ofertas; etc.

Atendiendo a diversos criterios, la ley distingue entre diferentes *clases de OPAS*. En razón de su carácter voluntario u obligatorio para el oferente, las OPAS se califican como voluntarias, que constituyen el ejercicio reglado de una facultad, u OPAS obligatorias, las exigidas por la ley en determinadas situaciones. Los supuestos de *OPAS obligatorias* se refieren siempre a sociedades cotizadas en una bolsa de valores. Su fundamento radica en la finalidad de proteger a los accionistas, particularmente los minoritarios, en los casos de cambio del control societario, asegurando que el mayor precio (prima de control) que se paga por el porcentaje de acciones que garantiza de *iure* o de *facto* el control societario, alcance a todos los accionistas; o en los casos de exclusión de la cotización de las acciones del mercado bursátil, permitiendo a los accionistas que lo deseen transmitir sus acciones antes de que pierdan la liquidez que proporciona su cotización en bolsa.

El art. 60 LMV dispone que está obligado a formular una oferta pública de adquisición por la totalidad de las acciones u otros valores que directa o indirectamente puedan dar derecho a su suscripción o adquisición, dirigida a todos sus titulares a un precio equitativo, quien alcance el control de una sociedad cotizada, ya sea mediante la adquisición de acciones u otros valores que confieran, directa o indirectamente, el derecho a la suscripción o adquisición de acciones con derechos de voto en dicha sociedad, o mediante pactos parasociales con otros titulares. La OPA deberá dirigirse a la totalidad de los accionistas de la sociedad y a los titulares de valores que den derecho a la adquisición de acciones (valores convertibles). Se entenderá que el precio es equitativo cuando, como mínimo, sea igual al precio más elevado que haya pagado el obligado a formular la oferta o las personas que actúen en concierto con él por los mismos valores durante un período de tiempo anterior a la oferta determinado reglamentariamente. Se considerará, asimismo, que una persona física o jurídica tiene individualmente o de forma conjunta con las personas que actúen en concierto con ella, el control de una sociedad cuando alcance, directa o indirectamente, un porcentaje de derechos de voto igual o superior al 30 por ciento; o bien, cuando, habiendo alcanzado una participación inferior, designe, en los términos que se establezcan reglamentariamente, un número de consejeros que, unidos, en su caso, a los que ya se hubieran designado, representen más de la mitad de los miembros del órgano de administración de la sociedad. No obstante, la CNMV podrá dispensar de la obligación de formular la oferta pública de adquisición cuando otra persona o entidad, directa o indirectamente, tuviera un porcentaje de voto igual o superior al que tenga el obligado a formular la oferta.

Si, como consecuencia de la formulación de una OPA por la totalidad de los valores, el oferente adquiere valores que representan al menos el 90 por ciento del capital que confiere derechos de voto y la oferta ha sido aceptada por titulares de valores que representan al menos el 90% de los derechos de voto, descartados los que ya obraran en su poder, el oferente podrá exigir a los restantes titulares de valores que le vendan dichos valores a un precio equitativo. De igual modo, y para el mismo caso, los titulares de valores de la sociedad afectada podrán exigir del oferente la compra de sus valores a un precio equitativo (art. 60 quáter LMV). En este caso se considerará precio equitativo el correspondiente a la contraprestación de la oferta pública (art. 47.2 RD 1066/2007). Si como resultado de la realización de las *compraventas forzosas*, el oferente deviniera titular de todos los valores, éstos quedarán excluidos de negociación, salvo que la CNMV, previa solicitud del oferente, le conceda un plazo de un mes para restablecer los requisitos de difusión y liquidez necesarios para mantenerse en el mercado (art. 47.10 RD 1066/2007).

2.2. Obligaciones de los órganos de administración y dirección y medidas de neutralización

Cuando una OPA se considere inconveniente u hostil por la sociedad afectada (*target*), la ley no establece un deber de pasividad absoluto frente a aquélla, sino que permite a los órganos de dirección o administración de la sociedad alentar libremente la presentación de otras ofertas competidoras. Excepción hecha del caso señalado, la ley (art. 60 *bis*) establece un deber de pasividad de los órganos de administración y dirección de la sociedad afectada o de las sociedades pertenecientes a su mismo grupo. Por ello, no podrán emprender actuaciones que puedan impedir el éxito de la oferta, salvo si obtienen previamente la autorización de la junta general de accionistas constituida de conformidad con lo establecido en el artículo 194 del TRLSC, correspondiendo, en su caso, a la junta general la aprobación o confirmación de los acuerdos o decisiones eventualmente adoptados con anterioridad para el caso de ser objeto de una OPA aún no aplicados total o parcialmente. Las anteriores restricciones a la actuación de los órganos de administración y dirección no se aplicarán cuando la persona física o jurídica que presente la oferta en España no esté sujeta en su país de origen a normas equivalentes (principio de reciprocidad).

Con igual finalidad de proteger el interés de los accionistas en el éxito de la oferta de adquisición, la LMV (art. 60 ter) permite la eliminación o suspensión por la junta general de accionistas (constituida con los requisitos establecidos por el art. 194 TRLSC), de cláusulas estatutarias y pactos parasociales que puedan comprometer el éxito de la OPA. Así podrá decidir la ineficacia, durante el plazo de aceptación de la oferta, de las restricciones a la transmisibilidad de valores previstas en los pactos parasociales referidos a dicha sociedad; la ineficacia, con ocasión de la junta general de accionistas que decida sobre las medidas defensivas, de las restricciones al derecho de voto previstas en los estatutos de la sociedad afectada y en los pactos parasociales referidos a dicha sociedad; la ineficacia de las restricciones anteriormente mencionadas cuando, tras una oferta pública de adquisición, el oferente haya alcanzado un porcentaje igual o superior al 75 por ciento del capital que confiera derechos de voto. Cuando la sociedad decida aplicar las medidas descritas anteriormente deberá prever una compensación adecuada por la pérdida sufrida por los titulares de los derechos allí mencionados.

2.3. Infracciones y sanciones

El art. 60.3 LMV (art. 27 RD 1066/2007) dispone que quien incumpla la obligación de formular una oferta pública de adquisición, no podrá ejercer los derechos políticos derivados de ninguno de los valores de la sociedad cotizada cuyo ejercicio le corresponda por cualquier título, sin perjuicio de las sanciones de orden administrativo que puedan corresponderle. Esta prohibición será también aplicable a los valores poseídos indirectamente por el obligado a formular la oferta pública y a aquellos que correspondan a quienes actúen concertadamente con él. Se entenderá que incumple la obligación de formular una oferta pública de adquisición quien no la presente o la presente fuera del plazo máximo establecido o con irregularidades esenciales. Los acuerdos adoptados por los órganos de una sociedad, cuando para la constitución de éstos o la adopción de aquéllos hubiera sido necesario computar los valores cuyos derechos políticos estén suspendidos, serán nulos. A estos efectos la ley legitima a la CNMV para el ejercicio de las correspondientes acciones de impugnación.

Además de las sanciones de naturaleza jurídico-privada referidas anteriormente, la LMV en su Título VIII, relativo al régimen de supervisión, inspección y sanción, prevé expresamente la imposición de sanciones de naturaleza administrativa (art. 102) por falta muy grave [art. 99, letra r), r).bis y r).ter], a todas las personas o entidades que promuevan una oferta pública de adquisición, a las sociedades afectadas, a las empresas de servicios de inversión que actúen en representación del oferente, a los administradores y, en fin, a cualquier otra persona que, directa o indirectamente, intervenga por cuenta o de forma concertada con alguna de las entidades anteriormente indicadas en la oferta pública, que incumplan las obligaciones legales consideradas en relación con las ofertas públicas de adquisición.

VII. LA CONTRATACIÓN EN LOS MERCADOS DE VALORES

1. LAS OPERACIONES DE LOS MERCADOS SECUNDARIOS OFICIALES Y LAS QUE NO TIENEN DICHA CONSIDERACIÓN

Los mercados secundarios oficiales son mercados cuya finalidad es facilitar la transmisión de los valores o instrumentos financieros admitidos a negociación en los mismos; esto es, facilitar la inversión y la desinversión y, por esa razón, los contratos celebrados en los mismos serán básicamente contratos traslativos. Ahora bien, los valores admitidos a negociación en un mercado secundario oficial pueden transmitirse de dos formas distintas: a) de acuerdo con el sistema establecido por la Ley del Mercado de Valores y disposiciones de desarrollo y las reglas propias del mercado de que se trate; y b) según las reglas generales del Derecho de obligaciones. En el primer caso, se estará ante *operaciones del mercado secundario oficial* correspondiente (Bolsas de valores, Mercado de Deuda Pública, Mercado de Futuros y Opciones, Mercado de la AIAF), las cuales podrán ser al contado o a plazo (v. art. 39 LMV) y se realizarán por los sistemas de contratación que tenga establecido cada mercado con el fin de facilitar la confluencia en régimen de mercado de las órdenes de compra y de venta de valores y asegurar la transparencia y la eficiencia en la formación de los precios. En el segundo supuesto, se estará ante *operaciones que no tienen dicha condición*.

De conformidad con la LMV, «[t]endrán la consideración de operaciones de un mercado secundario oficial de valores las transmisiones por título de compraventa, u otros negocios onerosos de cada mercado, cuando se realicen sobre valores negociables u otros instrumentos financieros admitidos a negociación en el mismo y se efectúen en ese mercado con sujeción a sus reglas de funcionamiento» (art. 36.1); esto es, cuando se celebren por el sistema o sistemas de contratación que tengan establecidos los correspondientes mercados. Se trata de contratos típicos y uniformes, realizados de modo masificado y en los que apenas queda espacio para la autonomía de la voluntad. Por el contrario, no tienen la consideración de operaciones de un mercado secundario oficial «[l]as transmisiones a título oneroso diferentes de las previstas en el apartado anterior y las transmisiones a título lucrativo de valores o instrumentos financieros admitidos a negociación en un mercado secundario oficial» (art. 36.2). Por lo tanto, no son operaciones de un mercado secundario oficial las que no consistan en la compraventa u otros negocios onerosos característicos de cada mercado (p. ej., la donación), las que aun consistiendo en dichos negocios se realicen fuera del mercado en el que están admitidos a negociación los valores objeto de dichos contratos, o, en fin, las que incluso tratándose de negocios propios de un mercado secundario oficial y realizándose en el seno del mismo se efectúan sin sujeción a sus reglas de funcionamiento.

Las operaciones de un mercado secundario oficial –a las que se va a hacer referencia a continuación– están sometidas al régimen jurídico establecido por la LMV y disposiciones de desarrollo y las operaciones que no tienen dicha condición se regirán por las reglas generales de obligaciones y contratos. No obstante, y dado que también estas últimas recaen sobre valores admitidos a negociación en un mercado secundario oficial, *deben ser notificadas*, a través de un miembro del mercado, fedatario o entidad que haya intervenido en el negocio transmisivo, a los órganos rectores de los mercados donde se negocian tales valores con el fin de que puedan tener conocimiento de las mismas (art. 8 RD 1416/1991). Hasta que no tenga lugar dicha notificación, el adquirente no podrá negociar los valores obtenidos ni ejercitar los derechos derivados de los mismos (art. 11 RD 1416/1991).

Con el fin de conseguir la transparencia del mercado y la eficiencia en la formación de los precios, los mercados secundarios oficiales están obligados a difundir información de carácter público relativa a las operaciones realizadas sobre los valores admitidos a negociación en los mismos: precio, volumen, hora de ejecución, etc. (art. 43 LMV).

2. LAS OPERACIONES DE LOS MERCADOS SECUNDARIOS OFICIALES

2.1. La compraventa

a. *Caracterización del contrato*

La LMV considera al contrato de compraventa como una operación de los mercados secundarios oficiales cuando cumpla los requisitos establecidos por la misma (cuando se celebre a través de los sistemas de contratación que los diferentes mercados tengan establecidos y conforme a las reglas previstas por los mismos), pero no contiene una regulación de este contrato. No obstante, hay que indicar que, al igual que sucede con cualquier otro contrato de compraventa, el que se realiza en los mercados secundarios oficiales es un negocio por virtud del cual una de las partes se obliga a la entrega de una cosa y la otra al pago del precio. La cosa son los valores o instrumentos financieros admitidos a negociación en el mercado secundario oficial correspondiente (acciones, obligaciones, derechos de suscripción, deuda pública, etc.) y el precio será el resultante de la oferta y la demanda, no se negocia individualmente.

El contrato de compraventa de valores o instrumentos financieros es un contrato *consensual* y *oneroso*, que se perfecciona con el consentimiento de las partes sobre la cosa y el precio; consentimiento que se producirá cuando concurran la oferta y la aceptación y que dependerá del sistema o sistemas de contratación de los correspondientes mercados. Tradicionalmente las ofertas y las demandas se proclamaban de viva voz, pero ese sistema ha dado paso a otros en los que las ofertas y las demandas se introducen en el sistema de contratación y se publican a través de sistemas electrónicos. La oferta y la aceptación se encuentran de acuerdo con el sistema de contratación del correspondiente mercado; las partes no se conocen ni entran en contacto directo; se trata de operaciones anónimas. La compraventa de valores o instrumentos financieros debe celebrarse con la *intervención de al menos un miembro del mercado:* sociedades de valores, agencias de valores o entidades de crédito (art. 1.3 RD 1416/1991 para las operaciones bursátiles; art. 21 RD 1282/2010).

b. Clases de compraventa

El contrato de compraventa de valores o instrumentos financieros puede presentar, por lo menos en algunos mercados secundarios oficiales, diversas modalidades. En este sentido, es clásica la distinción entre *compraventas al contado* y *compraventas a plazo* (las cuales eran reguladas ya en los arts. 63 y 79 y siguientes del Reglamento de Bolsas de 1967). Las *compraventas al contado* no se ejecutan, en contra de lo que su denominación pudiera hacer pensar, el mismo día de la celebración del contrato, sino en los días inmediatos. La mecánica u operativa de los mercados de valores impide que la transferencia de los valores y del efectivo pueda producirse en el mismo momento de la consumación del contrato; pero constituye un principio rector del sistema que el tiempo que medie entre la celebración de las operaciones y su liquidación sea el más corto posible (V. art. 56.4 RD 116/1992). Así, por ejemplo, en el Mercado de deuda Pública en Anotaciones, se consideran c*ompraventas simples al contado* aquellas operaciones en las que la fecha convenida para la ejecución sea una incluida entre la fecha de contratación y el quinto día hábil posterior (V. la Circular del Banco de España 2/2007, de 27 de enero, Norma Segunda).

En ocasiones, el contrato de compraventa de valores al contado va unido a un *contrato de préstamo de valores o de crédito*: quien desea realizar una compraventa de valores al contado recurre, cuando no dispone de los valores que desea vender o del dinero que necesita para comprar, al sistema de crédito en las operaciones bursátiles de contado, obteniendo, del miembro del mercado a través del cual realiza la operación de compraventa o de otro sujeto habilitado, los valores para su venta (préstamo de valores, crédito al vendedor) o el dinero para el pago del precio de la compra (crédito de dinero, crédito al comprador: *vid.* Orden de 25 de marzo de 1991. Sobre el préstamo de valores *vid. infra*).

Las *compraventas a plazo*, por su parte, son operaciones en las que la ejecución de las obligaciones recíprocas de las partes se difiere a un momento posterior. En este sentido, por ejemplo, en el Mercado de deuda Pública en Anotaciones, se califican como compraventas simples a plazo aquellas en las que la fecha convenida para la ejecución del contrato es posterior, en más de cinco días hábiles, a la de contratación y puede tener lugar mediante la transmisión de los valores y el pago del precio o por diferencias (V. la Circular del Banco de España 2/2007, de 27 de enero, Norma Segunda). En los mercados secundarios oficiales se celebran otros tipos de compraventa; pero éstas merecen una consideración separada (V. *infra* núms. 2.2 y 2.3 y 2.5).

c. Contenido del contrato. Obligaciones de las partes

Las obligaciones de las partes consisten, como en cualquier otra compraventa, en el pago del precio y la entrega de los valores. El pago del precio no presenta especialidad. En lo que se refiere a la entrega de los valores o instrumentos financieros, en cambio, al estar actualmente representados por medio de anotaciones en cuenta (el art. 9.3 RD 1310/2005), no tiene lugar la entrega física de los mismos; la transmisión se produce por la transferencia contable de las anotaciones a favor del comprador. La LMV establece, a este respecto, que la inscripción de la transmisión a favor del adquirente producirá los mismos efectos que la tradición de los títulos (art. 9 LMV). Si los miembros del mercado realizaron las compraventas por cuenta ajena (de sus comitentes), se considera que los valores pasan directamente del patrimonio del comitente-vendedor al del comitente-comprador.

La adquisición de valores o instrumentos financieros goza de una especial protección. En efecto, la LMV establece que los terceros que hayan adquirido a título oneroso valores representados por medio de anotaciones en cuenta de persona que, según los asientos del registro contable, aparezca legitimada para transmitirlos, no estarán sujetos a reivindicación, a no ser que en el momento de la adquisición hayan obrado de mala fe o con culpa grave (art. 9.III LMV). Quedan a salvo los derechos y acciones del titular desposeído contra las personas responsables de los actos por virtud de los cuales hayan sido privados de los valores (art. 12.3 RD 116/1992).

d. Cumplimiento e incumplimiento del contrato

Tras la celebración del contrato (fase de contratación o de negociación), tiene lugar su ejecución (fase de poscontratación) por el sistema establecido por la Ley y que comprende todos los actos necesarios para alcanzar el cambio de titularidad de los valores y el traspaso de efectivo.

La ejecución y liquidación del contrato no se lleva a cabo de forma individualizada, operación por operación, sino a través de sistemas de compensación y liquidación multilaterales (fundamentalmente, a través de la Sociedad de Sistemas). Los miembros del mercado, a través de los cuales debe realizarse la operación, son los que se ocupan de la ejecución del contrato de compraventa como entidades participantes en los sistemas gestionados por la Sociedad de Sistemas: entregarán el precio al vendedor y realizarán las actuaciones necesarias para que se produzca la transferencia de los valores a favor del comprador (el abono en la cuenta del adquirente y adeudo en la del transmitente). La transferencia de valores y efectivo resultantes de la liquidación se practicarán u ordenarán de modo simultáneo (art. 56.3 RD 116/1992).

En el caso de que no se cumplieran por los miembros del mercado que han intervenido en la operación las obligaciones citadas se estará ante un supuesto de incumplimiento del contrato. Existirá incumplimiento, en efecto, cuando las partes se retrasen en la ejecución de las obligaciones asumidas, lo que facultará a la parte que ha sufrido el incumplimiento a ejercitar los remedios frente al mismo. De los remedios tradicionales (resolución, cumplimiento forzoso...) –contemplados también por el Reglamento de Bolsas–, la normativa del mercado de valores se ha decantado, sin embargo, por sistemas dirigidos, en unos casos, a prevenir el incumplimiento y, en otros, al cumplimiento forzoso del contrato, con el fin de evitar los incumplimientos en cadena y el denominado riesgo sistémico.

En efecto, la LMV establece que si una entidad participante en los sistemas gestionados por la Sociedad de Sistemas *«dejara de atender,* en todo o en parte, *la obligación de pago en efectivo* derivada de la liquidación, la Sociedad de Sistemas podrá disponer de los valores no pagados, adoptando las medidas necesarias para enajenarlos a través de un miembro del mercado» (art. 44bis.5). La Sociedad de Sistemas podrá, por tanto, proceder a una *venta de reemplazo* con el fin de obtener el precio para entregarlo al miembro vendedor.

Si, por el contrario, la entidad participante en los sistemas gestionados por la Sociedad de Sistemas *incumpliera la obligación de entrega* por no poner los correspondientes valores en plazo a disposición de la citada Sociedad de Sistemas, procederá ésta a tomarlos en *préstamo* para su entrega a la entidad acreedora en la fecha de liquidación (art. 57.1 RD 116/1992). Y cuando no haya valores disponibles para tomarlos en préstamo, la Sociedad de Sistemas debe proceder, por medio de un miembro del mercado, a la *recompra* en el mercado de los valores necesarios para su entrega a la parte compradora (art. 58.1 RD 116/1992). Además, la Sociedad de Sistemas puede establecer *procedimientos de prevención de demoras en la entrega* de aquellos valores cuyas características, número y tipo de operaciones, incidencias y otras circunstancias así lo aconsejen, o de aquellos otros cuya contratación, compensación o liquidación se vea afectada por circunstancias especiales que puedan redundar en demoras en la entrega de los valores en cuestión (art. 59 RD 116/ 1992).

El sistema se completa con el establecimiento de fianzas colectivas por las entidades participantes en los sistemas gestionados por la Sociedad de Sistemas, cuya finalidad es garantizar el cumplimiento de las obligaciones derivadas de la liquidación de las operaciones en que participen y de las que deriven de los negocios celebrados por la Sociedad de Sistemas con el fin de asegurar la puesta a disposición de los valores o del efectivo en la fecha de liquidación (aseguramiento en la entrega art. 61 RD 116/1992).

El régimen del cumplimiento e incumplimiento del contrato se va a ver afectado, de forma importante, en breve, como consecuencia de la reforma de los sistemas de poscontratación que ha sido puesta en marcha por la reciente Ley 32/2011, de 4 de octubre, de modificación de la LMV y que –según prevé su E. de M.– se llevará a cabo en diversas etapas (para concluirla en 2014) y que tiene como finalidad la reducción de los costes de liquidación y, en consecuencia, incrementar la competitividad del sistema de poscontratación español.

Los principios fundamentales de esa reforma del sistema de compensación y liquidación (sistema de poscontratación) que aquí interesan son dos: en primer lugar, se establece la introducción en los servicios de poscontratación de la figura de la *entidad de contrapartida central*, que se interpondrá, por cuenta propia, entre compradores y vendedores de valores, asumiendo el riesgo de contrapartida y realizando la compensación de valores y de efectivo derivada de las transacciones. Las entidades de contrapartida central que habrán de crearse en un futuro próximo deberán tener altos niveles de solvencia financiera y técnica para poder realizar la función de interposición entre compradores y vendedores. La intervención de las entidades de contrapartida central en el proceso que media entre la negociación (en bolsa o en un sistema multilateral de negociación) y la liquidación de la transacción tendrá como consecuencia *la sustitución de un sistema de liquidación multilateral de valores por brutos como modelo bilateral, basado exclusivamente en saldos.*

En segundo lugar, la introducción de las entidades de contrapartida central supondrá la *eliminación de los mecanismos actuales de aseguramiento en la entrega* en el ámbito de la Sociedad de Sistemas. El sistema hasta ahora vigente cuenta con mecanismos para asegurar en todo caso la entrega de los valores o del efectivo, los cuales permiten la liquidación de todas las operaciones de compra y de venta. Ese mecanismo se basa en el establecimiento de un sistema de garantías colectivas por las entidades participantes en los sistemas gestionados por la Sociedad de Sistemas, con las que se financian los procedimientos de obtención de valores o efectivo (a través de la venta de reemplazo, el préstamo de valores o las operaciones de recompra mencionadas) en las operaciones que no pudiesen liquidarse a tiempo. Con la reforma que se acaba de iniciar, el sistema de garantías colectivas se sustituye por la intervención de la entidad de contrapartida central, que se interpondrá entre el comprador y el vendedor, convirtiéndose en contraparte de cada uno de ellos. La entidad de contrapartida actuará así como vendedor frente al comprador y como comprador frente al vendedor (como sucede actualmente en el Mercado de Futuros y Opciones). La intervención de una entidad de contrapartida central reduce el riesgo de incumplimiento (la falta de entrega), pero no lo elimina por completo (a diferencia del sistema ahora vigente), y, por este motivo, se contempla un sistema de compensaciones en efectivo.

2.2. Las operaciones dobles

a. *Caracterización del contrato*

Las operaciones dobles, también denominadas simultáneas (que contaban ya con una extensa regulación en el Reglamento de Bolsas de 1967), son aquellas en las que se contratan, al mismo tiempo, dos compraventas de valores de sentido contrario, realizadas ambas con valores de idénticas características y por el mismo importe nominal, pero con distinta fecha de ejecución, pudiendo ser ambas compraventas al contado con diferentes fechas de liquidación, a plazo, o la primera al contado y la segunda a plazo (art. 5.2.b.1º RDley 5/2005 y Circular del Banco de España 2/2007, de 26 de enero, Norma Segunda). Estas operaciones pueden ser reconocidas como operaciones de los mercados secundarios oficiales por sus órganos rectores (V. art. 6.2.III RdDey 5/2005) y están expresamente reglamentadas en el Mercado de Deuda Pública en Anotaciones (V. Circular del Banco de España 2/2007, de 26 de enero, Norma Segunda).

La operación de doble se integra por dos contratos de compraventa. A tenor de las normas citadas, las operaciones de doble engloban, en realidad, tres modalidades distintas: a) las integradas por una compraventa al contado y una compraventa a plazo; b) las compuestas por dos compraventas a plazo con distintas fechas de ejecución, y c) las formadas por dos compraventas al contado, también con diferentes fechas de liquidación. Lo característico de esta operación es que *las dos compraventas se celebran en el mismo momento* (por eso se llaman también simultáneas) y *son de sentido contrario*, esto es, por virtud de la primera compraventa el vendedor transmite la propiedad al comprador y por virtud de la segunda éste la vuelve a transmitir al primero. Las dos compraventas tienen por objeto valores de las mismas características y por el mismo importe nominal.

La función económica de esta operación es similar a la del préstamo garantizado con prenda (sobre este contrato V. *infra*): el vendedor necesita dinero y vende los valores para obtener el precio, pero quiere recuperar los valores y, por ello, pacta su recompra en el mismo momento de la venta. Por su parte, el comprador necesita los valores temporalmente y los adquiere del vendedor, pero se los devuelve (revende) pasado un determinado tiempo. Para alcanzar el fin perseguido por el (primer) comprador podría recurrirse también al préstamo de valores. La naturaleza de las operaciones de doble es muy discutida, pero es indudable que, aunque implican dos transferencias de los valores (la primera del vendedor al comprador y la segunda del comprador al vendedor), se trata de un negocio unitario y con sustantividad propia.

b.   Contenido del contrato. Obligaciones de las partes

Dado que las operaciones de doble se integran por dos compraventas de signo contrario, hay que entender que las partes asumen las obligaciones propias de la compraventa: el vendedor la de entregar los valores y el comprador la de pago del precio, pero quien en la primera compraventa asume la posición de vendedor en la segunda es comprador y viceversa. Hay que considerar aplicables, por tanto, las reglas a las que se ha hecho referencia en relación con las obligaciones de las partes en el contrato de compraventa de valores (V. *supra*).

Ahora bien, en el Derecho español el contrato de doble ha sido considerado tradicionalmente como un contrato real, que exige, por consiguiente, la entrega de los valores para la perfección del negocio. En este sentido, el Reglamento de Bolsas establecía que «[l]a tradición real de los títulos dados en doble es necesaria para la validez del contrato» (art. 125-II). Y ello probablemente porque es difícil concebir una obligación de restitución (por el comprador-vendedor) si los valores no le han sido entregados previamente. Sin embargo, no parece que la falta de propiedad de los valores por el comprador en el momento de la celebración del negocio constituya un obstáculo para que asuma la obligación de entregarlos en la segunda fase de la operación, pues en la compraventa de cosa futura el vendedor se obliga a entregar una cosa respecto de la cual todavía no tiene la propiedad porque no tiene existencia. Y, desde luego, en las normas más recientes que se refieren a la figura no se exige la entrega de los valores para la perfección de la operación de doble.

c. Cumplimiento e incumplimiento del contrato

La Ley 37/1998 señalaba cuáles eran las consecuencias del incumplimiento de la obligación de pago del precio en la operación doble (y en el pacto de recompra), estableciendo que, si el primer vendedor no satisfacía el precio de la segunda compraventa, el primer comprador adquiriría irrevocablemente el dominio de los valores adquiridos (disp. adic. Duodécima); pero esta norma ha sido derogada por el RDley 5/2005. Sin embargo, las consecuencias del incumplimiento de sus obligaciones seguirán siendo las mismas, puesto que el (primer) adquirente de los valores es propietario de los ellos y si el (primer vendedor) no paga el precio de los valores en la segunda compraventa, el (primer) adquirente los adquirirá de forma irrevocable. En este sentido, el artículo 11 del RDley 5/2005 sobre garantías financieras señala que el incumplimiento de obligaciones en estos negocios (considerados como acuerdos de garantía financiera con cambio de titularidad) se considera como un supuesto de ejecución, supuesto en el cual el beneficiario podrá ejecutar las garantías financieras aportadas (ejecución que consiste precisamente en la apropiación definitiva del bien que se había trasmitido con fines de garantía). Y, desde luego, es posible incluir en el contrato cláusulas resolutorias expresas por incumplimiento (art. 15.4). Las operaciones dobles no se verán afectados por la apertura de un procedimiento concursal sobre alguna de las partes (art. 15.4 RDley 5/2005).

2.3. Las operaciones (de compraventa) con pacto de recompra

Las operaciones de compraventa con pacto de recompra aparecen definidas en el RDley 5/2005, de 11 de marzo, como «aquellas en las que el titular de los valores los vende hasta la fecha de la amortización, conviniendo simultáneamente la recompra de valores de idénticas características y por igual valor nominal, *en una fecha determinada* e intermedia entre la de venta y la de amortización más próxima, aunque ésta sea parcial o voluntaria» (art. 5.2.e.2º). Se trata de negocios que tienen la consideración de operaciones financieras que pueden realizarse en el marco de un acuerdo de compensación contractual o en relación con él a los efectos del RDley citado (V. art. 5), pero que pueden ser reconocidas también como operaciones de un mercado secundario oficial, con arreglo a lo establecido por el artículo 36 de la Ley del Mercado de Valores (V. art. 6.2.III).

Y así, en el mercado de Deuda Pública en Anotaciones, las compraventas con pacto de recompra, conocidas también como *repos* o *Repurchase Agreements*, cuentan con una regulación específica (V. la Norma Segunda de la Circular 2/2007, de 26 de enero). En este ámbito, en efecto, se reconocen dos modalidades de operaciones con pacto de recompra: a) Las *compraventas con pacto de recompra en fecha fija* (cuya caracterización se corresponde con la ofrecida por el RDley 5/2005), y b) *Las compraventas con pacto de recompra a la vista,* que son aquellas operaciones en las que, en el momento de la contratación, se acuerdan el precio y la fecha de transmisión de la compraventa inicial y *se fija el período durante el que el comprador-vendedor tiene la opción de exigir la recompra* en las condiciones que se establezcan en el mismo momento de contratación.

La función económica de estas operaciones es también similar a la del préstamo garantizado con prenda y a la de las dobles: en todos los casos, se pretende la obtención de valores o de dinero durante un determinado período de tiempo. Con ese fin, en las operaciones dobles, se convienen al mismo tiempo dos compraventas de signo contrario, mientras que en las repos, al contrato de compraventa de los valores se añade un compromiso de recompra (un compromiso de celebrar un nuevo contrato de compraventa) en firme o mediante la concesión de una opción que puede ejercitarse en un determinado período de tiempo. Al igual que en el caso del contrato de doble, las compraventas con pacto de recompra constituyen también una operación unitaria. En lo que se refiere al contenido del contrato y a la disciplina del incumplimiento, vale lo dicho para el contrato de doble.

2.4. El préstamo de valores

a. Caracterización del contrato

Junto a aquellas operaciones que tienen la finalidad de transmitir y adquirir valores (compraventa, doble, etc.), desempeña una función fundamental en los mercados secundarios de valores el préstamo de valores negociados en dichos mercados. Se trata de un contrato que tiene también la consideración de operación de un mercado secundario oficial y que sirve para incrementar la liquidez del mercado y para facilitar la liquidación (ejecución) de las operaciones. Por virtud de este contrato, un sujeto (el prestamista) entrega a otro (el prestatario), a cambio de una remuneración, valores con la condición de que devuelva otros de la misma especie y calidad (art. 1740 CC) cuando le sean reclamados o transcurrido el plazo previsto en el contrato. El préstamo de valores es un préstamo de cosa fungible; por lo tanto, el prestatario adquiere la propiedad de los valores y debe devolver al prestamista otro tanto de la misma especie y calidad (art. 1753 CC).

El contrato de préstamo de valores es un contrato real, se perfecciona con la entrega de la cosa (así lo presupone también la Orden 764/2004 de 11 de marzo, cuando señala que por fecha de perfección del contrato se entenderá la fecha de la entrega de los valores objeto del préstamo: art.

Quinto.c); por lo tanto, no existirá préstamo en tanto en cuanto no se anote el mismo en el registro contable a favor del prestatario; en tanto no se haga la transferencia contable a favor del prestatario.

b. Modalidades del préstamo de valores

La normativa del mercado de valores contempla diversas *modalidades de préstamo de valores* (como prevé expresamente el art. 36.3 LMV).

1° *El préstamo de valores destinado a asegurar la entrega de los valores en la fecha de liquidación.* Se trata del préstamo al que puede recurrir la Sociedad de Sistemas (prestataria), como mecanismo *para evitar el incumplimiento* de una operación realizada en los mercados secundarios oficiales, cuando una entidad participante en los sistemas gestionados por la mencionada Sociedad de Sistemas (miembro vendedor) no cumpla a tiempo su obligación de poner los valores a disposición de la Sociedad de Sistemas para el cumplimiento del contrato y poder entregarlos al miembro comprador (art. 57 RD 116/1992: V. *supra* lo indicado en relación con el cumplimiento del contrato de compraventa).

A tal fin, la Sociedad de Sistemas suscribirá con las entidades participantes en la misma un contrato normativo que regirá los contratos de préstamo entre ambas y que deberá ajustarse a las disposiciones reglamentarias (art. 57 RD 116/1992). Conforme a las mismas, en dicho contrato normativo deberá constar que podrán ser objeto de préstamo, tanto valores propiedad de la entidad participante en la Sociedad de Sistemas como valores de su clientela. En este último caso, será necesario celebrar otro contrato de préstamo entre la entidad y su cliente, en el cual se determinará el régimen de compensación al cliente por razón de los derechos económicos que generen los valores mientras dure el contrato, régimen de compensación que se ajustará a lo establecido para los préstamos de valores destinados a realizar operaciones bursátiles de venta al contado [V. *infra* modalidad b)]. El contrato normativo deberá contemplar también la remuneración de los préstamos, la cual se calculará sobre el valor de mercado de los valores en cada uno de los días de duración del contrato.

Para la celebración del préstamo, la Sociedad de Sistemas podrá disponer del importe correspondiente a las operaciones en las que la entidad participante en dicha Sociedad de Sistemas se ha retrasado en la puesta a disposición de los valores. Y para la restitución de los valores prestados, la Sociedad de Sistemas utilizará los que reciba de la parte vendedora o, en su defecto, los que adquiera con esa exclusiva finalidad en el mercado.

2° *Préstamo de valores destinado a la realización de una operación bursátil de contado* (regulado por la Orden de 25 de marzo de 1991 del Ministerio de Economía y Hacienda). Las empresas de servicios de inversión habilitadas para ello y las entidades de crédito podrán conceder préstamos de valores con el fin de realizar operaciones bursátiles de venta de valores al contado. Se trata, por tanto, de *contratos de préstamo de valores* que están *vinculados a una operación de compraventa de valores* al contado en una bolsa: el inversor que quiere vender no dispone de los valores y recurre al préstamo para obtenerlos. El prestamista puede ser el miembro del mercado al que se le da la orden de venta o puede ser una entidad distinta habilitada para realizar esta actividad.

Estos contratos de préstamo, que sólo pueden tener por objeto los valores previamente determinados por la sociedad rectora de la bolsa correspondiente, deben *formalizarse por escrito*, identificando los valores objeto del mismo, manifestando la afectación del préstamo a la realización de una operación de contado e indicando la duración del contrato (art. Séptimo.1). El contrato debe ajustarse a las condiciones que tengan publicadas las entidades prestamistas. Pero la normativa resuelve expresamente el problema del *ejercicio de los derechos de contenido (total o parcialmente) económico derivados de los valores prestados*, estableciendo que los prestamistas de los valores percibirán el importe dinerario correspondiente a los derechos económicos que generen durante la cesión pactada de los valores, incluidas las primas de asistencia a las juntas generales. Si durante el período de vigencia del contrato se produjeran aumentos de capital que dieran nacimiento a derechos de asignación gratuita o de suscripción preferente de nuevas acciones deberán ponerse, salvo pacto en contrario, a disposición del prestamista, cuando tales derechos se segreguen, otros de la misma clase, en la cuantía que corresponda a los valores prestados (art. Séptimo.1.II).

La celebración de estos contratos de préstamo debe ir acompañada de la prestación de determinadas *garantías* por el prestatario, con las que se trata de asegurar la devolución de los valores. En primer lugar, el prestatario debe prestar las garantías establecidas por la sociedad rectora de la bolsa correspondiente (art. Cuarto.1). Y, en segundo lugar, el importe de las ventas efectuadas con préstamo de valores debe ser depositado en la forma establecida por la normativa reguladora a resultas de la devolución de lo prestado. Con este fin, los vendedores deben entregar a la empresa de servicios de inversión o entidad de crédito que realizó la operación de contado orden irrevocable de compra de los valores vendidos a crédito, con entrega de los mismos a la entidad que concedió el crédito; orden que podrá ejecutarse, en su caso, cuando el prestatario incumpla las obligaciones resultantes de la liquidación (art. Quinto.3 y 4). En conclusión, el intermediario que prestó los valores y los vendió por cuenta de su cliente resuelve el problema planteado por el incumplimiento de éste recomprándolos con el dinero recibido de la parte contraria.

3º Al margen de los contratos de préstamo de valores a los que se ha hecho referencia, el artículo 36.3 LMV regula con carácter general *el préstamo de valores negociados en un mercado secundario oficial*. Se trata, por tanto, de un contrato que tiene por objeto valores admitidos a negociación en cualquier mercado secundario oficial, incluso en las bolsas de valores, siempre que no se trate del préstamo vinculado a una operación de venta al contado, que –como se ha indicado– dispone de una normativa específica.

El contrato de préstamo de valores admitidos a negociación en un mercado secundario oficial presenta las siguientes características: En primer lugar, es un contrato *con finalidades legalmente determinadas*: el prestatario toma los valores en préstamo con el fin de disponer de los mismos para su enajenación posterior, para realizar un nuevo préstamo o para utilizarlos como garantía en una operación financiera (art. 36.3). Y, en segundo lugar, se trata de un *préstamo garantizado*: el prestatario deberá asegurar la devolución del préstamo mediante la constitución de garantías suficientes. La exigencia de garantías no es aplicable a los préstamos de valores resultantes de operaciones de política monetaria ni a los que se hagan con ocasión de una oferta pública de venta de valores.

La realización de estas operaciones de préstamo puede tener efectos sobre la estabilidad de las cotizaciones y, por esa razón, la LMV autoriza al Ministerio de Economía y Hacienda y, con su habilitación expresa, a la CNMV a fijar límites al volumen de operaciones de préstamo o a las condiciones de los mismos y a establecer obligaciones específicas de información sobre las operaciones, las cuales han sido concretadas por la Orden 764/2004, de 11 de marzo.

2.5. Los contratos de los mercados secundarios oficiales de futuros, opciones y otros instrumentos financieros derivados

En los mercados oficiales de futuros, opciones y otros instrumentos financieros derivados se negocian, registran y liquidan distintos tipos de contratos (futuros, opciones, permutas…) que son calificados por la LMV como instrumentos financieros *derivados* (art. 2), debido a que su valor depende del precio de otro activo subyacente, financiero o no financiero (tales como acciones, materias primas, divisas, etc.), negociado en un mercado distinto.

Se trata de *contratos a plazo* normalizados –que tienen también la consideración de operaciones de un mercado secundario oficial–, regidos por las

Condiciones Generales de los Contratos que deben ser aprobadas por la CNMV y cuyo contenido mínimo (denominación, descripción del activo subyacente, importe nominal, determinación del vencimiento, forma de liquidación, etc.) viene determinado por el RD 1282/2010, de 15 de octubre, por el que se regulan los mercados secundarios oficiales de futuros, opciones y otros instrumentos financieros derivados (art. 11) y por el Reglamento del Mercado Secundario Oficial de Futuros y Opciones (publicado por Resolución de 21 de diciembre de 2010 de la CNMV: arts. 10 y ss.). Son contratos en los que no queda espacio para la autonomía de la voluntad y que deben estar representados por medio de anotaciones en cuenta. Su normalización o estandarización es precisamente la que permite su negociación en mercados organizados. El fin fundamental perseguido con estos contratos es cubrir los riesgos derivados de las alteraciones del precio del activo subyacente (acciones, materias primas, etc.). Pero, en ocasiones, se pretende simplemente especular: los inversores realizan la operación en la confianza de obtener un beneficio de la evolución de las cotizaciones.

De los distintos contratos que se negocian en estos mercados es necesario hacer una breve referencia a los contratos de futuro y a los contratos de opción. Estos contratos eran definidos por el RD 1814/1991, que ha sido derogado por el RD 1282/2010. El vigente artículo 59.2 de la LMV señala que «los contratos de futuros, de opciones y de otros instrumentos financieros» que se negocian en estos mercados secundarios oficiales son «definidos por la sociedad rectora del mercado». No obstante, puede señalarse, con carácter general, que el contrato de futuro es un contrato de compraventa a plazo que tiene por objeto valores, divisas, materias primas, etc. (activo subyacente), en el que el comprador se obliga a pagar el precio pactado de antemano y el vendedor a entregar el activo correspondiente en la fecha futura fijada en el contrato. El contrato de opción, por su parte, es un contrato a plazo que atribuye a una de las partes (tomadora de la opción), a cambio del pago de una prima o precio, la facultad de exigir a otra la compra o la venta de un determinado activo. Por virtud del contrato de opción, un sujeto adquiere el derecho a comprar (opción de compra, *call*) o a vender (opción de venta, *put*) un activo en una fecha futura a un precio determinado en el momento de adquisición de la opción. El derecho a comprar o a vender podrá ejercitarse en una fecha concreta (en el caso de las llamadas opciones «europeas») o durante un determinado período de tiempo (en el supuesto de las opciones «americanas»).

3. LOS CONTRATOS DE SERVICIOS DE INVERSIÓN Y DE SERVICIOS AUXILIARES

Para poder realizar operaciones en los mercados primarios y secundarios de valores los particulares (inversores) recurren a la colaboración de profesionales que actúan en dichos mercados. En unos casos para poder concertar dichas operaciones, en otros para obtener la información o colaboración precisa para adoptar decisiones de inversión con conocimiento de causa, en otros para desentenderse de la gestión de las inversiones, etc. La LMV se refiere a las distintas actividades de colaboración con el nombre de «servicios de inversión» y «servicios auxiliares» (art. 63), cuya realización está atribuida a las empresas de servicios de inversión y a las entidades de crédito (arts. 64 y 65).

3.1. El contrato de comisión en los mercados secundarios oficiales

a. Caracterización del contrato

Entre los contratos de servicios de inversión ocupa un lugar destacado el contrato de comisión. Los particulares (inversores) no pueden concertar por sí solos operaciones en los mercados secundarios oficiales; para poder realizar operaciones (compraventas, operaciones dobles, etc.) en dichos mercados necesitan valerse de intermediarios profesionales (sociedades de valores, agencias de valores, entidades de crédito) que ostenten la condición de miembro del mercado secundario oficial en el que pretende realizarse la operación (V. art. 1.2 del RD 1416/1991; art. 7.2 del Reglamento del Mercado Secundario Oficial de Futuros y Opciones). El contrato que vincula a quienes desean realizar operaciones en un mercado secundario oficial (compra, doble, etc.) con los intermediarios profesionales facultados para actuar en él es el contrato de comisión, que tiene una importancia fundamental en la medida en que constituye el instrumento para poder comprar y vender en los citados mercados, para poder invertir y desinvertir. El contrato de comisión en los mercados de valores consiste, pues, como cualquier otro contrato de comisión, en un mandato (orden) por virtud del cual un sujeto (el cliente) encarga a otro (miembro del mercado) la realización de una operación en un mercado secundario oficial a cambio de un precio (comisión).

Los *elementos personales* del contrato son el comitente y el comisionista. El comitente, el cliente, puede ser profesional o minorista. El cliente profesional es aquel a quien se presuma la experiencia, conocimientos y cualificaciones necesarias para tomar decisiones de inversión y valorar sus riesgos. Y el minorista es todo aquel que no sea profesional (art. 78 bis LMV), respecto del cual la Ley intensifica los deberes de información y de cuidado a cargo de la empresa de servicios de inversión que actúa como comisionista. El comisionista, por su parte, debe ser una empresa de servicios de inversión (sociedad de valores o agencia de valores) o una entidad de crédito que ostenten la condición de miembro del mercado en el que vaya a realizarse la operación. El contrato de comisión en los mercados de valores está sometido, pues, a las reglas generales sobre el contrato de comisión en el Código de comercio (arts. 244 y ss.) y a las específicas establecidas por la normativa reguladora de los mercados de valores y presenta *características propias* que lo distinguen de la comisión ordinaria.

En primer lugar, *la comisión es obligatoria* para el comisionista. En este sentido, quienes ostenten la condición de miembro del correspondiente mercado vendrán obligados a ejecutar por cuenta de sus clientes, las órdenes (de compra, de venta, etc.) que reciban de los mismos (art. 39 LMV); el incumplimiento de esta obligación tiene la consideración de infracción grave (art.100.i). La razón de ser de la obligatoriedad de la comisión se encuentra en que los inversores no pueden contratar directamente en tales mercados y necesitan valerse de los intermediarios profesionales. Ahora bien, tratándose de operaciones al contado, el comisionista puede subordinar el cumplimiento del encargo a que se acredite por el ordenante la titularidad de los valores o a que le entregue el precio. En el caso de operaciones a plazo, puede subordinar el cumplimiento del encargo a la aportación por el ordenante de las garantías que estime convenientes (art. 39 *in fine*).

En segundo lugar, el comisionista puede hacer *autoentrada* siempre que cumpla determinados requisitos. En efecto, el comisionista que ostente la condición de miembro del mercado *podrá operar por cuenta propia* (cuando esté autorizado a hacerlo) con quien no tenga la condición de miembro de dicho mercado únicamente cuando deje constancia por escrito de que este último ha conocido que el comisionista actuaba por cuenta propia (art. 40.I LMV). En otras palabras, los comisionistas (sociedades de valores y entidades de crédito) no pueden comprar para sí los valores que le han ordenado vender ni vender valores propios a los comitentes que le han dado una orden de compra, a menos que los clientes conozcan antes de la conclusión de la operación que el comisionista puede actuar como contrapartida y quede constancia por escrito de dicha circunstancia.

En tercer lugar, la comisión en los mercados de valores en una *comisión de garantía*. El comisionista responde ante el comitente de la entrega de los valores y del pago del precio (art. 41 LMV).

Finalmente el comisionista que actúa en los mercados de valores puede *casar* o *aplicar* las órdenes que reciba, en distinto sentido (unas de compra y otras de venta), de sus clientes. Pero para ello es necesario que previamente haya formulado sus ofertas a través del sistema de contratación correspondiente y que no existan ofertas al mismo precio o a otro más favorable.

b. Forma del contrato

El contrato celebrado entre el comisionista y el comitente que tenga la consideración de cliente minorista debe constar por escrito (art. 79 ter.II), lo cual no quiere decir, sin embargo, que la forma sea necesaria para la perfección del contrato; es un requisito de prueba. El contrato se perfecciona con el consentimiento de las partes: cuando el comisionista acepta la orden del comitente. En el contrato deben concretarse los derechos y las obligaciones de las partes y las demás condiciones en las que el comisionista prestará el servicio al cliente. Los contratos celebrados entre el comisionista y su cliente deben incluirse en el *registro de contratos* que deben llevar las entidades que presten servicios de inversión (art. 79 ter.I). En algunos mercados, su normativa reguladora establece el contenido mínimo de los contratos entre el miembro del mercado y el cliente (V. art. 9 del Reglamento del Mercado Secundario Oficial de Futuros y Opciones).

c. Contenido del contrato. Obligaciones de las partes

a'. Obligaciones del comisionista

La normativa del mercado de valores somete al comisionista a numerosas obligaciones o deberes con el fin de proteger a los clientes (inversores) y la transparencia del mercado y que pueden operar tanto en la fase precontractual como en la de ejecución del contrato. Entre ellas pueden mencionarse las siguientes.

1ª *El deber de incluir la orden recibida en el registro de órdenes*: el comisionista debe registrar la orden recibida del cliente en el registro de órdenes, recogiendo los datos necesarios para la identificación del cliente, los relativos a la naturaleza de la orden, las instrucciones para la ejecución de la orden, etc. (V. art. 7 del Reglamento (CE) 1287/2006 de la Comisión de 10 de agosto de 2006).

2ª *El deber de ejecución de las órdenes recibidas*: una vez perfeccionado el contrato de comisión –lo que tendrá lugar en la mayor parte de los casos tras la recepción de la orden, dado que la comisión es obligatoria para el comisionista– la principal obligación del comisionista es la de ejecutar las órdenes recibidas tan pronto como le resulte posible, debiendo adoptar las medidas razonables para obtener el mejor resultado posible para las operaciones del cliente. Con ese fin, la Ley del Mercado de Valores le obliga a disponer de los procedimientos que permitan la rápida y correcta ejecución de las órdenes (79 sexies). Para el cumplimiento de la orden del cliente, el comisionista debe desplegar la actividad necesaria para encontrar una contrapartida en el mercado a través del correspondiente sistema de contratación.

3ª *El deber de actuar en interés del cliente*: el comisionista tiene el deber de actuar con diligencia y transparencia en interés del cliente, cuidando de tal interés como si fuera propio (art. 79 LMV).

4ª *El deber de mantener informado al cliente*: el comisionista deberá mantener adecuadamente informado, en todo momento, a su cliente, tanto durante la fase de ejecución contrato como en la etapa precontractual, proporcionándole información imparcial, clara y no engañosa, sobre los riesgos de la inversión, sobre los costes, etc. y advirtiéndole, en su caso, de la inidoneidad de la inversión (art. 79 bis).

5ª *El deber de comunicación de la operación a la CNMV*: el comisionista que ejecute operaciones sobre instrumentos financieros debe comunicarlas a la CNMV a la mayor brevedad posible (art. 59 bis LMV).

b'. Obligaciones del comitente

1ª *El deber de pagar la comisión*: la obligación fundamental del comitente consiste en el pago de la comisión. La retribución de los miembros del mercado por la ejecución de las órdenes recibidas de los clientes es, en principio, libre, pero, para su aplicación, las tarifas deben estar publicadas y haber sido notificadas a la CNMV y, en su caso, al Banco de España (art. 42 LMV).

2ª *El deber de realizar provisión de fondos y de acreditar la titularidad de los valores*: el comitente debe entregar al comisionista el precio en la comisión de compra y acreditar la titularidad de los valores en la comisión de venta (arts. 250 CCom y 39 LMV).

3ª *El deber de reembolsar los gastos*: el comitente está obligado a satisfacer al comisionista los gastos ocasionados y los desembolsos realizados en el caso de que no hubieran sido anticipados por el comitente.

4ª *El deber de prestar garantías*: en el caso de operaciones a plazo, el comitente deberá prestar las garantías pactadas y las establecidas reglamentariamente (art. 39 LMV).

d. Cumplimiento e incumplimiento del contrato

El comitente cumple el contrato cuando paga la comisión y reembolsa los gastos y los desembolsos realizados por el comisionista. El comisionista, por su parte, cumple cuando ejecuta la orden recibida del comitente (celebrando el contrato de compra o de venta de valores o instrumentos financieros) y hace llegar al comitente los resultados de la operación. En efecto, como la comisión en los mercados de valores es una comisión de garantía, sólo podrá hablarse de cumplimiento por el comisionista cuando entregue los valores o el efectivo al comitente o los anote en su cuenta. Los valores o instrumentos financieros objeto de la operación de compraventa (operación del correspondiente mercado secundario oficial) pasan directamente del cliente vendedor al cliente comprador; el comisionista no adquiere la propiedad. Por esa razón, en caso de que el comisionista sea declarado en concurso de acreedores, el comitente podrá separar de la masa del concurso del comisionista los valores o instrumentos financieros que sean de su propiedad. Es más, la CNMV, el Banco de España o la sociedad rectora del Mercado de Futuros y Opciones en función del mercado en el que opere el comisionista, por propia iniciativa –sin necesidad de solicitud del inversor y sin coste alguno para él– ordena el traslado de los registros contables de los valores o de los contratos a otra entidad habilitada para desarrollar dicha actividad, si bien el inversor tiene la facultad de solicitar el traslado de los valores o instrumentos financieros a otra entidad (V. arts. 44.bis.9, 58.5 y 59.III LMV).

En el caso de que el cliente minorista (no el profesional) no pueda obtener del comisionista declarado en concurso el reembolso de las cantidades o la restitución de los valores o instrumentos financieros que le pertenezcan podrá solicitar a la sociedad gestora del Fondo de Garantía de Inversiones (al que estará adherido el comisionista) la ejecución de la garantía que presta el Fondo (art. 77.7). El inversor puede solicitar también a la sociedad gestora del Fondo la ejecución de la garantía cuando la CNMV declare que el comisionista no puede cumplir las obligaciones contraídas con los inversores, siempre que éstos hubieran solicitado a la empresa de servicios de inversión la devolución de los fondos o de los valores que le hubieran confiado y no hubieran obtenido satisfacción en el plazo de 21 días (art 77.7 LMV).

Finalmente, hay que indicar –como ya se señaló _supra_– que la Ley establece mecanismos para que la declaración de concurso del comisionista o de su cliente no incida en la ejecución (liquidación) de las operaciones del mercado secundario oficial que han sido celebradas por mediación del comisionista. En este sentido, dispone que en caso de declaración de concurso de un miembro del mercado que participe, a su vez, en la Sociedad de Sistemas –encargada de gestionar la liquidación y la compensación de valores y de efectivo–, la Sociedad de Sistemas tiene un derecho absoluto de separación de los bienes y derechos en que se materialicen las garantías constituidas por las entidades participantes en los sistemas gestionados por dicha Sociedad, si bien el sobrante que resulte después de la liquidación de las operaciones garantizadas se incorporará a la masa activa del concurso del participante en el sistema (art. 44 bis.8). Y lo mismo sucede en el caso de que el declarado en concurso fuera un miembro del Mercado Secundario Oficial de Futuros y Opciones o un cliente del mismo (V. art. 59.9).

3.2. Otros contratos de servicios de inversión y de servicios auxiliares

a. El contrato de gestión de carteras de inversión

En los mercados de valores se celebran otros contratos de servicios de inversión. Entre ellos es necesario referirse al contrato de gestión de carteras de inversión, por cuya virtud un sujeto, el gestor, se obliga, a cambio del pago de una remuneración, a gestionar la cartera de valores o instrumentos financieros de un cliente de acuerdo con las instrucciones proporcionadas por éste. El gestor debe ser una de las entidades autorizadas para la prestación de este servicio de inversión (sociedad de valores, agencia de valores, sociedad gestora de carteras o entidad de crédito: arts. 64.2, 3 y 4 y 65 LMV).

El contrato de gestión de carteras de inversión responde básicamente a las características del mandato y, por lo tanto, queda sometido a las normas reguladoras de este negocio (arts. 1709 CC y 244 y siguientes del CCom), así como también a las recogidas en la normativa del mercado de valores (arts. 63.1.d y 79bis LMV y normativa de desarrollo). Se trata de un contrato que se perfecciona por el consentimiento de las partes, si bien debe formalizarse por escrito según un modelo de contrato-tipo de gestión aprobado por la CNMV en el que deben incorporarse los criterios de gestión a tener en cuenta por el gestor.

Los elementos que caracterizan este contrato y que lo distinguen de otros negocios afines los proporciona la propia LMV, al incluirlo entre los servicios de inversión (art. 63.1.d LMV). En primer lugar, la gestión a la que se obliga el gestor es una «gestión discrecional», lo que significa que el gestor goza de amplia libertad a la hora de adoptar decisiones de inversión, siempre, naturalmente, en el marco de las instrucciones dadas por el cliente. Esta característica sirve para diferenciar este negocio del llamado contrato de gestión asesorada de carteras, que consiste básicamente en un contrato de asesoramiento de inversiones, en el que el gestor se limitar a proponer al cliente la realización de negocios de inversión, siendo éste el que decide invertir o no.

En segundo lugar, la gestión que debe desempeñar el gestor es una gestión «individualizada» de la cartera de valores de un inversor concreto, elemento que sirve para distinguir este contrato de la inversión colectiva, en la cual las denominadas instituciones de inversión colectiva agrupan los ahorros de una pluralidad de inversores para invertirlos en los mercados de valores y gestionarlos de manera conjunta, disminuyendo los riesgo mediante la diversificación de la cartera y determinando los rendimientos de la inversión en atención a los resultados globales alcanzados.

En tercer lugar, en el contrato de gestión de carteras el gestor debe actuar «con arreglo a los mandatos conferidos por los inversores»; esto es, conforme a los criterios o instrucciones proporcionadas por éstos. Las instrucciones de los clientes pueden referirse a los niveles de riesgo a asumir, a los tipos de valores o instrumentos financieros de los que puede componerse la cartera, etc. Ahora bien, para que pueda hablarse del contrato de gestión de carteras, las instrucciones de los clientes deben dejar un amplio margen de libertad de actuación al gestor a la hora de adoptar decisiones de inversión; en caso contrario, el contrato sería de gestión asesorada o asesoramiento de inversiones.

Finalmente –y a pesar de que la Ley no lo indica–, la naturaleza del objeto a gestionar (el patrimonio mobiliario de un cliente) exige una «gestión dinámica», que comprende la realización de actos de disposición de valores o instrumentos financieros cuando sea necesaria para conservar y aumentar el valor de la cartera de inversión. Desde esta perspectiva, el contrato de gestión de carteras se diferencia del contrato de administración de valores, en el que la administración es conservativa, se dirige a la conservación del valor y de los derechos derivados de los valores o instrumentos financieros administrados (V. *infra*).

Como ya se ha indicado, la obligación fundamental del cliente inversor es el pago de la remuneración pactada, según las tarifas establecidas por la entidad gestora. La entidad gestora, por su parte, se obliga a la administración de la cartera en la forma señalada. La obligación de gestión es una obligación de medios, no de resultado: el gestor se obliga a emplear la diligencia exigible a quien profesionalmente se dedica a la administración de carteras; pero no garantiza un resultado, una ganancia o la revalorización de la cartera. El gestor está obligado también a mantener adecuadamente informado al inversor (art. 79 bis LMV).

En lo que se refiere a la extinción del contrato, hay que señalar que, junto a las causas generales, el contrato de gestión de carteras, como contrato de confianza, puede ser denunciado en cualquier momento por el cliente inversor, si bien éste queda obligado a satisfacer la retribución y los gastos correspondientes a las operaciones pendientes.

b. El contrato de depósito y de administración de valores o instrumentos financieros

Entre los servicios auxiliares a los de inversión, la LMV incluye «la custodia y administración por cuenta de clientes de los instrumentos previstos en el artículo 2» (art. 63.2). La custodia era la finalidad principal perseguida tradicionalmente por el llamado depósito administrado de valores. En efecto, por virtud de este contrato un sujeto se obligaba a custodiar y a restituir determinados títulos, asumiendo normalmente, además, y debido al carácter fructífero de los títulos, la obligación de administrar los títulos en cuestión, lo que obligaba al depositario a practicar todos los actos necesarios para que los efectos depositados conservaran el valor y los derechos que les correspondían (art. 308 CCom). Actualmente, sin embargo, y como consecuencia del proceso de desmaterialización de los valores y de su representación por medio de anotaciones en cuenta, el contrato de depósito administrado de títulos ha ido cediendo el paso al contrato de administración de valores y demás instrumentos financieros, en el que ya no existe obligación de custodia porque no existen títulos que custodiar. De manera que en la actualidad existen dos modalidades contractuales: por un lado, el contrato de depósito administrado de títulos, cuando el objeto del contrato está constituido por valores o instrumentos financieros representados por medio de títulos. Y, por otro lado, el contrato de administración de valores o instrumentos financieros cuando los valores o instrumentos financieros están representados por medio de anotaciones en cuenta. La prestación de estos servicios y la consiguiente celebración de los contratos de depósito y de administración está reservada a las entidades autorizadas para realizar los servicios de inversión y los servicios auxiliares: las sociedades de valores, las agencias de valores y las entidades de crédito (arts. 64.2 y 3 y 65 LMV).

En el contrato de *depósito administrado de títulos*, las obligaciones fundamentales del depositario son la custodia de los títulos y la devolución de los mismos cuando le sean reclamados (art. 306 CCom) y la de cobrar los intereses que devenguen a la fecha de sus vencimientos y de realizar todos los actos necesarios para la conservación del valor y de los derechos que le correspondan (art. 308 CCom). El depositante, por su parte, queda obligado al pago de la retribución pactada. Se trata de un contrato sometido a las reglas del depósito y del mandato.

En el contrato de *administración de valores o instrumentos financieros representados por medio de anotaciones en cuenta*, la entidad administradora asume obligaciones que pueden reconducirse también al ámbito del mandato. A la entidad administradora le corresponde, en efecto, el ejercicio, por cuenta del titular, de los derechos económicos de los valores (*v. gr.*, el cobro de los dividendos, la recepción del reembolso del principal en caso de amortización de los títulos, etc.: V. art. 308 CCom). En el caso de los derechos políticos y en concreto del derecho de voto, su ejercicio debe someterse a las normas correspondientes (*v. gr.*, a las normas de la Ley de Sociedades de Capital sobre representación en la junta general: arts. 184-186 LSC). En fin, en el supuesto de aumento del capital, la entidad administradora deberá solicitar instrucciones al titular de los valores sobre la forma de proceder, debiendo abstenerse, a falta de las citadas instrucciones, de suscribir los nuevos valores, pudiendo únicamente vender los derechos de suscripción preferente. Al administrador no le corresponde, en cambio, el cumplimiento de las obligaciones derivadas de los valores o instrumentos financieros representados por medio de anotaciones en cuenta (*v. gr.*, la realización de los desembolsos pendientes), a no ser que hubiera sido expresamente facultada para ello y hubiera recibido la correspondiente provisión de fondos (V. art. 250 CCom). La obligación fundamental del titular de los valores o instrumentos financieros es el pago de la retribución pactada por la prestación del servicio. Junto a ello, el titular de los valores deberá otorgar a la entidad administradora el poder necesario para el ejercicio ante el emisor de los derechos derivados de los valores o instrumentos financieros.

Lección 12

Los contratos bancarios

FLORENCIO OZCÁRIZ MARCO

Profesor Asociado de Derecho Civil
Universidad Pública de Navarra

SUMARIO: I. LA CATEGORÍA «CONTRATOS BANCARIOS». II. LAS FUENTES REGULA-
DORAS DE LA CONTRATACIÓN BANCARIA. *1. Legislación general. 2. Legislación sectorial. 3. Normativa sobre publicidad de los servicios bancarios. 4. Los
usos bancarios.* III. LOS SUJETOS EN LOS CONTRATOS BANCARIOS. *1. Las
entidades de crédito. 2. El contratante de servicios bancarios. 3. La pluralidad
de sujetos en los contratos bancarios. 4. El comisionado para la defensa del cliente
de servicios bancarios y el defensor del cliente y el SAC.* IV. LAS CUENTAS BAN-
CARIAS. *1. La cuenta corriente bancaria. 2. Los servicios de pago. 3. La transferencia bancaria.* V. DISTINTOS TIPOS DE CONTRATOS BANCARIOS. *1. Los
contratos de depósito de fondos o «de pasivo».* 1.1. Los depósitos a plazo. 1.2.
Las cuentas a la vista. 1.3. La cuenta a la vista en cuenta corriente. *2. Los
contratos de financiación o «de activo».* 2.1. El préstamo bancario. 2.2. El
crédito. 2.3. El descuento y anticipo de documentos. 2.4. El leasing y
otras figuras afines. 2.5. El factoring. 2.6. Las garantías bancarias. 2.7.
Los créditos documentarios. *3. Operaciones bancarias neutras.* 3.1. Las tarjetas de débito y de crédito. 3.2. La intermediación en el mercado de
valores, seguros y fondos. 3.3. Las cajas de alquiler. VI. EL SECRETO BAN-
CARIO Y EL BLANQUEO DE CAPITALES.

I. LA CATEGORÍA «CONTRATOS BANCARIOS»

Tradicionalmente se agrupa bajo el título «contratos bancarios» a aquellos contratos que regulan la actividad negocial de las entidades de crédito
con sus clientes. Es decir, que no todos los contratos que celebran las entidades de crédito serán contratos bancarios (por ejemplo la contratación de
personal o el alquiler de locales para oficinas), sino únicamente los que go-
biernan el ejercicio de su negocio con la clientela o, dicho de otro modo,
los que son «contratos de empresa» en que las entidades de crédito realizan

con sus clientes su actividad económica propia. En realidad los «contratos bancarios» son hoy día no sólo los que celebran los bancos con su clientela sino los que celebran las entidades de crédito (término que, en sentido estricto, engloba a los bancos, las cajas de ahorros y las cooperativas de crédito), e incluso ciertos contratos que celebran los denominados establecimientos financieros de crédito a que luego nos referiremos.

Serán objeto de estudio en primer lugar los contratos de captación de capitales o fondos de clientes, operaciones conocidas con el título genérico de «operaciones de pasivo» u «operaciones pasivas». Se trata de operaciones de ingreso o depósito de dinero que la entidad de crédito recibe en propiedad, lo que se llama depósito irregular, con el consiguiente nacimiento de una obligación de restitución del *tantundem* a favor del depositante, el cual deviene titular de un derecho de crédito por el importe depositado que se hará efectivo en las condiciones que las partes establezcan.

Por otra parte se habrán de examinar también los contratos de financiación a la clientela (operaciones conocidas como «operaciones de activo», «operaciones activas» u «operaciones de riesgo»). En estas operaciones las entidades de crédito facilitan financiación a sus clientes tanto con entrega de dinero (préstamo mutuo, descuento) como concediéndoles disponibilidad de dinero (crédito). En cualquier caso dinero propio, ya que se tratará tanto de recursos financieros propios de la entidad, como de fondos provenientes de depósitos de clientes que la entidad ha hecho propios a cambio del nacimiento de un crédito para el depositante. Vamos a estudiar también dentro de este grupo el *leasing* y otras fórmulas modernas de financiación, así como la concesión de «riesgos de firma» o fianzas bancarias, en especial los créditos documentarios.

Es importante, pues, señalar que la labor que realizan las entidades de crédito recibiendo en depósito dinero de unos clientes y prestando dinero a otros, no se apoya en una pura intermediación, pues no es el dinero del depositante sino dinero propio el que la entidad presta al prestatario. Prueba de ello es que el impago por el prestatario no exime a la entidad de su obligación de restitución al depositante de lo que éste le confió. Por lo dicho, la doctrina suele hablar de intermediación indirecta al calificar esta actividad.

Y en último lugar nos ocuparemos de otras denominadas «operaciones neutras» que refieren ciertos servicios a la clientela en los que se han especializado este tipo de entidades y que no implican captación de ahorro ni concesión de crédito sino la prestación de ciertos servicios a cambio de una remuneración. Nos referimos, entre otros, a las tarjetas de crédito y débito, los servicios de custodia y administración de valores, de intermediación en valores, seguros y fondos, y al alquiler de cajas de seguridad. Existen otros servicios bancarios de indudable carácter «neutro» que, por razón de coherencia en la explicación, se van a estudiar no en sede de «operaciones neutras» sino en el apartado Cuentas Bancarias. Se trata de la cuenta corriente bancaria, de los servicios de pago y de las transferencias.

En las cuentas de pasivo el depositario remunera al cliente mediante el pago de un interés. Del mismo modo el interés constituye el premio para la entidad financiera en las operaciones de financiación y de él hablaré al ocuparme del préstamo. Junto al interés, se pacta el percibo de comisiones a favor de la entidad financiera tanto en operaciones activas como pasivas y neutras, y que, a diferencia del interés, se aplican sin consideración del factor tiempo, siempre han de estar autorizadas y publicadas y deberán obedecer a un servicio realmente prestado.

Los avances en materia telemática han traído consigo una contratación bancaria por medios informáticos, con firma electrónica y sin presencia física simultánea (internet, cajeros automáticos), lo que nos coloca en un marco contractual muy distinto al que hasta hace muy pocos años presidía estos contratos.

II. LAS FUENTES REGULADORAS DE LA CONTRATACIÓN BANCARIA

El Código de Comercio, en su artículo 175 y concordantes, identifica los contratos propios de las entidades de crédito, pero no se ocupa luego de su regulación. Sólo alguno de ellos (préstamo mutuo, venta de créditos, por ejemplo) lo encontramos tipificado y regulado en nuestro Ordenamiento, aunque con carácter general y no como actividad específica de las entidades de crédito. Y es que en nuestro Ordenamiento no contamos con una ley de contratos bancarios en el modo en que existe una Ley de Contrato de Seguro, por ejemplo. Por ello, a pesar del enorme peso que tales contratos tienen en el mundo económico actual, una buena parte de los mismos han de ser calificados como contratos atípicos que nacerán al amparo del principio de autonomía de la voluntad que proclama el artículo 1255 CC y de los usos sectoriales. Así son buenos ejemplos de contratos atípicos la cuenta corriente bancaria, la cuenta a la vista, la cuenta de crédito, o el alquiler de cajas de seguridad que enseguida estudiaremos.

Pero además debemos destacar la existencia de una abundante legislación de naturaleza reglamentaria que regula las operaciones bancarias, a la que necesariamente se han de acomodar las entidades de crédito al contratar con sus clientes. A destacar que, a la par que son normas administrativas que regulan las relaciones de las entidades de crédito con la autoridad crediticia, son normas que despliegan sus efectos en el plano contractual con la clientela, e integran normativamente la relación jurídico privada, afectando a la validez contractual su incumplimiento por las entidades de crédito. Una buena parte de la legislación vigente que vamos a estudiar es transposición de directivas europeas en esta materia, lo que está logrando una cierta homogeneidad normativa en esta materia legislativa.

1. LEGISLACIÓN GENERAL

En cualquier caso, configuran el marco general en el que se producirán estos contratos el Código de Comercio y las leyes civiles en cada caso (Código Civil, las distintas compilaciones). Claro que al tratarse comúnmente de contratación en serie, es materia sobre la que cae de lleno la normativa que en materia de condiciones generales establece la Ley 7/1998, de 13 de abril, de Condiciones Generales de la Contratación. Igualmente en el caso de contratación bancaria con consumidores y usuarios, ésta se regirá con carácter general por el Real Decreto Legislativo 1/2007, de 16 de noviembre, por el que se aprueba el Texto Refundido de la Ley General para la Defensa de los Consumidores y Usuarios y en su caso por las respectivas leyes autonómicas en la materia.

2. LEGISLACIÓN SECTORIAL

La normativa fundamental en esta materia está constituida por la Ley 26/1988, de 29 de julio, de Disciplina e Intervención de las Entidades de Crédito, por Real Decreto Legislativo 1298/1986, de 28 de junio, sobre Adaptación del Derecho vigente en materia de Entidades de Crédito al de la Comunidades Europeas, por la Ley 3/1994, de 14 de abril, de adaptación de la legislación española a la Segunda Directiva comunitaria en materia de coordinación bancaria que modifica y complementa al citado RDLeg, y la Ley 13/1994, de 1 de junio, de Autonomía del Banco de España (LABE), además de la Ley 44/2002, de 22 de noviembre, de Medidas de Reforma del Sistema Financiero, y la reciente Ley 2/2011, de 4 de marzo, de Economía Sostenible, sustancial en materia de transparencia bancaria, base toda ella sobre la que se cimienta la abundante normativa de inferior rango, especialmente la dictada por el Ministerio de Economía al que las citadas normas habilitan al respecto. Entre esta normativa hay que destacar la OM de 12 de diciembre de 1989 sobre tipos de interés, comisiones, información a clientes y otras materias, que se ocupa de la transparencia de las operaciones bancarias y protección de la clientela[1]. Pero es que, además, la LABE habilita al

---

1. Encontrándose la presente obra en prensa, se ha publicado en el BOE de 29 de octubre de 2011 la Orden EHA/2899/2011, de 28 de octubre, de Transparencia y Protección del Cliente de Servicios Bancarios, que deroga, entre otras normas, la Orden de

Banco de España para dictar normas al sector, normas vinculantes para los sujetos a los que van destinadas y que se identifican como circulares. A destacar dentro de las normas dictadas por el Banco de España en ejercicio de su potestad reglamentaria, la Circular 8/1990 de 7 de septiembre, hoy en vigor tras haber sufrido incontables modificaciones, dictada en desarrollo de la referida OM de 12 de diciembre de 1989.

Estas normas administrativas son *ius cogens*, dictadas con tal carácter en indudable interés de una de las partes contratantes, el cliente bancario (sea o no consumidor), para que éste cuente con información suficiente anterior al contrato y coetánea al mismo que le permita una decisión más libre a la hora de contratar. Así por ejemplo, constituyen ejemplos de esa normativa que integra el contrato bancario, tratando de velar por el interés de la parte –oficialmente y en la práctica– más débil, las siguientes obligaciones: la obligación de publicar tipos de interés preferenciales e interés para descubiertos en cuentas y comisiones y gastos de aplicación; la entrega de una oferta vinculante cuando el cliente lo solicite; la de informar sobre la Tasa Anual Equivalente (TAE) resultante a cargo o a favor del cliente y de todos los datos necesarios para conocer el método de cálculo de la misma; la limitación de los derechos de la entidad de crédito, en orden a la variación de los tipos de interés e inclusión de nuevas comisiones en contratos de duración indefinida para posibilitar que se ponga término a la relación contractual si la modificación no interesara al cliente; los derechos de reembolso anticipado a favor del cliente; la obligación en determinados casos de tener en la notaría durante tres días a disposición del futuro prestatario el proyecto de escritura de préstamo hipotecario que se ha de firmar; o la obligación de entrega de un ejemplar contractual al cliente; las normas en materia de ofertas vinculantes sobre subrogaciones en préstamos hipotecarios concedidos por otras entidades; y las normas en materia de publicidad a que luego nos referiremos.

En el caso de contratación bancaria con consumidores y usuarios, específicamente se regirá por la Ley 16/2011, de 20 de junio, de contratos de

---

12 de diciembre de 1989 referida y la Orden de 5 de mayo de 1994 sobre Transparencia de las Condiciones Financieras de los préstamos hipotecarios. Su entrada en vigor se producirá a los seis meses de su publicación en el BOE, con excepción de algunas materias, que entrarán en vigor a los nueve meses de su publicación.

En esencia la Orden EHA viene a concentrar en un único texto la normativa básica de transparencia, actualizando el conjunto de las previsiones relativas a la protección del cliente bancario (persona física). También desarrolla los principios generales previstos en la Ley de Economía Sostenible antes referida, estableciendo la obligación para las entidades de crédito de evaluar la capacidad del cliente para cumplir con las obligaciones derivadas de los préstamos o créditos que conceda.

crédito al consumo, con las limitaciones que la misma marca, y por la Ley 2/2009, de 31 de marzo, por la que se regula la contratación de los consumidores de préstamos hipotecarios y los servicios de intermediación en contratos de préstamo. Además, para el caso de contratación a distancia, regirá la Ley 22/2007, de 11 de julio, de Comercialización a Distancia de Servicios Financieros Destinados a los Consumidores.

3. NORMATIVA SOBRE PUBLICIDAD DE LOS SERVICIOS BANCARIOS

La Ley 34/1988, de 11 de noviembre, General de Publicidad, prevé en su artículo 1 que la publicidad se regirá por la propia Ley, por la Ley de Competencia Desleal y por las normas especiales que regulen determinadas actividades publicitarias. Pues bien, actualmente es la Orden EHA 1718/2010 de 11 de junio, de Regulación y Control de la Publicidad de los Servicios y Productos Bancarios, desarrollada por la Circular del Banco de España 6/2010 de 28 de septiembre la que de modo específico regula la publicidad de los servicios y productos bancarios.

4. LOS USOS BANCARIOS

El artículo 2 CCom apunta a los usos del comercio como fuente de Derecho que regirá los actos de comercio en defecto de disposiciones contenidas en la ley. Y precisamente en el ámbito de la contratación bancaria históricamente han tenido los usos una gran importancia acaso hoy moderada por la proliferación normativa y la imposición de contratos-tipo para la contratación. Los usos bancarios son asimilados a la costumbre, como usos jurídicos, en aplicación del segundo párrafo del artículo 1.3 CC. Hay que destacar el papel muy importante desempeñado por el Servicio de Reclamaciones del Banco de España, a la hora de fijar y clarificar buena parte de esos usos en sus resoluciones frente a reclamaciones de usuarios de servicios financieros. Los informes de este Servicio sirven para conocer los criterios de la autoridad financiera a la hora de fijar cuáles son los usos bancarios arreglados a una buena práctica bancaria.

III. LOS SUJETOS EN LOS CONTRATOS BANCARIOS

1. LAS ENTIDADES DE CRÉDITO

Stricto sensu, son entidades de crédito los bancos, las cajas de ahorros y las cooperativas de crédito, en definitiva «aquella empresa que tenga como actividad típica y habitual recibir fondos del público en forma de depósito, préstamo, cesión temporal de activos financieros u otras análogas que lleven aparejada la obligación de restitución, aplicándolos por cuenta propia a la concesión de créditos u operaciones de análoga naturaleza» (artículo 1° del Real Decreto Legislativo 1298/1986, de 28 de junio, sobre Adaptación del Derecho vigente en materia de Entidades de Crédito al de la Comunidades Europeas). Pero junto con las anteriores, reconoce la normativa vigente la condición de entidad de crédito a otras entidades como el Instituto de Crédito Oficial, la Confederación Española de Cajas de Ahorros y a las empresas que emiten medios de pago en forma de dinero electrónico.

Junto a las entidades de crédito, regula el RDLeg referido los llamados establecimientos financieros de crédito que son sociedades anónimas especiales cuya actividad principal consiste en el ejercicio de las actividades de préstamos y crédito (sociedades de financiación, _factoring_, _leasing_, emisión de tarjetas de crédito, o emisión de avales y garantías). Sin embargo, ninguno de estos establecimientos financieros de crédito puede captar fondos del público en forma de depósito ni como préstamos. De manera pues que hablan los autores de entidades de crédito en sentido estricto (bancos, cajas de ahorros y cooperativas de crédito) y de establecimientos financieros de crédito en sentido amplio que comprende al resto.

2. EL CONTRATANTE DE SERVICIOS BANCARIOS

Puede ser cualquier persona, física o jurídica. Se identifica a la primera por su nombre y apellidos y a la segunda por su denominación. En ambos casos también por su NIF y su CIF. Respecto a las personas físicas se ha de señalar que los menores de edad no solamente pueden ser titulares de una cuenta bancaria (de ordinario, una libreta de ahorros) sino que sobre todo las cajas de ahorro tradicionalmente han venido fomentando la apertura de libretas de ahorro a los recién nacidos y, en general, fomentando el ahorro infantil y juvenil permitiendo que los menores mayores de catorce años puedan realizar disposiciones de fondos no muy elevadas sin la asistencia de sus padres o representantes legales. Respecto a la contratación por menores de operaciones de activo, se ha de tener en cuenta la prohibición del artículo 323 CC de recibir dinero a préstamo para el menor emancipado, si no es asistido de sus padres o curador.

El que hoy día la generalidad de los pagos esté domiciliada en cuenta y de que muchos pagos se hagan por vía de transferencia bancaria, además del hecho de que las tarjetas de débito y crédito deban estar domiciliadas en una cuenta bancaria, hace que resulte inaudito el caso de una persona que no sea titular de una cuenta bancaria. Incluso suelen ser titulares ciertos grupos que, sin contar con personalidad jurídica, administran intereses económicos de los miembros que los componen. Así por ejemplo, las comunidades de vecinos reguladas por la Ley de Propiedad Horizontal 49/1960, de 21 de julio.

En el caso de las personas jurídicas adquiere especial relevancia determinar bien quién o quiénes serán las personas físicas que las representen transmitiendo a la entidad de crédito sus instrucciones respecto a las operaciones a llevar a cabo en la cuenta de que sea titular la persona jurídica. Por esto es práctica contemporánea a la apertura de una cuenta de titularidad de una persona jurídica el «bastanteo» por la entidad de crédito de los poderes que tal titular tenga conferidos para disposición de fondos y, en general, para cualquier práctica relacionada con la cuenta bancaria. Por medio de tal «bastanteo» la entidad de crédito registra los apoderamientos, tomando nota de los mismos y de las condiciones en que los apoderados podrán actuar (por ejemplo: conjuntamente todos, conjuntamente dos o más de ellos, indistintamente cualquiera de ellos, indistintamente hasta tal límite y a partir del mismo conjuntamente, indistintamente ciertos apoderados y conjuntamente otros apoderados, etc.).

Por último, se hace precisa una referencia a la posibilidad de que el contratante de servicios bancarios sea un no residente en España. Existe una normativa específica (diversas circulares del Banco de España) que regula el régimen de operaciones y cuentas de no residentes.

3. LA PLURALIDAD DE SUJETOS EN LOS CONTRATOS BANCARIOS

La titularidad de las cuentas pasivas y de las de activo puede ser ostentada por una sola persona o por varias y ello dependerá del contrato que se efectúe. El fenómeno de la pluralidad de titulares no es en absoluto extraordinario; pensemos en la cuenta corriente de la que van a ser titulares ambos esposos, o los socios de la sociedad irregular, por ejemplo. Por su parte, y dado el carácter solidario con que siempre suelen conceder las entidades de crédito sus operaciones de activo, será la propia entidad la primera interesada en que el lugar deudor sea ocupado por cuantas más personas sea posible, con lo que procurará contratar con el mayor número posible de cotitulares.

Más adelante (epígrafe IV. *Las cuentas bancarias*) haré referencia a la titularidad plural de las cuentas bancarias. Me remito a lo que allí digo sobre esta cuestión. Aquí hablaré únicamente del problema de la incorporación o eliminación de titulares al contrato vigente. Respecto a las cuentas pasivas parece evidente que a la entidad de crédito no le perjudica la incorporación o el cese de titulares de la relación jurídica. Será por tanto la voluntad conjunta de los contratantes clientes la que decidirá sobre si en una cuenta a la vista, por ejemplo, se ha de incorporar un nuevo titular o si se ha de dar de baja a otro. Lo mismo habrá que decir respecto al cambio en el modo de disponer de fondos (de indistinto a conjunto, por ejemplo). En cambio cuando se desee incorporar un nuevo titular o dar de baja a uno de los existentes en una cuenta activa, será la voluntad del acreedor la que, de acuerdo con lo que le soliciten todos los deudores, determine su admisión o denegación. Piénsese en que dar de baja a un prestatario es tanto como liberarle de su condición de deudor sin que la deuda se haya satisfecho.

Tanto en los contratos pasivos como en los activos, los clientes contratantes podrán designar en cualquier momento apoderados que los representen, individual o colectivamente. El apoderado o representante no es titular de la relación jurídica por lo que, sin causa alguna, puede ser cesado por el representado en cualquier momento.

4. EL COMISIONADO PARA LA DEFENSA DEL CLIENTE DE SERVICIOS BANCARIOS Y EL DEFENSOR DEL CLIENTE Y EL SAC

Aunque no se trata de un sujeto que participe directamente en la contratación bancaria, debemos hacer referencia aquí a la figura del comisionado para la defensa del cliente de servicios financieros, figura creada para recibir, estudiar e informar las quejas, reclamaciones y consultas que presente cualquier cliente respecto a servicios financieros por él contratados. Fue creado por la Ley 44/2002 de 22 de noviembre de medidas de reforma del sistema financiero. Sus conclusiones recogidas en un informe motivado, cuando aprecie indicios de incumplimiento o quebrantamiento de normas de transparencia y protección de la clientela, se remiten a los servicios de supervisión (Banco de España) que pueden sancionar a la entidad de crédito infractora.

Para la admisión y tramitación de quejas o reclamaciones ante el Comisionado, será imprescindible acreditar haberlas formulado previamente al departamento o servicio de atención al cliente o, en su caso, al defensor del cliente. Así pues, las entidades de crédito deben contar con una u otra figura en su organización, a la que se han de dirigir las reclamaciones de los clientes en materia de contratos bancarios, y sobre las que deberán resolver en el plazo de dos meses.

IV. LAS CUENTAS BANCARIAS

Todo empresario, y por tanto las entidades de crédito, está obligado a la llevanza de una contabilidad ordenada, adecuada a la actividad de su empresa, que permita un seguimiento cronológico de todas sus operaciones (art. 25 CCom). Por tanto, es responsabilidad de la entidad de crédito la contabilización de las operaciones que realiza con su clientela. La apertura de una cuenta es el modo ordinario que tienen las entidades de crédito de recoger los apuntes contables en relación con un determinado contrato de entre los que explicaremos en el siguiente apartado V. Bajo un número identificador determinado e irrepetible, que será único en el conjunto financiero, una vez celebrado el contrato con el cliente, se asentarán por la entidad de crédito en el «debe» y en el «haber» de la cuenta los distintos apuntes que se produzcan respecto a ingresos y reintegros, de manera que, por el sistema de compensación permanente, las partes contratantes conocerán en todo momento el saldo que la cuenta arroje a favor o en contra de cada una de las mismas. Las cuentas serán de activo o de pasivo, según el contrato a cuyo amparo hayan nacido.

Toda cuenta bancaria ha de contar con un titular que será una persona física o jurídica. La titularidad de una cuenta bancaria puede ser individual o de un grupo de personas. En este segundo supuesto, el contrato que dio lugar a la apertura de tal cuenta deberá haber indicado el carácter conjunto (mancomunado) o indistinto (solidario) con que los titulares podrán exigir el rescate del saldo que la cuenta arroje en cada momento. Si nada se estableciera en contrato, habrá de estarse a una disposición mancomunada en aplicación de lo dispuesto en el artículo 1137 CC. La condición de titular de una cuenta bancaria no confiere al mismo por sí misma dominio o condominio alguno sobre el saldo sino, al contrario, refiere únicamente quién o quiénes son las personas legitimadas para exigir el pago de un crédito por el saldo que la misma arroja o, dicho de otra manera, manifiesta quiénes son la persona o personas a cuyo favor deberá pagar la entidad de crédito para ver extinguido el crédito que sobre ella existe.

Así, la jurisprudencia del Tribunal Supremo (por todas, STS [1ª] 5.7.1999) ha consolidado la doctrina de que *«las cuentas corrientes bancarias expresan siempre una disponibilidad de fondos a favor de quienes figuran como titulares de las mismas contra el banco que los retiene, y el mero hecho de su apretura con titulares plurales, no determina por sí un necesario condominio sobre los saldos, que viene precisado por las relaciones internas que medien entre los titulares bancarios conjuntos y más concretamente por la originaria pertenencia de los fondos; por todo lo cual el solo hecho de abrir una cuenta en forma conjunta o indistinta no produce el efecto de atribuir los depósitos por partes igualitarias a los figurantes titulares».* Por su parte, la normativa fiscal en materia sucesoria presume, únicamente a los efectos que le conciernen y salvo prueba en contrario, que los saldos existentes en cuentas de titularidad plural son de su propiedad a iguales partes.

El estudio de la cuenta bancaria aconseja el análisis complementario de la cuenta corriente bancaria, de los servicios de pago y de la transferencia. Por esta razón abordo a continuación estas materias, consciente de que en puridad se trata de servicios «neutros» a ubicar dentro de este tercer grupo, según he anunciado antes, ya que tanto cabe que se den en contratos de activo (cuenta de crédito) como de pasivo (cuenta corriente).

1. LA CUENTA CORRIENTE BANCARIA

Sobre la base de la comisión mercantil, ciertas cuentas tanto de pasivo como de activo (la cuenta corriente y la cuenta corriente de crédito) se organizan como cuentas corrientes bancarias que, en síntesis, consisten en permitir al cliente hacer uso del llamado «servicio de caja», por el que va a poder retirar fondos en efectivo, ingresar cantidades y recibirlas de terceros, librar cheques (a cuyos efectos la entidad de crédito proveerá al cliente del correspondiente talonario de cheques), ordenar transferencias y recibirlas, domiciliar pagos de recibos, facturas y otros efectos, incluso cuotas de préstamos a satisfacer periódicamente, atender los pagos originados en el uso de tarjetas a que más tarde me referiré, etc. La base sobre la que se sustenta la cuenta corriente bancaria es la existencia de fondos previamente abonados en la misma, que se ven consumidos o incrementados según las operaciones que se van asentando respectivamente en el debe o en el haber de la cuenta. O sea que la cuenta corriente bancaria funciona sobre el principio de una continua compensación, de forma que en cada momento se conoce el saldo resultante de esa compensación, que es el saldo que la cuenta arroje a favor del cliente o a favor de la entidad. La reciente Ley de Servicios de Pago, a que me voy a referir luego de un modo más detallado, ha venido a regular una buena parte de los servicios de caja inherentes a la cuenta corriente bancaria, concretamente las órdenes de pago y las transferencias.

El contrato de cuenta corriente bancaria, tanto de activo como de pasivo, es consensual, derivándose para las partes respectivamente la obligación de atender y contabilizar las operaciones que el cliente ordene (para la entidad de crédito), y la de proveer los fondos necesarios para que la entidad de crédito pueda atender tales operaciones y por supuesto pagar los gastos que se ocasionen y las comisiones estipuladas para cada uno de los servicios que se presten con ocasión del «servicio de caja» (para el cliente). Igualmente, junto con la obligación de contabilizar, pesa sobre la entidad de crédito la obligación de informar con la periodicidad que se haya establecido en contrato de las operaciones asentadas en la cuenta. Esta información se podrá facilitar por cualquiera de los medios que las partes convengan (carta, correo electrónico, y otros). La Ley de Servicios de Pago ha venido a poner término a una vieja cuestión cual es el plazo en que, razonablemente, debe comunicar el cliente a la entidad su disconformidad con alguna operación de pago no autorizada o ejecutada incorrectamente, al señalar el plazo de trece meses desde la fecha del adeudo o del abono, pudiéndose pactar un plazo distinto en casos de usuarios no consumidores.

Este contrato, aun compartiendo nombre –cuenta corriente–, es distinto del contrato de cuenta corriente mercantil. Éste, que no cuenta con un «servicio de caja», se basa en la recíproca concesión de crédito, no siendo exigibles ni uno ni otro sino hasta el momento del cierre de la cuenta. En cambio en la cuenta corriente bancaria, en la que no existe la recíproca concesión de crédito, la compensación se produce con cada operación que se lleva a cabo. La falta de fondos justifica de ordinario a la entidad de crédito para no atender las operaciones de cargo que le sean ordenadas, si bien en ocasiones se permite lo que en argot bancario se conoce con el término «números rojos» o «descubierto en cuenta». En realidad se trata de una discrecional concesión de crédito al titular de la cuenta corriente o del crédito, para a su cargo atender alguna obligación de pago domiciliada en la cuenta. Este crédito no cuenta con un plazo y ha de ser cancelado en el menor tiempo posible. El contrato de cuenta corriente bancaria deberá establecer las circunstancias en que se podrán producir estos «números rojos» y la obligación que asume la entidad respecto a su concesión o desestimación en un caso de falta de saldo suficiente para atender un cargo.

Los tipos de interés que el crédito de «números rojos» o «descubierto» va a devengar han de estar publicados por la entidad financiera en las condiciones que indica la Norma Primera de la Circular 8/90 referida. Por su parte la Ley 24/2011 de 24 de junio de Contratos de Crédito al Consumo, en su artículo 20, determina, acerca de los que denomina descubiertos tácitos, que en ningún caso podrá aplicarse a los créditos que se concedan en forma de descubiertos a los que se refiere este artículo (descubiertos con consumidores) un tipo de interés que dé lugar a una tasa anual equivalente superior a 2,5 veces el interés legal del dinero. Respecto a descubiertos en contratos de crédito al consumo, la referida Ley 24/2011 establece con carácter imperativo un régimen particular con medidas más protectoras a favor del acreditado consumidor.

En virtud de lo que dispone la Circular 8/90 del BE, el contrato de cuenta corriente ha de constar por escrito, obrando un ejemplar en poder de cada una de las partes contratantes, y en ese contrato se deben regular al menos aquéllas cuestiones que la Circular determina. Normalmente es un contrato de duración indefinida, encontrándose las partes respectivamente facultadas para poner término al mismo, si bien la Ley de Pagos limita la facultad de la entidad de crédito de poner término al contrato que regule el régimen de los pagos hasta tanto no transcurran dos meses tras su notificación al cliente de su decisión, lo que se justifica en el perjuicio que supondría al cliente que de un día a otro no fueran a ser atendidos los efectos y pagos en general domiciliados en la cuenta corriente.

2. LOS SERVICIOS DE PAGO

La Ley 16/2009 de 13 de noviembre de Servicios de Pago y las normas que se han dictado en desarrollo de la misma (especialmente la Orden EHA/ 1608/2010, de 14 de junio, sobre transparencia de los servicios de pago), regulan el régimen de los servicios de pago que tradicionalmente vienen prestando las entidades de crédito a los titulares de cuentas corrientes y de cuentas de crédito. Tanto se pueden prestar por tales entidades de crédito como por las «entidades de pago» que tal Ley contempla, además de por las entidades de dinero electrónico y por la Sociedad Estatal de Correos y Telégrafos, SA. Regula esta Ley los ingresos en cuenta y reintegros en efectivo, ejecución de operaciones de pago (adeudos domiciliados en cuenta, recurrentes o no, pagos con tarjeta, transferencias), emisión y adquisición de instrumentos de pago y ejecución de operaciones de pago mediante dispositivos de telecomunicación, digitales o informáticos a través de la red o sistema informático, quedando excluidas de su ámbito una serie de operaciones de pago entre las que destacan los cheques y otros documentos.

La Ley regula las operaciones de pago singulares y los contratos de cuentas en los que se contemple la posibilidad de domiciliar pagos. Regula igualmente los detalles del trámite a seguir respecto a la orden de pago (rechazo, irrevocabilidad, plazos de ejecución, fechas valor, responsabilidad por operaciones incorrectas o defectuosas). La Ley se aplica obligatoriamente a los contratos con consumidores y al resto siempre que en este último supuesto expresamente no se excluya contractualmente la aplicación. La resolución del contrato procederá en el momento en que el cliente lo desee, a menos que las partes hayan convenido un preaviso, cuyo plazo no podrá exceder de un mes y, si así se hubiera pactado en contrato, siempre que lo desee la entidad de crédito o la entidad de pago, mediando un preaviso de dos meses.

3. LA TRANSFERENCIA BANCARIA

Su estudio completa el de la cuenta corriente bancaria y el de los servicios de pago a los que se une necesariamente. Es una comisión mercantil, un modo sencillo, rápido y seguro de hacer llegar fondos de la cuenta bancaria de una persona a la cuenta de otra, con base en el siguiente esquema: el titular de una cuenta que desea entregar una parte de su saldo a otra persona (*solvendi causa, credendi causa,* no importa el porqué), puede ordenar a su banquero que transfiera una parte del saldo (se podría transferir igualmente una cantidad sin que la misma se encuentre asentada en cuenta) a la cuenta del destinatario, sin necesidad de tocar el dinero, sustituyendo la entrega física de una cantidad por una serie de apuntes contables compensatorios. Efectivamente la transferencia bancaria consiste en una serie de operaciones de compensación por las que el banquero que recibe de su cliente A la orden de transferir una cantidad a su cliente B, procederá a cargar en la cuenta de A la cantidad a transferir, abonando a B tal importe. Si B tuviera la cuenta a la que se ha de transferir en otra entidad de crédito, el banco de A asentará el cargo en la cuenta de su cliente y asentará un abono en la cuenta interbancaria que mantenga con el banquero de B, de modo que cuando éste reciba el abono, procederá a abonar a su vez a su cliente B en su cuenta, cargando el importe en la cuenta interbancaria, de modo que el banquero de A queda compensado por el abono que antes realizó. No hay movimiento de numerario ya que en las cuentas corrientes interbancarias se compensarán las sumas de las respectivas transferencias, abonándose y cargándose respectivamente a una u otra entidad de crédito el saldo a favor o en contra que resulte tras la compensación. La transferencia es remunerada a quien la practica mediante el pago de la correspondiente comisión de transferencia, la cual, como cualquier comisión, no puede establecerse libremente sino que ha de ajustarse a las tarifas de comisiones que la entidad de crédito tenga aprobadas.

V. DISTINTOS TIPOS DE CONTRATOS BANCARIOS

1. LOS CONTRATOS DE DEPÓSITO DE FONDOS O «DE PASIVO»

Se trata, recordemos, de aquellos contratos por los que la entidad de crédito recibe en depósito irregular (por tanto, adquiriendo la propiedad de lo depositado) cantidades de dinero, y queda obligada a la restitución de otro tanto en la misma cantidad y moneda. El depósito irregular no aparece regulado de manera específica en nuestro Ordenamiento, pero su pacto resulta de indudable legitimidad en virtud de la libertad de pactos que proclama el artículo 1255 CC. Se ha pretendido por algunos la asimilación del depósito bancario de dinero al préstamo mutuo, con la diferencia de que los protagonistas cambian su papel, pasando el cliente a ser prestamista y el banco a convertirse en prestatario. Esta postura está superada pues ni lo que buscan las partes al contratar un depósito es el préstamo, ni sus notas caracterizadoras son las de éste. Ni siquiera la imposición a plazo fijo, como veremos, puede ser asimilada al simple préstamo. En realidad la causa para el depositante en el deposito bancario es compleja y participa tanto del interés en la conservación del dinero (que no se nos extravíe, que no nos lo sustraigan), como en el interés en ahorrar cantidades con arreglo o no a ciertos planes de ahorro, como en el interés en que el dinero produzca réditos, como en el interés en que con el dinero depositado la entidad de crédito pueda facilitarnos el servicio de caja.

Su objeto va a ser siempre el mismo: dinero. De ordinario la moneda nacional –el euro–, aunque puede que se convengan depósitos en otras monedas en determinadas condiciones (casos de no residentes y otros). Precisamente por la condición de bien fungible y genérico que tiene el dinero, se produce la traslación dominical a favor de la entidad de crédito, la cual ha de contabilizar de inmediato un crédito a favor de su cliente por el nominal recibido. La entidad de crédito, como depositario irregular, no tiene propiamente una obligación de guarda del dinero sino más bien una obligación de disponibilidad y una consiguiente obligación de restitución del *tantundem* cuando corresponda.

Porque nace para el depositario la obligación de restituir dinero, el legislador dicta una pluralidad de normas de naturaleza administrativa que tratan de garantizar que en todo momento se pueda producir la restitución. Otra observación: precisamente porque la entidad de crédito hace suyo el dinero recibido, el cual podrá después prestar a otros clientes y, por la diferencia de remuneración que existe entre el interés que paga a los depositantes y el que cobra a los prestatarios, la entidad obtiene el lucro en que básicamente consiste su negocio. Si el depósito de dinero en los bancos fuese regular, la entidad de crédito estaría obligada a custodiar lo recibido, no pudiendo hacer uso de ello, con lo que no sólo no remuneraría con intereses al depositante, sino que le debería cobrar una comisión por la labor de custodia del dinero, dada la improductividad de éste mientras se encontrara encerrado y custodiado en un sobre o en una bolsa. El crédito a la restitución en que consiste el derecho que nace a favor del depositante puede ser embargado, y según ha venido a declarar reciente jurisprudencia de modo contundente, puede ser objeto de pignoración en garantía de cualquier tipo de obligaciones.

Los modos de captación de fondos ajenos son múltiples, tanto a través del mercado de valores (emisiones diversas de bonos, pagarés y otros), como en operaciones con la propia clientela. Sólo me referiré a dos de estas últimas, por ser las de mayor peso en el mundo económico: los depósitos a plazo y las cuentas a la vista. No obstante, se hace obligada la referencia, siquiera de pasada, a la existencia de productos complejos de pasivo que, en la medida en que supongan la asunción de un riesgo por parte del cliente, se

411

encuentran sometidos a las normas MiFID a que me referiré luego en el epígrafe 3.2. En su virtud, la entidad de crédito se encuentra obligada a examinar la idoneidad del perfil del cliente respecto al riesgo que va a asumir con el producto de pasivo.

1.1. Los depósitos a plazo

El depósito o imposición a plazo fijo se caracteriza por ser concertado para un período de tiempo determinado, hasta cuyo término no podrá exigir el depositante su restitución, ni podrá imponerla la entidad de crédito. Supone para esta última la garantía de estabilidad que da el haber pactado un plazo para la devolución y, generalmente, justifica los mayores réditos que el depositante obtiene a cambio de verse privado de su dinero durante cierto tiempo. De todas formas en la generalidad de los casos, si el cliente tiene necesidad de rescatar el dinero depositado, cuenta con que las entidades suelen ofrecer dos soluciones al caso: o la concesión de un préstamo con garantía pignoraticia de la propia imposición a plazo, préstamo cuyo vencimiento ha de coincidir con el de la imposición a plazo, de modo que con cargo al líquido de ésta se cancelará el préstamo, o la cancelación anticipada del depósito a plazo con pérdida total o parcial del derecho a cobro de los intereses convenidos. A este respecto me remito a lo explicado antes respecto a los usos bancarios.

1.2. Las cuentas a la vista

En estos contratos podrá el cliente rescatar fondos total o parcialmente conforme a su conveniencia. Son contratos que se convienen «a la vista» o sea, de duración indefinida. Constituyen su prototipo las tradicionales «libretas de ahorro», contrato en cuya virtud el cliente puede ingresar y reintegrar cantidades en el modo que le interese. Hasta hace algún tiempo, la libreta que se entregaba al cliente al momento de su contratación servía para llevanza de la contabilidad ya que en ella se asentaban los reintegros y los ingresos con constancia del saldo existente a cada momento. La exigencia de presentación de la libreta al momento del reintegro de cada cantidad (era verdadero instrumento de rescate) garantizaba que el saldo de la cuenta a la vista era al menos el de la libreta que se mostraba. Hoy, con la posibilidad de domiciliación en contrato de libreta de pagos, la posibilidad de contar con talonario de cheques, y la posibilidad de que la cuenta a la vista de libreta sea cuenta vinculada a tarjetas de crédito o de débito, el contrato de libreta de ahorro ha perdido sus notas de identidad pasando a asimilarse a la cuenta corriente, con la singularidad de contar con una libreta que servirá para acreditar operaciones realizadas (siempre que la misma se actualice en cl momento) aunque ya no sirve para acreditar la existencia de un saldo acreedor a favor de su titular.

1.3. La cuenta a la vista en cuenta corriente

Dejando pues aparte estas cuentas a la vista en que la entidad financiera no presta servicio de caja y que suponen meros contratos de ahorro, nos encontramos con el grueso de cuentas pasivas, conocidas como cuentas corrientes. Se trata de cuentas a la vista en las que se pacta la prestación del servicio de caja en la forma ya vista antes cuando nos hemos referido al contrato de cuenta corriente, al que me remito.

2. LOS CONTRATOS DE FINANCIACIÓN O «DE ACTIVO»

Los contratos de financiación, de riesgo o de activo, también llamados operaciones bancarias activas, son, en sentido amplio, los contratos en cuya virtud la entidad de crédito entrega dinero o concede crédito (o la posibilidad de conseguirlo) a sus clientes y, en consecuencia, se convierte en su acreedor. Dentro de esta categoría (art. 175 CCom), el préstamo, el crédito y el descuento constituyen las tres modalidades básicas. Junto a ellos hemos de ubicar también otras financiaciones más modernas como el *leasing* y el *factoring*. Por último incluimos en este grupo las garantías o afianzamientos que prestan las entidades de crédito que, aunque no supongan un desembolso inmediato de una cantidad, sí consisten en una asunción de un riesgo que ha de ser contabilizado como tal y que puede tener como desenlace un pago con medios propios de una deuda ajena que convertirá a la entidad en acreedora directa de su cliente. Dada su mayor trascendencia en el mundo económico actual, dentro de este grupo estudiaremos especialmente el llamado crédito documentario.

2.1. El préstamo bancario

El préstamo bancario es un contrato por el que la entidad de crédito entrega una suma de dinero determinada al prestatario, que se obliga a restituir otro tanto en la fecha convenida (art. 312 CCom) y a pagar el importe de los intereses y comisiones pactados, pues no se devengarán si no se hubieren pactado (art. 314 CCom). Como todos los contratos que aquí se estudian su carácter es siempre mercantil con independencia de la identidad de quien recibe el préstamo. Así se deriva del artículo 2 CCom en relación con el 175 CCom y así lo tiene reiteradamente declarado el Tribunal Supremo. A este respecto hay que matizar que la normativa en materia de crédito al consumo desdibuja un tanto a favor de la protección del consumidor los caracteres puramente mercantiles del préstamo al consumo. No está regulado en nuestro Código de Comercio como contrato específico distinto del resto de los préstamos mercantiles, por lo cual se regirá por los pactos que las partes establezcan (art. 1255 CC), por la regulación del préstamo mercantil (arts. 311 y ss. CCom) junto con la regulación del simple préstamo o préstamo mutuo del Código civil (arts. 1740 y 1753 y ss.) o por lo que se disponga en la respectiva compilación de derecho civil en su caso.

Es un contrato real, no obstante la indudable validez vinculante del convenio de obligarse a dar el préstamo, que por cierto suele ser habitual en el tráfico bancario. Es contrato unilateral, traslativo de dominio que obliga a la restitución del *tantundem,* y contrato no formal a pesar de que habitualmente es contrato formalizado en documento público dado el interés de las entidades de crédito en contar con un título ejecutivo por si han de tener que cobrar el préstamo a través de los tribunales. Debo recordar aquí lo dicho acerca de los requisitos que la normativa financiera impone de contratación escrita, con entrega de copia del contrato al prestatario, obligada referencia en su texto a la tasa anual equivalente (TAE), a la fórmula para su obtención, etc.

Su objeto ha de ser siempre dinero y se aplicará a su devolución el principio nominalista en materia de pago de deudas dinerarias. También se deberán pagar intereses cuando así se haya pactado por escrito (o sea, siempre en la práctica). De todos modos no es exigible el interés cuando se paga el capital sin hacer reserva de los intereses pendientes (art. 318 CCom). También si así se ha pactado (y en la práctica se pacta siempre), procederá la capitalización de intereses vencidos y no pagados si hubo pacto de anatocismo (art. 317 CCom). Del mismo modo cabe (por virtud de lo que determina el art. 316 CCom) pactar un tipo de interés más oneroso para las deudas vencidas y no satisfechas desde el día siguiente al de su vencimiento. Este interés penalizador o de demora, siendo también remuneratorio, participa en buena parte de la cláusula penal que trata de disuadir al deudor del incumplimiento.

El interés puede ser fijo o variable, éste referido a determinados índices como el MIBOR y otros. Este interés variable lo podrá ser sin límites, o limitado por un mínimo (suelo, en el argot bancario) y un máximo (techo). En los préstamos a corto plazo se pactará, comúnmente, una amortización única del capital prestado al vencimiento. En los préstamos a mayor plazo, suele pactarse la amortización parcial que se llevará a cabo con periodicidad predeterminada (una cantidad al año o cada mes, creciente o constante por ejemplo) u otras veces a base de pagos periódicos de una cantidad constante o progresiva en la que se comprenderán capital e intereses.

Junto a la devolución del capital y el pago de los intereses y comisiones pactadas, suelen establecerse por las entidades otras obligaciones complementarias, sobre todo en el caso de grandes operaciones, como son las de auditarse, no enajenar bienes sin autorización, presentar balances con determinada periodicidad, etc. Se suele pactar que el incumplimiento de cualquiera de las obligaciones asumidas por el deudor facultará al acreedor para adelantar el vencimiento total, privando al deudor de su derecho a plazo y exigiendo la devolución de todo lo prestado. La Ley 2/1994, de 30 de marzo, de Subrogación y Modificación de Préstamos Hipotecarios posibilita al deudor la amortización anticipada de estos préstamos, subrogando a otra entidad de crédito en la posición acreedora, aunque nada se haya pactado al respecto en el contrato. De este modo cabe que el deudor, cambiando de entidad, mejore sus condiciones económicas en cualquier momento de la larga vida de un préstamo hipotecario.

2.2. El crédito

Es un contrato consensual y generalmente de tracto sucesivo, atípico al no venir regulado en la ley, en virtud del cual la entidad de crédito concede a su cliente la posibilidad de disponer de cantidades hasta un tope (el límite de crédito concedido) y durante un cierto tiempo (el plazo por el que se concede el crédito). Este contrato funciona de modo que el acreditado puede disponer a su comodidad de la totalidad del crédito de una sola vez, o de partes del mismo de modo fraccionado, o incluso no disponer de él. La entidad no entrega cantidades sin más, a diferencia del préstamo, sino que se obliga a tener dinero a disposición del acreditado para cuando éste, con arreglo a su necesidad o conveniencia, desee disponerlo y es entonces cuando se lo entrega. A cambio el acreditado deberá satisfacer ciertas comisiones (en todo caso la comisión de disponibilidad sobre la cantidad no dispuesta) y los intereses que devenguen las cantidades realmente dispuestas.

También se puede pactar que las disposiciones de dinero tengan lugar mediante el descuento de documentos, del que nos ocupamos luego y que suele llamarse línea de descuento o crédito para descuento; o incluso en asumir el acreditante frente a terceros determinadas obligaciones de pago (aperturas de crédito para riesgos «de firma» o línea de «avales»). En el caso de crédito para descuento, a cambio de un cierto carácter indefinido en la duración del contrato, las entidades suelen reservarse la facultad de «calificar» el «papel» o documentos que les sean presentados al descuento, admitiendo o rechazando los que se les presenten, de manera que en la práctica el acreditado sólo descontará aquellos documentos que en cada momento cuenten con la conformidad de la entidad financiera, lo que desvirtúa en algún modo la afirmación de que el acreditado dispondrá de cantidades conforme a su conveniencia y deseo, y separando de modo sustancial el crédito para descuento del contrato de crédito de dinero.

En la práctica suele pactarse la posibilidad para el acreditado de ingresar cantidades en la propia cuenta de crédito, de manera que sólo va a tener que pagar intereses de las cantidades realmente dispuestas y por tanto debidas en cada momento. De este modo, a diferencia de lo que ocurre en el préstamo, se optimiza la utilización de las «puntas de tesorería» que eventualmente puede tener el empresario o profesional que opta por financiarse con una cuenta de crédito y no con un préstamo. Por esta misma razón la apertura de crédito suele venir instrumentada en cuenta corriente (se habla entonces de apertura de crédito en cuenta corriente). En este caso (que es el más usual en la práctica bancaria) la entidad acreditante añade a la disponibilidad dineraria convenida el servicio de caja, con lo cual, y a su cargo, el acreditado puede librar cheques, domiciliar pagos, ordenar transferencias y recibir ingresos en la forma anteriormente estudiada (IV.1); y, en fin, se permite que con ingresos propios o ajenos (abonos) verificados en su cuenta, se puedan compensar las sumas dispuestas manteniendo su disponibilidad crediticia en todo momento.

Así como en el caso de los préstamos concertados a cierto plazo el prestatario debe devolver lo prestado en las respectivas fechas de vencimiento parcial, la financiación a través de la cuenta de crédito contará con un límite concedido que se rebajará progresivamente a lo largo de la vida del mismo. En este caso, el acreditado deberá reintegrar el excedido que resulte una vez se haya rebajado el límite concedido y no podrá seguir girando más que contra el nuevo límite de la cuenta de crédito.

2.3. El descuento y anticipo de documentos

Se trata de un contrato que igualmente carece de regulación legal en nuestro Ordenamiento, si bien se hace referencia a él en algunos preceptos del Código de Comercio (arts. 175.10º y 177 a 183). Puede darse en operaciones aisladas o en operaciones que se efectúan al amparo de un contrato de crédito para descuento. La razón fundamental que lleva a la concesión de un crédito para a su amparo conceder descuentos, previa su «calificación» como antes he apuntado (*vid.* 2.2 segundo párrafo) suele ser que, formalizando el correspondiente documento contractual con la intervención de fedatario público, cuenta el acreedor con un título ejecutivo para el cobro de los documentos descontados a su amparo, con independencia de si éstos son en sí mismos o no documentos ejecutivos y tanto si se trata de verdaderos descuentos como de meros anticipos, según luego veremos.

Por medio del descuento una entidad crediticia anticipa a un cliente el importe de un crédito no vencido que éste tiene contra un tercero, a cambio de la deducción (o descuento, de ahí su nombre) de un interés de su nominal. El descuento permite a los acreedores titulares de créditos con vencimiento aplazado (por ejemplo, el derivado de una letra de cambio, de un pagaré, de un recibo con vencimiento aplazado, de una certificación de obra a pagar en noventa días) percibir anticipadamente el importe de sus créditos, mediante su cesión onerosa a una entidad de crédito sin esperar al transcurso del plazo, con el fin de invertir inmediatamente su importe en la explotación de sus negocios. El descuento posibilita, por tanto, obtener liquidez, anticipando o permutando un activo financiero (como es el crédito) por un activo monetario. La entidad de crédito concede así crédito contando con un modo concreto de resarcimiento al vencimiento.

Debemos distinguir por un lado aquellos supuestos de descuento bancario que constituyen cesión de crédito, en definitiva sustitución de un acreedor por otro, como modo de obtención de crédito (por ejemplo la cesión de certificaciones de obra frente a la Administración o frente a un particular) en los que la entidad de crédito pasa a ser acreedora, saliendo el cedente de la relación jurídica existente con el obligado al pago. Para el caso de títulos cambiarios, la Ley Cambiaria y del Cheque posibilita su endoso a favor de la entidad de crédito descontante, asegurando la eficacia frente a terceros de la transmisión del crédito y la abstracción de la relación jurídica subyacente.

En estos supuestos de descuento, aunque el cedente sale de la relación jurídica, suele pactarse la cláusula «salvo buen fin» en virtud de la cual la entidad descontante podrá dirigirse contra su cliente en el momento en que vea frustrado el cobro del tercero obligado. Es decir, en la práctica, mediante la cláusula «salvo buen fin», el descontatario está garantizando a la entidad de crédito la solvencia del deudor (*vid.* art. 1529.1 CC), de lo que resulta que tal entidad cuenta con dos sujetos responsables del pago: el obligado y el cedente del crédito descontado. La jurisprudencia ha venido calificando el descuento bancario como un contrato autónomo con fisonomía propia y distinta, que no permite su identificación con ninguna otra figura jurídica.

Por otro lado, se suele hablar también de descuento en supuestos de meros anticipos –de facturas generalmente–. En estos casos la relación acreedor-deudor subsiste a pesar del anticipo, liberando al deudor el pago hecho a su único y original acreedor. Simplemente se anticipa total o parcialmente un crédito en la confianza de que a una determinada fecha se va a cobrar tal crédito y con su importe se cancelará lo anticipado. Esta distinción entre descuento y anticipo de documentos resulta particularmente importante en casos de concurso de acreedores a la hora de depurar el activo del concursado y saber si en el mismo se sigue ubicando o no el crédito descontado.

2.4. El leasing y otras figuras afines

También conocido como arrendamiento financiero, el *leasing* debe buena parte de su implantación en el actual mundo empresarial a las ventajas fiscales que proporciona. Por este contrato un establecimiento financiero de crédito adquiere del fabricante o en general del propietario, a indicación de su cliente, un determinado bien mueble o inmueble y se lo arrienda en determinadas condiciones y por determinado plazo, de forma que el cliente va a poder usar de tal bien, afectándolo a una actividad de carácter empresarial o profesional, sin deber atender al desembolso que supondría su compra. El convenio se complementa con otro de opción de compra por el que se reconoce al cliente el derecho a adquirir el bien arrendado, por un precio residual, en el momento en que termine el plazo de vigencia del arrendamiento. Si no conviniera ejercer tal derecho, se podrá pactar un nuevo arrendamiento o no pactar nada en cuyo caso el bien quedará definitivamente en propiedad del arrendador.

Es contrato distinto de la compra venta a plazos si bien se asimilan en ciertos casos en que el precio residual de adquisición es muy pequeño. En determinadas condiciones (muebles no consumibles e identificables) puede ser inscrito en el Registro de Venta a Plazos de Bienes Muebles. La propiedad que adquiere el financiador garantiza a éste frente al impago. Precisamente la Ley Concursal en su artículo 80 reconoce el derecho de separación de bienes dados en *leasing*. Cualquier pretensión de embargo sobre el bien dado en *leasing*, o de incluirlo en el activo de la concursada, permitirá al financiador interponer con éxito la acción procesal pertinente. Normalmente la sociedad de *leasing* recoge en sus condiciones generales contractuales la exención de responsabilidad frente a su cliente por los vicios que la cosa arrendada presente, con cesión de derechos a su favor de las acciones pertinentes frente al vendedor. Y también es común el pacto por el que el cliente asume en general los riesgos de deterioro o pérdida de la cosa arrendada.

El *lease back* es una figura paralela al *leasing* que busca también la financiación, pero a base de que sea el propio empresario que se va a financiar quien venda a la entidad de crédito un activo propio, cobrando su precio y tomándolo en arrendamiento de manera que puede seguir explotándolo como hasta entonces. Del mismo modo se pactará una opción de compra para poderse ejercitar en la fecha final del contrato de alquiler.

El *renting* es un mero contrato de arrendamiento (generalmente de automóviles) que incluye necesariamente el mantenimiento integral por el arrendador del objeto arrendado. Además el arrendatario carece de opción de compra sobre el bien arrendado.

2.5. El factoring

Es un contrato complejo, que presenta características propias del de comisión, del de descuento y de un contrato de garantía. Se le aplica lo dispuesto para cesiones de créditos en la disposición adicional tercera de la Ley 1/1999 de 5 de enero reguladora de las Entidades de Capital Riesgo y de sus Sociedades Gestoras, reformada por la Ley 44/2002 de 22 de noviembre de Medidas de Reforma del Sistema Financiero. En esencia diremos que es el supuesto de un empresario que conviene con una entidad de crédito o con un establecimiento financiero de crédito los servicios de administración (llevanza de la contabilidad), evaluación (análisis de riesgos), gestión y cobro de tales créditos, seguridad y financiación de la totalidad o parte de los créditos adquiridos o que adquirirá en el desarrollo de su tráfico empresarial. La entidad abonará el importe de los créditos cedidos, previo descuento de una determinada comisión, un interés o, en general, un precio. En unos casos la entidad asume el riesgo de insolvencia del deudor (*factoring sin recurso*), pero también puede convenirse la aplicación de la cláusula «salvo buen fin» en cuyo caso se habla de *factoring con recurso*.

Son requisitos que exige la Ley que los créditos cedidos dimanen de la actividad empresarial del cedente (siempre será un empresario), siendo el cesionario una entidad de crédito (en el sentido amplio del término que engloba a los establecimientos financieros de crédito dedicados a esta actividad); que los créditos existan a la fecha del contrato de cesión o nazcan de la actividad empresarial que el cedente lleve a cabo en el plazo máximo de un año a contar desde dicha fecha, o que conste en el contrato de cesión la identidad de los futuros deudores; que el cesionario pague al cedente el importe de los créditos con la deducción del interés correspondiente y que, en caso de que el crédito no se garantice, se acredite el abono, total o parcial, del crédito al cedente antes del vencimiento.Supuesto distinto es el *factoring al proveedor* o *confirming*, en el que, por el contrario, es la empresa cliente quien ordena irrevocablemente a la entidad de crédito, el pago a su cargo de deudas o facturas a las que ha dado su conformidad, a favor de unos determinados proveedores suyos en fechas de vencimiento concretas. La entidad remite carta al proveedor, avisando de ser la entidad encargada del pago de las facturas a sus respectivos vencimientos. En la misma comunicación le oferta la compra «sin recurso» de sus facturas, antes de la fecha de vencimiento del pago con un descuento según los días que restan para cada vencimiento. Caso de aceptación por el proveedor, con la antelación requerida, se realizará la operación, abonándole la entidad el importe neto. Caso de no optar por el anticipo, el abono por el nominal se producirá en la fecha de vencimiento de cada factura.

2.6. Las garantías bancarias

Ubicamos su estudio en sede de operaciones de activo ya que, aunque la emisión de una garantía a favor de tercero no implique necesariamente un desembolso de dinero, al menos de inmediato, sí supone la asunción de un riesgo que no es menor que el que se asume cuando se concede un préstamo, por ejemplo. En el tráfico mercantil es muy común el convenio de diferir el pago de las obligaciones dinerarias. Si al pacto principal se puede añadir el afianzamiento de una entidad de crédito que se obliga, generalmente con carácter solidario con el obligado principal, al cumplimiento de la obligación, tendremos la solución para tranquilizar al acreedor que accede al aplazamiento, sobre la base de la solvencia que en general ofrecen estas entidades. Comúnmente se suele identificar a estas garantías con el término «aval bancario» aunque muchas veces ni se trate de verdaderos avales sino de fianzas, ni se presten por un banco en el sentido estricto del término. En definitiva la fianza bancaria no es sino una fianza que ha de ajustarse en sus términos a la legislación civil y mercantil en la materia, si bien son cada vez más frecuentes los llamados avales o fianzas «a primer requerimiento». Son éstas garantías en que la entidad de crédito, a solicitud de su cliente, asegura a un tercero con el que su cliente ha contraído una obligación a plazo el pago de la cantidad garantizada, sin necesidad de que se le acredite el incumplimiento del pago que se le exige como fiador, incluso en el caso de que su cliente se oponga al pago por inexistencia de la obligación garantizada. Evidentemente estos supuestos de «aval o fianza a primer requerimiento» pueden superar los límites que para la obligación del fiador marca el artículo 1826 CC, y se justifican en la libertad de pactos que a los contratantes atribuye el artículo 1255 CC.

En algunas ocasiones es la propia ley la que impone el deber de prestar una de estas garantías, cual es el caso de la Ley 57/1968 que impone la prestación de una fianza solidaria de una entidad de crédito o aseguradora que garantice al comprador de una vivienda sobre planos que entrega cantidades en una cuenta bancaria especial y a cuenta del precio final, de manera que si no recibiera la vivienda comprada, le será devuelto lo entregado anticipadamente junto con un interés del 6% anual.

2.7. Los créditos documentarios

En el comercio internacional, e incluso en el nacional, el vendedor no quicrc enviar las mercancías vendidas si no cuenta con garantía de cobro. Por su parte el comprador no quiere pagar si antes no tiene garantizada la recepción e idoneidad de lo que compra. Pues bien, la intervención de una entidad de crédito da solución a esa mutua desconfianza evitando los riesgos comerciales por medio de una garantía denominada crédito documentario. Su regulación reside en normas privadas unificadas por la Cámara de Comercio Internacional a las que nuestra doctrina confiere el rango de usos de comercio. Son revocables los créditos documentarios que pueden ser cancelados por el emisor en cualquier momento, lo que los hace de muy poca utilidad y uso. En cambio los irrevocables suponen la obligación de pago en firme, mediante la expedición de una carta de crédito.

Cuando la venta se acuerda con garantía de un crédito documentario, el comprador da una orden de pago a su entidad de crédito a favor del vendedor contra la presentación de los documentos del contrato (que acreditarán que la mercancía se encuentra en su lugar de destino y que efectivamente es la que se compró). El banco se obliga al pago en efectivo contra la recepción de los documentos exigidos, siempre que se cumplan los términos y condiciones que en el crédito documentario se hayan establecido. El banco garante puede contar con otro establecido en el domicilio del vendedor, el cual actuará ante éste representando al banco emisor del crédito documentario. Si el banco representante asume el compromiso de pago se habla de crédito confirmado y si simplemente se limita a avisar de la apertura del crédito se dice que es un crédito no confirmado.

La relación de la entidad de crédito con su cliente ordenante es una comisión mercantil por la que aquélla se obliga a poner a disposición del beneficiario una cantidad de dinero y a retirar los documentos correspondientes previa verificación de su conformidad. Su responsabilidad alcanza a que los documentos estén en regla y sean conformes. Por su parte el cliente habrá de reintegrar a la entidad financiera el crédito satisfecho y la comisión pactada por dicho crédito. La relación entre la entidad de crédito y el beneficiario obliga a la primera a cumplir su compromiso de pago y al segundo a la entrega de los documentos en regla y conformes. Si ha intervenido un segundo banco del país del beneficiario, este banco ocupará el lugar del beneficiario en su relación con el banco emisor de la garantía y el lugar de este último en la relación con el beneficiario.

3. OPERACIONES BANCARIAS NEUTRAS

Dentro de los servicios que prestan las entidades de crédito y que no tienen encaje en las operaciones de pasivo ni en las de activo, cabría señalar en primer lugar la cuenta corriente bancaria, los servicios de pago y la transferencia bancaria que hemos explicado, por razón de mejor sistemática, al hablar de las Cuentas Bancarias (apartado IV anterior), ya que los tres servicios se pueden prestar tanto en alguna cuenta de pasivo (cuenta corriente a la vista) como en alguna de activo (cuenta corriente de crédito). Algunos autores encuadran también en este grupo a los afianzamientos y créditos documentarios que nosotros hemos preferido ubicar en sede de operaciones activas por su evidente contenido de riesgo asumido por la entidad de crédito al contratarlas. Además de las referidas, sin ningún ánimo de ser exhaustivos, nos ocuparemos también de las tarjetas de crédito y débito, de la intermediación en el mercado de valores, seguros y fondos y del alquiler de cajas de seguridad, de evidente menor importancia económica respecto a los demás. Ello sin olvidar que existen otras muchas más, como por ejemplo la compra venta de divisas, de las que no nos podemos ocupar en este manual.

3.1. Las tarjetas de débito y de crédito

Las tarjetas bancarias constituyen un instrumento de pago muy extendido en la actualidad. Se trata de documentos que identifican a su titular (de hecho, las tarjetas reciben la consideración de *títulos de legitimación,* aunque no sean títulos-valores en sentido propio), y que contienen determinados datos, que sirven para operar con ellas, de ordinario mediante el tecleo de un número de identificación secreto que sólo el usuario conoce. Las tarjetas, no siendo un producto exclusivamente bancario, están siempre vínculas a una determinada cuenta corriente (la denominada *«cuenta asociada»*), en la que se van cargando las operaciones realizadas con la tarjeta.

Dejando aparte las llamadas y poco extendidas «tarjetas monederos electrónicos o de prepago» que, como su nombre indica, llevan incorporada una cantidad de dinero previamente «introducida», contra cuyo saldo se pueden efectuar pagos al contado, diremos que existen las «las tarjetas de crédito» y «las tarjetas de débito». Ambas permiten a su titular utilizar el *«servicio de caja»* en los cajeros automáticos de la entidad y de otras entidades mediante el pago de una comisión, a cualquier hora y cualquier día, obteniendo dinero en efectivo, ingresando cheques, dinero, realizando consulta de los saldos y últimos movimientos de la cuenta «asociada». Además, ambas pueden emplearse como medios de pago en establecimientos que expresamente admitan dichas tarjetas («establecimientos adheridos»).

La diferencia fundamental entre ambos tipos de tarjeta estriba en que la tarjeta de débito produce un cargo inmediato en la cuenta por el importe de la transacción, con lo que tiene como límite (para cualquier tipo de operaciones) el saldo que en cada momento puede arrojar la cuenta asociada (aparte del límite por operación que, por razones de seguridad, suele establecerse); en tanto que la tarjeta de crédito permite al titular realizar operaciones por un importe superior al que figure en ese momento en la cuenta asociada, obteniendo de la entidad un crédito limitado a una determinada cuantía, y pudiendo diferir el pago en una serie de plazos (que serán pagados, no al establecimiento, sino a la propia entidad). De lo dicho habría que deducir la conveniencia de ubicar la tarjeta de crédito dentro del apartado «operaciones de financiación o activas» ya que suponen la concesión de crédito al titular de la tarjeta, no obstante lo cual, las tratamos en sede de «operaciones bancarias neutras» por sistemática en su estudio.

En el contrato de tarjeta intervienen varias partes, a saber: la empresa emisora de la tarjeta (que puede ser una entidad de crédito o una empresa especializada, como la universalmente conocida Visa), la entidad de crédito en la que se haya abierto la «cuenta asociada», y el titular de la tarjeta y de la «cuenta asociada». Eventualmente, intervendrán aquellos establecimientos crediticios en los que pudiera operar el titular de la tarjeta (normalmente sacando dinero con la tarjeta) y aquellos establecimientos mercantiles (hoteles, tiendas, empresas de servicios, a los que se llama «entidades adheridas») en los que el titular pueda efectuar pagos con tarjeta porque se encuentren convenidos, como clientes también, con la empresa emisora de la tarjeta. Está claro pues que la entidad emisora de la tarjeta contrata por un lado con los titulares de las tarjetas, por otro con los establecimientos de crédito, y por otro con los establecimientos que admiten el pago con tarjeta de bienes y servicios o «empresas adheridas».

Responsabilidad por extravío, sustracción o uso fraudulento de la tarjeta. Preocupa a las partes quién ha de cargar con el perjuicio que se ocasione por el uso no autorizado de la tarjeta (disposición de fondos, pago de productos o servicios). Los contratos de emisión de tarjetas suelen contener, sin excepción, cláusulas al respecto por las que se obliga al titular a memorizar el número de identificación y a no tenerlo escrito en lugar al que pueda acceder quien ha encontrado o sustraído la tarjeta. También se pacta siempre la obligación para el titular de notificar de inmediato a la entidad emisora el hecho de la pérdida, la sustracción o el robo de la tarjeta (a fin de poder desactivarla), y en definitiva la obligación de denunciar ante la autoridad el extravío o sustracción que se ha sufrido.

La casuística con que se ha enfrentado la jurisprudencia al resolver estos supuestos de atribución de responsabilidad por el uso indebido de la tarjeta es muy diversa. Por supuesto que el cliente está obligado (por contrato y por la teoría general de las obligaciones) a cuidar diligentemente su tarjeta y su número secreto en el modo en que lo haría un diligente padre de familia. Y parece que, en principio, nadie podría actuar con una tarjeta cuando se exija el tecleo del número secreto, si no es el mismo titular o alguien que le suplante y que conozca la identidad de tal número. Pero ello no significa que las entidades se puedan ver exentas de responsabilidad en todo caso de robo, sustracción o extravío de tarjetas. La *culpa in vigilando* puede concernir tanto al titular como a la entidad de crédito, dándose en la práctica muchos supuestos de concurrencia de culpas.

3.2. La intermediación en el mercado de valores, seguros y fondos

Dentro de las operaciones «neutras» que realizan las entidades de crédito, es tradicional hacer referencia al servicio de depósito o custodia y administración de valores que prestan las entidades financieras a su clientela, a cambio de las correspondientes comisiones. Actualmente el servicio de custodia de valores ha perdido la importancia que en otro tiempo tuvo al no existir ya títulos como documentos físicos susceptibles de extravío o deterioro. Sí, en cambio, mantiene su importancia la administración y gestión de carteras de valores.

Además las entidades prestan servicios de compra y venta o suscripción en el mercado de valores e instrumentos financieros, etc. Son operaciones que también pueden ser prestadas por otro tipo de entidades (sociedades y agencias de valores, por ejemplo). A destacar también las labores que hoy realizan las entidades de crédito en materia de comercialización de planes de pensiones, de fondos de inversión e incluso de seguros. Se trata de una auténtica intermediación que se remunera por ambas partes intermediadas. Respecto a fondos cabe decir que las entidades de crédito han sido las principales promotoras de sus gestoras para captar dinero fuera de balance, con una mejor perspectiva de remuneración para el cliente.

En España es de aplicación la normativa comunitaria relativa a la prestación y comercialización de servicios de inversión sobre instrumentos financieros conocida como MiFID. Es la sigla en inglés de la Directiva 2004/39/CE relativa a los Mercados de Instrumentos Financieros, traspuesta a la normativa española mediante la Ley 47/2007, de 19 de diciembre (que reforma la Ley del Mercado de Valores), y que persigue proporcionar cierta protección a los clientes y especialmente al pequeño inversor mediante el establecimiento y aplicación por parte de las entidades que prestan servicios de inversión de normas de conducta y protocolos de organización y control. Ello bajo la vigilancia y supervisión de la Comisión Nacional del Mercado de Valores. La normativa MiFID supone la necesaria clasificación de aquellos clientes a los que se les presten servicios de inversión, y comunicación de la clasificación asignada y la evaluación de la idoneidad o de la conveniencia en función del servicio de inversión prestado (perfiles de riesgo). En definitiva, la entidad queda obligada a examinar la idoneidad del perfil inversor del cliente en relación con la inversión que va a realizar.

3.3. Las cajas de alquiler

Las entidades de crédito suelen contar en algunas de sus oficinas abiertas al público con una zona reservada, dotada de ciertas medidas de seguridad, en la que cuentan con cajas de seguridad para su alquiler a los clientes. Su alquiler es un contrato por el que la entidad se limita a prestar un determinado servicio cual es facilitar a su cliente en exclusiva el uso de una caja de seguridad a cuya apertura podrá acceder en horario en que esté la oficina abierta al público y, de ordinario, mediante la utilización de una doble clave (llave en unos casos, código de seguridad en otros) de la que un ejemplar estará en poder de la entidad de crédito y otro en poder del arrendatario, de manera que sólo se podrá abrir y cerrar la caja si concurren simultáneamente ambas claves.

Es fundamental destacar que no estamos en presencia de un contrato de depósito, ya que el dueño de la caja ni siquiera conoce la identidad de los objetos que el arrendatario pudiera guardan en ella e incluso ni siquiera llega a conocer si en la caja se guarda algo o está vacía. Sí es cierto que quien ofrece en alquiler una caja de seguridad de las características referidas, tiene sobre sí la responsabilidad de vigilar por que las instalaciones cuenten con las medidas generales de seguridad que la *lex artis* exigiría en cada momento. En definitiva, la obligación del banco es referida a la custodia de la caja y no de su contenido, de manera que nadie que no esté debidamente legitimado tenga acceso a ella, pesando en general sobre el arrendador las obligaciones que recoge el artículo 1554 CC respecto a entrega de la cosa arrendada, reparación de lo necesario para conservarla y mantener al arrendatario en el goce pacífico del arrendamiento por todo el tiempo del contrato.

El cliente deberá pagar el precio convenido a cambio del uso de la caja. y destinarla al uso estipulado o al que sea conforme al fin que a ella es natural (art. 1555 CC). De hecho, los contratos tipo que redactan las entidades suelen recoger la prohibición de guardar en la caja determinados objetos.

Dicho lo anterior, hay que referirse a la responsabilidad de la entidad de crédito en caso de robo del contenido de la caja. La cuestión es compleja ya que la entidad desconoce de ordinario la identidad de lo guardado por el arrendatario en la caja de seguridad, con lo que el usuario de la caja tendrá verdaderas dificultades para acreditar la identidad de lo sustraído y su valor. En realidad las entidades suelen atajar este problema por el doble recurso a la prohibición por un lado de introducir en la caja de alquiler objetos de un valor superior a determinada cantidad de dinero, exonerándose de responsabilidad en cualquier caso respecto a lo sustraído que supere ese valor, y mediante la contratación de pólizas de seguro, a su cargo o a cargo del cliente que alquila la caja.

VI. EL SECRETO BANCARIO Y EL BLANQUEO DE CAPITALES

Al hablar de contratación bancaria resulta obligada la referencia al secreto bancario. Tradicionalmente se ha venido considerando que las entidades de crédito están obligadas a guardar secreto acerca de los clientes, de los contratos que celebran con ellos, y de los saldos acreedores y deudores que los mismos tienen y, en general, acerca de las operaciones que realizan con su clientela. Así, la Ley de Disciplina e Intervención de las Entidades de Crédito, en su disposición adicional primera, determina que *«Las entidades y demás personas sujetas a la ordenación y disciplina de las entidades de crédito están obligadas a guardar reserva de las informaciones relativas a los saldos, posiciones, transacciones y demás operaciones de sus clientes sin que las mismas puedan ser comunicadas a terceros u objeto de divulgación».* Pero este principio absoluto que hoy continúa como obligación general correspondiente a la *lex artis* que debe presidir el comportamiento de las entidades de crédito, ha venido a relativizarse en los últimos tiempos. Así la Ley 58/2003 de 23 de diciembre General Tributaria en su artículo 93.3, tras determinar el deber de colaboración de entidades y particulares con la Administración en materia de tributos, establece que *«el incumplimiento de las obligaciones establecidas en este artículo no podrá ampararse en el secreto bancario».*

Por otra parte, y en relación con esta misma materia, debo hacer referencia también a la Ley 10/2010 de 28 de abril de Prevención del Blanqueo de Capitales y de la Financiación del Terrorismo, la cual obliga a las entidades de crédito a una comunicación activa, por iniciativa propia, al Servicio Ejecutivo de la Comisión de Prevención del Blanqueo de Capitales e Infracciones Monetarias, cuando se den determinados supuestos en la contratación con la clientela.

Por encontrarse de alguna manera relacionada con el deber de secreto bancario, aunque en este caso el secreto se pretenda respecto a otros departamentos de la entidad de crédito, debemos hacer una pequeña referencia al conjunto de normas recibidas de la legislación europea y conocido en el argot financiero con el nombre de «murallas chinas» para poner coto a operaciones con información privilegiada y a la manipulación del mercado (abuso del mercado). Por él, por ejemplo, se impide que la información poseída por un departamento o sección de la entidad de crédito sea conocida por otra unidad de la misma, ayudando a impedir el tráfico de información privilegiada dentro de la entidad. Piénsese en el supuesto de que una compañía, al solicitar un préstamo a un banco, le hace entrega de determinada información que se le requiere para estudiar la viabilidad de la operación. Pues bien, dado el exclusivo fin con que ha recibido la información, la entidad de crédito no podría hacer uso de ella para, también por ejemplo, tomar una decisión de comprar o vender acciones de esa misma compañía.

El contrato de transporte

JUAN CARLOS SÁENZ GARCÍA DE ALBIZU*

Catedrático de Derecho Mercantil
Universidad Pública de Navarra

Mª TERESA HUALDE MANSO**

Profesora Titular de Derecho Civil
Universidad Pública de Navarra

---

* Autor de los epígrafes I (*Aspectos generales*) y II (*El contrato de transporte terrestre de cosas*).
** Autora del epígrafe III (*El contrato de transporte terrestre de personas*).

rio de viajeros. 7.2. El seguro de responsabilidad civil. 7.3. El seguro de responsabilidad civil en la circulación de vehículos a motor.

I. ASPECTOS GENERALES

1. INTRODUCCIÓN

Abordar el estudio del contrato de transporte significa, por un lado, ubicarlo junto a la figura de la compraventa y, por otro, reconocer que ambos negocios jurídicos hunden sus raíces en la más profunda de nuestras tradiciones jurídicas; en efecto, si la compraventa suele ser considerada el contrato básico a través del cual se articula la transferencia de bienes y derechos, no es menos cierto que en la mayoría de las ocasiones esa transferencia implica también un traslado físico de los mismos que viene a articularse a través del contrato de transporte. El transporte, en suma, sigue permitiendo trasladar los productos elaborados desde los centros de fabricación a los de distribución, haciéndolos llegar así a los destinatarios finales que no son otros que los propios consumidores.

Pero si, tradicionalmente, el transporte apareció ligado a la compraventa e incluso a la comisión en el *iter* conducente a la distribución de los bienes, no podemos, sin embargo, olvidar tampoco que este mismo contrato va a permitir, así mismo, el desplazamiento de las personas de un lugar a otro. Esta primera aproximación resulta suficiente a la hora de acreditar la importancia económica de la figura cualquiera que sea el objeto o el sujeto transportado.

Si atendemos a la vertiente jurídico-privada, vamos a encontrarnos con una doble regulación que podríamos situar, por un lado, en los muy esquemáticos artículos 1601 a 1603 del Código Civil y, por otro, en la todavía reciente y muy elaborada Ley 15/2009, de 11 de noviembre, del contrato de transporte terrestre de mercancías (en adelante LCTTM), la cual vino a derogar de forma expresa los artículos 349 a 379 del Código de Comercio.

Pero un análisis que se circunscribiera exclusivamente a la dimensión jurídico-privada del tema no dejaría de ser un análisis sesgado y, en consecuencia, insuficiente; a ello coadyuva la propia importancia de la actividad del transporte o el tratarse de una actividad de interés general, entre otras razones, que vendrían a justificar la intervención administrativa en el sector. Abandonado el sistema de los monopolios, actualmente dicha intervención administrativa suele articularse bien a través del régimen de concesión bien a través de la correspondiente autorización administrativa.

Ahora bien, es preciso destacar también que aun incluso en los transportes realizados en régimen de libre competencia, adquieren una singular relevancia las *condiciones generales* aprobadas por la Administración Pública y que aparecen recogidas en sendos anexos a la OM de 25 de abril de 1997, disposición ésta que sería modificada por otra de igual rango y fecha 9 de diciembre 2008.

2. CONCEPTO, NATURALEZA JURÍDICA Y CARACTERES

Si pretendemos facilitar una noción común a toda clase de transportes, debiéramos comenzar afirmando que se trata de un contrato por el cual el porteador se obliga, a cambio de un precio, a trasladar de un lugar a otro a personas o cosas. Semejante apunte conceptual nos permite descubrir, de inmediato, que la obligación principal del porteador consistirá en desplazar personas o cosas de un lugar a otro, lo cual nos invita a pensar que nos encontramos ante un arrendamiento de obra y no ante uno de servicios en la medida en que el porteador sólo cumple con la mencionada obligación si efectúa el traslado contratado de manera incólume y puntual.

Podemos, así mismo, afirmar que nos encontramos ante un contrato sinalagmático, es decir, que genera obligaciones para ambas partes. Ciertamente, se trata además de un contrato oneroso, por cuanto la contraparte se encuentra obligada a satisfacer al porteador el precio del transporte. Salvo en supuestos cada vez más excepcionales, el contrato de transporte tiene carácter consensual, lo que significa que se perfecciona por el simple consentimiento de las partes sin que sea preciso, a estos efectos, la entrega de la cosa que se pretende transportar. Se puede afirmar, igualmente, que, a los efectos del resultado perseguido, éste tiene carácter fungible en la medida en que el mismo puede alcanzarse, bien por el propio porteador, bien por terceros.

Finalmente, no podemos tampoco olvidar que el transporte contratado podrá tener naturaleza civil, en cuyo caso le serán de aplicación las disposiciones contenidas en los artículos 1601 a 1603 del Código Civil, o bien naturaleza mercantil, supuesto este mucho más frecuente en la práctica y que se regirá por lo establecido en la LCTTM. Ahora bien, a la hora de determinar cuando nos encontramos ante un contrato de una u otra naturaleza, entendemos que, no obstante la derogación de los artículos 349 a 379 del Código de Comercio operada por la mencionada LCTTM, es posible, sin embargo, acoger todavía alguno de los criterios distintivos que en dichos preceptos se recogían; en efecto, debe entenderse que el contrato de transporte será mercantil siempre que el porteador se dedique de manera habitual a realizar transportes para terceros o, dicho con otras palabras, cuando nos encontremos ante una empresa de transportes. En caso contrario, deberá considerarse que se trata de un transporte civil al cual le serán de aplicación lo dispuesto en los artículos 1601 a 1603 del Código Civil.

3. CLASES DE TRANSPORTE. SUS FUENTES NORMATIVAS

La finalidad preferentemente didáctica de la obra obliga a prescindir de numerosos criterios de clasificación aplicables al contrato de transporte para ceñirnos de forma exclusiva a aquellos que pueden facilitar una mejor comprensión de toda esta materia. El criterio básico del cual arrancaremos es el que se refiere al medio en que el transporte se desarrolla, criterio éste que nos permitirá distinguir entre transporte terrestre, marítimo, aéreo o multimodal; todo ello sin perjuicio de que el transporte terrestre pueda, a su vez, subdividirse en transporte por carretera o por ferrocarril y de que, paradójicamente, al transporte fluvial, en los países de nuestro entorno, les suela ser de aplicación la regulación prevista inicialmente para el transporte terrestre.

Otro criterio de clasificación que merece también ser tenido en cuenta, siquiera a los solos efectos de la enumeración de las fuentes normativas, es el que, basándose en el ámbito geográfico en que el transporte se desarrolla, permite distinguir entre transporte nacional y transporte internacional. Finalmente, si atendemos al objeto transportado no habremos de olvidar tampoco la distinción entre transporte de cosas y transporte de personas.

3.1. Transporte terrestre

a. *Transporte por carretera*

Por lo que se refiere al transporte de ámbito nacional, además de los mencionados artículos 1601 a 1603 del Código Civil y del contenido de la LCTTM, según se trate de un transporte civil o mercantil, será preciso atender también, y de forma especial por lo que se refiere a la ordenación del sector, a lo dispuesto en la Ley 16/1987, de 30 de julio, de Ordenación de los transportes terrestres, la cual ha sufrido diversas modificaciones entre las que destaca la operada a través de la Ley 29/2003, de 8 de octubre, sin olvidar tampoco lo establecido en el Reglamento de desarrollo de aquella ley, el cual fue aprobado mediante Real Decreto 1211/1990, de 28 de setiembre, ni lo dispuesto en la antes mencionada OM de 25 de abril de 1997 por la que se establecen las condiciones generales de la contratación de los transportes de mercancías por carretera, disposición esta que, así mismo, sería objeto de una ulterior modificación en el año 2008.

En el ámbito internacional, el marco normativo de referencia lo encontramos en el Convenio de Ginebra sobre transporte internacional de mercancías por carretera (CMR) de 19 de mayo de 1956, ratificado por España y objeto de algunas modificaciones ulteriores. Tampoco cabe olvidar el Acuerdo Europeo sobre transporte de mercancías peligrosas por carretera de 1977 (ARD) ni el Convenio aduanero sobre transportes en régimen TIR de 1975.

Por lo que se refiere al transporte de personas, es obligada la referencia al Reglamento CE núm. 684/1992, de 16 de marzo, por el que se establecen las normas comunes para el transporte internacional de viajeros por autobús.

b. Transporte ferroviario

Si de nuevo nos situamos en el ámbito nacional, debemos recordar que resulta también de aplicación al transporte ferroviario la LCTTM de 2009 y al transporte de personas el Reglamento CE núm. 1371/2007, de 23 de octubre, sobre los derechos y obligaciones de los viajeros de ferrocarril; la normativa de ordenación del sector la encontraremos, a su vez, en la Ley 39/2003, de 17 de noviembre, del Sector Ferroviario, desarrollada poco después por el RD 2387/2004, de 30 de diciembre, y completada por otras disposiciones también de rango reglamentario.

Volviendo al ámbito internacional, es preciso destacar el Convenio de Berna (COTIF), cuya versión actual básica de 1980 se ha visto modificada por sucesivos protocolos entre los cuales procede destacar el de Vilnius de 1999 cuya entrada en vigor se demoró hasta el año 2006. El mencionado Convenio de Berna posee, a su vez, una serie de anexos que pasamos a enumerar: Anexo I (RID), de mercancías peligrosas; Anexo II (RIP), de vagones particulares; Anexo III (RICO), de contenedores y Anexo IV (RIEx), de paquete exprés. A todo ello habría que unir los Apéndices A y B sobre Reglas Uniformes aplicables al Contrato de Transporte Internacional de Viajeros y Equipajes por Ferrocarril (CIV) y al Contrato de Transporte Internacional de Mercancías por Ferrocarril (CIM).

3.2. Transporte marítimo

El transporte marítimo interno sigue rigiéndose por las viejas disposiciones del Código de Comercio contenidas en sus artículos 652 y siguientes relativos a los fletamentos y, en particular, en los artículos 706 a 718 que se ocupan del transporte de mercancías en régimen de conocimiento de embarque y en los preceptos 693 a 705 por lo que se refiere al transporte de pasajeros. Este vetusto sistema sigue a la espera de que, finalmente, algún día llegue a aprobarse la proyectada Ley General de Navegación Marítima.

En el ámbito internacional continúa vigente el Convenio de Bruselas de 1924 –más conocido como Reglas de La Haya–, el cual fue sucesivamente modificado por sendos Protocolos de 23 de febrero de 1968 y de 21 de diciembre de 1979 cuya integración en el original daría lugar a un texto que actualmente se conoce como Reglas de La Haya-Visby. La versión española de este conjunto normativo arranca de la Ley de 22 de diciembre de 1949, de transporte marítimo de mercancías en régimen de conocimiento de embarque, la cual se vería modificada años más tarde como consecuencia de la ratificación por parte de España de los mencionados Protocolos de 1968 y 1979. Aun cuando todavía no han sido ratificadas por nuestro país, habrá que tener en cuenta también el contenido de las Reglas de Hamburgo de 1978 y el de las recientemente aprobadas Reglas de Rotterdam de 2008.

Si, por otra parte, nos encontramos ante un transporte internacional de personas, las fuentes normativas habrá que buscarlas en el Convenio de Atenas de 1974 objeto también de algunas modificaciones ulteriores, entre las cuales destacan las operadas a través del Protocolo de 1989.

3.3. Transporte aéreo

Si nos ocupamos ahora ya del transporte aéreo interno tanto de cosas como de personas, comprobaremos que su regulación básica sigue encontrándose en la vieja Ley de 21 de julio de 1960 sobre navegación aérea y, más concretamente, en sus capítulos XII (arts. 92 a 114) relativo al contrato de transporte y XIII (arts 115 a 125) que se refiere a la responsabilidad en caso de accidente. Si bien esta Ley era en principio aplicable tanto al transporte de cosas como de personas, sin embargo, con la entrada en vigor del Reglamento CE núm. 889/2002, de 13 de mayo, puede afirmarse que los efectos de aquélla se ven limitados a partir de este momento al transporte aéreo de mercancías.

En el ámbito internacional, el texto normativo de referencia es el Convenio de Montreal de 1999 mediante el cual unas veces se completa y otras se sustituye un conglomerado normativo anterior que se inicia con el Convenio de Varsovia de 1929, modificado primero por el Protocolo de La Haya de 1955, completado más tarde por los Protocolos de Guadalajara de 1961 y Guatemala de 1971 y modificado, finalmente, por los cuatro Protocolos de Montreal de 1975.

El referido Convenio de Montreal es también aplicable al transporte aéreo de personas, si bien no habrá que perder de vista tampoco las disposiciones del Reglamento CE núm. 261/2004, de 11 de febrero, por el que se establecen las normas comunes sobre compensación y asistencia a los pasajeros aéreos en caso de denegación de embarque y de cancelación o gran retraso en los vuelos.

Finalmente y al margen del Derecho de los Convenios, es preciso destacar por su importancia práctica las «Condiciones generales» de la «International Air Transport Association» cuya primera redacción data de 1953.

3.4. Transporte multimodal

Si bien en los supuestos anteriores no se hacía necesario ningún tipo de definición, sin embargo, cuando nos referimos al transporte multimodal debemos saber que mediante dicha expresión se hace referencia a aquellos supuestos en los que, mediando un único contrato de transporte, se prevé, sin embargo, la utilización de diferentes medios a la hora de ejecutarse (carretera + barco, ferrocarril + carretera + avión, etc.).

Cuando el transporte multimodal tenga carácter nacional, su regulación habremos de buscarla en los artículos 67 a 70 de la LCTTM, aun cuando la propia naturaleza de esta ley viene a exigir que uno de los modos utilizados sea el terrestre.

Pero el ámbito de utilización más frecuente del transporte multimodal es el internacional, en relación con el cual, si bien no es posible desconocer la existencia del Convenio de Ginebra de 1980, tampoco debe ocultarse que este instrumento internacional todavía no ha entrado en vigor a pesar de los años transcurridos, lo cual ha provocado que la regulación cotidiana del transporte multimodal se haya visto remitida al llamado Derecho de los Formularios, como serían los elaborados, entre otros, por FIATA o por BIMCO, o incluso por la propia Cámara de Comercio Internacional como es el caso de las llamadas «Reglas uniformes para un documento de transporte combinado», cuya primera edición se remonta a 1973.

II. EL CONTRATO DE TRANSPORTE TERRESTRE DE COSAS

1. ELEMENTOS PERSONALES

En el contrato de transporte las partes contratantes reciben el nombre de porteador y cargador; sin embargo, cuando se trata de un transporte de mercancías es frecuente la aparición de una tercera persona, el destinatario, también llamado consignatario, quien resulta ser el acreedor en la fase ejecutiva del transporte, es decir, la persona que tiene derecho a recibir las mercancías en el lugar de destino. Así las cosas, nos ocuparemos, a continuación, de analizar la posición jurídica de cada una de estas personas.

1.1. El porteador

El porteador o transportista es aquella persona física o jurídica que asume en nombre propio frente al cargador la obligación de transportar las mercancías de un lugar a otro, idea que refleja el artículo 4.2 de la LCTTM, el cual, a su vez, pone de manifiesto que será indistinto que la ejecución del transporte la realice el porteador con sus propios medios o, por el contrario, contrate su realización con terceras personas.

Esta última previsión nos va a permitir adentrarnos en un ámbito que se conoce bajo el nombre de *pluralidad de porteadores*, siendo el recogido por el art. 4.2 LCTTM el primero de los supuestos que contemplaremos y que recibe el nombre de *transporte con subtransporte;* en él, el porteador contractual encarga a un tercero, denominado porteador efectivo, la ejecución de un determinado contrato de transporte. En principio, el cargador sólo tendrá acción contra el porteador contractual, aunque cada vez es más marcada la tendencia a permitir la acción frente al porteador efectivo, que es, en realidad, el causante del daño. En este supuesto, según dispone el artículo 6.2 LCTTM, el porteador contractual quedará vinculado frente al porteador efectivo como si de un cargador se tratara.

Algo diferente del supuesto descrito es lo que se conoce como *transporte con reexpedición;* el cargador celebra un único contrato con el porteador, el cual se compromete, por un lado, a ejecutar personalmente el transporte en una parte del trayecto total y, por otro, a contratar con terceros en nombre y por cuenta ajena la parte del trayecto restante. En estos casos el porteador actúa como tal en relación con la parte del trayecto que él ejecuta y como comisionista de transportes por lo que afecta a la parte del trayecto que contrata con terceros.

Mención aparte merece lo que se conoce con el nombre de *transporte cumulativo* o transporte con *porteadores sucesivos*, denominación esta última utilizada por el artículo 64 de la LCTTM para referirse al supuesto en el que sobre la base de un único contrato y de una sola carta de porte, varios porteadores se comprometen a ejecutar trayectos parciales de un mismo transporte, respondiendo, sin embargo, de la ejecución íntegra de éste.

Menor importancia merece el denominado *transporte múltiple*, pues en este supuesto el cargador lo que se limita es a celebrar diversos contratos de transporte también con una pluralidad de porteadores. Tampoco resulta excesivamente relevante desde esta óptica el *transporte multimodal*, caracterizado por el empleo de una pluralidad de modos de transporte, pero que no implica necesariamente la presencia de una pluralidad de porteadores.

1.2. El cargador

Al cargador o remitente se refiere el artículo 4.1 de la LCTTM cuando establece que se trata de la persona que contrata en nombre propio la realización de un transporte y frente al cual el porteador se obliga a efectuarlo. Lo relevante en la condición del cargador consiste en contratar en nombre propio la realización del transporte, siendo, en principio, irrelevante a estos efectos el hecho de que la titularidad de las cosas transportadas pudiera o no corresponderle. El cargador es además el acreedor de la prestación de transporte, situación que sólo se verá alterada si está prevista la existencia de una tercera persona denominada destinatario o consignatario.

Finalmente, señalaremos que la figura del cargador no debe ser confundida con la del *expedidor* a pesar de las semejanzas que pudieran existir; al expedidor se refiere el artículo 4.4 de la LCTTM cuando lo define como el tercero que por cuenta del cargador hace entrega de las mercancías al transportista en el lugar de su recepción.

1.3. El destinatario

El destinatario o consignatario, según establece el artículo 4.3 de la LCTTM, es la persona a quien el porteador ha de entregar las mercancías en el lugar de destino, es decir, el acreedor en la fase de ejecución del transporte; sin embargo y muy a pesar de que en ocasiones pueda verse obligado a pagar el precio del transporte si desea recibir las mercancías, lo cierto es que, desde un punto de vista técnico-jurídico, el destinatario no es parte en el contrato de transporte, siendo posiblemente éste uno de los ejemplos más característicos de lo que se conoce como *contrato a favor de terceros.*

2. OBJETO DEL CONTRATO

El objeto del contrato lo constituyen las cosas objeto del transporte y el precio que debe pagarse por ello. Las mercancías deberán describirse de tal manera que resulte fácil su identificación y deberán presentarse embaladas de tal forma que pueda comprobarse si su contenido se corresponde o no con lo declarado por el porteador. A estos efectos, el artículo 7 de la LCTTM incorpora el concepto de *bulto* con el fin de designar cada unidad material de carga diferenciada que forman las mercancías objeto de transporte, con independencia de su volumen, dimensión y contenido. El concepto de bulto integra tanto la mercancía como el embalaje que la contiene y que permite su manipulación a efectos del transporte; son, en definitiva, los medios adecuados para el correcto acondicionamiento de la mercancía, así como también las unidades que permiten su identificación.

El precio será la cantidad que deberá de abonarse a cambio de la realización de la obligación de transporte; el precio, también denominado *porte*, figurará en la documentación del contrato y su abono corresponderá al cargador salvo que en la propia carta de porte se hubiera establecido otra cosa. Sin embargo, el hecho de que se hubiese pactado que el pago del precio corresponderá al destinatario, no impedirá que el cargador siga siendo subsidiariamente responsable en el caso de que se produzca el impago por parte de aquél (art. 37 LCTTM).

En relación con la fijación del precio del transporte, en principio, rige el régimen de libertad, pues no en vano el artículo 17 de la LOTT dispone que los porteadores «llevarán a cabo su explotación con plena autonomía económica», lo cual no es óbice, sin embargo, para que, de hecho, un número muy importante de transportes (v. gr., transportes en línea regular) se vean sometidos al régimen de tarifas aprobadas por la Administración; según nos recuerda el artículo 18.2 de LOTT, ésta podrá establecerlas por razones de ordenación del sector, de protección del usuario o de los transportistas o para asegurar la continuidad de los servicios o las condiciones de su realización.

3. ELEMENTOS FORMALES: LA CARTA DE PORTE

Si bien es cierto que el contrato de transporte no es un contrato formal en el sentido de que se exija una forma especial para su validez, resulta, sin embargo, habitual que éste se documente en una carta de porte, bien porque así lo exija cualquiera de las partes (art. 10.1 LCTTM), bien, simplemente, porque, una vez firmada por las partes, posee una eficacia probatoria privilegiada a la hora de acreditar tanto la propia existencia del contrato como los extremos que en aquel documento suelen recogerse.

La carta de porte, que en el transporte ferroviario se sustituye por el talón de ferrocarril, no es, sin embargo, un verdadero título-valor, sino un mero título de rescate, en la medida en que no se trata de un título de presentación necesaria para ejercitar el derecho a la restitución de las mercancías.

El contenido esencial de la carta de porte aparece recogido en el artículo 10.1 de la LCTTM, el cual requiere la indicación de: 1. El lugar y la fecha de la emisión. 2. El nombre y la dirección del cargador. 3. El nombre y la dirección del porteador. 4. El lugar y la fecha de la recepción de la mercancía por el porteador. 5. El lugar y la fecha para su entrega en destino. 6. El nombre y la dirección del destinatario. 7. La naturaleza de las mercancías así como el número de bultos, señales y signos de identificación. 8. La identificación del carácter peligroso de las mercancías. 9. La cantidad de mercancías enviadas, determinada por su peso o expresada de otra manera. 10. La clase de embalaje utilizado para acondicionar los envíos. 11. El precio del transporte y los gastos previsibles. 12. La indicación de si el pago del precio del transporte corresponde al cargador o al destinatario. 13. La declaración de valor o de interés especial en la entrega. 14. Las instrucciones para el cumplimiento de formalidades y trámites administrativos preceptivos en relación con la mercancía.

Además de este contenido esencial para todo tipo de transportes, la carta de porte «deberá contener cualquier otra mención que exija la legislación especial aplicable, por razón de la naturaleza de la mercancía o por otras circunstancias» (art. 10.5 LCTTM). Finalmente, hemos de señalar que, de acuerdo con lo establecido en el artículo 10.2 de la LCTTM, la carta de porte podrá contener cualquier otra mención que sea convenida por las partes en el contrato.

La carta de porte, firmada por el cargador y por el porteador, se expedirá en tres ejemplares originales; de los tres ejemplares, uno será entregado al cargador, otro quedará en poder del porteador y, finalmente, el tercero viajará con las mercancías transportadas (art. 11.3 LCTTM). Así mismo, será válida la carta de porte emitida electrónicamente y consistirá en un registro electrónico de datos que puedan ser transformados en signos de escritura legibles (art. 15 LCTTM).

4. CONTENIDO DEL CONTRATO

4.1. Obligaciones y derechos del cargador

a. Obligaciones del cargador

Las obligaciones principales del cargador consisten en hacer entrega al porteador de las mercancías objeto del transporte y en pagar el precio de este último, salvo que en la carta de porte se hubiese acordado algo diferente.

Por lo que se refiere a la obligación de entrega, el cargador deberá presentar las mercancías convenientemente embaladas e identificadas y, en definitiva, aptas para ser transportadas, pudiendo, incluso, rechazar aquellas que no reúnan estas condiciones (art. 27.1 LCTTM). El porteador, por su parte, deberá comprobar el estado aparente de las mercancías así como el de su embalaje y también la exactitud de las menciones de la carta de porte relativas al número y señales de los bultos; los posibles vicios aparentes se anotarán en la carta de porte mediante la formulación de las correspondientes reservas (art. 25.1 y 2 LCTTM). Así mismo, el porteador podrá verificar el peso y las medidas de las mercancías, procediendo incluso al registro de los bultos, si existieran sospechas fundadas de falsedad en relación con la declaración efectuada por el cargador; en estos casos, los gastos derivados de estas actuaciones serán soportados por el porteador si la declaración del cargador resultara ser cierta y por este último en caso contrario (art. 26.1 LCTTM). Complementaria de la obligación de entrega es aquella otra que consiste en adjuntar a la carta de porte o en poner a disposición del porteador toda la documentación necesaria para la realización del transporte, así como en cumplir los trámites requeridos antes de efectuar la entrega en destino (art. 23.1 LCTTM).

Pero la obligación de entrega suele, a veces, verse acompañada de otras tareas como son la carga y la estiba, en origen, y la descarga y la desestiba, en destino; según dispone el artículo 20 de la LCTTM, estas tareas serán por cuenta del cargador y del destinatario, respectivamente, salvo que expresamente hubieran sido asumidas por el porteador o fueran realizadas siguiendo sus instrucciones.

Finalmente, al cargador corresponde también la obligación de pagar el precio del transporte así como los gastos que éste pudiera ocasionar, todo ello salvo que expresamente se hubiera establecido en la carta de porte que el obligado sería el destinatario; ahora bien, incluso en este último caso, el cargador sería subsidiariamente responsable en caso de impago por parte del destinatario (art. 37 LCTTM).

b. Derechos del cargador

En primer lugar, el artículo 28.2 de la LCTTM reconoce al cargador el derecho a dar instrucciones al porteador en relación con el itinerario que éste deberá seguir en el transporte de las mercancías; pero a falta de tales instrucciones, ese mismo precepto ordena al porteador conducir las mercancías por la ruta más adecuada atendiendo a las circunstancias de la operación y a las características de las mercancías.

En segundo lugar y salvo que se haya pactado otra cosa, el cargador contará también con un derecho muy característico del transporte como es el denominado *derecho de disposición*, una suerte de *ius variandi* que permite a aquél cambiar el lugar de entrega o la persona del destinatario o, incluso, detener el transporte y ordenar que las mercancías sean devueltas a su origen. Este derecho podrá ser ejercitado en tanto las mercancías no lleguen a su destino y los gastos que el ejercicio del mismo ocasione deberán ser soportados por el propio cargador (arts. 29 y 30 LCTTM).

4.2. Obligaciones y derechos del porteador

a. Obligaciones del porteador

Ciertamente, la obligación fundamental del porteador consiste en trasladar de forma incólume y puntual las mercancías desde el lugar de origen al de destino; ahora bien, el análisis de esa obligación básica requiere un estudio pormenorizado de las diferentes conductas que deberá poner en práctica el porteador con el fin de cumplir con su cometido.

Así, en primer lugar, el porteador deberá poner a disposición del cargador en el lugar y tiempo pactados el vehículo que sea adecuado para el tipo y circunstancias del transporte (arts. 17 y 18 LCTTM); también procederá a recepcionar las mercancías custodiándolas desde ese mismo instante hasta el momento de su entrega en destino, obligación la de custodia a la cual se da también cumplimiento cuando efectúa el transporte siguiendo el itinerario pactado o, en su defecto, el que resulte más adecuado atendiendo a las circunstancias de la operación y a las características de las mercancías (art. 28 LCTTM). Una vez en destino, la entrega deberá llevarse a cabo en el lugar y en el plazo pactados y, en defecto de plazo pactado, «dentro del término que razonablemente emplearía un porteador diligente en realizar el transporte, atendiendo a las circunstancias del caso» (art. 33.1 LCTTM); pero, además la genérica obligación de custodia que pesa sobre el porteador implica que las mercancías deberán de ser entregadas al destinatario en el mismo estado en que se encontraban cuando aquél las recibió (art. 34.1 LCTTM).

Sin embargo, en el ámbito del transporte ferroviario el artículo 33.2 de la LCTTM establece una serie de especialidades en relación con los plazos de entrega de la mercancía en destino para aquellos supuestos en que nada hubieran pactado las partes al respecto; así, se establecen los siguientes límites: 1) Para vagones completos, el plazo máximo de expedición se fija en 12 horas y el de transporte en 24 horas por cada fracción indivisible de 400 kilómetros. 2) Para los envíos de paquetería, el plazo máximo de expedición será de 24 horas y también de 24 horas por cada fracción indivisible de 200 kilómetros lo será el plazo de transporte.

Así mismo, en el transporte ferroviario el porteador podrá ampliar los plazos de duración del transporte en lo estrictamente necesario cuando: 1) Los envíos se transporten por líneas con diferente ancho de vía; por mar o por carretera cuando no exista conexión ferroviaria. 2) Circunstancias extraordinarias que entrañen un aumento anormal del tráfico o dificultades anormales de explotación (arts. 33.3 LCTTM).

b. Derechos del porteador

El primero y principal de los derechos que corresponde al porteador es el que se refiere al cobro del precio del transporte así como de los gastos que éste hubiera podido ocasionar. Como es sabido, en principio el pago de esos conceptos corresponde al cargador salvo que en la propia carta de porte se hubiera establecido que esos pagos los efectuaría el destinatario; pero aun en este último supuesto, el cargador seguirá siendo subsidiariamente responsable para el supuesto de que el destinatario no pagase (art. 37 LCTTM). Pero el legislador ha querido reforzar ese derecho al cobro que posee el porteador, reconociéndole el derecho a retener las mercancías transportadas en caso de falta de pago, en tanto en cuanto éste no se garantice mediante caución suficiente; pero además el porteador solicitará al órgano judicial o a la Junta Arbitral de Transporte competente el depósito y la posterior enajenación de las que sean necesarias para cubrir tanto el precio como los gastos del transporte (art. 40 LCTTM).

Pero no es ésta la única garantía que la Ley reconoce al porteador, quien, ante la imposibilidad de ejecutar el transporte o de verificar la entrega de las mercancías, podrá descargar las mercancías por cuenta de quien tenga derecho sobre las mismas, haciéndose cargo de su custodia, o podrá también entregarlas en depósito a un tercero. De igual manera, podrá también optar por solicitar la constitución del depósito de las mercancías ante el órgano judicial o la Junta Arbitral de Transporte competente y dicho depósito producirá todos los efectos propios de la entrega. En todo caso, las mercancías en cuestión quedarán afectas a las obligaciones y gastos resultantes de las operaciones referidas y del contrato de transporte (art. 44 LCTTM).

4.3. La posición jurídica del destinatario

Según quedó dicho, el destinatario no es parte en el contrato de transporte y su intervención en el mismo se explicaría a partir de la figura conocida como *contrato a favor de terceros*, motivo por el cual esa intervención sólo tiene lugar una vez que aquél manifiesta su voluntad de participar en el contrato ejercitando, frente al porteador, los derechos que del mismo se derivan y que habrán de hacerse efectivos una vez que las mercancías hayan llegado a su destino o que haya transcurrido el plazo en el que debían de haber llegado. Ahora bien, el destinatario que pretende participar en el contrato solicitando la entrega de las mercancías, deberá proceder al pago de los portes y de los gastos ocasionados siempre que así se hubiera establecido en la carta de porte.

Por su parte, el destinatario puede hacer uso también de lo que se conoce como *deje de cuenta*, es decir, una suerte de derecho de abandono respecto de las mercancías transportadas siempre que concurran determinadas circunstancias: 1) Cuando reciba una entrega parcial y acredite que las entregas no pueden ser utilizadas sin las que faltan. 2) Cuando las averías que experimentan las mercancías las hacen inútiles para la venta o el consumo. 3) Por último, cuando hayan transcurrido veinte días desde la fecha pactada para la entrega sin que ésta se haya llevado a cabo o, a falta de pacto, cuando hayan transcurrido treinta días desde que el porteador se hizo cargo de las mercancías. En todos estos casos la pérdida o las averías parciales así como el retraso son equiparados por el legislador a la pérdida total, en base a la importancia de los mencionados eventos (art. 54 LCTTM).

5. LA RESPONSABILIDAD DEL PORTEADOR

5.1. Los supuestos de responsabilidad y su fundamento

a. Supuestos de responsabilidad

A ellos se refiere el artículos 47.1 de la LCTTM cuando menciona la pérdida total o parcial de las mercancías, las averías o el retraso en la entrega; estas circunstancias vienen a poner de manifiesto que se ha producido algún tipo de quebranto respecto de la obligación que pesa sobre el porteador de hacer llegar las mercancías a destino en buen estado y dentro del plazo convenido.

Refiriéndonos uno por uno a estos supuestos que desencadenan la responsabilidad del porteador diremos que existe pérdida no sólo cuando la mercancía perece, sino también en cualquier otro caso en que el porteador no pueda proceder a su entrega, bien porque se haya destruido, lo cual puede suceder por causas internas (combustión, evaporación, etc.) o por causas externas (incendio, hurto, extravío, etc.), bien porque el porteador haya sustituido una cosa por otra o porque la haya entregado a un destinatario diferente. A su vez, la pérdida podrá ser total cuando existe una absoluta falta de entrega o, simplemente, parcial cuando el porteador hace entrega sólo de una parte de los objetos transportados o cuando, entregándolos todos, existe, sin embargo, una disminución de peso o medida.

Existirá, por otra parte, avería cuando los objetos transportados experimentan una alteración sustancial que les hace disminuir su valor. La avería podrá ser externa cuando pueda ser reconocida de forma inmediata sin necesidad de abrir los embalajes o interna en caso contrario; podrá ser, igualmente, total si afecta al conjunto de los objetos transportados o sólo parcial si se refiere a algunos de ellos.

Por último, existirá retraso siempre y cuando el porteador no entregue al destinatario los objetos transportados en el plazo establecido en el contrato y, a falta de previsión al respecto, «dentro del término que razonablemente emplearía un porteador diligente en realizar el transporte, atendiendo a las circunstancias del caso» (art. 33.1 LCTTM).

b. Fundamento de la responsabilidad

Cuando se hace referencia a la responsabilidad del porteador en el contrato de transporte, es frecuente oír hablar de una responsabilidad contractual agravada en la medida en que a la genérica obligación de transporte se conecta una obligación de custodia que el porteador debe observar desde el momento de la recepción de las mercancías hasta su entrega en destino, período durante el cual el cargador pierde todo contacto con aquéllas; por ello, a esta obligación se asociaba lo que se conoce como responsabilidad *ex recepto*, de la cual se derivaba que el porteador debía responder frente al cargador o, en su caso, frente al destinatario de las pérdidas, averías o retrasos ocurridos en relación con las mercancías transportadas, salvo que probara, de manera efectiva, que aquéllos eran imputables al caso fortuito o a un supuesto de fuerza mayor quedando, por lo tanto, responsable el porteador de los daños derivados de *causa ignota*.

Sin embargo, las modernas legislaciones sobre el transporte, entre las cuales se cuenta nuestra Ley sobre Contrato del Transporte Terrestre de Mercancías, han venido a dulcificar aquel sistema de responsabilidad, buscando así un mayor equilibrio de intereses entre las partes contratantes; así, puede afirmarse que nuestra vigente LCTTM viene a consagrar un sistema de responsabilidad objetiva, en la medida en que el porteador va a responder también en diversos supuestos en que no puede afirmarse que media culpa por su parte, pero el sistema se completa, sin embargo, permitiéndole exonerarse de su responsabilidad si consigue acogerse a alguna de las variadas causas de exoneración que la Ley enumera. En definitiva, lo que existe en nuestra Ley es una simple presunción, no de culpa, sino de responsabilidad que pesa sobre el porteador quien, si desea exonerarse, deberá destruir acreditando que la pérdida, el daño o el retraso son imputables a alguna de las causas de exoneración enumeradas.

5.2. Las causas de exoneración de la responsabilidad

Adentrándonos ahora ya en este terreno, podemos comprobar cómo el legislador español, siguiendo las pautas de su homólogo en el ámbito internacional, procede a distinguir entre causas ordinarias y causas privilegiadas de exoneración o, si se prefiere, entre causas de exoneración y presunciones de exoneración si nos acogemos a la terminología de nuestro Derecho interno. La diferencia entre unas y otras consiste básicamente en que, mientras las causas de exoneración son aquellos supuestos en los que para que el porteador quede exonerado habrá de acreditar la concurrencia de la concreta causa de exoneración así como la relación de causalidad entre el hecho y el daño producido, las presunciones de exoneración, por su parte, permitirán la exoneración del porteador con la sola prueba del hecho liberatorio y la posibilidad de que el daño haya podido resultar verosímilmente de tal hecho, atendidas las circunstancias del caso concreto.

Entre las primeras el artículo 48 de la LCTTM incluye la culpa del cargador o del destinatario, las instrucciones del cargador o del destinatario causantes de los daños, el vicio propio de las mercancías o, en fin, «circunstancias que el porteador no pudo evitar y cuyas consecuencias no pudo impedir».

A las presunciones de exoneración se refiere, finalmente, el artículo 49 de la LCTTM y en él se citan el empleo de vehículo abierto, la ausencia o deficiencia en el embalaje, la manipulación, carga, estiba, desestiba o descarga por parte del cargador o del destinatario, la propia naturaleza de las mercancías, la deficiente identificación o señalización de los bultos o, por último, el transporte de animales en las condiciones establecidas en el artículo 50 de la LCTTM.

5.3. Cálculo y limitación de la responsabilidad

Pero el tradicional rigor de la responsabilidad del porteador no sólo se ve mitigado por el nuevo fundamento de aquélla (responsabilidad objetiva más diferentes supuestos de exoneración), sino muy especialmente por el sistema de cálculo y limitación de la responsabilidad que la LCTTM establece en sus artículos 52 y siguientes.

En primer lugar, lo que la Ley trata de determinar es la valoración máxima del daño distinguiendo según que se haya producido una pérdida o una avería o, por el contrario, un retraso. En caso de pérdida o avería se tomará como referencia el correspondiente al momento y lugar en que las mercancías fueron entregadas para su transporte, de acuerdo con su valor de mercado o, en su defecto, al que tuvieran otras de idéntica naturaleza y calidad, todo ello sin perjuicio de que pudiera otorgarse preferencia al valor fijado en una factura emitida como consecuencia de que las mercancías hayan sido vendidas inmediatamente antes del transporte (arts. 52, 53 y 55 LCTTM). Si lo que se ha producido es un retraso, entonces la valoración máxima del daño se determinará atendiendo al importe del perjuicio ocasionado por dicho retraso, siempre que, efectivamente, se pruebe el mencionado perjuicio (art. 56 LCTTM).

Pero en el sistema de responsabilidad del porteador previsto por la Ley no bastará con determinar la valoración máxima del daño o perjuicio ya que, en la mayoría de los casos, no será ésta la cantidad que deberá satisfacerse al reclamante, la cual deberá tomar como referencia el límite máximo de la deuda indemnizatoria calculado con arreglo a los parámetros que establece el artículo 57 de la LCTTM; así, en caso de pérdida o avería la indemnización no podrá exceder de un tercio del Indicador Público de Renta de Efectos Múltiples (IPREM)/día por cada kilogramo de peso bruto de mercancía perdida o averiada. A su vez, si los perjuicios se derivan de un retraso, entonces la indemnización no excederá del precio del transporte. Finalmente, tampoco podrá superarse la suma debida por pérdida total de las mercancías cuando exista concurrencia de indemnizaciones por varios de estos conceptos. A la indemnización calculada en la forma referida se añadirá el reintegro del precio del transporte y de los demás gastos devengados con ocasión del mismo, siempre que el perjuicio se hubiese ocasionado como consecuencia de la pérdida o avería de las mercancías (art. 58 LCTTM).

Así mismo, es preciso subrayar que los mencionados límites de la deuda indemnizatoria pueden ser objeto de modificación convencional, si bien ésta sólo será válida cuando se pretenda incrementar el límite de la indemnización (art. 61 LCTTM), pero no cuando se trate de minorarla (art. 46.2 LCTTM).

Para concluir, procede recordar que el presente sistema de reducción de la responsabilidad del porteador no operará cuando el perjuicio haya sido causado por él o por sus auxiliares mediando dolo o infracción consciente y voluntaria de su deber que produzca unos daños que, sin ser queridos, sean consecuencia necesaria de dicho proceder (dolo eventual) (art. 62 LCTTM).

5.4. El ejercicio de la acción de reclamación

Con el fin de ejercitar con plenas garantías la acción de reclamación, en caso de pérdidas o averías, el destinatario manifestará por escrito sus reservas al porteador en el momento de la entrega de las mercancías; si se tratase de pérdidas o averías no manifiestas, las reservas se formularán dentro de los siguientes siete días naturales a la entrega. Frente al sistema anterior que hacía decaer la acción de reclamación del destinatario en el caso de que éste no hubiera efectuado las oportunas reservas, la legislación vigente, por el contrario, se limita a establecer a favor del porteador la presunción de que las mercancías fueron entregadas en el mismo estado que aparece descrito en la carta de porte (art. 60.1 LCTTM). Algo diferentes son los efectos de las reservas en caso de que haya existido retraso, pues en tal supuesto sólo procederá la indemnización cuando se hayan dirigido reservas escritas al porteador en el plazo de veintiún días contados desde el siguiente al de la entrega de las mercancías al destinatario (art. 60.3 LCTTM).

Por lo que se refiere a la legitimación activa para el ejercicio de las acciones de reclamación, parece claro que, de acuerdo con lo establecido en el artículo 35 de la LCTTM, ésta corresponderá al destinatario tan pronto solicite la entrega de las mercancías llegadas a destino, acto este último mediante el cual pone de manifiesto su voluntad de participar en los efectos del contrato.

En cuanto al plazo de prescripción de las acciones de reclamación, el artículo 79 de la LCTTM lo fija en un año, que se ampliará a dos cuando los daños tuvieran su origen en una actuación dolosa o mediando una infracción consciente y voluntaria del deber jurídico asumido que produzca tales daños que, sin ser directamente queridos, sean, sin embargo, consecuencia necesaria de la acción (dolo eventual).

6. LAS JUNTAS ARBITRALES DEL TRANSPORTE

Para la resolución de los conflictos en materia de transporte interno, la LOTT de 1987 viene a establecer una importante especialidad en la medida en que, junto a los órganos jurisdiccionales ordinarios, se reconoce competencia también en el ámbito del transporte a las denominadas Juntas Arbitrales del Transporte, las cuales vinieron a sustituir a las Juntas de Detasas. Este órgano administrativo constituye, según reza el artículo 37.1 de la LOTT, un «instrumento de protección de las partes intervinientes en el transporte» y estará integrado por un Presidente, en representación de la Administración, y por un mínimo de dos y un máximo de cuatro vocales, en representación tanto de las empresas de transporte como de los cargadores, siendo todos ellos designados por las Comunidades Autónomas (arts. 37 LOTT y 8 ROTT).

La función principal de estas Juntas es la de decidir, de acuerdo con lo establecido en la legislación de arbitraje, sobre los conflictos derivados del incumplimiento de los contratos de transporte terrestre siempre que las partes así lo decidan de común acuerdo; sin embargo, ese común acuerdo se presumirá si la reclamación no supera el importe de seis mil euros y ninguna de las partes intervinientes en el contrato hubiera manifestado expresamente a la otra su voluntad en contra antes del momento en que se inicie o debiera de haberse iniciado la realización del servicio o actividad contratada (art. 38.1 LOTT).

III. EL CONTRATO DE TRANSPORTE TERRESTRE DE PERSONAS

1. FUENTES NORMATIVAS. DERECHO PÚBLICO Y DERECHO PRIVADO EN EL CONTRATO DE TRANSPORTE TERRESTRE DE VIAJEROS

No existe en nuestro ordenamiento una definición del transporte terrestre de viajeros a pesar de que el Código Civil (*De los transportes por agua y tierra, tanto de personas como de cosas,* arts. 1601-1603) parezca contener una regulación del mismo. Tampoco el Derecho mercantil contempla una regulación de esa figura contractual. Los caracteres de la actividad del transporte de personas la hacen especialmente proclive a que la misma sea objeto de regulación en lo que se refiere fundamentalmente a sus aspectos organizativos y de control: requisitos para desarrollar la actividad, régimen de autorización, etc. Esa intervención legal desde la faceta administrativa, en cuanto define actividades y sujetos e impone obligaciones, crea también derechos y obligaciones para los particulares. La Ley de Ordenación de los Transportes Terrestres de 30 de julio de 1987 (LOTT) y su Reglamento de 28 de septiembre de 1990 (ROTT) contienen preceptos dirigidos a regular la relación entre transportista y viajero y en esa medida constituyen normas que se incorporan a la relación contractual.

Interesa sin embargo destacar que el contrato es siempre de naturaleza privada aunque parte de su contenido se establezca por disposiciones administrativas. El contrato que con motivo del ejercicio de la actividad del transporte surge entre el transportista y sus clientes, aunque mediatizado o modalizado por esas normas administrativas es siempre un negocio jurídico privado.

2. CONCEPTO, NATURALEZA Y CARACTERES

2.1. Concepto y naturaleza. El contrato de viajeros como contrato de obra

El contrato de transporte de personas es el que se conviene entre el transportista y el pasajero en virtud del cual el primero asume la obligación de trasladar a un destino al segundo con su equipaje, en vehículo acondicionado a tal fin, sin daño ni menoscabo y en las condiciones estipuladas, a cambio de un precio. Este contrato es subsumible en la categoría de contrato de obra. El transportista asume una obligación de resultado y no se compromete sólo a desplegar una actividad tendente al traslado sino a conseguir un fin último: que el viajero se encuentre sano y salvo en el punto de destino en las condiciones estipuladas, siendo indiferente los medios que el transportista deba emplear para ello (disponibilidad de vehículos, personal, subcontratación de terceros, etc.).

Por tratarse de contrato o arrendamiento de obra, el dueño de la misma –el viajero– puede desistir unilateralmente del contrato antes del inicio del viaje o durante el mismo, dejando indemne al transportista, debiendo abonarle los gastos soportados por la prestación ejecutada y el lucro cesante. De la facultad de desistir unilateralmente puede ser privado el viajero cuando así se haya convenido o cuando los contratos tipo así lo establezcan; asimismo puede limitarse tal facultad para ser ejercitada sólo en determinados lapsos de tiempo anteriores al viaje, graduando los efectos económicos que se deriven.

Como en todo contrato de obra, cuando el contratista (transportista) no logra dar cumplimiento a su obligación de traslado por causas sobrevenidas que no le sean imputables, queda liberado de su obligación (art. 1184 CC) y no tendrá derecho al cobro del precio (arts. 1589 y 1590 CC).

2.2. Caracteres

La regulación de carácter administrativo del transporte de viajeros lo configura como un contrato reglamentado o normado, es decir, como contrato en el que algunas de las cláusulas y obligaciones son fijadas imperativamente por ley. La regulación imperativa es de intensidad diversa según estemos ante un tipo u otro de transporte (regular, discrecional).

Se trata asimismo con frecuencia de un contrato de adhesión en el que la prestación de traslado se ofrece a un círculo indefinido de clientes o destinatarios a través de un contrato tipo preestablecido en el que se fijan idénticas condiciones. Ello hace que el clausulado quede sometido a la legislación sobre condiciones generales de la contratación y a la legislación protectora de consumidores y usuarios. Los contratos tipo de transporte han de ser aprobados por la Administración (arts. 24 LOTT y 13 ROTT).

Los transportes regulares permanentes de uso general son calificados por los arts. 69 LOTT y 61 ROTT como servicio público. Esa calificación afecta sólo a los transportes que se llevan a cabo de forma continuada con sujeción a itinerario, calendario y horario prefijados, para atender necesidades de carácter estable y satisfacer una demanda general, siendo utilizables por cualquier interesado. La principal consecuencia que se deriva del carácter de servicio público es la de la obligación que se impone al transportista de admitir para su utilización a todas las personas que lo deseen siempre que no se sobrepasen las plazas ofrecidas en cada expedición [art. 76.2, a) ROTT].

3. FORMALIZACIÓN DEL CONTRATO

Los contratos de transporte de viajeros de carácter individual, por asiento o plaza se formalizan a través de la expedición del correspondiente billete que se expedirá cuando el viajero abone el precio del viaje (arts. 24 LOTT y 76.2 ROTT). La no expedición o entrega del billete, es decir, la no documentación del mismo, no provoca la inexistencia del contrato, si bien el viajero carecerá de un medio de acreditación o prueba. El viajero tiene la obligación de conservar el billete durante todo el trayecto y de exhibirlo al porteador o a sus auxiliares cuando lo soliciten.

Junto al carácter de documento probatorio del contrato, el billete cumple la función de constituir documento de legitimación para el acreedor del transporte. Respecto al transportista, la exhibición del billete por su poseedor hace que ejecutando el transporte de cara al mismo, se libere de su obligación. En los transportes convenidos por vehículo completo no se exige la expedición de billete o título de viaje y el contrato se perfecciona por el mero consentimiento de las partes.

4. OBLIGACIONES DEL TRANSPORTISTA

4.1. Las obligaciones de traslado y de seguridad

La obligación de traslado es la obligación principal que asume el transportista. Se trata de una obligación de resultado que se incumplirá siempre que el fin perseguido –que el viajero no se encuentre en el lugar pactado– no se haya ejecutado. Es una prestación inmaterial e indivisible que el transportista asume sin consideración a las prestaciones singulares, actividades y medios que deba poner a disposición de la actividad.

En los transportes regulares en los que se han fijado *a priori* un horario y una duración del viaje, tales elementos quedan incorporados al contrato y el no cumplimiento de los mismos dará lugar al incumplimiento de la obligación de traslado en los términos en que se examina a propósito de la responsabilidad. En el transporte discrecional, en el que no hay itinerario ni horario preestablecidos, el traslado del viajero a su lugar de destino queda sujeto a lo que las partes hubieran pactado.

Junto a la prestación específica y típica del transporte –ejecutar un traslado– se encuentra la obligación de protección y seguridad del viajero, que el transportista debe cumplir para hacerlo llegar incólume al lugar de llegada o destino. Es también una obligación de resultado de origen contractual y que se deriva de que durante el traslado el viajero queda bajo la guarda del transportista quien para ejecutar su obligación principal utiliza un conjunto de medios que quedan bajo su exclusivo poder y control. La extensión temporal de la obligación de seguridad no se limita al lapso temporal en que el viajero se encuentra dentro del vehículo o _in itinere_, sino que abarca al momento de entrada y salida del vehículo.

4.2. La obligación de transportar el equipaje

Por equipaje se entiende el bulto o conjunto de bultos relacionados con el viaje que el viajero entrega al transportista para que sea él quien lo custodie y vigile. El transportista está obligado a admitir y a transportar el equipaje del viajero de acuerdo con las características del vehículo y las limitaciones de la normativa aplicable. Con el fin de probar la entrega el viajero puede exigir la expedición de un talón de equipaje que contenga las menciones necesarias para su identificación o la inclusión de esas menciones en el billete. Al final del trayecto, el porteador deberá poner a disposición del viajero el equipaje que haya transportado. Asimismo, el transportista debe aceptar la introducción de los bultos de mano que el viajero porta consigo y conserva bajo su tenencia y vigilancia durante el traslado, atendiendo a la disponibilidad de espacio del vehículo. El control que el viajero asume sobre tales bultos hacen que, como regla, el transportista no responda por las pérdidas y avería de los mismos.

5. OBLIGACIONES DEL VIAJERO. EL PAGO DEL PRECIO

El viajero conserva durante el viaje su libertad de movimiento y su actitud puede poner en riesgo el correcto cumplimiento de la obligación de traslado; ello hace que deba observar en todo momento una conducta razonable y adecuada, debiendo abstenerse de causar daños al vehículo y de poner en peligro la seguridad del transporte o de los demás viajeros. El transportista está legitimado para obligar al viajero que incumpla su deber de conducta responsable y adecuada a abandonar el vehículo, sin que tenga derecho al reembolso del precio satisfecho por el transporte.

El art. 76.2 ROTT obliga al transportista de servicios regulares a admitir al servicio a toda persona que los solicite siempre que cumpla con las debidas condiciones de salubridad, sanidad, e higiene del viajero, que no porte objetos peligrosos o incómodos y que observe las elementales normas de educación. El viajero deberá responder de los daños y perjuicios causados al transportista por el incumplimiento culpable de estas obligaciones. Responderá también por los daños y perjuicios causados al transportista por los objetos que lleve consigo, salvo que pruebe que han sido debidos a circunstancias inevitables y cuyas consecuencias tampoco pudo impedir a pesar de haber actuado con diligencia.

La obligación principal del viajero es la de satisfacer el precio del transporte, precio que en ocasiones habrá sido fijado según las condiciones de la concesión de un determinado servicio –así en el transporte regular– o libremente fijado por las partes. El art. 76.2 b) ROTT respecto a los transportes contratados por asiento, configura el pago del precio del viaje o traslado como requisito para ser admitido al vehículo, con lo que cronológicamente el cumplimiento de esta obligación es previo al surgimiento de la obligación de traslado del transportista. Cuando el viaje se contrate por vehículo completo y no por asiento, las normas administrativas no establecen una previa obligación de abono del precio debido a que en la práctica es frecuente que el precio final del viaje sólo se concrete cuando el trayecto se consuma.

6. RESPONSABILIDAD DEL TRANSPORTISTA

6.1. Por inejecución total o parcial del viaje

La cancelación total del viaje –absoluta inejecución del traslado– dará lugar a responsabilidad del transportista y a que éste deba responder por los daños y perjuicios causados, a no ser que demuestre que la cancelación se debe a causas totalmente ajenas a su control y que le son inimputables (art. 1184 CC), debiendo además proceder a la devolución del precio ya satisfecho por el viajero. La inejecución parcial del viaje o, lo que es lo mismo su interrupción, acarrea asimismo la responsabilidad del transportista cuando no logre demostrar que se debe a causas que no le son imputables. El pasajero deberá también en este caso ser indemnizado por los daños que ese incumplimiento parcial le acarree y tendrá derecho a que le sea reembolsado la parte correspondiente al precio satisfecho cuando lo finalmente ejecutado le reporte algún beneficio; en otro caso, tendrá derecho a la devolución íntegra del precio abonado.

6.2. Por retraso

Para que exista responsabilidad por retraso es necesario que se haya incorporado al contrato un horario –hora de salida y llegada–, que el retraso se deba a culpa del transportista y que se haya causado un perjuicio al viajero que él mismo deberá acreditar. Cumpliéndose tales presupuestos, el viajero ostentará derecho a la indemnización de los daños provocados. Si el transportista demuestra que el retraso se debió a culpa del viajero o a circunstancias inevitables e impredecibles ajenas a su ámbito de actividad, quedará exonerado de responsabilidad.

6.3. Por daños al equipaje y a los bultos de mano

El transportista responde por la pérdida y averías del equipaje desde el momento de su recepción para el transporte hasta el de su restitución al viajero y sólo quedará exonerado si prueba que tales incumplimientos se han producido por culpa del viajero, por la propia naturaleza y características del equipaje o por circunstancias que no pudo evitar y cuyas consecuencias no pudo impedir.

En virtud de la habilitación que el art. 23 LOTT otorga al Gobierno para establecer límites máximos en la cuantía de la responsabilidad del transportistas, el art. 3.2 ROTT establece que, salvo que expresamente se pacten cuantías o condiciones diferentes, la responsabilidad de los transportistas de viajeros por las pérdidas o averías que sufran los equipajes estará limitada como máximo a 14,5 € por kilo. Esta limitación no operará cuando el daño se produzca mediando dolo del transportista ni cuando se hayan establecido en el contrato límites superiores o condiciones de responsabilidad distintas. La limitación legal de responsabilidad se justifica por el hecho de que el transportista desconoce el valor del contenido del equipaje, pero para su incorporación al contrato es preciso que el transportista informe sobre su existencia (arts. 18 y 86.1 TRLGDCU). Cuando se pacten límites superiores o condiciones de responsabilidad diferentes a las previstas en el ROTT, el transportista podrá percibir una cantidad adicional sobre el precio del transporte en correspondencia al aumento de responsabilidad pactado. La cuantía de dicha percepción adicional será libremente pactada por las partes.

Por lo que se refiere a la responsabilidad por daños a los bultos de mano, serán de cuenta del viajero los que puedan sufrir mientras se encuentren a bordo del vehículo, salvo que se pruebe la responsabilidad de la empresa transportista, en cuyo caso serán de aplicación las limitaciones previstas en relación con los equipajes. En todo caso, se considerará responsable a la empresa transportista de la posible pérdida o deterioro de los bultos de mano ocurrida en algún momento en que, con ocasión de una parada, todos los ocupantes hubieran abandonado el vehículo sin que, inmediatamente después, el conductor hubiera cerrado las puertas de acceso al mismo (art. 3.2, párr. 2° ROTT).

6.4. Por daños personales

El transportista responde de los daños causados por la muerte o las lesiones sufridas por el viajero con motivo de la entrada y salida del viajero del vehículo o durante su estancia en el mismo, siempre que sean consecuencia de hechos relacionados con el transporte. El transportista quedará exonerado de responsabilidad cuando pruebe que el suceso se ha debido a culpa del viajero o que los daños y perjuicios han sido debidos a circunstancias ajenas a su empresa que, a pesar de haber adoptado toda la diligencia exigible, no pudo evitar y cuyas consecuencias tampoco pudo impedir.

7. LOS SEGUROS

En virtud de diversas disposiciones legales, el transportista ha de suscribir determinados seguros de naturaleza e índole variada. La concurrencia de todos ellos plantea la necesidad de su necesaria coordinación con el fin de que no se produzca una sobreindemnización de los daños que pueda sufrir el viajero.

7.1. El seguro obligatorio de viajeros

El transportista debe suscribir el Seguro Obligatorio de Viajeros (SOV) regulado en el RD 1575/1989, de 22 de diciembre, siendo el tomador del mismo, mientras que el viajero es el beneficiario del seguro o asegurado. Es el transportista quien contrata el seguro y abona su prima repercutiendo el precio del mismo en el precio del billete. Se trata de un seguro de accidentes individual que se vincula con el ejercicio de la actividad del transporte y es compatible con cualquier otro seguro contratado por el viajero o referente a él, en especial con cualquier seguro de responsabilidad civil, pues el SOV no libera a ninguno de los implicados en un eventual accidente de la responsabilidad en que pudieran haber incurrido ni reduce el importe de la indemnización por esa responsabilidad. No se excluye de la cobertura de este seguro el accidente ocasionado por la culpa o negligencia del viajero.

El riesgo asegurado son las lesiones que sufran los viajeros a consecuencia directa de choque, vuelco, alcance, salida de vía, rotura, explosión y similares sucesos que supongan una avería o anormalidad que proceda del vehículo o afecte al mismo. La cobertura queda ceñida a los riesgos inherentes del transporte, es decir, a los hechos derivados del transporte o que incidan sobre él. La indemnización por muerte e incapacidad permanente del viajero sólo procede en virtud de este seguro cuando concurran determinadas circunstancias personales y cronológicas.

7.2. El seguro de responsabilidad civil

Las empresas prestadoras de servicios de transporte de viajeros por carretera están también obligadas a tener cubierta su responsabilidad civil por los daños que causen con ocasión del transporte, cuando así se establezca expresamente en las normas reguladoras de cada tipo específico de transporte o en la normativa general de seguros (art. 5.II ROTT).

7.3. El seguro de responsabilidad civil en la circulación de vehículos a motor

Finalmente el Real Decreto 1507/2008, de 12 de septiembre, por el que se aprueba el Reglamento del Seguro Obligatorio de Responsabilidad Civil en la Circulación de Vehículos a Motor, no excluye de la suscripción de este seguro a los propietarios de vehículos destinados al transporte de viajeros por carretera.

Lección 14

El contrato de seguro

Mª CONCEPCIÓN PABLO-ROMERO
Profesora Titular de Derecho Mercantil
Universidad Pública de Navarra

I. INTRODUCCIÓN

1. EL CONCEPTO ECONÓMICO DEL SEGURO

Se dice que el seguro responde a la necesidad de hacer frente a los daños derivados del acaecimiento de hechos futuros e inciertos que provocarán un daño en el patrimonio de una persona. Ante tal situación el individuo puede resignarse, esperar que ocurran y, llegado el caso, hacer frente a los daños patrimoniales ocasionados o bien, el individuo puede buscar soluciones que le permitan evitar o disminuir los daños. El seguro responde a esa necesidad y se basa en la puesta en marcha de un mecanismo de previsión que puede consistir en asociarse con otras personas expuestas al mismo riesgo de forma que, mediante la creación de un fondo común, cuando ocurre el siniestro y se produce el daño todos los asociados contribuyen a su reparación, como es el caso de los seguros mutuos, o bien, en traspasar el riesgo a otra persona, que se compromete a asumirlo a cambio de un precio, previamente pagado por el asegurado, y que pagará los daños producidos con el fondo creado con las aportaciones de todos aquellos asegurados sometidos al mismo riesgo.

Aparecen en el seguro los siguientes elementos: 1) la existencia de un riesgo, que consiste en la posibilidad de que suceda un hecho dañoso e incierto; 2) la existencia de un interés económico que pueda ser lesionado; 3) la existencia de un grupo de personas sometidas al mismo riesgo entre las cuales se distribuye éste; y 4) la existencia de un fondo o patrimonio que, debidamente gestionado, pague los daños ocasionados.

La gestión de este fondo confiere a la actividad aseguradora unas características especiales ya que se basa en un complejo sistema de cálculo actuarial, basado en las probabilidades de que se concrete el riesgo y aparezca el daño. El cálculo de las primas se hace según estas probabilidades de forma que puedan pagarse efectivamente los daños que sobrevengan a los bienes o personas aseguradas. Por otra parte, las primas se cobran de forma anticipada lo que permite a las aseguradoras disponer de ese dinero y efectuar inversiones, de forma que obtienen un ingreso extra por esta vía. Ni que decir tiene que este tipo de inversiones está muy controlado para que las aseguradoras dispongan de la liquidez suficiente para el pago de las indemnizaciones a que tengan que hacer frente.

2. RÉGIMEN LEGAL

El seguro y la actividad aseguradora, en general, se regulan en tres tipos de normas. En primer lugar, la Ley de Contrato de Seguro, Ley 50/1980, de 8 de octubre, que recoge el régimen legal del contrato de seguro en sus aspectos jurídico privados. Esta Ley sustituyó la doble regulación del contrato de seguro que se encontraba en el Código Civil y en el Código de Comercio, derogando sus preceptos, unificando la regulación contractual del seguro y convirtiendo esta ley especial en Derecho general sobre la materia. En su momento fue una ley precursora de la defensa del consumidor, que aquí se traduce en la defensa y protección del asegurado, y que se manifiesta en el carácter imperativo de sus normas establecido en el art. 2 que dice que «las distintas modalidades del contrato de seguro, en defecto de Ley que le sea aplicable, se regirán por la presente Ley, cuyos preceptos tienen carácter imperativo, a no ser que en ellos se disponga otra cosa». Además, sigue diciendo el art. 2 que «no obstante, se entenderán válidas las cláusulas contractuales que sean más beneficiosas para el asegurado». La protección al asegurado aparece a lo largo de todo el articulado de la Ley, y así puede verse, por ejemplo, en el control de las condiciones generales (art. 3), en la información y documentación que debe entregarse al tomador del seguro (art. 5, 6, 8) o en el derecho a la pronta indemnización (art. 18).

En segundo lugar, la Ley Ordenación y Supervisión de los Seguros Privados, de 1995, que regula los aspectos jurídico-públicos de la actividad aseguradora, aunque incide de forma indirecta en algunas cuestiones de Derecho privado. Esta ley ha sufrido muchas modificaciones por lo se aprobó un Texto Refundido por Real Decreto Legislativo 6/2004, de 29 de octubre, de la Ley de ordenación y supervisión de los seguros privados, modificado a su vez por la Ley 21/2007, de 11 de julio. Esta Ley, nos dice su art. 1º, «tiene por objeto establecer la ordenación y supervisión del seguro privado y demás operaciones enumeradas en el artículo 3.1, con la finalidad de tutelar los derechos de los asegurados, facilitar la transparencia y el desarrollo del mercado de seguros y fomentar la actividad aseguradora privada». Y de ella «quedan expresamente excluidos... el régimen general y los regímenes especiales que integran el sistema de Seguridad Social obligatoria».

Por último, la Ley 26/2006, de 17 de julio, de mediación de seguros y reaseguros privados, que establece la regulación de los intermediarios en el mercado de seguros.

3. ELEMENTOS FUNDAMENTALES DEL CONTRATO DE SEGURO

3.1. El riesgo

El riesgo es la posibilidad de que se produzca un evento dañoso que haga surgir una necesidad pecuniaria para el que lo sufre y el seguro se contrata precisamente para que una parte pague a la otra los daños que puedan producirse como consecuencia de que ocurra un evento incierto. Hablamos de posibilidad contraponiéndola a imposibilidad y a certeza. Para que pueda hablarse de riesgo el evento dañoso tiene que ser posible, y tiene que ser incierto, no sabiendo si se producirá o no, por ejemplo el robo de un cuadro, o sabiendo que se producirá pero no se sabe cuándo, como es el caso de la muerte de una persona.

Se trata, por tanto, de un elemento esencial del contrato de seguro cuya falta haría nulo el contrato ya que éste carecería de causa. Y, en este sentido, el art. 4 de la LCS establece que el contrato será nulo, salvo en los casos previstos en la Ley, si en el momento de su conclusión no existía el riesgo o había ocurrido el siniestro.

El riesgo debe ser determinado y delimitado en el contrato y, por lo tanto, debe mencionarse en la póliza mediante su exacta descripción y determinación. La LCS impone, en el art. 8.3 que en la póliza se contenga necesariamente la naturaleza del riesgo cubierto, pero también exige, en el art. 10 que el tomador del seguro declare al asegurador todas las circunstancias que puedan influir en la valoración del riesgo. Los riesgos asegurables son muy variados pero cada seguro cubre sólo determinados riesgos, los especificados en el contrato, razón por la que resulta fundamental la individualización y la delimitación del mismo.

No todos los riesgos son asegurables. Se excluyen aquellos que provengan de una actividad ilícita o que resulten contrarios a la ley, la moral o el orden público según el art. 1275 CC. Existen, además, otros riesgos excluidos por la dificultad de su cobertura o por la excepcionalidad de los mismos, como los riesgos extraordinarios o catastróficos recogidos en el art. 44 LCS, para cuya cobertura se ha creado el Consorcio de Compensación de Seguros (Real Decreto Legislativo 7/2004, de 29 de octubre, por el que se aprueba el Texto Refundido del Estatuto Legal del Consorcio de Compensación de Seguros).

3.2. El interés

El interés es un elemento común a todas las clases de seguros pero cobra una especial relevancia en el seguro de daños, en el que se manifiesta como presupuesto para la validez del contrato y para el cálculo de la indemnización. El interés ha sido tradicionalmente definido como la relación económica existente entre un sujeto y un bien y susceptible de ser dañada por la realización del riesgo y cuando resulta lesionado surge el daño, que se concibe precisamente como lesión del interés por lo que la existencia del interés resulta esencial en el contrato de seguro. Por ello, el art. 25 declara que si no existe el interés el contrato de seguro es nulo ya que el asegurador no puede cubrir la posibilidad de un evento dañoso si tal daño es imposible que pueda producirse porque no hay un interés asegurado.

En los seguros de personas se ha discutido si puede o no hablarse de un interés ya que resulta difícil la valoración y cuantificación del daño producidos, por ejemplo, por la muerte o lesiones que sufra el asegurado. Sin embargo, aunque en los seguros de personas no pueda entenderse el interés en el mismo sentido que se hace en los seguros de daños, es comúnmente aceptado que la salud o la integridad física de una persona o su capacidad de rédito son bienes susceptibles de valoración económica. En estos casos, el valor del interés no se determina mediante criterios rigurosamente objetivos como en el seguro de daños sino que se hace con arreglo a baremos o cantidades fijas establecidas, legal o convencionalmente.

3.3. El daño

Se entiende por daño la lesión del interés, total o parcial, que se produce cuando se concreta el riesgo porque se ha producido el siniestro. El daño puede producirse por la lesión al interés existente en el momento del siniestro o previsto para el futuro, es decir, daño emergente o lucro cesante.

El daño puede equipararse en el campo del seguro al nacimiento de una necesidad pecuniaria, ya que lo que se considera daño es precisamente que surja esa necesidad, ya sea porque la destrucción de un bien patrimonial produce una reducción del patrimonio o la reparación de los objetos dañados generan un gasto extraordinario, ya sea porque cesan las expectativas de un aumento patrimonial previsto o esperado.

II. CONCEPTO Y CLASES DEL CONTRATO DE SEGURO

1. CONCEPTO

El contrato de seguro se define en el art. 1 de la LCS como «aquel por el que el asegurador se obliga, mediante el cobro de una prima y para el caso de que se produzca el evento cuyo riesgo es objeto de cobertura a indemnizar, dentro de los limites pactados, el daño producido al asegurado o a satisfacer un capital, una renta u otras prestaciones convenidas».

El legislador quiere con esta definición superar la dicotomía entre seguros de personas y de cosas y trata de dar un concepto unitario del contrato que incluya toda clase de seguros basado en la idea de que la finalidad esencial del seguro consiste en reparar mediante el pago de una indemnización el daño sufrido por el asegurado, porque incluso en los seguros de vida el acaecimiento del siniestro genera daños al asegurado, que serán soportados por el asegurador. Sin embargo, aunque la LCS quiera dar una definición única, lo hace describiendo el seguro y haciendo la distinción entre los seguros de daños, en los que indemniza el daño producido, y los seguros de personas en los que satisface un capital una renta u otras prestaciones. Porque es evidente que los daños en las personas o en las cosas deben valorarse de distinta manera ya que en el caso de daños en las cosas la valoración es sencilla y puede llegarse a una indemnización efectiva, pero cuando hablamos de daños a las personas no sólo resulta difícil su valoración sino que no se podrá llegar a una reparación completa puesto que el valor de la persona es, en principio, ilimitado. Por decirlo de un modo gráfico, en los seguros de personas, la cantidad pagada por el asegurador sólo tiende a un alivio del daño.

Con todo ello, y entendiendo que en todos los casos se produce un daño y se crea una necesidad económica, se puede definir el contrato de seguro como aquel contrato en el que una persona, denominada asegurador, se obliga, a cambio de una prestación pecuniaria, denominada prima, a indemnizar a otra, llamada asegurado, dentro de los limites convenidos, los daños sufridos por un evento incierto.

2. CARACTERES DEL CONTRATO

El contrato de seguro es un contrato aleatorio, en la medida en que las partes ignoran si se producirá el siniestro, o cuándo se producirá, y cuál sea el alcance del daño, de forma que no se sabe tampoco cuál será la prestación de cada una de las partes, desconociéndose el beneficio que resultará del contrato para cada una de ellas. Puede que no ocurra el siniestro y, por tanto, no haya daño que reparar, pero este hecho no debe hacernos suponer que el asegurado no recibe nada a cambio del pago de la prima: el asegurado lo que siempre recibe es la seguridad o garantía de que, llegado el caso, recibirá una indemnización. Quede claro que resulta totalmente aleatorio la recepción de una prestación concreta y el alcance de la misma pero esto no significa que el seguro sea una simple apuesta a ver quien gana o pierde dinero, porque el cálculo actuarial hace que las aseguradoras nunca corran un riesgo excesivo: la actividad aseguradora no es aleatoria, aunque cada contrato sí lo sea.

Es un contrato sinalagmático y bilateral del que nacen obligaciones para las dos partes contratantes y oneroso en el que ambas partes persiguen la obtención de una ventaja patrimonial en el que la prestación del asegurador que garantiza que pagará una cantidad si se produce el siniestro, se corresponde con la de la otra parte de pagar la prima.

Es un contrato consensual, y la jurisprudencia así lo entiende entre otras en las SSTS (1ª) 16.2.1994, 20.2.1995 y 22.12.1995, que se perfecciona con el consentimiento de las partes, y del que se deriva la obligación del asegurador de entregar al tomador un documento probatorio llamado póliza. Es además un contrato de duración o de ejecución continuada aunque se subdivida en distintos períodos.

Es, por regla general, un contrato de adhesión en el que el asegurador establece unas condiciones generales a las que se somete el asegurado y la jurisprudencia así lo entiende entre otras en la STS (1ª) 27.11.1991.

Se considera también el contrato de seguro como un contrato de buena fe y la jurisprudencia ha declarado reiteradamente, que el contrato de seguro se califica como de máxima buena fe y exige inexcusablemente la colaboración del futuro asegurado, en el sentido de dar a conocer con lealtad, exactitud y diligencia al posible asegurador todas aquellas circunstancias que éste deba conocer para poder decidir, con el máximo conocimiento de datos, si acepta o no la concertación del proyectado seguro (como más reciente véase la SAP Cádiz [3ª] 15.1.2003, que cita otras). Por su parte el asegurador debe poner especial cuidado en la redacción de las cláusulas del contrato.

3. CLASES

La principal clasificación del seguro se hace entre seguros de daños y seguros de personas o de sumas. Los seguros de daños tienen como finalidad principal la indemnización efectiva del daño producido. Los de personas tratan de hacer frente a una necesidad económica que se produce por la disminución de ingresos por la edad o la incapacidad para trabajar de una persona o por su muerte, así como las necesidades extraordinarias que surjan por causa de enfermedades. Realmente no puede hablarse de reparación del daño patrimonial en el caso de seguros de personas pero sí podemos hablar de daño, entendido éste en un sentido más amplio, como necesidad económica. Por ello la función reparatoria o indemnizatoria sólo aparece en el caso de los seguros de daños mientras que los seguros de personas tienen una función más cercana a la previsión y al ahorro que a la reparación. Ésta es la única distinción que hace nuestra Ley de Contrato de Seguro y que aparece claramente en su art. 1.

Dentro de los seguros de daños la LCS regula distintas modalidades que son los seguros de incendios, contra el robo, de transporte terrestre, de lucro cesante, de caución, de crédito, de responsabilidad civil, de defensa jurídica y el reaseguro. En los de personas, los seguros sobre la vida, los seguros de accidentes y los de enfermedad y asistencia sanitaria.

Distintos son los criterios que se utilizan en las normas de control de la actividad aseguradora, y que partiendo de los criterios seguidos en las directivas comunitarias, diferencian tan sólo entre operaciones de seguro de vida y operaciones de seguro distinto al de vida y dentro de éstas se incluyen en el art. 6 del Texto Refundido de la LOSSP: 1.–Accidentes, 2.–Enfermedad, 3.–Vehículos terrestres, 4.–Vehículos ferroviarios, 5.–Vehículos aéreos, 6.–Vehículos marítimos, lacustres y fluviales, 7.–Mercancías transportadas (comprendidos los equipajes y demás bienes transportados), 8.–Incendio y elementos naturales, 9.–Otros daños a los bienes, 10.–Responsabilidad civil en vehículos terrestres automóviles (comprendida la responsabilidad del transportista), 11.–Responsabilidad civil en vehículos aéreos (comprendida la responsabilidad del transportista), 12.–Responsabilidad civil en vehículos marítimos, lacustres y fluviales (comprendida la responsabilidad civil del transportista), 13.–Responsabilidad civil en general, 14.–Crédito, 15.–Caución (directa e indirecta), 16.–Pérdidas pecuniarias diversas, 17.–Defensa jurídica, 18.–Asistencia y 19.–Decesos.

Por otra parte, las entidades aseguradoras pueden solicitar autorización para dedicarse a varios ramos y para ello se agrupan, en el propio art. 6 en Seguros de accidentes y enfermedad, Seguro del automóvil, Seguro marítimo y de transporte, Seguro de aviación, Seguro de incendio y otros daños a los bienes, Seguro de responsabilidad civil, Seguro de crédito y caución, y Seguros generales.

Como vemos aquí, más que criterios de clasificación lo que se hace es una descripción de las distintas operaciones que pueden realizar las entidades aseguradoras y para las que pueden pedir autorización. Lo único que se pretende en la LOSSP es ordenar las distintas operaciones de la actividad aseguradora.

III. ELEMENTOS PERSONALES

1. EL ASEGURADOR

El ejercicio de la actividad aseguradora queda reservado a entidades especializadas, que deben adoptar la forma de sociedad anónima, mutua, cooperativa o mutualidad de previsión social. Además podrán realizar la actividad aseguradora las entidades que adopten cualquier forma de derecho público, siempre que tengan por objeto la realización de operaciones de seguro en condiciones equivalentes a las de las entidades aseguradoras privadas (art. 7 LOSSP). Las entidades aseguradoras deben obtener autorización administrativa previa del Ministerio de Economía y Hacienda y estar inscritas en el Registro especial de Entidades de Seguros. Deben inscribirse también en el Registro Mercantil (art. 16.1.3ª CCom). El ejercicio de la actividad aseguradora está sometido a la supervisión y control de la Dirección General de Seguros y Fondos de Pensiones del Ministerio de Economía y Hacienda. Hay que destacar, además, que el art. 4.2 de la LOSSP declara que «serán nulos de pleno derecho los contratos de seguro y demás operaciones sometidas a esta Ley celebrados o realizados por entidad no autorizada, cuya autorización administrativa haya sido revocada, o que transgredan los límites de la autorización administrativa concedida».

Para obtener la autorización administrativa las entidades aseguradoras deben cumplir una serie de requisitos: el objeto social será exclusivamente la práctica de operaciones de seguro (art. 11 LOSSP); capital y fondo social mínimo (art. 13 LOSSP); mantener provisiones técnicas y márgenes de solvencia suficientes para el ejercicio de sus actividades (arts. 16 y 17 LOSSP); los promotores deberán ser idóneos para que la gestión de ésta sea sana y prudente (art. 14); quienes lleven la dirección efectiva de la entidad aseguradora, serán personas físicas de reconocida honorabilidad y con las condiciones necesarias de cualificación o experiencia profesionales y se inscribirán en el Registro administrativo de altos cargos de entidades aseguradoras (art. 15 LOSSP).

2. TOMADOR DEL SEGURO, ASEGURADO Y BENEFICIARIO

La persona que aparece como contraparte del asegurador, que contrata y firma la póliza, es el tomador del seguro. El asegurado es, en cambio, el titular del interés asegurado. Por lo general suelen coincidir y el contratante es el propio asegurado, titular del interés y expuesto al riesgo cubierto por el seguro. Pero el tomador puede también contratar el seguro para el tercero asegurado, en cuyo caso tomador y asegurado en el contrato de seguro serán distintos. El art. 7 LCS establece que el tomador del seguro puede contratar por cuenta propia o ajena y en caso de duda se presumirá que el tomador ha contratado por cuenta propia, si bien se trata de una presunción *iuris tantum* que, como sucede en el caso de la STS (1ª) 31.3.2004, puede destruirse.

El art. 7 LCS establece que el asegurado puede ser una persona determinada o determinable por el procedimiento que las partes acuerden. Y es que a veces no se sabe, en el momento de la conclusión del contrato, quien es la persona asegurada, como sucede, por ejemplo, en los contratos de seguro de transporte de mercancías en los que se asegura la mercancía por cuenta del propietario de las mismas, pero éste puede modificarse durante el trayecto porque la mercancía haya sido vendida. En estos casos el seguro se contrata «por cuenta de quien corresponda».

Cuando tomador y asegurado sean personas distintas, las obligaciones y los deberes que se derivan del contrato corresponden al tomador del seguro, salvo aquellos que por su naturaleza deban ser cumplidos por el asegurado. Sin embargo, el asegurador no podrá rechazar el cumplimiento por el asegurado de las obligaciones y deberes que correspondan al tomador del seguro.

El beneficiario es la persona legitimada para recibir la indemnización que se va a pagar. La figura del beneficiario cobra especial relevancia en los casos de seguro de vida ya que cuando se asegura la muerte de una persona el asegurado y el beneficiario tienen que ser personas distintas, cuyo régimen se regula en la LCS de forma muy detallada (arts. 84 a 87 LCS). Pero también en los seguros de daños puede corresponder la indemnización a una persona distinta del asegurado, como es el caso del seguro de responsabilidad civil, en los que la indemnización la percibe el tercero perjudicado al que incluso se le concede acción directa contra el asegurador (art. 76 LCS).

3. LOS MEDIADORES DE SEGUROS

Las compañías de seguros utilizan en su actividad la colaboración de intermediarios que realizan las labores de preparación y formalización de los contratos y que se denominan mediadores. La actividad de mediación se regula en la ley 26/2006 de Mediación de Seguros y Reaseguros Privados que la define en su art. 2 como la actividad «consistente en la presentación, propuesta o realización de los trabajos previos a la celebración de un contrato de seguro o reaseguro, o de celebración de estos contratos, así como la asistencia en la gestión y ejecución de dichos contratos, en caso de siniestro». Esta actividad queda reservada con carácter exclusivo a los mediadores de seguros y está sometida a la supervisión y control de la Dirección General de Seguros y Fondos de Pensiones.

Existen también auxiliares externos de los mediadores de seguros que colaboran con los mediadores en la distribución de productos, actuando por cuenta de dichos mediadores; podrán realizar trabajos de captación de clientela, así como funciones auxiliares de tramitación administrativa, sin que dichas operaciones impliquen la asunción de obligaciones (art. 8 LMSRP).

Los mediadores se clasifican en Agentes de Seguros, Corredores de Seguros y Corredores de Reaseguros.

3.1. Agentes de Seguros

Son agentes de seguros las personas físicas o jurídicas que, mediante la celebración de un contrato de agencia con una o varias entidades aseguradoras y la inscripción en el Registro administrativo especial de mediadores de seguros, corredores de reaseguros y de sus altos cargos, se comprometen frente a éstas a realizar la actividad de mediación de la actividad aseguradora (art. 9 LMSRP). Los agentes de seguros se clasifican en agentes de seguros exclusivos, cuando desarrollan su actividad con una sola entidad (art. 13 LMSRP) y en agentes de seguros vinculados, que realizan su actividad para varias entidades (art. 20 LMSRP).

Normalmente los agentes de seguros actúan sin representación de la aseguradora como meros corredores que ponen en comunicación a los posibles contratantes pero no pueden cerrar el contrato, pero si podrán hacerlo y contratar con el tomador del seguro en nombre de la aseguradora si así se determina expresamente en el contrato de agencia. En todo caso, las comunicaciones que el tomador haga al agente que medie o haya mediado en el contrato surtirán los mismos efectos que si se hubiesen realizado directamente a la aseguradora (art. 12.1 LMSRP). En lo que se refiere a los pagos realizados por el tomador al agente, tratándose de agentes exclusivos, los pagos realizados por el tomador al agente se entenderán hechos directamente a la aseguradora, mientras que los importes abonados por la aseguradora al agente no se considerarán abonados al cliente hasta que éste los reciba efectivamente (art. 13.3 LMSRP).

3.2. Corredores de Seguros

Los corredores de seguros son los que realizan la actividad de mediación sin mantener una vinculación con el asegurador de forma que actúan de forma independiente con respecto a ellos, ofreciendo asesoramiento independiente, profesional e imparcial a quienes demanden la cobertura de los riesgos a que se encuentran expuestos sus personas, sus patrimonios, sus intereses o responsabilidades (art. 26 LMSRP). El corredor puede asumir, y lo hace con frecuencia, la representación del tomador del seguro frente a la aseguradora.

El pago de la prima realizado por el tomador al corredor no se entenderá realizado a la entidad aseguradora, salvo que, a cambio, el corredor entregue al tomador del seguro el recibo de la prima de la entidad aseguradora (art. 26.4 LMSRP). Por su parte, la LCS en su art. 21 establece que las comunicaciones efectuadas por un corredor de seguro surtirán los mismos efectos que si la realizara el propio tomador, salvo pacto en contrario. Pero no podrá el corredor suscribir un nuevo contrato o modificar o rescindir el contrato de seguro en vigor sin el consentimiento expreso del tomador del seguro.

IV. FORMACIÓN Y DOCUMENTOS DEL CONTRATO

1. FORMACIÓN DEL CONTRATO

La perfección del contrato de seguro no se realiza en un solo momento sino que la contratación suele realizarse tras varias negociaciones entre el tomador y la aseguradora. El tomador puede hacer una solicitud de seguro, con los datos del riesgo que quiere asegurar, al asegurador y éste hace una proposición en la que se detallan las condiciones en que se asegurará lo solicitado formulando una oferta al tomador. Cuando el solicitante acepta la propuesta podemos decir que el contrato de seguro se ha perfeccionado. A partir de ese momento el asegurador está obligado a emitir y entregar el documento que acredita la existencia del seguro: la póliza o, al menos, un documento provisional. Y así el art. 5 de la LCS, establece que el asegurador está obligado a entregar al tomador del seguro la póliza o, al menos, el documento de cobertura provisional. Pero previamente, el propio art. 5, exige que el contrato de seguro, sus modificaciones o adiciones deberán ser formalizadas por escrito.

La cuestión es si esta exigencia lo es a efectos de su perfección o, solamente a efectos probatorios. Y tanto la doctrina como la jurisprudencia entienden que el contrato se perfecciona con el consentimiento de las partes, lo que se produce cuando coinciden la oferta y la aceptación, cualquiera que sea el medio utilizado para ello y existirá contrato cuando concurra la aceptación de la proposición, que puede ser expresa o tácita mediante actos concluyentes (y así entre otras, las SSTS [1ª] 28.2.1998 ó 23.12.2005). La exigencia de la póliza y de otros documentos lo es a efectos probatorios y, en este sentido, el legislador impone al asegurador la entrega de la misma o, al menos el documento de cobertura provisional, al tomador con la clara finalidad de aumentar la protección del tomador y del asegurado, que dispondrán de esta forma de un documento probatorio de primer orden. Pero además la protección del tomador se manifiesta también en el distinto efecto que, en relación con su destinatario, tienen la solicitud y la proposición del seguro, ya que mientras la solicitud del seguro no vincula al solicitante la proposición hecha por el asegurador vinculará al proponente durante un plazo de 15 días (art. 6 LCS) lo que constituye una verdadera oferta que de ser aceptada por el tomador dará lugar a la perfección del contrato (SSTS [1ª] 24.6.1982, 2.2.1990, 19.12.2003, 12.11.2004).

La contratación del seguro puede hacerse a distancia y se regula en la Ley 22/2007, de 11 de julio, sobre comercialización a distancia de servicios financieros destinados a consumidores. En ella se regulan con detalle las circunstancias exigidas para la celebración del contrato, la obligación de información al tomador del seguro, la comunicación de las condiciones contractuales y de la información previa y el derecho de desistimiento que se concede al tomador que revista la condición de consumidor, que podrá ejercitarlo en el plazo de 14 días a contar desde la celebración del contrato y de 30 días en el caso de seguro de vida.

2. DOCUMENTOS DEL CONTRATO

2.1. La póliza

La póliza es el documento principal del contrato en el que se recogen los elementos esenciales y las condiciones y circunstancias del seguro y que hace prueba del mismo. El art. 8 LCS establece las menciones que, como mínimo, deben constar en la póliza y que son: la identificación de las partes; el concepto en el cual se asegura; la naturaleza del riesgo cubierto; la designación de los objetos asegurados; la suma asegurada; el importe, vencimiento, lugar y forma de pago de las primas; la duración del contrato y el nombre y tipo de mediador, si hubiera intervenido alguno en el contrato. Deberá redactarse en cualquiera de las lenguas españolas oficiales en el lugar donde aquélla se formalice. Debe emitirse como mínimo un ejemplar que se entregará al tomador pero suelen hacerse varios ejemplares de forma que haya al menos uno por cada contratante. Las compañías de seguros llevan un registro de pólizas (art. 65 ROSSP) de forma que si ésta se extravía pueda expedirse una copia o duplicado, que tendrá la misma eficacia que el original (art. 76.2 ROSSP).

El art. 9 de la Ley establece que la póliza puede emitirse a la orden, nominativa o al portador, siendo lo más frecuente que se emita de forma nominativa. Lo que se busca con ello es facilitar la transmisión de la póliza sin que por ello deba considerarse un título valor sino que es simplemente un título de legitimación y su transmisión mediante entrega o endoso solo produce los efectos de una cesión. La cesión, el endoso o la entrega de la póliza legitimarán al adquirente para el ejercicio de los derechos que el tomador o el asegurado pudieran tener contra el asegurador, sin necesidad de notificación de la transmisión al asegurador. Por otro lado, la póliza puede ser individual o flotante o de abono. Será individual la póliza cuando se contrate el seguro de forma independiente para cada riesgo concreto y será una póliza flotante cuando se contrata un seguro para cubrir varios riesgos que se concretarán mediante la oportuna comunicación al asegurador, denominada declaración de abono. En estos casos el bien asegurado se determina de forma genérica y, normalmente, con un límite máximo de cobertura y es cuando se produce el siniestro cuando se especifican qué bienes concretos son los asegurados, su valor y el daño sufrido y se hace la declaración al asegurador. La forma en que debe hacerse la declaración de abono debe especificarse en la póliza (art. 8, párrafo segundo LCS).

La póliza puede tener modificaciones o adiciones, recogidas en un suplemento, que deberán también constar por escrito y que tienen la misma fuerza probatoria que ella. Por otro lado, en las modalidades en que, por disposiciones especiales no se exija la emisión de la póliza el asegurador estará obligado a entregar el documento que en ellas se establezca (art. 5 LCS).

Por último, si la póliza difiere de lo acordado, el art. 8 párrafo tercero, establece que el tomador podrá reclamar a la aseguradora en el plazo de un mes a contar desde la entrega de la misma para que subsane la divergencia existente. Una vez transcurrido dicho plazo se estará a lo dispuesto en la póliza. Y para que no haya dudas la ley obliga a que se inserte esta mención en toda póliza del contrato de seguro.

2.2. Otros documentos

Junto a la póliza aparecen en el contrato de seguro otros documentos que ya se han ido mencionando: a) la solicitud de seguro, que no vincula al solicitante (art. 6 LCS) y que no constituye una verdadera oferta sino simplemente una *invitatio ad offerendum* y que la jurisprudencia considera que el solicitante lo que hace es una simple declaración de querer conocer las condiciones de ese contrato (SSTS 24.6.1982, 16.12.2002); b) la proposición de seguro realizada por el asegurador, que le vincula durante un plazo de 15 días (art. 6 LCS) y que sí constituye una verdadera oferta; c) el documento de cobertura provisional, que servirá para documentar el contrato hasta que se emita la póliza.

3. LAS CONDICIONES GENERALES DEL CONTRATO DE SEGURO

El contrato de seguro es, por regla general un contrato de adhesión, en el que el tomador se adhiere a una serie de condiciones previamente redactadas por el asegurador. Las condiciones generales cumplen en el seguro la función de facilitar la contratación en masa pero, además, es una necesidad impuesta por el cálculo actuarial que exige que los seguros de una misma modalidad tengan igualadas sus condiciones y requisitos. La Ley dedica el art. 3 a las condiciones generales y en él establece los requisitos y reglas que deben regirlas, partiendo, como no podía ser de otra manera, de que son los intereses del tomador y del asegurado los que deben ser protegidos. Se trata de una ley pionera en la regulación de las condiciones generales cuyo régimen es anterior a la Ley de Condiciones Generales de la Contratación. Esto no significa, sin embargo, que quede excluida la aplicación del resto de las normas sobre condiciones generales de los contratos ni del resto de la legislación de protección de los consumidores, cuando sea éste el caso, sino simplemente que la LCS se aplicará con carácter principal y la legislación de consumidores o la LCGC con carácter supletorio para el caso que no haya una regla expresa en la LCS.

La LCS no define las condiciones generales por lo que hay que entender, con el art. 1 de la Ley 7/1998, sobre condiciones generales de la contratación que lo son aquellas «cláusulas predispuestas cuya incorporación al contrato sea impuesta por una de las partes, con independencia de la autoría material de las mismas, de su apariencia externa, de su extensión y de cualesquiera otras circunstancias, habiendo sido redactadas con la finalidad de ser incorporadas a una pluralidad de contratos».

Las condiciones generales deben incluirse necesariamente en la proposición de seguro y necesariamente en la póliza o en un documento complementario, que se suscribirá por el asegurado y al que se entregará copia del mismo, lo que resulta lógico, ya que solamente si el tomador ha podido realmente conocer el contenido del contrato se puede decir que le resultará aplicable. Se trata, por tanto, de que el tomador pueda estar enterado de sus derechos antes de contratar y decidir en consecuencia.

Las condiciones generales se redactarán de forma clara y precisa sin que diga la Ley cuáles son las consecuencias que se derivan de la oscuridad en su redacción. Dos son las soluciones posibles: a) entender que se trata de una cláusula nula debido a su oscuridad y tenerla por no incorporada al contrato manteniendo, sin embargo, la validez del resto, o b) interpretarla en contra del proponente, es decir el asegurador, que es la posición más frecuente del Tribunal Supremo (por ejemplo SSTS [1ª] 30.12.1996 ó 29.9.1998).

Las condiciones generales no podrán tener en ningún caso carácter lesivo para los asegurados. Qué significado tiene el «carácter lesivo» no lo dice la Ley y la doctrina interpreta, en general, que son lesivas las que son totalmente desproporcionadas, inicuas o injustas, que coloquen al contratante en una situación de desequilibrio excesivo. Las cláusulas lesivas son nulas, manteniéndose vigente el resto del contrato, aunque podría producirse, de forma excepcional, la nulidad total del contrato si éste no pudiera subsistir sin dicha cláusula.

Las cláusulas limitativas de los derechos de los asegurados deberán destacarse de forma especial y deberán ser específicamente aceptadas por escrito. Se pretende con ello que, puesto que son una limitación a la cobertura del seguro, se destaquen de forma especial para que los asegurados puedan conocer y aceptar esas cláusulas. Esta obligación no es ni más ni menos que un refuerzo de la Ley para garantizar que el asegurado ha recibido toda la información y que además está de acuerdo con su contenido. La Ley tampoco dice qué debe entenderse por cláusula limitativa y la jurisprudencia ha interpretado este concepto de forma variable y en extremo impreciso ya que dice, por ejemplo, que lo son las cláusulas delimitadoras del riesgo (STS [1ª] 17.6.1992), o las que restringen, condicionan o modifican el derecho a la indemnización o excluyen el riesgo (STS [1ª] 16.10.2000). No se entiende muy bien porque el TS se complica tratando de dar definiciones o conceptos generales, cuando parece bastante claro que habrá que estar a cada caso y que la ley lo único que pretende es insistir en que las condiciones limitativas de los derechos se destaquen y no se pierdan en la redacción final del contrato, que dicho sea de paso, es muchas veces aburrido y tedioso y exige una capacidad de entendimiento al asegurado que está por encima de lo que se suele denominar el consumidor medio bien informado. Quede claro pues que estas cláusulas no son nulas o ilegales, sólo que deben destacarse.

El art. 3 LCS regula dos últimas cuestiones. La primera, referida al control y supervisión de las condiciones generales por la Administración para lo que se establece que las condiciones generales del contrato están sometidas a la vigilancia de la Administración Pública. Esto no significa que tengan que ser aprobadas por la Administración, salvo en los casos en que se imponga expresamente por ley, pero la Dirección de Seguros podrá prohibir la utilización de pólizas que no se ajusten a las leyes (art. 25 LOSSP). La segunda, es un mandato a la Administración Pública para que obligue a los aseguradores a modificar sus pólizas, suprimiendo o modificando de su clausulado las cláusulas idénticas a otras que ya hayan sido declaradas nulas por el Tribunal Supremo. Puede parecer que las cláusulas aprobadas por la Administración son lícitas y válidas por el hecho de su aprobación. Sin embargo el art. 3 LCS permite que las cláusulas de un contrato de seguro puedan ser declaradas nulas por los Tribunales, aun cuando hayan sido aprobadas por la Administración. Por otro lado, establece que la Administración está obligada a hacer que las compañías de seguros modifiquen su clausulado para impedir que una vez que una cláusula ha sido declarada nula pueda seguir perpetuándose en otros contratos iguales.

V. CONTENIDO DEL CONTRATO

1. OBLIGACIONES Y DEBERES DEL TOMADOR DEL SEGURO Y DEL ASEGURADO

1.1. Deber de declaración del riesgo

El riesgo es, como hemos visto, un elemento esencial del contrato de seguro cuya falta haría nulo el contrato ya que éste carecería de causa. Y, en este sentido, el art. 4 de la LCS establece que el contrato será nulo, salvo en los casos previstos en la Ley, si en el momento de su conclusión no existía el riesgo o había ocurrido el siniestro. Es por ello imprescindible que el riesgo se delimite antes de la conclusión del contrato para que el asegurador pueda apreciar todas las circunstancias que lo determinan y valorar el alcance de su obligación para hacer la propuesta de seguro y sus condiciones. Lo que sucede es que el asegurador tiene que confiar en la declaración del contratante por lo que corresponde a éste el hacer una declaración exacta de todo lo relacionado con el riesgo. La confianza del asegurador que basa su decisión en lo que le diga el tomador del seguro hace que el contrato sea considerado como un contrato de *uberrima bona fide* basado en la máxima confianza. Buena fe, por otra parte, que debe estar presente y mantenerse a lo largo de toda la vida del contrato. Así que el art. 10 LCS que establece que el tomador tiene el deber, antes de la conclusión del contrato de declarar todas las circunstancias por él conocidas que puedan influir en la valoración del riesgo pero como luego veremos, tiene también la obligación de comunicar las variaciones en las circunstancias que rodean el riesgo y que produzcan una agravación del mismo.

La declaración del riesgo tiene que ser exacta lo que significa que en la declaración tiene que decir exactamente todo lo que dice y decir todo lo que sabe. La ley ha previsto que el asegurador someta al asegurado a un cuestionario y el tomador habrá cumplido con su deber respondiendo al mismo de forma veraz. Es importante que el asegurador prepare un cuestionario completo sobre todas las circunstancias que puedan influir sobre el riesgo, y si existe alguna que no se haya incluido en el mismo y el tomador no hace mención alguna sobre ella no hay porqué considerar que ha incurrido en falsedad o ha ocultado datos, simplemente lo ha pasado por alto. Si, en cambio, no existe cuestionario o el que le presenta el asegurador no comprende alguna circunstancia que pueda influir en el riesgo, el tomador del seguro quedará exonerado de tal deber (art. 10, párrafo primero, final). La redacción de la LCS ha permitido decir al TS (STS [1ª] 11.11.1977, 23.6.1993, 22.2.2001, 19.2.2004 ó 24.11.2006) que este deber ha sido configurado más que como un deber de declaración como un deber de contestación o respuesta del tomador a lo que le pregunta el asegurador, y en la práctica las aseguradoras siempre presentan un cuestionario aunque sea frecuentemente muy incompleto.

En el caso de que el tomador omita alguna circunstancia o haga una declaración inexacta el párrafo segundo del art. 10 da la posibilidad al asegurador de resolver el contrato, mediante una declaración dirigida al tomador, en el plazo de un mes, haciendo suyas las primas correspondientes al período de seguro en curso, todo ello salvo que concurra dolo o culpa grave por su parte.

Cuando se produce el siniestro antes de que el asegurador haya efectuado la declaración de resolución del contrato la LCS señala que la prestación del asegurador se reducirá proporcionalmente a la diferencia entre la prima convenida y la que se hubiese aplicado de haberse conocido la verdadera entidad del riesgo (conforme con ello lo aplica la STS 18.7.1989 y a esto se refiere también la STS [1ª] 11.6.2007). Pero la situación cambia completamente mediando dolo o mala fe del tomador, en cuyo caso el asegurador queda liberado del pago de la prestación, siendo la mala fe o culpa grave una cuestión que debe valorarse en cada caso concreto.

1.2. Obligación del pago de la prima

La obligación fundamental del tomador del seguro, y que se corresponde con la obligación del asegurador, es el pago de la prima en las condiciones estipuladas en la póliza (art. 14 LCS). La prima se determina con criterios técnicos para permitir a la aseguradora satisfacer el conjunto de las obligaciones derivadas de los contratos de seguro.

El pago de la prima se hace de forma anticipada y es indivisible en el sentido de que cubre el riesgo de todo el período pactado de modo que el asegurador no estará obligado a devolverla aunque se resuelva el contrato o se suspenda la cobertura del seguro ni tampoco tendrá el asegurador que devolver parte de la prima si el riesgo ocurriera al principio del período cubierto. El pago corresponde al tomador aunque, en su defecto, puede realizarlo el asegurado.

La prima puede ser única o periódica. Es una prima única cuando se ha fijado para toda la duración del período y será una prima periódica cuando se establece una cantidad para períodos regulares de tiempo en que se divide la duración del seguro. Cuando se trata de una prima única el pago se realizará antes de iniciarse el contrato y si estamos ante primas periódicas se exigirá el pago al inicio de cada uno de los períodos en que se halla dividido el contrato. Corresponde al asegurador presentar al cobro el recibo de la prima y establece el art. 14 que ésta será pagadera en el domicilio del tomador y suele efectuarse mediante su domiciliación bancaria para facilitar su realización.

Los efectos del impago de la prima se establecen en el art. 15 LCS que distingue entre el impago de la prima única o la primera de las primas periódicas y las primas sucesivas. La ley, por otra parte, hace depender los efectos del incumplimiento de la actitud del tomador del seguro ya que si el impago se produce sin culpa del tomador, por caso fortuito o fuerza mayor, o porque el asegurador no presentó la prima al cobro o se ha producido el impago por conductas imputables a terceros, el asegurador no quedará liberado de su obligación. En caso de culpa del tomador, el impago de la primera prima o de la prima única permitirá al asegurador resolver el contrato o exigir el pago de la misma en vía ejecutiva con base en la póliza. Si la prima no se ha pagado y ocurre el siniestro, antes de que el asegurador haya ejercitado los derechos que le corresponden por incumplimiento, el asegurador queda liberado de su obligación, salvo pacto en contrario. Por su parte, el impago de una de las primas periódicas produce la suspensión de la cobertura del seguro a partir de un mes después del día del vencimiento. Y si el asegurador no exige su cumplimiento en el plazo de los seis meses siguientes al vencimiento de la prima se entiende que el contrato quedará extinguido. Pero, dice el art. 15, si paga la prima, y el contrato no se hubiera resuelto o extinguido, la cobertura vuelve a tener efecto a las 24 horas del día en que el tomador efectuara el pago.

1.3. Deber de comunicar la agravación del riesgo

La exacta determinación del riesgo y sus circunstancias es tan importante en el contrato del seguro que la Ley exige al tomador y/o al asegurado, además de la declaración exacta del mismo antes de la conclusión del contrato, que si se producen alteraciones en el mismo lo comuniquen a la aseguradora. Mantener informado al asegurador de las circunstancias del riesgo es un deber que dura toda la vida del contrato para que puedan adecuarse las condiciones del contrato a la exacta realidad del mismo. La razón de ser de este deber hay que buscarlo en que siendo el riesgo la causa del contrato, su alteración puede producir un desequilibrio en las prestaciones del contrato, que las partes no habían previsto en el momento de su conclusión. Por ello, el art. 11 LCS impone al tomador o al asegurado el deber de comunicar al asegurador, tan pronto como le sea posible, todas las circunstancias que agraven el riesgo y que sean de tal naturaleza que si hubieran sido conocidas en el momento de la perfección del contrato, éste no lo habría celebrado o lo habría hecho en condiciones más gravosas (así las SSTS [1ª] 8.3.1995; 20.7.2000).

El art. 12 LCS establece el sistema a seguir en estos casos, sistema que da al asegurador, una vez conocida la agravación del riesgo, una doble posibilidad de actuación ya que puede 1) rescindir el contrato o 2) proponer al tomador una modificación del mismo, modificación que el tomador puede rechazar, pero si lo hace el asegurador puede rescindir el contrato previa advertencia al tomador. Cuando el tomador o el asegurado incumplen el deber de comunicación y se produce el siniestro hay que tener en cuenta la actitud del tomador o del asegurado: 1) si la falta de comunicación al asegurador se debe a mala fe del tomador o el asegurado el asegurador quedará liberado de su prestación; y 2) de otro modo se reducirá la indemnización, proporcionalmente a la diferencia entre la prima convenida y la que se hubiera debido aplicar de haberse conocido la verdadera entidad del riesgo.

La disminución del riesgo tiene también importancia en el contrato de seguro. Y el art. 13 LCS establece que el tomador y el asegurado pueden poner en conocimiento del asegurador todas las circunstancias que disminuyan el riesgo y que sean de tal naturaleza que de haberlas conocido en el momento de la perfección del contrato, lo habría concluido en condiciones más favorables. No tiene en este caso el tomador el deber de comunicación sino una facultad que hace posible la modificación del contrato y que el tomador puede utilizarla o no según le convenga. La consecuencia de la disminución del riesgo y de su comunicación se traduce en que cuando finalice el período en curso deberá reducirse el importe de la prima en la proporción correspondiente. Si el asegurador no lo hiciera el tomador tendrá derecho a la resolución del contrato y a la devolución de la diferencia entre la prima satisfecha y la que le hubiera correspondido pagar desde el momento de la puesta en conocimiento de la disminución del riesgo. Como se ve, el tomador no puede exigir la reducción de la prima, decisión que queda en manos de la aseguradora, y ante su negativa sólo le queda al tomador la posibilidad de resolver el contrato, recuperando, eso sí, parte de lo pagado.

1.4. Deber de comunicar el siniestro y aminorar los daños

Una vez producido el siniestro el art. 16 LCS impone al tomador, al asegurado o al beneficiario el deber de comunicar al asegurador el acaecimiento del mismo dentro del plazo de 7 días de haberlo conocido, salvo que se haya fijado en la póliza un plazo más amplio. Este breve plazo se impone en interés del asegurador que así podrá tomar rápidamente las medidas internas que sean necesarias y, por otro lado, queda rápida constancia de los hechos acaecidos de forma que no puedan ser manipulados de forma perjudicial para él. Pero también interesa al asegurado, ya que desde ese momento el asegurador empezará a preparar la liquidación del siniestro y el pago de la indemnización. En caso de incumplimiento, el asegurador sólo podrá reclamar los daños y perjuicios causados por la falta de declaración. Entiendo que tales daños deberán ser probados por el asegurador. No habrá lugar a tal reclamación si se prueba que el asegurador ha tenido conocimiento del siniestro por otro medio.

La comunicación del siniestro comprende, además, toda clase de informaciones sobre las circunstancias y consecuencias del siniestro. La LCS es especialmente rigurosa con el incumplimiento de este deber ya que se producirá la pérdida del derecho a la indemnización si hubiera concurrido dolo o culpa grave (así las SSTS [1ª] de 18.12.1998; 14.12.2007). Hay que decir, sin embargo, con la mejor doctrina que la pérdida de la indemnización sólo debe producirse si la falta de datos fuera realmente perjudicial y negativa para el asegurador.

El tomador del seguro o el asegurado deberán, dice el art. 17 LCS, emplear los remedios a su alcance para aminorar las consecuencias del siniestro, deber que se justifica en el interés del asegurador, porque el asegurado no puede agravar la deuda del asegurador, pero también del asegurado a quien no interesa agravar los perjuicios que pueda sufrir, y se basa en la exigencia de la buena fe ya que el asegurado no puede ampararse en la existencia del seguro para permanecer inactivo, cosa que no haría si no estuviese asegurado. Lo que pretende la Ley es que una vez conocido el siniestro se atenúen o se disminuyan los daños que puedan producirse en la medida de lo posible sin que se exijan para ello actuaciones extraordinarias sino los medios al alcance del asegurado o del tomador. Los gastos que se deriven del salvamento serán, dentro de los límites establecidos en la Ley, de cuenta del asegurador, en la parte que le corresponda, que debe contribuir a ellos, en la medida que resulta beneficiado por la disminución de los daños. El incumplimiento de este deber, dará derecho al asegurador a reducir la prestación en la proporción oportuna, teniendo en cuenta la importancia de los daños derivados del mismo y el grado de culpa del asegurado, por lo que si el incumplimiento se hace con la intención de perjudicar o engañar al asegurador, liberará a éste de toda prestación derivada del siniestro (SSTS [1ª] de 29.10.1998; 4.5.2007).

2. OBLIGACIONES DEL ASEGURADOR

La obligación del asegurador es la de ofrecer cobertura frente al riesgo, que se concretará, si éste llega a producirse, en el pago de la indemnización. A lo que se compromete el asegurador es a asumir el riesgo, pagando los daños o las sumas de capital (u otras prestaciones) concertadas en el caso de los seguros de personas. Además el asegurador tiene la obligación, como ya hemos visto, de entregar la póliza o, al menos, un documento de cobertura provisional (art. 5 LCS) además de otros deberes de información, antes de la conclusión del contrato, sobre las circunstancias del contrato, la regulación aplicable y las distintas posibilidades para la reclamación.

2.1. La cobertura del riesgo

Se presenta como una obligación abstracta durante toda la vida del contrato y sólo llegará a materializarse a partir del momento en que ocurra el siniestro. Esta cobertura es la garantía que tiene el asegurado de que la aseguradora se hará cargo de los daños que se hayan producido liberándole de la preocupación y de la previsión de ahorro por lo que pueda suceder en el futuro. Para que la aseguradora pueda cumplir con esta obligación está obligada a un comportamiento determinado y poder, llegado el caso, estar en condiciones de hacer frente a las prestaciones monetarias concretas. Por esta razón la legislación impone a las aseguradoras la realización de provisiones técnicas, márgenes de solvencia y la constitución de un fondo de garantía.

2.2. El pago de la indemnización

El pago de la indemnización que la LCS regula en los arts. 18 a 20, es la obligación más importante para el asegurado, porque será cuando la aseguradora satisfaga la prestación convenida: pagar la indemnización cuando se haya producido el siniestro. Para que este pago se produzca serán necesarias varias circunstancias: la existencia de un seguro válido, que haya una relación de causalidad entre el siniestro y el daño, que el siniestro esté incluido en el contrato y figure entre los riesgos asegurados y que el siniestro no haya sido causado por mala fe del asegurado.

La cuantía de la indemnización depende del daño efectivamente causado al asegurado y el límite de la suma asegurada que se haya fijado en el contrato. La determinación de esta cuantía es relativamente sencilla en los seguros de personas pero no sucede lo mismo en aquellos seguros en los que se determina en función del valor real del interés asegurado, el daño efectivamente producido y el límite de la suma asegurada, que como veremos puede presentar complicaciones, sobre todo en los casos de infraseguro o sobreseguro.

El asegurador debe cumplir con el pago de la indemnización de la manera prevista en el contrato y reflejada en la póliza. En principio será una obligación pecuniaria, pero, nos dice el art. 18, cuando la naturaleza del seguro lo permita y el asegurado lo consienta, el asegurador podrá sustituir el pago de la indemnización por la reparación o la reposición del objeto siniestrado. Tal como está redactado el precepto parece referirse a los seguros de daños sobre las cosas, pero puede entenderse de aplicación a los seguros de personas, como por ejemplo en el caso de seguro de asistencia sanitaria, en el que el asegurador presta asistencia sanitaria al asegurado.

El momento a partir del cual el asegurador está obligado a satisfacer la indemnización es a partir de que hayan finalizado las investigaciones para determinar las circunstancias del siniestro y del importe de los daños que resulten del mismo. Esto es lógico, ya que es necesario realizar todas las averiguaciones necesarias para establecer que corresponde realmente la indemnización y en qué cuantía. Como estas operaciones pueden demorarse el legislador ha previsto que el asegurador debe efectuar, dentro de los cuarenta días, a partir de la recepción de la declaración del siniestro, el pago del importe mínimo de lo que el asegurador pueda deber, según las circunstancias por él conocidas. La razón de este pago anticipado hay que buscarla en la protección del asegurado para que reciba un pago rápido y que éste no se demore con la excusa de que se está investigando el siniestro.

Para garantizar el pronto pago de la indemnización establece el legislador, en el art. 20 LCS todo un complejo sistema de penalización por demora en el pago. Se entiende que el asegurador incurre en mora si han transcurrido 3 meses desde la producción del siniestro o no hubiera procedido al pago del importe mínimo en el plazo previsto y se refiere tanto al pago de la indemnización como a la reparación o reposición del objeto asegurado. La mora a que se refiere el art. 20 incluye tanto la mora que se produzca en relación con el tomador del seguro o el asegurado, como la del beneficiario e, incluso, la del tercero perjudicado en los seguros de responsabilidad civil.

Las consecuencias de la mora se traducen en la imposición de unos intereses de demora especialmente gravosos para las aseguradoras que puede llegar a superar el 20%. En un primer momento, el tipo de interés por demora consistirá en el pago de un interés anual igual al interés legal del dinero incrementado en un 50% y se entenderán producidos por días. No se trata de un interés especialmente gravoso, si lo comparamos con el interés de demora para las operaciones comerciales, pero si la mora persiste transcurridos 2 años desde la producción del siniestro, el interés anual no podrá ser inferior al 20%, caso que sí es mucho más alto que el previsto para otros intereses de demora en otras operaciones en nuestro país, y, por supuesto, con los tipos que rigen en otros países. La base inicial a la que se aplica el tipo de interés es la indemnización debida o el importe mínimo de lo que el asegurado pueda deber. Ahora bien, la falta de liquidez, dice el art. 20.5° no impide que comiencen a devengarse intereses en la fecha del siniestro. Estos intereses moratorios no se pagarán cuando la falta de pago de la indemnización o del importe mínimo esté fundada en una causa justificada o que no le fuera imputable, pero, como vemos, no puede ser considerada como tal la falta de liquidez de la indemnización o del importe mínimo, aunque ello no pueda imputarse a la aseguradora.

La indemnización por mora se impone de oficio por el órgano judicial aunque no lo pidan las partes del contrato.

Por último, el término del inicio del cómputo de los intereses de demora es la fecha del siniestro, lo que resulta especialmente gravoso para el asegurador, al que, por lo que parece, la Ley busca sancionar y, por ello, adelanta el momento del devengo. El término final será distinto según los casos: si la mora es la del importe mínimo será el momento en que comiencen a devengarse los intereses por el importe total de la indemnización; en los demás casos, el término final del devengo será el del pago total.

VI. DURACIÓN DEL CONTRATO, PRESCRIPCIÓN Y JUEZ COMPETENTE

El art. 22 de la LCS establece que la duración del contrato se determine en la póliza la cual no podrá fijar un plazo superior a 10 años, plazo que, lógicamente, no será de aplicación a los seguros de vida. Las partes pueden, por tanto, fijar libremente el período de duración dentro de ese plazo de 10 años ya que la Ley no permite contratos de duración indefinida, lo que no impide, sin embargo, que el contrato pueda durar mucho más, ya que puede establecerse que se prorrogue una o más veces por un período no superior a un año cada vez. La prórroga puede ser expresa o tácita, como sucede en la mayoría de los contratos, ya que las partes pueden pactar que el contrato se prorrogue por un año si llegado el fin del período para el que fue contratado ninguna de ellas se opone a la prórroga mediante una notificación escrita a la otra parte, efectuada con un plazo de dos meses de anticipación a la conclusión del período del seguro en curso.

Por otra parte, como causas de extinción del contrato, además del vencimiento del término, se incluyen la cesación del riesgo, o la alteración de las circunstancias del mismo, la alteración de la naturaleza de las cosas, el acuerdo de las partes y la resolución por incumplimiento. La realización del siniestro no supone por sí misma la finalización del contrato. Para que esto suceda será necesario que no exista el riesgo de que vuelva a producirse como sucede en los seguros de responsabilidad civil. Se plantea la cuestión de si puede pactarse en el contrato que, producido el siniestro, cualquiera de las partes pueda darlo por resuelto, cuestión ésta en la que la doctrina se muestra discrepante entre su validez con ciertos límites o su invalidez ya que se consideran abusivas si la decisión queda restringida a una de las partes. (El TS ha declarado la invalidez entre otras en las STS [3ª] 3.3.2002, 13.6.2002 ó 24.6.2002).

Las acciones que se deriven del contrato de seguro prescribirán, dice el art. 23 LCS, en el término de dos años, si se trata de seguro de daños, y de cinco, si el seguro es de personas. Estos plazos podrán ser ampliados por pacto, en beneficio del tomador, pero no restringidos y el plazo empezará a contarse desde el momento en que pudieron ejercitarse, según el art. 1969 CC.

Por último, la Ley, en su art. 25, se muestra tajante respecto del juez competente para el conocimiento de las acciones derivadas del contrato señalando que lo será el del domicilio del asegurado y será nulo cualquier pacto en contrario.

Seguros contra daños y seguros de personas

Mª JOSÉ OTAZU SERRANO*

Profesora Asociada de Derecho Mercantil
Universidad Pública de Navarra

INMACULADA GONZÁLEZ CABRERA**

Profesora Contratada Doctora de Derecho Mercantil
Universidad de Las Palmas de Gran Canaria

---

* Autora del epígrafe I (*Seguros contra daños*).
** Autora del epígrafe II (*Seguros de personas*).

I. SEGUROS CONTRA DAÑOS

1. DISPOSICIONES GENERALES

1.1. Concepto

En virtud del art. 1 de la LCS: «*El contrato de seguro es aquel por el que el asegurador se obliga, mediante el cobro de una prima y para el caso de que se produzca el evento cuyo riesgo es objeto de cobertura a indemnizar, dentro de los límites pactados, el daño producido al asegurado o a satisfacer un capital, una renta u otras prestaciones convenidas*». Por lo tanto, en caso de producirse el hecho objeto del contrato de seguro, el asegurador deberá proceder a indemnizar al asegurado. Sin embargo, como veremos a continuación, el concepto de seguro de daños significa que debemos tener en cuenta especialmente, las características implícitas en él.

1.2. Características

a. Interés asegurado

Especial importancia tienen en el seguro de daños el interés asegurado y la suma asegurada. El interés asegurado es la relación de carácter económico que existe entre una persona y un bien, que será el objeto del contrato de seguro (no debe confundirse con los objetos, cosas o bienes del contrato). El interés debe distinguirse del riesgo, si bien es cierto que son conceptos que están relacionados estrechamente, de tal forma que sin riesgo no podría existir el interés. La relevancia del interés del asegurado es tal que el propio art. 25 de la LCS establece claramente que: «*Sin perjuicio de lo establecido en el art. 4º, el contrato de seguro contra daños es nulo si en el momento de su conclusión no existe un interés del asegurado a la indemnización del daño*».

Es decir, sin interés, no hay contrato de seguro, si interpretamos literalmente dicho artículo. Sin embargo, parece que deberían tenerse en cuenta los riesgos futuros, ya que puede que no existieran en el momento de la conclusión del contrato, pero sí posteriormente, por ejemplo, aseguramiento de mercancías que van ser transportadas, pero no lo están siendo aún o se están llevando a cabo gestiones que hacen que estén paradas. Es decir, que el interés debe existir en la fecha en que comienza a tener eficacia el mismo, aunque se haya concluido con anterioridad. Posiblemente, el legislador podría haberlo plasmado de forma unívoca en la Ley, sin embargo, se ha mantenido en el Anteproyecto de Ley de Contrato de Seguro tal y como se contempla en la legislación vigente. Ahora bien, la redacción del art. 25 es clara: hace referencia al momento de su conclusión. Sin embargo, debemos añadir, que no sólo en este momento debe existir el interés del asegurado, sino que deberá existir a lo largo de la duración del contrato.

En la misma línea se plantea el problema de la desaparición del bien, en este caso se debería hacer mención a la resolución del contrato de seguro, no a la nulidad; pongamos un ejemplo: si se había asegurado por robo y se produce un incendio que destruye dicho bien. Sin embargo, el art. 25 nada prevé al respecto. Pueden existir varios intereses sobre un mismo objeto, por ejemplo, el interés del propietario, el del usufructuario o el interés del arrendatario. Debemos traer a colación en esta cuestión el art. 8 de la LCS, según el cual: «...*Contendrá las indicaciones siguientes:* ...*2.–El concepto en el cual se asegura*». Si el art. 25 exige la existencia del interés del asegurado a la indemnización del daño, ¿qué ocurre si no existe dicho interés?. La respuesta nos la da el propio art. 25: el contrato de seguro contra daños será nulo. Esta referencia a la nulidad no es de carácter genérico, sino concreta desde la terminología jurídica. De tal forma es así, que si no existiera el interés para el asegurado, tampoco se podría determinar el daño que debería ser indemnizado. Y así lo establece el art. 26 de la LCS: «...*Para la determinación del daño se atenderá al valor del interés asegurado en el momento inmediatamente anterior a la realización del siniestro*».

b. Suma asegurada

Su definición la encontramos en el art. 27 de la LCS: «*La suma asegurada representa el límite máximo de la indemnización a pagar por el asegurador en cada siniestro*». De esta afirmación, se deduce que la suma asegurada no es lo mismo que el valor del interés que se quiere asegurar, es decir, que se referirá a la cifra máxima del valor del interés asegurado, no del asegurable. Así, en la doctrina se distingue entre valor asegurable y valor asegurado, este último es el que el asegurador deberá indemnizar y que se concretará en la suma asegurada. En algunos seguros, el valor del interés no puede determinarse hasta que se produce el siniestro, lo que nos lleva a afirmar que la suma asegurada podría no determinarse en el momento de la conclusión del contrato de seguro, cosa que no podría ocurrir en el caso del interés, como hemos visto en el punto anterior. Como ejemplo de estos supuestos, podemos hacer referencia al seguro de responsabilidad civil. Si bien es cierto, que se podría pactar un límite de indemnización. Cuestión que nos lleva a analizar la relación entre el interés y la suma asegurada.

c. Relación entre el interés y la suma asegurada

En primer lugar, debemos tener presente el comienzo de la redacción del art. 26 LCS cuando establece claramente que «*El seguro no puede ser objeto de enriquecimiento injusto para el asegurado».* Como consecuencia de ello, si no se ha producido un daño, no procederá la indemnización. Pero además, pueden darse distintas situaciones que pueden llevar a desagradables sorpresas para el asegurado, para evitarlo, analizaremos dichas situaciones que se pueden plantear cuando no coinciden el valor del interés y la suma asegurada: infraseguro, sobreseguro y seguro pleno cuando sí coinciden.

Infraseguro: Art. 30 LCS: *«Si en el momento de la producción del siniestro la suma asegurada es inferior al valor del interés, el asegurador indemnizará el daño causado en la misma proporción en la que aquélla cubre el interés asegurado».* Se aplica la llamada regla proporcional, que admite pacto en contrario, según el citado artículo, es decir, el asegurador deberá indemnizar el daño aplicando la proporción entre el valor del interés y la suma asegurada.

Sobreseguro: Cuando la suma asegurada es superior al valor del interés asegurado. Art. 31 LCS: *«Si la suma asegurada supera notablemente el valor del interés asegurado, cualquiera de las partes del contrato podrá exigir la reducción de la suma y de la prima, debiendo restituir el asegurador el exceso de las primas percibidas. Si se produjese el siniestro, el asegurador indemnizará el daño efectivamente causado. Cuando el sobreseguro previsto en el párrafo anterior se debiera a la mala fe del asegurado el contrato será ineficaz. El asegurador de buena fe podrá, no obstante, retener las primas vencidas y las del período en curso».* El sobreseguro genera cierto recelo, ya que el legislador desconfía de quien contrata un sobreseguro, ya que puede inducir al asegurado a provocar el siniestro, sin perjuicio de las connotaciones penales que puede tener el hecho en sí mismo si ocurriera, pero además, como vemos por el tenor literal del art. 31, no le serviría, ya que el asegurador deberá indemnizar el daño efectivamente causado.

Seguro pleno: Cuando coinciden la suma asegurada y el valor del interés. En este caso el asegurador deberá indemnizar la totalidad del daño causado. En conclusión podemos afirmar que es el seguro pleno el aconsejable, tanto en beneficio del asegurado como del asegurador.

d. *Principio indemnizatorio y determinación del daño*

Tanto el principio indemnizatorio como la determinación del daño se encuentran contemplados en el art. 26 de la LCS, aunque ha incluido la limitación relativa a la prohibición del enriquecimiento injusto que ya hemos comentado. Sistemáticamente, este principio está referido a los seguros de daños, aunque también tiene aplicación en otro tipo de seguros. Para calcular la indemnización, se deben tener en cuenta tres elementos: el valor del interés asegurado, el daño causado y la suma asegurada.

El momento que se tendrá en cuenta para el pago de la indemnización por parte del asegurador será el momento inmediatamente anterior a que ocurra el siniestro, es decir, no se tiene en cuenta el momento de la conclusión del contrato. Sin embargo, las partes pueden variar el contenido de este principio indemnizatorio, ya que la LCS les permite en virtud de su art. 28 que: «*No obstante lo dispuesto en el art. 26, las partes, de común acuerdo, podrán fijar en la póliza o con posterioridad a la celebración del contrato el valor del interés asegurado que habrá de tenerse en cuenta para el cálculo de la indemnización*». Es decir, que las partes tienen libertad para pactar el importe de la indemnización, incluso pueden acordar que si ocurre el siniestro, se tenga en cuenta el valor a nuevo del bien objeto del contrato. En este caso, se tienen en cuenta también los gastos que tiene el asegurado para volver a la situación anterior a ocurrir el siniestro. Por ello, no parece que éste se beneficie de un enriquecimiento injusto, sino que vuelve a su situación. Lógicamente, la prima será calculada con arreglo a la suma asegurada a valor nuevo y no hay que olvidar que las partes tienen libertad para pactar la indemnización a valor nuevo, para ello existen las cautelas necesarias para evitar abusos.

Por otro lado, el art. 26 LCS establece: «*... Para la determinación del daño se atenderá al valor del interés asegurado en el momento inmediatamente anterior a la realización del siniestro*». El principal problema que se va a plantear si el importe de la indemnización no está pactada entre las partes, será el de la valoración del daño. Como hemos dicho, la valoración que tenía el bien objeto del seguro, en el momento inmediatamente anterior a ocurrir el siniestro. La valoración del daño debería realizarse con criterio objetivos, salvo que se haya previsto en el contrato de seguro el valor subjetivo que tiene para el asegurado el bien objeto del contrato. Por ello, se suele acudir al denominado valor venal o de mercado, al valor de uso, al valor de reconstrucción o al valor a nuevo, si así se ha previsto.

Las partes deberán llegar a un acuerdo relativo a esa valoración del daño, en caso de no ser así, la LCS ha previsto la intervención de los peritos. Así se ha establecido en el art. 38 de la LCS, según el cual, el asegurador deberá abonar al asegurado la indemnización si ambas partes están de acuerdo. Sin embargo, si no hay acuerdo entre las partes, «*... cada parte designará a un perito, debiendo constar por escrito la aceptación de éstos. Si una de las partes no hubiera hecho la designación, estará obligada a realizarla en los ocho días siguientes a la fecha en que sea requerida por la que hubiera designado el suyo, y de no hacerlo en este último plazo se entenderá que acepta el dictamen que emita el perito de la otra parte, quedando vinculado por el mismo*». En este caso, puede ocurrir que los peritos lleguen o no a un acuerdo: si lo hacen, presentarán un acta conjunta y si no, se designará un tercer perito, bien por las partes, o bien por el Juez si no lo hacen ellas. En cualquier caso, el límite máximo de la indemnización será la suma asegurada, tal y como lo establece el art. 27 de la LCS.

1.3. Clases de seguros contra daños

Hay una gran variedad de seguros de daños, destacaremos los siguientes: seguro de incendios, seguro contra robo, seguro de transporte, seguro de crédito, seguro de caución, seguro de responsabilidad civil, seguro de defensa jurídica. Cada vez es más amplia esta relación de seguros contra daños, ya que por un lado, nos encontramos con la exigencia por parte de la Administración de contratar seguros en muchas de las actividades, baste citar como ejemplo, la Ley de edificación; y por otro lado, la evolución de la sociedad, que cada vez quiere estar más protegida. Los seguros enumerados son los que están regulados en la LCS, sin embargo, hay otros que no lo están y que habrá que aplicarles las normas generales de la LCS. Como por ejemplo los seguros de rotura de maquinaria, de cobertura de ciertos riesgos industriales, de responsabilidad civil del automóvil, los agrícolas (algunos de éstos tienen regulación fuera de la LCS), etc.

1.4. Disposiciones comunes a todos los tipos de seguros de daños

La legislación que regula los contratos de seguros contiene una serie de disposiciones que se aplican a todas las clases y contiene otras disposiciones específicas para cada una de las clases. En algunos supuestos nos encontraremos que incluso existe una doble regulación, civil y mercantil y en algún otro (los menos), que no existe ninguna. En este punto, nos remitimos a las disposiciones comunes a los seguros de daño desde el punto vista mercantil que están contempladas en los artículos 25 a 44 de la LCS.

Algunas de estas disposiciones ya las hemos estudiado, por ello, haré referencia a las siguientes: entre estas disposiciones comunes debemos destacar la contemplada en el art. 32 referente a la obligación que tiene el tomador del seguro o el asegurado de comunicar al asegurador la existencia de varios seguros sobre el mismo riesgo, el mismo interés y durante el mismo tiempo, tan importante es este mandato que si no se hiciera y hubiera dolo, los aseguradores quedarían relevados de cumplir con la obligación de indemnizar. El art. 33 establece que en los supuestos anteriores, los aseguradores deberán pagar la indemnización de forma proporcional, salvo pacto en contrario. En realidad, estos artículos están haciendo referencia al llamado «coaseguro», y las condiciones o requisitos que deben darse son los del art. 33 a.

Otra cuestión importante, es la contemplada en el art. 38 en relación a la obligación que tiene el asegurado o el tomador de comunicar por escrito la lista de los objetos que se han perdido y los que se han salvado con ocasión del siniestro. Quien tiene la carga de la prueba es el asegurado y en esta línea, el contenido de la póliza servirá para ello. En el art. 43 se prevé el derecho de repetición que tiene el asegurador una vez que haya pagado la indemnización. Estableciendo así mismo las limitaciones que afectará a la subrogación del asegurador en los derechos y acciones del asegurado. Por último, el art. 44 establece que: «*El asegurador no cubre los daños por hechos derivados de conflictos armados, haya precedido o no declaración oficial de guerra, ni los derivados de riesgos extraordinarios sobre las personas y los bienes, salvo pacto en contrario.*» Estos riesgos excluidos de la cobertura del asegurador son asumidos por el Consorcio de Compensación de Seguros.

2. EL SEGURO DE INCENDIOS

2.1. Concepto

Las disposiciones específicas aplicables al seguro de incendio se encuentran en los artículos 45 al 49. En el primero de ellos, se hace referencia a la definición legal de incendio: «*Por el seguro contra incendios el asegurador se obliga dentro de los límites establecidos en la Ley y en el contrato a indemnizar los daños producidos por incendio en el objeto asegurado. Se considera incendio la combustión y el abrasamiento con llama, capaz de propagarse, de un objeto u objetos que no estaban destinados a ser quemados en el lugar y momento en que se produce*». En esta definición legal se presenta el problema de la delimitación del riesgo que ya ha sido realizada por el citado artículo. Se refiere en concreto a «la combustión» y al «abrasamiento con llama», es decir, que si no se dan estas condiciones, no habrá incendio. De todo ello se deriva que por ejemplo, si se produce una explosión, ésta no encaje dentro de la definición legal de incendio, pero si lo haría si produce un incendio, aunque sólo sería objeto de la cobertura los daños producidos por éste, no por la explosión, salvo que las partes pacten otra cosa. El mismo problema se plantea en el caso de que se produzca un autocalentamiento.

Por otro lado, la definición legal añade «*...de un objeto u objetos que no estaban destinados a ser quemados*», es decir, que puede haber supuestos en los que no se incluirían en la definición de incendio porque en principio estaban destinados a quemarse, por ejemplo, fiestas tradicionales, puede ocurrir que se dé algún problema de carácter técnico. Y lo mismo ocurrirá en el caso de daños eléctricos, el seguro dará cobertura a lo daños que produzca el incendio a otros objetos, pero no cubrirá el causante del incendio, ya que se entiende que se debe a su funcionamiento.

2.2. Interés

En el seguro de incendios, al referirnos al interés debemos remitirnos a las normas generales aplicables al seguro de daños –artículos 25 y 26 LCS–. Como dijimos pueden existir diversos intereses, puede existir el interés del propietario, del arrendatario, del arrendador, del empresario, del usufructuario, del propietario o copropietario, etc.; en definitiva de todas aquellas combinaciones que pueden presentarse cuando se separa la posesión del bien objeto de seguro. Lo único que exige la ley es que se refleje en la póliza el interés con el que se actúa.

2.3. Objeto

El art. 46 de la LCS expresa claramente cuáles serán los objetos del seguro de incendio: *«... se extenderá a los objetos descritos en la póliza»*. Sin embargo, después de esta referencia, que también está regulada en el art. 8, el art. 46 especifica el tipo de bienes, si son de carácter mobiliario, se incluirán en la cobertura las cosas de uso ordinario o común tanto del asegurado como de sus familiares, dependientes y personas que convivan con él. También pueden ser objeto del seguro los bienes inmuebles, si bien es cierto que la LCS no incluye normas específicas para proceder a la valoración de los mismos. Por ello podemos, afirmar que cobra especial importancia el acuerdo entre las partes, sin olvidar que en la práctica existen parámetros para valorar los bienes inmuebles, teniendo en cuenta, su destino, ubicación, antigüedad, valor artístico, etc.

Se denomina continente al seguro que da cobertura a los bienes inmuebles para distinguirlo de esta forma del contenido, que hace referencia a los bienes muebles que se encuentran dentro. En cuanto a los bienes muebles, denominados en la LCS como mobiliario, debemos tener en cuenta los excluidos enumerados en el citado art. 46, salvo pacto en contrario: *«...no quedarán comprendidos en la cobertura del seguro los daños que cause el incendio en los valores mobiliarios públicos o privados, efectos de comercio, billetes de banco, piedras y metales preciosos, objetos artísticos o cualesquiera otros objetos de valor que se hallaren en el objeto asegurado, aun cuando se pruebe su preexistencia y su destrucción o deterioro por el siniestro»*. Posiblemente, esta exclusión tiene su fundamento en el valor de los mismos y en la difícil prueba de su preexistencia al ocurrir el siniestro, sin embargo, en la redacción actual de la LCS, se admite el pacto en contrario.

2.4. Riesgo cubierto

El riesgo al que da cobertura el seguro de incendio está contemplado en el art. 48 de la LCS: *«El asegurador estará obligado a indemnizar los daños producidos por el incendio cuando éste se origine por caso fortuito, por malquerencia de extraños, por negligencia propia o de las personas de quienes se responda civilmente.*

El asegurador no estará obligado a indemnizar los daños provocados por el incendio cuando éste se origine por dolo o culpa grave del asegurado». En este artículo se exige que exista una relación directa o un nexo causal entre el origen del incendio y el daño causado. En cualquier caso, debemos relacionar este artículo con la prueba, ya que el asegurador estará exento de cumplir su obligación si se acredita que en el incendio ha intervenido dolo o culpa grave del asegurado. Nos debemos remitir en este punto a las normas penales. La prueba servirá también para demostrar alguna de las causas previstas en el presente artículo.

El riesgo cubierto por el asegurador en primer lugar, es el incendio debido a caso fortuito, es decir, el evento inevitable o imprevisto al que hace referencia el art. 1105 del CC. Se plantea el problema de su delimitación, ya que cuando se hace referencia a «caso fortuito», el término es muy amplio, de tal forma que puede ocurrir que no se sepa exactamente qué hechos están encuadrados dentro del mismo y cuáles no. En segundo lugar, el art. 47 LCS hace referencia a la «malquerencia de extraños», es decir, que habrá que tener en cuenta quién es considerado extraño o no. Por ejemplo, en caso de divorcio, se considerará extraño al divorciado o no. Se ha entendido como extraños a los terceros distintos del asegurado. Y, en tercer lugar, la negligencia del asegurado, que plantea el problema del establecimiento de los límites entre dicha negligencia y la culpa grave y el dolo. Volvemos a la teoría de la prueba, que también será aplicada en el caso de la existencia o no de la negligencia del asegurado, que se extiende además a aquellos que dependen civilmente de mismo.

2.5. Daños indemnizables

El art. 49 de la LCS establece: *«El asegurador indemnizará todos los daños y pérdidas materiales causados por la acción directa del fuego, así como los producidos por las consecuencias inevitables del incendio y en particular: 1° Los daños que ocasionen las medidas necesarias adoptadas por la autoridad o el asegurado para impedir, cortar o extinguir el incendio, con exclusión de los gastos que ocasione la aplicación de tales medidas, salvo pacto en contrario. 2° Los gastos que ocasione al asegurado el transporte de los efectos asegurados o cualquiera otras medidas adoptadas con el fin de salvarlos del incendio. 3° Los menoscabos que sufran los objetos salvados por las circunstancias descritas en los números anteriores. 4° El valor de los objetos desaparecidos, siempre que el asegurado acredite su preexistencia y salvo que el asegurador pruebe que fueron robados o hurtados. 5° Cualesquiera otros que se consignen en la póliza».*

En primer lugar, esta lista es un «numerus apertus», pero parece que con la condición de que los posibles gastos sean previstos en la póliza. El art. 49 está haciendo referencia a los gastos que se derivan de la acción directa del incendio, sin embargo, en la enumeración seguida en su redacción, aparecen también los gastos derivados de acciones indirectas del incendio. En la práctica aseguradora también se incluyen en la póliza otras gastos como por ejemplo, los de desescombro, limpieza, honorarios de peritos, reposición de archivos... todos ellos al amparo del punto 5º del art. 49 LCS.

3. EL SEGURO CONTRA EL ROBO

3.1. Concepto

Art. 50 LCS: «*Por el seguro contra robo, el asegurador se obliga, dentro de los límites establecidos en la Ley y en el contrato, a indemnizar los daños derivados de la sustracción ilegítima por parte de terceros de las cosas aseguradas. La cobertura comprende el daño causado por la comisión del delito en cualquiera de sus formas*». En primer lugar, nos debemos fijar en el objeto de la cobertura de este seguro, el robo, que está tipificado en el Código Penal, es decir, la LCS no se está refiriendo a otro delito, sino que sólo lo hace al robo y no al hurto o a la estafa. Distinción que conviene tener en cuenta, ya que se suelen unir los términos, llegando a unificar uno y otro, de forma que la sorpresa del asegurado a la hora de reclamar la cobertura de su seguro es notable. Sin embargo, en algunos supuestos, los Tribunales han llevado a cabo una interpretación amplia o coloquial entendiendo que la referencia a robo en la LCS no está entendiendo el concepto de robo del Código Penal, sino que está incluyendo también el hurto, ya que se entiende que incluye en el concepto «la sustracción ilegítima por parte de terceros de las cosas aseguradas».

La definición de robo del art. 237 del Código Penal incluye la fuerza, violencia o intimidación: «*...con ánimo de lucro, se apoderaren de las cosas muebles ajenas empleando fuerza en las cosas para acceder al lugar donde éstas se encuentran o violencia o intimidación en las personas*». En la práctica aseguradora se utiliza la expresión «seguro contra robo y expoliación», el primer caso cuando hay fuerza en las cosas y el segundo cuando hay violencia o fuerza en las personas, es decir, que se tiene como fundamento el concepto penal.

3.2. Objeto

En el vigente art. 50 LCS se hace referencia a las «cosas aseguradas», en la redacción anterior se hacía una importante acotación, se refería a las «cosas muebles», excluyendo entonces a los inmuebles, si bien es cierto que no parece muy fácil robar un inmueble, pero si incorporarlo o añadirlo a otro. De aquí que cobre especial importancia en el seguro contra robo la localización de las cosas o bienes objeto de seguro, ya que en principio, la cobertura estará en función del lugar en dónde se encuentren y si el robo se produce en otro lugar, el asegurador no tendrá obligación de indemnizar, salvo que así se hubiera pactado. No olvidemos que esa clase de pólizas se tiene en cuenta, la ubicación, las medidas de seguridad, etc. Las cosas o bienes objeto del seguro de robo deberán estar descritas en la póliza.

3.3. Delimitación del riesgo

A tenor del art. 52 LCS: «_El asegurador, salvo pacto en contrario, no vendrá obligado a reparar los efectos del siniestro cuando éste se haya producido por cualquiera de las siguientes causas: 1ª Por negligencia grave del asegurado, del tomador del seguro o de las personas que de ellos dependan o con ellos convivan. 2ª Cuando el objeto asegurado sea sustraído fuera del lugar descrito en la póliza o con ocasión de su transporte, a no ser que una u otra circunstancia hubieran sido expresamente consentidas por el asegurador. 3ª Cuando la sustracción se produzca con ocasión de siniestros derivados de riesgos extraordinarios_». En primer lugar, podemos afirmar el carácter dispositivo de este artículo, al permitir el pacto en contrario de las partes. Por otro lado, también podemos observar que se lleva a cabo una delimitación de forma negativa y distinguiendo entre la delimitación objetiva, la subjetiva y la geográfica o física al hacer referencia al lugar.

3.4. Indemnización por el asegurador

En primer término, la indemnización del asegurador comprenderá tal y como se prevé en el art. 51 de la LCS el valor del interés asegurado y el daño que el robo causare en el objeto asegurado, siempre y cuando no aparezca en el plazo señalado en el contrato. Debemos añadir que puede aparecer, pero deteriorado o inservible, por lo que se valorará el estado del objeto y se procederá a la correspondiente indemnización, como ya vimos en las disposiciones generales. La LCS establece que para que el asegurador indemnice al asegurado, no sólo se debe producir el _siniestro lógicamente, sino que además, se le debe comunicar, así el art. 53 establece: «Producido y debidamente comunicado el siniestro al asegurador, se observarán las reglas siguientes: 1ª Si el objeto asegurado es recuperado antes del transcurso del plazo señalado en la póliza, el asegurado deberá recibirlo, a menos que en ella le hubiera reconocido expresamente la facultad de su abandono al asegurador. 2ª Si el objeto asegurado es recuperado transcurrido el plazo pactado, y una vez pagada la indemnización, el asegurado podrá retener la indemnización percibida abandonando al asegurador la propiedad del objeto asegurado, o readquirirlo, restituyendo en este caso, la indemnización percibida por la cosa o cosas restituidas_».

Partiremos en este tema de la esencial relevancia que tiene la prueba de la existencia del siniestro, es decir, que se ha producido la sustracción del bien objeto del contrato, pero como no es materia objeto de este estudio, entenderemos que se ha probado. El siguiente paso exigido por la LCS será la notificación o comunicación por parte del asegurado de la producción del siniestro, algo lógico, ya que a quien más interesa será al propio asegurado. Sin embargo, el art. 53 no establece plazo alguno, nos remite al señalado en la póliza, es decir, que serán las partes quienes decidirán ese plazo, aunque puede ocurrir que no aparezca ninguno, en este caso, en mi opinión, se deberá acudir al plazo establecido en el art. 16 general y en art. 38 para el seguro de daños. Recordemos: art. 16: *«… deberán comunicar al asegurador el acaecimiento del siniestro dentro del plazo máximo de siete días de haberlo conocido, salvo que se haya fijado en la póliza un plazo más amplio…»* y el art. 38: *«Una vez producido el siniestro, y en el plazo de cinco días, a partir de la notificación prevista en el art.16, el asegurado o el tomador deberán comunicar por escrito al asegurador la relación de los objetos existentes al tiempo del siniestro…».*

4. EL SEGURO DE TRANSPORTES TERRESTRES

4.1. Concepto

La definición legal, está contemplada en el art. 54 de la LCS: *«Por el seguro de transporte terrestre el asegurador se obliga, dentro de los limites establecidos por la Ley y en el contrato, a indemnizar los daños materiales que puedan sufrir con ocasión o consecuencia del transporte las mercancías porteadas, el medio utilizado u otros objetos asegurados».* Como vemos, el ámbito de aplicación de la normativa específica de la LCS se limita al transporte terrestre, es decir, que se excluyen los transportes aéreos y los marítimos. Al parecer, esta normativa específica para seguro de transporte terrestre se debe a la especial consideración y protección que debe darse a una de las partes que intervienen en el contrato, el consumidor. Si bien es cierto, en mi opinión, que también tiene esa condición en los demás seguros de transporte. La diferencia entre este seguro y los demás es la relativa a la situación física de los objetos del seguro, nos referimos al movimiento, ya que en los demás seguros, el objeto está en un mismo lugar, salvo que las partes acuerden otra cosa, mientras que en el seguro de transporte, la característica fundamental es el traslado de los bienes.

4.2. Modalidades

En nuestra doctrina son diversos los criterios que se utilizan para distinguir las clases de seguros de transporte terrestre, acudiremos a las más utilizadas: el seguro de transporte de mercancías, el seguro del medio utilizado y el seguro de transporte combinado. *Seguro de transporte de mercancías:* existe una clara relación entre el contrato de seguro y el de transporte, ya que se podrán asegurar todas aquellas cosas, bienes, objetos o mercancías o mercaderías que puedan ser transportadas, están excluidas las materias o mercancías peligrosas que tiene su propia normativa específica. Dentro de esta modalidad en el derecho español están incluidos el transporte de animales vivos, alimentos perecederos y equipajes.

Seguro del medio utilizado: las partes tienen plena libertad para pactar, ya que el único artículo que hace referencia a esta modalidad es el 2° párrafo del art. 61 permitiendo *«en caso de pérdida total del vehículo el asegurado podrá abandonarlo al asegurador, si así se hubiese pactado, siempre que se observen los plazos y los demás requisitos establecidos por la póliza».* Dentro de esta modalidad podemos hacer referencia al transporte llevado a cabo por medio del ganado, que hoy no es muy habitual; al transporte ferroviario que tiene sus propias normas y el más relevante que es el de vehículos a motor. Puede ser transporte de mercancías o de personas. En este último caso, se consideran viajeros incluidos en la cobertura del seguro, a aquellas personas que en el momento del accidente es poseedora de un billete. El transportista será el tomador del seguro y el obligado al pago de la prima del mismo.

Seguro de transporte combinado: está contemplado en el art. 55 LCS: *«En el caso de que el viaje se efectúe utilizando diversos medios de transporte, y no pueda determinarse el momento en que se produjo el siniestro, se aplicarán las normas del seguro de transporte terrestre si el viaje por este medio constituye la parte más importante del mismo. En caso de que el transporte terrestre sea accesorio de uno marítimo o aéreo se aplicarán a todo el transporte las normas del seguro marítimo o aéreo».* En este artículo pueden aparecer varios contratos, sin embargo, lo que interesa es que se trate de varios porteadores, pero, según la redacción del artículo, que utilices medios de transporte distintos. Y por otro lado, el problema se presenta en determinar el momento en que sucedió el siniestro. Si no hay prueba de ese momento, habrá que aplicar las normas del transporte terrestre si la mayor parte del mismo se ha realizado por tierra.

4.3. El interés

En el seguro de transportes terrestres no sólo el propietario del vehículo que realiza el transporte va a tener interés en asegurarlo, sino que a tenor del art. 56 pueden tenerlo también el propietario de las mercancías transportadas, sino también el comisionista de transporte y las agencias de transportes y además, todos aquellos que tengan interés en la conservación de las mercancías –entre estos, por supuesto el propio porteador–. Como vemos, es bastante amplia la relación de interesados en asegurar el transporte. Se presume que sólo hará falta acreditar esa relación para poder realizar el contrato de seguro.

4.4. Delimitación del riesgo

La LCS dedica a la delimitación del riesgo en el contrato de transporte los artículos 57 a 60. En primer lugar, en el art. 57 se establece la duración del seguro de transporte, podrá contratarse por viaje o por un tiempo determinado y el asegurador deberá indemnizar no sólo si el siniestro ha ocurrido durante la vigencia del contrato, sino si los efectos del mismo se han manifestado posteriormente, con un límite temporal de seis meses. Y según el art. 58, se entenderá que la cobertura comienza con la entrega de las mercancías al porteador y acaba con la entrega de las mismas al destinatario (cabe pacto en contrario). Los riesgos cubiertos por el seguro de transporte, habitualmente suelen ser, atendiendo a las cláusulas generales de las pólizas, el de incendio, rayo o explosión cualquiera que sea su causa excepto combustión espontánea, accidentes de diversa índole, robo, etc.

No podemos dar una lista exhaustiva de los riesgos y posibles hechos que dan lugar a la cobertura del asegurador, por ello, haremos mención a los riesgos excluidos, que con carácter general enuncia el art. 57: *«El asegurador no responderá por el daño debido a la naturaleza intrínseca o vicios propios de las mercancías transportadas»*. Es un redacción amplia, que no pone límites, ni hace distinción alguna, por ello, ha sido UNESPA –Asociación Empresarial de Seguros– quien ha distinguido entre los riesgos excluidos, daños excluidos y mercancías excluidas. Los riesgos excluidos: hacen referencia a la intervención del dolo del asegurado o del personal dependiente del tomador del seguro o del asegurado. Dolo o culpa grave, previsto en la LCS. Los daños excluidos se refieren, principalmente, al retraso. En las mercancías excluidas se hace referencia al defecto de fabricación, construcción, los derivados de materias radiactivas, mermas naturales, deficiencias en el envase o embalaje, inadecuado acondicionamiento...

5. EL SEGURO DE LUCRO CESANTE

5.1. Concepto

La definición legal está en el art. 63, en virtud del que *«el asegurador se obliga, dentro de los límites establecidos en la Ley y en el contrato, a indemnizar al asegurado la pérdida del rendimiento económico que hubiera podido alcanzarse en un acto o actividad de no haberse producido el siniestro descrito en el contrato»*. Debemos poner en relación este precepto con el art. 1106 CC en el que se define el lucro cesante como «la pérdida de un rendimiento económico», que puede ser total o parcial. La definición legal hace referencia también a los límites, los establecidos por la Ley y en el contrato, los primeros son los establecidos en el art. 64, deber de comunicación especial, ya que se debe realizar de forma inmediata al otro u otros aseguradores; el art. 65, deber de indemnización del asegurador no sólo de la pérdida de beneficios, sino los gastos generales que siga teniendo el asegurado después de la producción del siniestro y los gastos que sean consecuencia directa del siniestro; y el art. 67, en cuanto a la prohibición de predeterminar la cuantía de la indemnización.

5.2. La «pérdida de beneficios» por interrupción de la empresa

Es posiblemente la modalidad del seguro de lucro cesante más utilizada en la práctica empresarial y lamentablemente, cobra especial auge en la época que estamos viviendo. El art. 66 LCS permite que el titular de una empresa pueda asegurar no sólo la pérdida de beneficios, sino los gastos generales que haya de seguir soportando cuando la empresa quede paralizada total o parcialmente como consecuencia de los acontecimientos delimitados en el contrato. En primer lugar, está clara la libertad que se deja a las partes para establecer los acontecimientos que dará lugar a la paralización de la empresa y como consecuencia, la obligación de indemnizar del asegurador. Por lo tanto, habrá que estar a lo pactado. En la práctica aseguradora española se han establecido varias modalidades de este seguro: pérdida de beneficios como consecuencia de incendio, por avería de maquinaría, procesamiento de datos, por falta de suministros, etc.

6. EL SEGURO DE CAUCIÓN

6.1. Concepto

El único artículo que dedica la LCS a este contrato de seguro es el art. 68, y se refiere, fundamentalmente a definirlo: «*Por el seguro de caución el asegurador se obliga, en caso de incumplimiento por el tomador del seguro de sus obligaciones legales o contractuales, a indemnizar al asegurado a título de resarcimiento o penalidad los daños patrimoniales sufridos, dentro de los límites establecidos en la Ley o en el contrato. Todo pago hecho por el asegurador deberá serle reembolsado por el tomador del seguro*». Como vemos, nada se dice sobre la consideración del incumplimiento por parte del tomador del seguro, así parece que se deberá llevar a cabo una interpretación amplía, entendiendo que hay incumplimiento cuando no se ha realizado la prestación debida, incluido el retraso. Prima la autonomía de la voluntad plasmada en la póliza. Ante esta falta de concreción y regulación, la práctica aseguradora ha ido estableciendo varias modalidades, a cual más interesante. Citaremos: a) Seguro de afianzamiento de cantidades entregadas para adquisición de viviendas. b) Seguros de caución previstos en la Ley de Edificación de 5 noviembre de 1999. c) Seguro de caución a favor de las Administraciones Públicas. Y d) Cualquier otro pactado por las partes.

6.2. Breve referencia a su régimen jurídico

En el seguro de caución tiene una especial importancia la declaración del riesgo que debe realizarse en la póliza, de tal forma que si no es exacta, el asegurador podría quedar liberado de su obligación. También tiene el asegurado una obligación de comunicar las situaciones que puedan variar con el asegurado, así como la presentación de determinados documentos específicos como por ejemplo, la memoria, balance y cuenta de pérdidas y ganancias. El asegurador tiene derecho al reembolso frente al tomador del seguro, teniendo en cuenta que es éste quien causa el siniestro, el impago de sus obligaciones. El tomador del seguro deberá facilitar toda aquella información que le solicite el asegurador en relación con el siniestro.

7. EL SEGURO DE CRÉDITO

7.1. Concepto

En el seguro de crédito el asegurador se obliga a indemnizar al asegurado las pérdidas finales que experimente a consecuencia de la insolvencia definitiva de sus deudores. No se trata en este caso del incumplimiento como en el seguro de caución, sino que se está haciendo referencia a la situación de insolvencia. Por otro lado, el valor del interés en el seguro de crédito, hace referencia a un crédito que es susceptible de valoración en dinero.

7.2. Relevancia de la insolvencia como riesgo

Qué se entiende por insolvencia definitiva ha sido objeto de continua discusión en la doctrina y en la jurisprudencia. En el seguro de crédito, en concreto en el art. 70 de la LCS se aclaran cuáles son los supuestos en los que se entiende que existe insolvencia definitiva: «*1°–Cuando haya sido declarado en quiebra –hoy concurso– mediante resolución judicial firme. 2°–Cuando haya sido aprobado judicialmente un convenio en el que se establezca una quita del importe. 3°–Cuando se haya despachado mandamiento de ejecución o de apremio, sin que del embargo resulten bienes bastantes para el pago. 4°–Cuando el asegurado y el asegurador, de común acuerdo consideren que el crédito resulta incobrable*».

8. EL SEGURO DE RESPONSABILIDAD CIVIL

8.1. Concepto

Art. 73 LCS: «*...el asegurador se obliga, dentro de los límites establecidos en la*

Ley y en el contrato, a cubrir el riesgo del nacimiento a cargo del asegurado de la obligación de indemnizar a un tercero los daños y perjuicios causados por un hecho previsto en el contrato de cuyas consecuencias sea civilmente responsable el asegurado conforme a derecho». El seguro de responsabilidad civil cada vez es más importante en nuestra sociedad, por ello, sorprende que el Código de Comercio no lo regulara, sí lo hace la LCS, aunque sólo le dedica cuatro artículos, cuando su utilización y su problemática es verdaderamente intensa.

En primer lugar, podemos resaltar que el seguro de responsabilidad civil es un seguro de daños que beneficia al propio asegurado, ya que si ocurre el siniestro quien hará frente al mismo será el asegurador. No debemos olvidar, que beneficia al asegurado, pero no es éste el sujeto del seguro, ya que lo será el tercero perjudicado, algo que en la práctica es muy común no tenerlo en cuenta. Por ejemplo, seguro de responsabilidad civil de vehículos a motor, si sólo se ha asegurado con la cobertura obligatoria, ésta se refiere a los terceros, por lo tanto, el conductor si no es tercero, no estará cubierto.

El riesgo cubierto en este seguro es el surgimiento de una deuda debida a responsabilidad civil del asegurado. El tercero perjudicado podrá dirigirse tanto contra el asegurado como contra el asegurador, pero si el asegurado es declarado por los tribunales como exento de esa responsabilidad, el asegurador también será liberado de su obligación. En el seguro de responsabilidad civil la delimitación del riesgo, como en el resto de los seguros de daños, se deja a la libertad de las partes su establecimiento, aunque en el seguro de responsabilidad civil, se matiza que: *«... la obligación de indemnizar a un tercero los daños y perjuicios causados por un hecho previsto en el contrato de cuyas consecuencias sea civilmente responsable el asegurado, conforme a derecho».* En cualquier caso, hay que distinguir, lo mismo que en otra clase de seguros entre delimitación del riesgo y cláusulas limitativas, para ello nos remitimos al art. 73 y al art. 3 de la LCS.

8.2. Supuestos de obligatoriedad

Cada vez son mayores las normas que establecen la imposición de la contratación de un seguro de responsabilidad, con carácter general, hace ya varios años que así lo viene exigiendo la Administración Pública en un número muy elevado de disposiciones. Además, existen otras actividades que también los exigen, baste citar como ejemplo, el uso de vehículos a motor. Así, podemos clasificar los seguros de responsabilidad civil de la siguiente forma: seguro de responsabilidad civil por el uso de automóviles, de buques o de aeronaves; seguro de responsabilidad civil profesional de prestadores de servicios; seguro de responsabilidad civil del fabricante; seguro de responsabilidad civil del cazador; seguro de responsabilidad civil por uso de energía nuclear; o seguro de responsabilidad civil general. En la práctica aseguradora, en ocasiones es complicado dar cobertura a la exigencia de estas clases de seguro.

La obligatoriedad se encuentra contemplada con carácter general en el art. 75 LCS en el que claramente se establece que: «*Será obligatorio el seguro de responsabilidad civil para el ejercicio de aquellas actividades que por el Gobierno se determinen. La Administración no autorizará el ejercicio de tales actividades sin que previamente se acredite por el interesado la existencia del seguro. La falta de seguro, en los casos en que sea obligatorio, será sancionada administrativamente*». Podemos comprobar no sólo el carácter imperativo de éste precepto, sino las sanciones que llevará aparejado su incumplimiento.

8.3. Acción directa

Su ejercicio está regulado en el art. 76 de la LCS, es verdaderamente importante, ya que está reconociendo el derecho que tiene el perjudicado de poder reclamar al asegurador. La justificación de esta posibilidad contemplada en el mencionado artículo se encuentra en la protección del tercero perjudicado, si bien es cierto, que en algunos casos, puede conducir al planteamiento de un conflicto de intereses. Por otro lado, se reconoce el derecho de repetición que tiene el asegurador frente al asegurado, pero si la obligación de indemnizar por el daño o perjuicio del tercero se ha debido a la conducta dolosa del asegurado. Es tal la relevancia que se ha dado a la acción directa que el asegurador no podrá utilizar las excepciones que pudiera tener frente al asegurado, por ejemplo, que hubiera provocado una accidente bajo los efectos del alcohol. Cosa distinta, será si el asegurador acredita la culpa exclusiva del tercero perjudicado.

9. EL SEGURO DE DEFENSA JURÍDICA

9.1. Concepto

Mediante este seguro el asegurador deberá pagar los gastos del asegurado que se deriven de su intervención en un procedimiento administrativo, judicial o arbitral, y a prestarle los servicios de asistencia jurídica. El seguro de responsabilidad jurídica es cada día más importante, su auge se debe en buena parte, a la concienciación de los consumidores, por supuesto, reconociendo también la importancia de otras áreas y regímenes de vida de la actual sociedad. Ha pasado de ser un seguro, casi desconocido a ser ofrecido no sólo por las aseguradoras, sino por despachos de abogados y empresas de servicios. Pero hay que establecer claramente el ámbito del seguro de defensa jurídica, hace referencia a los gastos derivados de la intervención del asegurado en los distintos procedimientos y a prestarle la asistencia jurídica, pero están expresamente excluidos, el pago de las multas y las indemnizaciones que se le impongan al asegurado. En cualquier caso, habrá que estar a lo pactado por las partes, ya que en muchas ocasiones existen límites. La LCS diferencia el seguro de defensa jurídica al exigir que deberá constar en un contrato independiente, aunque permite que se pueda incluir cono capítulo aparte en una póliza única. En este caso, quedará especificado expresamente el contenido de la defensa jurídica garantizada y la prima que deberá abonarse.

9.2. La libre elección de abogado y procurador

El fundamento del reconocimiento de este derecho del asegurado, puede encontrarse en la especial relación que se produce entre el asegurado, convertido ahora en cliente, y su abogado, relación en la que debe primar la confianza. En mi opinión, también ha influido la creciente cultura de protección a los consumidores, ya que en una buena parte de las ocasiones, el asegurado tendrá la condición de consumidor. También se prevé la posibilidad de la existencia de conflicto de intereses, que pueden darse entre las partes intervinientes en el contrato. En relación a este derecho, el art. 76 e, establece la obligación que tiene el asegurador de informar al asegurado, de forma expresa, de los derechos reconocidos.

9.3. Exclusiones legales

Están contempladas en el art. 76 g de la LCS. En primer lugar, se refiere a la remisión al art. 74 para el caso del seguro de responsabilidad civil; en segundo lugar, establece a las limitaciones que se establecen en el supuesto de asistencia en viaje y en tercer lugar, a aquellos casos en los que intervengan buques o embarcaciones marítimas.

10. EL REASEGURO

El contrato de reaseguro tiene una gran importancia dentro de la actividad de las empresas aseguradoras y no está exento en esa práctica de problemas. El fundamento se encuentra en el reparto de los riesgos, que de otra forma no podrían ser asumidos por un asegurador solo. Basta citar como ejemplo, el aseguramiento de una empresa aeronáutica o de una central nuclear. Debemos tener en cuenta un hecho que no está exento de polémica: el art. 79 de la LCS, en virtud del que las normas imperativas de la LCS, para el reaseguro se convierten en dispositivas, como consecuencia de ello, serán las partes quienes acuerden el contenido del contrato de reaseguro.

La definición legal del reaseguro, es la contemplada en el art. 77 LCS: «*Por el contrato de reaseguro el reasegurador se obliga a reparar, dentro de los límites establecidos en la Ley y en el contrato, la deuda que nace en el patrimonio del reasegurado a consecuencia de la obligación por éste asumida como asegurador en un contrato de seguro. El pacto de reaseguro interno, efectuado entre el asegurador directo y otros aseguradores, no afectará al asegurado, que podrá en todo caso, exigir la totalidad de la indemnización a dicho asegurador, sin perjuicio del derecho de repetición que a éste corresponda frente a los reaseguradores, en virtud de pacto interno*».

A la vista de este artículo, en el reaseguro hay varios elementos personales intervinientes: reasegurador y reasegurado, ambos deben ser aseguradores y el asegurado, a quien no le afecta el contrato de reaseguro. El reasegurado será el titular del interés y por tanto tiene la consideración también de asegurado. El reasegurador es el asegurador que asume el riesgo reasegurado. Por otro lado, el contrato de reaseguro tiene plena autonomía con respecto al contrato de seguro, si bien es cierto que éste tendrá que existir para que se dé el contrato de reaseguro.

II. SEGUROS DE PERSONAS

1. ASPECTOS GENERALES

El título III de la LCS contiene la regulación de los seguros de personas, entendiendo por éstos aquellos contratos de seguro que tienen como finalidad la cobertura de riesgos que puedan afectar a la existencia, integridad corporal o salud del asegurado (art. 80 LCS). Entre ellos podemos distinguir el seguro de vida (en sus distintas formas), el seguro de accidente, el seguro de enfermedad y el de asistencia sanitaria.

Con carácter general, los mencionados seguros se caracterizan, de un lado, porque el objeto de todos ellos es la persona, de otro, porque cualesquiera de estos contratos pueden celebrarse con carácter individual o colectivo (art. 81 LCS) y, finalmente, porque la suma que ha de satisfacer el asegurador, una vez verificado el siniestro, ha de venir determinada en el contrato, lo que permite calificarlos como seguros de sumas. Además, con excepción de los gastos de asistencia sanitaria, es preciso destacar que en éstos el asegurador, aun después de pagada la indemnización, no puede subrogarse en los derechos que en su caso correspondan al asegurado contra un tercero como consecuencia del siniestro (art. 82 LCS).

Bien, antes de comenzar con el estudio de los mencionados seguros hemos de advertir que, siguiendo la sistemática utilizada en la LCS, abordaremos más detalladamente el contrato del seguro de vida, acometiendo de forma más somera el análisis de los seguros de accidentes, enfermedad y de asistencia sanitaria, a los que, como veremos, le son aplicables aspectos que estudiaremos en el primero de ellos.

2. EL SEGURO DE VIDA

2.1. Concepto y clases

Según la LCS (art. 83) por el seguro de vida el asegurador se obliga, mediante el cobro de la prima estipulada y dentro de los límites establecidos en la Ley y en el contrato, a satisfacer al beneficiario un capital, una renta u otras prestaciones convenidas, para el caso de muerte o bien de supervivencia del asegurado a una determinada edad, o de ambos eventos conjuntamente. Por tanto, podremos entender como seguro de vida aquel contrato de seguro en virtud del cual el asegurador, a cambio de una prima única o periódica, se compromete a pagar a la persona o personas designadas por el tomador una determinada cantidad de dinero o una renta periódica siempre que el asegurado fallezca, sobreviva a una edad determinada o se produzcan ambos eventos.

En el citado artículo 83 LCS se incluyen las tres modalidades clásicas del seguro de vida que atienden a la naturaleza del riesgo: el seguro de vida para caso de muerte, el seguro de vida para caso de supervivencia y el seguro de vida mixto. El contrato puede celebrarse con referencia a riesgos relativos a una persona o a un grupo de ellas, esto es puede ser individual o colectivo. En este último caso, el colectivo deberá estar delimitado por alguna característica ajena al propósito de asegurarse, como por ejemplo, los trabajadores de una empresa.

El seguro de vida para caso de muerte. En este tipo de seguro el asegurador se compromete a satisfacer el capital, la renta o las prestaciones pactadas cuando se produzca el fallecimiento del asegurado. Ahora bien, hemos de distinguir según se trate de un seguro de vida entera, en el que la cobertura del riesgo se extiende a toda la vida del asegurado, o según se trate de un seguro de vida temporal, en el cual la obligación del asegurador surge si la muerte del asegurado se produce dentro de un período de tiempo o plazo prefijado. El seguro de vida para caso de muerte puede estipularse sobre la propia vida del tomador o sobre la de un tercero, o bien sobre la vida de dos o más personas.

El seguro de vida para caso de supervivencia o para caso de vida. En esta clase de seguro la compañía aseguradora se compromete a satisfacer el capital, la renta o las prestaciones pactadas si el asegurado sobrevive a una determinada edad contemplada en el contrato o supera un plazo, también determinado, a contar desde la celebración del contrato. La supervivencia es, pues, el riesgo cubierto, de ahí que en esta modalidad resulte intrascendente la salud del asegurado.

El seguro de vida mixto. Esta última modalidad se caracteriza porque el asegurador se compromete a satisfacer el capital, la renta o las prestaciones pactadas tanto si el asegurado sobrevive a un determinado plazo o edad como si fallece antes de una fecha concreta. Los riesgos son pues alternativos.

En cualquier caso, para que podamos hablar de verdaderos seguros de vida y distinguirlos de otras figuras afines como, por ejemplo, los planes de pensiones, la LCS exige expresamente que la prestación aceptada en la póliza haya sido establecida por el asegurador mediante la utilización de criterios y bases de técnica actuarial (art. 83 párrafo 3º), mientras que los planes de pensiones utilizan técnicas más cercanas a las inversiones colectivas.

2.2. La póliza: especial referencia a los derechos sobre la misma

Como cualquier contrato de seguro, el seguro de vida habrá de formalizarse por escrito, a través de la póliza. La póliza se caracteriza porque en ella se establecen los derechos y obligaciones de las partes. Por tanto, deberá contener, además de los datos habituales, las cláusulas particulares de este contrato entre las que se recogen, para el seguro de vida entera, los derechos de rescate, reducción de la suma asegurada y anticipos sobre la póliza, de los que trataremos a continuación. Estos derechos no serán de aplicación a los seguros de supervivencia y a los seguros temporales para caso de muerte, salvo que se reconozcan expresamente por el asegurador (art. 98 LCS).

El derecho de rescate es la facultad que la LCS reconoce al tomador o asegurado para denunciar o resolver anticipadamente el contrato de seguro, obteniendo el valor de la reserva matemática o valor de rescate del mismo. Para que surja dicho derecho es necesario que la propia póliza lo reconozca, siendo habitual a partir del segundo año de vigencia del contrato y, siempre que no se haya producido el fallecimiento del asegurado. El derecho de rescate puede ejercitarse mediante la simple renuncia o mediante una solicitud realizada al asegurador. En cualquier caso, una vez ejercitado, la compañía aseguradora está obligada a entregar al tomador la cantidad que corresponda, conforme a la tabla de valores fijadas en la póliza (art. 96 LCS).

Por su parte, la reducción de la suma asegurada supone el régimen aplicable, según la LCS, al impago de las primas de los seguros de fallecimiento. Así, si el tomador deja de pagar la prima del seguro para caso de muerte durante un determinado plazo (siempre que dicho plazo estuviera previsto en la póliza y nunca antes del transcurso de los dos años a computar desde la vigencia del contrato) éste no se rescinde; bien al contrario, el valor de la reserva matemática se imputa al pago de las primas no satisfechas o a las futuras que quedarán impagadas, de modo que la falta de pago de la prima producirá la reducción del seguro conforme a la tabla de valores inserta en la póliza (art. 95 LCS). De hecho, el propio tomador podrá rehabilitar la póliza, en cualquier momento, antes del fallecimiento del asegurado, debiendo cumplir para ello las condiciones establecidas en la póliza (art. 95 LCS).

Otro de los derechos que caracterizan a este tipo de seguros es que el asegurador deberá conceder al tomador anticipos sobre la prestación asegurada, conforme a las condiciones fijadas en la póliza, una vez pagadas, al menos, dos anualidades (art. 97 LCS). Por último, ha de señalarse que en todos los seguros de vida, cualquiera que sea su modalidad, se reconoce al tomador la posibilidad de pignorar la póliza, pero siempre y cuando no haya designado beneficiario con carácter irrevocable (art. 99.1 LCS). Entendemos por ésta la declaración que realiza el tomador en la propia póliza designando a un beneficiario con carácter inmutable.

2.3. Elementos personales

En el contrato de seguro de vida, además del asegurador y del asegurado, suelen aparecer otros elementos personales que requieren su estudio por separado. Se trata de la figura del tomador y del beneficiario. El tomador es la persona que estipula el contrato con el asegurador y firma la póliza comprometiéndose con ello al pago de la prima en las condiciones estipuladas en dicha póliza (art. 14 LCS), pudiendo coincidir o no con el asegurado. Por tanto, se caracteriza fundamentalmente porque a él corresponden las obligaciones de celebrar el contrato y pagar la prima. Tanto es así, que si el tomador no asume dicho pago, debiendo hacerlo el asegurado, pierde los derechos de rescate, anticipo, reducción o pignoración de la póliza en los términos ya expuestos, así como el derecho de designar al beneficiario del que trataremos más adelante.

Otro de los derechos del tomador, que resulta necesario destacar, es el derecho de resolución unilateral del contrato. Así, el tomador del seguro en un contrato de seguro individual de duración superior a seis meses que haya estipulado el contrato sobre la vida propia o la de un tercero podrá resolver unilateralmente el contrato sin necesidad de justificar la causa y sin penalización alguna dentro del plazo de 30 días siguientes a la fecha en la que el asegurador le entregue la póliza o documento de cobertura provisional. Se exceptúan de esta facultad unilateral de resolución los contratos de seguro en los que el tomador asume el riesgo de la inversión, así como los contratos en los que la rentabilidad garantizada esté en función de inversiones asignadas en los mismos [art. 83. a) 1 LCS].

Esta facultad de resolver el contrato deberá ejercitarse por el tomador mediante comunicación dirigida al asegurador a través de un soporte duradero, disponible y accesible para éste y que permita dejar constancia de la notificación. Es preciso advertir que esta facultad de resolución unilateral reconocida en la LCS, se ha extendido en nuestro Ordenamiento Jurídico a otros contratos celebrados con consumidores bajo la rúbrica de derecho de desistimiento, por virtud de la normativa de protección de los consumidores y usuarios (arts. 68 y siguientes de la LGDCU). La consecuencia que produce la resolución unilateral del contrato es, justamente, el cese de la cobertura del riesgo por parte del asegurador, teniendo derecho el tomador a la devolución de la prima que hubiera pagado, salvo la parte correspondiente al período de tiempo en que el contrato hubiera tenido vigencia. El asegurador dispondrá para realizar la devolución de un plazo de 30 días a contar desde la fecha en que reciba la comunicación de rescisión [art. 83. a) 3 LCS].

Como ya anticipamos, el tomador del seguro podrá designar uno o varios beneficiarios o modificar la designación anteriormente realizada, sin necesidad de consentimiento del asegurador. Dicha designación podrá realizarse en la propia póliza, en una ulterior declaración comunicada por escrito al asegurador o en testamento (art. 84 LCS). Asimismo, podrá revocar la designación del beneficiario en cualquier momento antes de producirse el siniestro o antes del vencimiento de la póliza, a menos que se trate de una designación irrevocable. Hay que destacar que la designación irrevocable del beneficiario conlleva, aparte de la renuncia a poder modificar la persona del beneficiario, la pérdida de los derechos de rescate, anticipo, reducción o pignoración de la póliza (art. 87 LCS). La revocación deberá hacerse en la misma forma establecida para la designación (art. 87 LCS).

Por otro lado, el asegurado es la persona física sobre cuya vida se constituye el seguro, esto es, se trata de la persona cuya muerte o supervivencia determina la obligación del asegurador a pagar un determinado capital, una renta o determinadas prestaciones, bien al tomador, bien al propio asegurado o a uno o varios beneficiarios. Como ha quedado expuesto, el asegurado puede o no coincidir con el tomador del seguro, puesto que el seguro de vida para caso de muerte puede estipularse sobre la propia vida del tomador o sobre la de un tercero, o bien sobre la vida de dos o más personas. Cuando el seguro de vida se realice sobre la vida de un tercero, conjunta o alternativamente, es preciso el consentimiento expreso y por escrito del asegurado, salvo que pueda presumirse de otra forma su interés por la existencia del seguro. Se presumirá dicho interés cuando existan relaciones de parentesco, cuando el seguro cubra una determinada deuda (_v. gr._ caso de la hipoteca), cuando existan vínculos laborales, societarios, etc. La falta de oposición del asegurado al seguro realizado por un tercero en los casos expresados permitirá suponer su interés por la existencia de dicho seguro (STS [1ª] 12.4.1993). Habrá de tenerse en cuenta que si el asegurado es menor de edad requerirá la expresa autorización de sus padres o representantes legales. Si el asegurado es menor de 14 años o es una persona incapacitada el seguro de vida para caso de muerte será nulo, a menos que la cobertura resulte inferior o igual a la prima satisfecha o al valor del rescate (art. 83, último párrafo LCS).

El beneficiario es la persona a cuyo favor se hace el seguro y, por tanto, es quien percibirá del asegurador el capital o la renta asegurada. Puede coincidir con el propio tomador (como ocurre en los seguros de supervivencia), o ser una persona distinta de aquél (_v. gr._ caso del seguro de fallecimiento). El beneficiario ocupa en el contrato de seguro una posición jurídica un tanto singular, pues si bien no es una de las partes del contrato, asume el derecho a percibir el capital o la renta estipulada en el citado pacto incluso en contra de las reclamaciones de los herederos legítimos y de los acreedores de cualquier clase del tomador del seguro. Unos y otros podrán, sin embargo, exigir al beneficiario el reembolso del importe de las primas abonadas por el contratante en fraude de sus derechos (art. 88 LCS). Como ya expusimos, el tomador del seguro podrá designar libremente al beneficiario sin necesidad de consentimiento del asegurador. La designación puede realizarse en la propia póliza, en una posterior declaración escrita que habrá de comunicarse al asegurador o bien a través de testamento. Hay que reiterar que, si éste es el caso, el derecho del beneficiario no nace de la disposición testamentaria, sino del propio contrato de seguro, debiendo, como señalamos, cumplir el asegurador con su obligación en contra de la oposición de los demás herederos (STS [1ª] 14.3.2003), de los acreedores o incluso aunque el testamento fuera declarado nulo.

La designación del beneficiario puede hacerse nominativamente o puede realizarse de forma genérica (a favor del cónyuge, descendiente, ascendiente, herederos, etc.). Obviamente, el uso de tales cláusulas permite que se susciten dudas acerca de quién o quiénes son las personas designadas por el tomador como beneficiarios (_v. gr._ caso de la persona casada en segundas nupcias cuando el seguro fue concertado en el momento de existir el primer matrimonio, persona separada de hecho y conviviendo con otra pareja, etc.). Para resolverlas el artículo 85 de la LCS dispone que, en caso de designación genérica de los hijos de una persona como beneficiarios, se reconozcan como tales, todos sus descendientes con derecho a herencia. Si la designación se hace en favor de los herederos del tomador, del asegurado o de otra persona, se considerarán como dichos herederos a quienes tengan esta condición en el momento del fallecimiento del asegurado. Si la designación se hace en favor de los herederos sin mayor especificación, se contemplarán como tales los del tomador del seguro que tengan dicha condición en el momento del fallecimiento del asegurado. La designación del cónyuge como beneficiario atribuirá tal condición igualmente al que lo sea en el momento del fallecimiento del asegurado. Por último, ha de señalarse que los beneficiarios que sean herederos conservarán dicha condición aunque renuncien a la herencia. Además de lo anterior, si la designación del tomador se hace en favor de varios beneficiarios, la prestación convenida se distribuirá por partes iguales, salvo estipulación en contra. Cuando se haga en favor de los herederos, la distribución tendrá lugar en proporción a la cuota hereditaria, salvo pacto en contrario. La parte no adquirida por un beneficiario podrá acrecer a los demás (art. 86 de la LCS).

2.4. El riesgo

El riesgo a cubrir por el seguro de vida dependerá, obviamente, del tipo o clase del seguro realizado. Así, si se trata de un seguro de vida para caso de fallecimiento el riesgo garantizado es la muerte efectiva del asegurado. Dicha muerte ha de entenderse en sentido biológico, pero también habremos de equiparar a la misma, la declaración judicial de fallecimiento prevista en el CC (arts. 193 y ss.), a partir de que dicha declaración sea firme. Por el contrario, en los seguros de vida, el riesgo asegurado es la supervivencia de la persona a la fecha establecida en el contrato. Por último, cuando se trate de seguros mixtos, el riesgo cubre tanto el fallecimiento como la sobrevivencia en las condiciones previstas en el propio contrato de seguro.

Precisamente dada la peculiaridad del riesgo que se asume, ocupa especial atención la declaración del riesgo que realiza el tomador del seguro en relación a la salud del asegurado y a su edad, dependiendo del seguro de vida de que se trate. Por lo que atañe a la salud del asegurado, el artículo 89 de la LCS establece que, en caso de reticencia e inexactitud en las declaraciones del tomador que influyan en la estimación del riesgo, se estará a lo establecido en las disposiciones generales de dicha Ley. Sin embargo, el asegurador no podrá impugnar el contrato una vez transcurrido el plazo de un año, a contar desde la fecha de su conclusión, a no ser que las partes hayan fijado un término más breve en la póliza y, en todo caso, salvo que el tomador del seguro haya actuado con dolo.

En este punto, ha de advertirse que la jurisprudencia no ha sido unánime respecto a declarar la existencia o no del contrato del seguro o cómo queda afectado éste cuando los datos aportados por el tomador o el asegurado han sido inexactos o cuando falta el cuestionario que habitualmente se presenta al asegurado. En efecto, no puede obviarse la importancia que tiene la declaración del riesgo en este tipo de seguros. Normalmente, dicha declaración se hace a través del formulario que se aporta por la entidad aseguradora, no siendo estrictamente necesario en todos los casos el pasar un previo reconocimiento médico, que suele quedar limitado cuando se aseguran cantidades importantes. A tal fin, el tomador o el asegurado habrán de rellenar el cuestionario aportado de forma veraz, sin incurrir en omisiones, a menos que el asegurador no aporte dicho cuestionario o bien cuándo las circunstancias que podrían influir en la valoración del riesgo no se encuentren en él (SSTS [1ª] 6.2.2001, 30.1.2003 y 19.2.2004).

Ahora bien, la relevancia de las inexactitudes o las omisiones del cuestionario rellenado por el tomador o el asegurado, en su caso, han sido, como ya se ha indicado, valoradas por nuestros Tribunales de forma diversa. Así, en algunas ocasiones se ha reconocido la nulidad del contrato de seguro por declaración inexacta del estado de salud del asegurado, atendiendo a la falta de buena fe inherente al contrato (SSTS [1ª] 8.2.1989, 6.2.2001 y 27.4.2006). En otras, por el contrario, se ha sostenido la existencia del mismo, aplicando, en tal caso, la regla de la equidad contenida en el artículo 10 LCS, a fin de reducir parcialmente la prestación debida adecuándola a la proporción existente entre la prima convenida y la que se hubiere aplicado de haberse conocido la verdadera entidad del riesgo (STS [1ª] 12.4.2004). También se ha estimado la denegación de la prima por inexactitud del estado de salud del asegurado en el momento de rellenar el cuestionario (STS [1ª] 30.1.2003). En relación a la inexactitud en la edad del asegurado, la LCS (art. 90) señala que el asegurador sólo podrá impugnar el contrato si la verdadera edad del asegurado en el momento de la entrada en vigor del contrato excede de los límites de admisión establecidos por aquél (normalmente, de sesenta a setenta años). En otro caso, si como consecuencia de una declaración inexacta de la edad, la prima pagada es inferior a la que correspondería abonar, la prestación del asegurador se reducirá en proporción a la prima percibida. Si, por el contrario, la prima satisfecha es superior a la que debería haberse abonado, el asegurador está obligado a restituir el exceso de las primas percibidas sin intereses.

Por último, hemos de destacar respecto al seguro para caso de muerte, que la LCS (art. 91) prevé que el asegurador sólo se libera de su obligación si el fallecimiento del asegurado tiene lugar por alguna de las circunstancias expresamente excluidas en la póliza, tales como radiación nuclear, competiciones deportivas, deportes o actividades de riesgo, etc. Entre ellas, sin embargo, no suele acogerse el suicidio una vez transcurrido el primer año de vida del contrato, de modo que todo supuesto de fallecimiento que no esté expresamente excluido de la póliza se entiende incluido en la misma.

2.5. La prima

Como en cualquier otro contrato de seguro, la prima es la contraprestación que abona el tomador del seguro al asegurador para que éste asuma el riesgo y satisfaga la prestación concertada (capital o renta) si se produce el siniestro. Su pago suele hacerse de forma fraccionada (ya sea anual, semestral o trimestral). No obstante, también es posible el pago con prima única (poco habitual). De utilizarse esta vía, la misma ha de ajustarse al Real Decreto 54/2005, de 21 de enero, por el que se modifican el Reglamento de la Ley 19/1993, de 28 de diciembre, sobre determinadas medidas de prevención del blanqueo de capitales, aprobado por el Real Decreto 925/1995, de 9 de junio, y otras normas de regulación del sistema bancario, financiero y asegurador.

El cálculo de la prima del seguro de vida se hace técnicamente sobre la base de tablas de mortalidad, de supervivencia, de invalidez y de morbilidad que deberán reunir determinados requisitos (art. 34.1 ROSSP). Las bases y métodos utilizados para el cálculo de las provisiones técnicas han de ponerse a disposición del público (art. 78.2 del ROSSP). Además, las bases técnicas de los seguros de vida han de contener: los criterios de selección de riesgos que haya decidido aplicar cada entidad, determinando, entre otros, las edades de admisión, períodos de carencia, supuestos de exigencia de reconocimiento médico previo, número mínimo de personas para la aplicación de las tarifas de primas de los seguros colectivos o de grupo y módulos de fijación de capitales asegurados en estos seguros, en su caso. Asimismo, incluirán las fórmulas para determinar los valores garantizados para los casos de rescate, reducción de capital asegurado y anticipos (art. 78.3 ROSSP).

También ha de tenerse en cuenta, en relación a los valores actuariales, el Real Decreto 1361/2007, de 19 de octubre, por el que se modifica el Reglamento de Ordenación y Supervisión de los Seguros Privados, aprobado por el Real Decreto 2486/1998, de 20 de noviembre, en materia de supervisión del reaseguro, y de desarrollo de la Ley Orgánica 3/2007, de 22 de marzo, para la igualdad efectiva de mujeres y hombres. Con el mismo, pretende darse cumplimiento a la Ley Orgánica 3/2007, de 22 de marzo, de Igualdad Efectiva de Mujeres y Hombres que, a tal fin, en su artículo 71, prohíbe la celebración de contratos de seguro en los que, al considerar el sexo como factor de cálculo de primas y prestaciones, se generen diferencias en las primas y prestaciones de las personas aseguradas. No obstante, habilita a que reglamentariamente se puedan fijar los supuestos en los que sea admisible determinar diferencias proporcionadas de las primas y prestaciones de las personas consideradas individualmente, cuando el sexo constituya un factor determinante de la evaluación del riesgo a partir de datos actuariales y estadísticos pertinentes y fiables. En estos supuestos sí podrán admitirse diferencias proporcionadas de las primas y prestaciones de las personas consideradas individualmente. No obstante lo anterior, en ningún caso los costes y riesgos relacionados con el embarazo y el parto justificarán diferencias en las primas y prestaciones de las personas consideradas individualmente (art. 76.6 ROSSP, tras la modificación operada por el Real Decreto 1361/2007 y STJUE 1.3.2011).

En los contratos de seguro, como se ha visto, el importe de la prima se calcula en función de la probabilidad de que pueda producirse el siniestro objeto del contrato. No obstante, la peculiaridad del seguro de vida, como ya avanzamos, consiste en alejarse del sistema habitual para permitir, entre otras modalidades, la posibilidad de contratación y abono de la prima por parte del tomador. Así, en los seguros de vida para el caso de muerte lo lógico sería ir pagando una prima poco cuantiosa en los primeros años de la contratación del seguro, dado que el riesgo es, en general, menor, y que la misma creciera proporcionalmente al riesgo una vez se avanza en edad. No obstante, ello implicaría que si bien, en principio y desde un punto de vista económico, la prima puede ser abordable por el tomador, llegaría un momento en que la misma sería demasiado alta. Precisamente por ello, en el seguro de vida se han utilizado dos sistemas que vienen a paliar dicho aumento: uno es aquél en el que en los primeros años la prima es muy superior al riesgo que se asume, mientras que en los últimos años es bastante inferior a aquél, pero dicho riesgo se compensa con la provisión matemática prevista en la norma. El otro, que se ha impuesto en los últimos años, consiste en el sistema de prima invariable, de modo que desde el primer al último pago la prima permanece inalterable a lo largo de la vida del seguro. También en este caso, se computa de modo que hacia la mitad de la vida del contrato se pueda ir compensando el mayor riesgo que se asume a partir de ese momento, a través del pago de una prima superior al riesgo asumido y a la inversión de la reserva matemática.

Con carácter general, en los contratos de seguros si el tomador no paga la prima a su vencimiento, el asegurador tiene derecho a resolver el contrato o a exigir el pago de la prima debida en vía ejecutiva, entendiéndose que si no la reclama dentro de los seis meses siguientes a su vencimiento el contrato queda extinguido (art. 15 LCS). Ello implica que de no abonarse la prima antes de que se produzca el siniestro, el asegurador quedará liberado de su obligación, salvo pacto en contrario. No obstante lo anterior, y como ya anticipamos, el impago de la prima en el seguro de vida no conlleva necesariamente la extinción del contrato. Por el contrario, siempre que transcurra el plazo previsto en la póliza, que no puede ser superior a los dos años, se prevé que la falta de pago produzca una reducción del seguro conforme a la tabla de valores inserta en la póliza, esto es, reduzca el importe de la prestación del asegurador llegado el siniestro, cargándose las primas impagadas a la reserva matemática (art. 95 LCS). Con todo, reiteramos que el tomador tiene derecho a la rehabilitación de la póliza, en cualquier momento, antes del fallecimiento del asegurado, debiendo cumplir, para ello, las condiciones establecidas en la póliza (art. 95 LCS).

2.6. El pago de la suma o renta asegurada

En los seguros de vida, la prestación del asegurador, como ya expusimos, puede consistir en un capital o en una renta que se determina previamente al formalizarse el contrato, por lo que no suelen existir problemas para liquidar el siniestro. Por ello, el asegurador deberá cumplir la prestación una vez que el asegurado o el beneficiario acrediten la existencia del evento asegurado, liberándose de su obligación si el fallecimiento del asegurado tiene lugar por alguna de las circunstancias expresamente previstas en la póliza (art. 91 LCS). También se liberará en caso de suicidio del asegurado si éste tiene lugar en el primer año de vida del contrato, quedando cubierto dicho riesgo a partir del transcurso de dicho año, salvo pacto en contrario (art. 93 LCS).

Recordemos que si se ha indicado de forma inexacta la edad del asegurado, y debido a ello se hubiere pagado una prima inferior a la que correspondería pagar, la prestación del asegurador se reducirá en proporción a la prima percibida. Por el contrario, dándose la misma situación, si la prima abonada fuera superior a la que debió corresponder en función de la edad del asegurado, el asegurador deberá restituir el exceso de las primas percibidas sin intereses (art. 90.2 LCS). Resulta relevante mencionar que la muerte del asegurado, causada de forma dolosa por el beneficiario, si bien impide que éste adquiera el derecho a la prestación, no libera al asegurador de la obligación establecida en el contrato, que integrará el patrimonio del tomador (art. 92 LCS).

2.7. El Registro de contratos de seguro de cobertura de fallecimiento

Por último y en relación al contrato que abordamos, no podemos omitir una breve referencia al Registro de Contratos de Seguros de cobertura de fallecimiento. El mismo resultaba necesario pues se advertía que eran muchos los ciudadanos españoles que tenían contratado uno o varios seguros de vida en cualquiera de sus modalidades, cuyo cobro no era reclamado por sus beneficiarios debido a que éstos desconocían su existencia y al breve plazo de prescripción. Dicha situación generaba de un lado, la pérdida de sus derechos y, de otro, producía ingentes beneficios indebidos para las compañías aseguradoras. Para poner fin a dicha situación se crea este Registro de carácter público en el que deben inscribirse todos los contratos de seguro de cobertura de vida que se celebren en el Reino de España. La obligación de comunicación de los datos al Registro recae plenamente sobre las entidades aseguradoras, que deberán hacerlo en el plazo de un año desde su entrada en vigor, constituyendo infracción administrativa el incumplimiento de las obligaciones establecidas en esta Ley.

El Registro de Contratos de Seguros de cobertura de fallecimiento es un registro público, dependiente del Ministerio de Justicia, que tiene como fin, suministrar la información necesaria para que pueda conocerse por los posibles interesados, con la mayor brevedad posible, si una persona fallecida tenía contratado un seguro para caso de fallecimiento, así como la entidad aseguradora con la que lo hubiere suscrito, a fin de permitir a los posibles beneficiarios dirigirse a ésta para constatar si figuran como beneficiarios y, en su caso, reclamar de la entidad aseguradora la prestación derivada del contrato (art. 2 LRCS). En definitiva, pues, este Registro se caracteriza porque: a) el Registro actúa únicamente a solicitud de la persona interesada; b) se limita a comunicar la condición de persona asegurada del fallecido; c) indica si existe o no contrato de seguro de vida y, de existir, identifica las entidades aseguradoras con que se hubieran suscrito dichos contratos. Y todo ello para facilitar, como hemos destacado, que los posibles beneficiarios puedan reclamar el cobro de sus derechos que es, en definitiva, el objetivo perseguido por esta Ley.

3. EL SEGURO DE ACCIDENTES

Entendemos por seguro de accidentes aquel en virtud del cual la entidad aseguradora se obliga al pago de los gastos sanitarios, si están incluidos en el contrato (art. 103 LCS), así como al abono de una indemnización por la lesión corporal que deriva de una causa violenta súbita, externa y ajena a la intencionalidad del asegurado, que produzca la invalidez temporal o permanente del asegurado o su muerte (art. 100). La determinación del concepto de accidente ha sido objeto de análisis por nuestra jurisprudencia (fundamentalmente en relación a si podría considerarse como tales el infarto de miocardio o las hemorragias cerebrales) aclarándose que el siniestro, necesariamente, ha de ser absolutamente ajeno no sólo a la intencionalidad del asegurado, sino externo al cuerpo de la víctima ya que se entiende que la lesión corporal ha de tener su origen en una causa distinta de un padecimiento orgánico, que no sea desencadenado de forma exclusiva, o, fundamentalmente, por una enfermedad (SSTS [1ª] 7.6.2006, 10.12.2007 y 21.5.2008). Además, debe existir una relación entre la causa (el accidente) y los efectos (la lesión que produzca la invalidez o el fallecimiento del asegurado).

La determinación del grado de invalidez que derive del accidente se efectuará después de la presentación del certificado médico de incapacidad. En el caso de invalidez permanente, el asegurado percibirá la cuantía de la indemnización que le corresponde, de acuerdo con el grado de invalidez que deriva del certificado médico y de los baremos fijados en la póliza (art. 104 LCS). En el supuesto de incapacidad temporal, en cambio, el asegurado percibirá una indemnización en concepto de dietas por el tiempo que dure su incapacidad. Por tanto, estamos ante un seguro cuya finalidad es la indemnización de los daños que sufre el asegurado en su propio cuerpo. La determinación de tales daños se hace en función de determinadas cantidades previamente fijadas en el contrato. Por su parte, la delimitación de los riesgos se realiza por las partes en el contrato, mediante inclusiones y exclusiones (caso, por ejemplo, de deportes de riesgos sin cobertura específica).

Según la LCS (arts. 83 a 86 y 87.1 LCS) al seguro de accidentes le son aplicables algunas disposiciones, ya estudiadas, sobre el seguro de vida. Así podemos mencionar, por ejemplo, el derecho de resolución unilateral del asegurado, su facultad para designar beneficiario o modificar dicha designación en cualquier momento, la percepción de la indemnización por parte de sus herederos, en defecto de beneficiario expreso, etc. No obstante lo anterior, existen disposiciones específicas que afectan al tomador del seguro de accidentes o al propio asegurado. Entre ellas, hemos de mencionar las siguientes: a) La obligación que tiene el tomador del seguro de comunicar a la compañía aseguradora la celebración de cualquier otro contrato de seguro de accidentes sobre la misma persona. El incumplimiento de este deber sólo puede dar lugar a una reclamación por los daños y perjuicios que origine, sin que el asegurador pueda deducir de la suma asegurada cantidad alguna por este concepto (art. 101 LCS); b) la liberación de la compañía aseguradora de su obligación a pagar la indemnización correspondiente si es el propio asegurado quien causa intencionadamente el accidente; y c) si es el beneficiario quien causa intencionadamente el siniestro, perderá su derecho a percibir la indemnización correspondiente, que recibirá, en tal caso, el tomador o a sus herederos (art. 102 LCS).

4. LOS SEGUROS DE ENFERMEDAD Y DE ASISTENCIA SANITARIA

Los seguros de enfermedad y de asistencia sanitaria se regulan en los artículos 105 y 106 de la LCS. Aunque, en principio, el artículo 105 aborda ambos seguros como aquellos en los que el asegurador podrá obligarse, dentro de los límites de la póliza, en caso de siniestro, al pago de ciertas sumas y de los gastos de asistencia médica y farmacéutica (seguro de enfermedad) o a la prestación directa de los servicios médicos y quirúrgicos (asistencia sanitaria), lo cierto es que nos encontramos ante dos seguros independientes que pueden combinar, si así se desea, las mencionadas prestaciones. En efecto, en el seguro de enfermedad el asegurador se obliga al pago de los gastos que se generen por la asistencia médica y farmacéutica derivados de la enfermedad sufrida por el asegurado. En cambio, en el seguro de asistencia sanitaria, la obligación de la entidad aseguradora es la de prestar la debida asistencia sanitaria (médica y farmacéutica) por medios propios o ajenos. No obstante, también se permite que, a la vez que se presta la asistencia sanitaria, pueda indemnizarse al asegurado por los gastos que le ocasione su incapacidad temporal con ciertas sumas diarias hasta un límite máximo de indemnización.

A ambos seguros les resultan de aplicación las normas relativas al seguro de accidentes siempre que sean compatibles con los mismos (art. 106 LCS).